Forum

Theologiae

Linguisticae

Interdisziplinäre Schriftenreihe
für Theologie und Linguistik

herausgegeben von

Erhardt Güttgemanns

9

LINGUISTICA BIBLICA BONN

Erhardt Güttgemanns

fragmenta semiotico-hermeneutica

**Eine Texthermeneutik
für den Umgang mit der Hl. Schrift**

1983
LINGUISTICA BIBLICA BONN

© 1983 by Linguistica Biblica Bonn
ISBN 3-87797-019-2
Gesamtherstellung:
Richard Schwarzbold, Witterschlick/Bonn
Printed in W. Germany

Meinen kongenialen Übersetzern

William G. Doty
(USA)

und

Isamu Taniguchi
(Japan)

als Zeichen des Dankes

gewidmet

Inhalt

8

Pia desideria huius libri

*Motti für den **Leser**:

"Νᾶφε καὶ μέμνασ' ἀπιστεῖν· ἄνϑρα ταῦτα τᾶν φρενᾶν." (1)

"Sie sind dazu da, um sich Dingen zu öffnen, die von Ihnen noch nicht gesehen worden sind und die im Prinzip unerwartet sind." (2)

*Motto über das **Verstehen**:

"Oft ist es besser, nicht zu verstehen, um zu denken, und man kann meilenweit im Verständnis davongaloppieren, ohne daß der kleinste Gedanke dabei herausspringt."(3)

*Motto über den **Text**:

"Man muß von Texten ausgehen, und zwar so, wie Freud es tut und empfiehlt, wie von einem heiligen Text. Der Autor, der Schreiber ist bloß ein Schreiberling und kommt erst an zweiter Stelle. Der Kommentar der Schriften war unrettbar verloren an dem Tag, an dem man die Psychologie von Jeremias, von Isaias, ja von Jesus hat ermitteln wollen."(4)

*Motto über die **Sprache**:

"die Sprache ist ebenso dazu da, um uns im Anderen zu gründen, wie um uns radikal daran zu verhindern, ihn zu verstehen."(5)

*Motto über den **désir**:

"BEGIERDE ist des Menschen Wesenheit selbst, sofern diese begriffen wird als durch jede gegebene Affektion ihrer bestimmt, etwas zu tun."(6)

*Motto über **"Negation"** und **"Arbeit"**:

"Die Begierde hat sich das reine Negiren des Gegenstandes und dadurch das unvermischte Selbstgefühl vorbehalten... Die Arbeit hingegen ist gehemmte Begierde, aufgehaltenes Verschwinden, oder sie bildet."(7)

*Motto über den **"Trieb"**:

"Wo ein mit sich Identisches einen Widerspruch in sich trägt..., da tritt nothwendig der Trieb hervor, diesen Widerspruch aufzuheben."(8)

*Motto über den **"Wunsch"**:

"WUNSCH ist die Begierde oder der Trieb nach dem Besitz eines Dinges, der durch die Erinnerung an eben dies Ding genährt,

1 **Epicharmos Comoediae** (Comicorum Graecorum Fragmenta, ed. G. Kaibel), Fragment 13 D: "Sei nüchtern und mißtrauisch: das sind die Gelenke des Geistes."
2 Jacques **Lacan, Das Ich in der Theorie Freuds und in der Technik der Psychoanalyse**, übers. v. Hans-Joachim Metzger. (Seminar II). 1980, 39.
3 Ders., **Schriften I**, ausgew. u. hg. v. Norbert Haas. (stw 137). 1975, 205.   4 Lacan, Seminar II, 197.   5 Ebda. 311.
6 Baruch de **Spinoza, Die Ethik nach geometrischer Methode dargestellt**, übers. v. Otto Baensch. (PhB 97). 1905, Nachdruck 1976, 167.
7 Georg Wilhelm Friedrich **Hegel, Phänomenologie des Geistes.** (Sämtl. Werke, Jubiläumsausg. 2). ³1951, 156 (Herrschaft und Knechtschaft); im Original z.T. gesperrt.
8 Ders., **System der Philosophie III. Die Philosophie des Geistes.** (Sämtl. Werke 10). ³1958, 276 (§ 426: Die Begierde).

und zugleich durch die Erinnerung an andere Dinge, die die Existenz des erstrebten Dinges ausschließen, gehemmt wird."(9)

*Motto über den **"manque à être"**:

"Die Beziehung auf das Object ist dem Subject.. nothwendig. Das letztere schaut in dem ersteren seinen eigenen Mangel, seine eigene Einseitigkeit an, – sieht im Object etwas zu seinem eigenen Wesen Gehöriges und dennoch ihm Fehlendes."(10)

*Motto über das (Wieder-)Finden von **"Sinn"**:

"Es (scil. das Fürsichsein) wird.. durch dieß Wiederfinden seiner durch sich selbst eigener Sinn, gerade in der Arbeit, worin es nur fremder Sinn zu seyn schien."(11)

*Motto über die **Wissenschaft**:

"Es ist auch ganz überflüssig, daß eine Wissensschaft, die etwas zu bieten hat, um Gehör und Anhänger werbe. Ihre Ergebnisse müssen für sie Stimmung machen, und sie kann abwarten, bis diese sich die Aufmerksamkeit erzwungen haben."(12)

*Motto über das **Schweigen**:

"Das Heilige hat immer seine raisons d'être. Warum gibt's immer eine Stelle, wo die Worte enden müssen? Vielleicht damit sie in jenem Bezirk fortbestehen."(13)

*Motto über **"Fragment"**:

Quid fragmenta sunt? Fragmenta στρώματα *constituendae elocutionis sunt atque sedes argumentorum amplificandae fidei; ordo aut* οἰκονομία *fragmentorum "est ut secundum textum naturalem singula persequamur."* (14)

---

9 Spinoza, Ethik 178f.
10 Hegel, System 278; im Original z.T. gesperrt.
11 Ders., Phänomenologie 157; im Original z.T. gesperrt.
12 **Sigmund Freud, Vorlesungen zur Einführung in die Psychoanalyse.** (Fischer-TB 6348). [3]1980, 82 (geschrieben 1915/16).
13 Lacan, Seminar II, 293.
14 **Sulpitii Victoris Institutiones oratoriae** (C. Halm, Rhetores Latini minores. 1863, 320, 11). Die ersten Zeilen sind eine freie Formulierung von mir im Geiste antiker Rhetorik; sie versuchen, die **methodologische** Funktion meines Verständnisses der "Fragmente" im Sinne **Schleiermachers** auszudrücken. Vgl. dazu unten Kap. 3.

1. Kapitel
Roland Barthes: Das Ziel der Hermeneutik - Die "Lust am Text"

Ich möchte meine Darstellung der Hermeneutik mit dem **Gedenken** an einen großen Toten beginnen, der am 26. März 1980 an den Folgen eines Verkehrsunfalls vom Februar in Paris im Alter von 64 Jahren verstorben ist: **Roland Barthes**. Ohne Roland Barthes ist eine zeitgenössische Beschäftigung mit **Literatur**(1), auch eine Beschäftigung mit der **Bibel**(2) nicht zu denken. Roland Barthes war nicht nur einer der größten lebenden Philosophen Frankreichs, sondern auch einer der engagiertesten **Liebhaber von Literatur**. Es kann zu Beginn dieses Buches nicht darum gehen, seine Philosophie insgesamt vorzustellen. Aber wir interessieren uns ja für **Hermeneutik**, und so wollen wir fragen: Welches **Erbe** hat Roland Barthes der Hermeneutik hinterlassen?

1. Der Umgang mit einem Text: Lust und Perversion

Wenn wir Roland Barthes fragen: Woran ist die Hermeneutik interessiert?, dann gibt er uns eine ganz einfache, aber auch verblüffende Antwort: Die Hermeneutik ist interessiert an der **"Lust am Text"**(3). Barthes hat 1973 ein französisches Buch mit dem Titel "Le Plaisir du Texte" geschrieben, welches 1974 als "Die Lust am Text" auf Deutsch erschienen ist. Dieses Buch ist ein faszinierendes, ein berauschendes Buch: es redet nämlich nicht nur **über** die Lust am Text; das Buch ist selbst als Rede eine Lust zu lesen. Das Buch zeigt also, wie das Lesen ein **"erotischer"** Akt sein kann.

Erotische Lust, ja sogar Wollust, empfinden wir, wenn wir uns mit einem fremden Körper vereinigen. Für Barthes ist auch der Text, erst recht der geschriebene Text, ein solcher **"Körper"**, und jedes Lesen eines Textes, jede lesende communicatio und communio ist einer **cohabitatio** ähnlich:

> "Die arabischen Gelehrten scheinen, wenn sie vom Text sprechen, den wunderbaren Ausdruck **der gewisse Körper** zu gebrauchen. Welcher Körper? Wir haben mehrere; den Körper der Anatomen und Physiologen, den die Wissenschaft sieht und ausspricht: das

---

1 Vgl. die Literaturliste unten S. 37.
2 Vgl. **Roland Barthes, Comment parler à Dieu**. Tel Quel 38. 1969, 32-54; ders., **Analyse structurale du récit**. A propos d'Actes 10-11. RechSR 58. 1970, 17-37.
3 Ders., **Die Lust am Text**, übers. v. Traugott König. 1974.

ist der Text der Grammatiker, der Kritiker, der Kommentatoren, der Philologen (das ist der Phäno-Text). Aber wir haben auch den Körper der Wollust, ausschließlich aus erotischen Beziehungen bestehend, ohne irgendein Verhältnis zum ersten: das ist eine andere Aufgliederung, eine andere Benennung; ebenso beim Text: er ist nur die offene Liste der Lichter der Sprache (jener lebendigen Lichter, jener aufflackernden Lichter, jener umherstreifenden Züge, die wie Saatkörner im Text verstreut sind und uns auf glückliche Weise die **semina aeternitatis** ersetzen, die **zopyra**, die landläufigen Begriffe, der fundamentalen Postulate der alten Philosophie). Der Text hat eine menschliche Form, er ist eine Figur, ein Anagramm des Körpers? Ja, aber unseres erotischen Körpers. Die Lust am Text wäre nicht reduzierbar auf sein grammatisches (phäno-textuelles) Funktionieren, so wie die Lust des Körpers nicht reduzierbar ist auf das physiologische Bedürfnis. Die Lust am Text, das ist jener Moment, wo mein Körper seinen eigenen Ideen folgt – denn mein Körper hat nicht dieselben Ideen wie ich."(4)

Von der Lust am Text weiß auch die **Bibel** etwas zu sagen, so daß Barthes mit seinen provokanten Äußerungen nicht beim Anzüglichen, sondern ganz bei der "Sache" ist.

"Wohl dem, der nicht wandelt im Rat der Gottlosen
noch tritt auf den Weg der Sünder
noch sitzt, da die Spötter sitzen,
sondern hat **Lust** zum Gesetz des HERRN
und redet von seinem Gesetz Tag und Nacht" (Ps 1, 1f).

"Groß sind die Werke des HERRN;
wer ihrer achtet, der hat eitel **Lust** daran" (Ps 111, 2).

"Ich habe **Lust** zu deinen Rechten
und vergesse deiner Worte nicht" (Ps 119, 16).

Für Roland Barthes ist der **Leser** ein Mensch,

"der alle Sprachen miteinander vermengt, mögen sie auch als unvereinbar gelten; der stumm erträgt, daß man ihn den Illogismus, der Treulosigkeit zeiht... Ein solcher Mensch wäre der Abschaum unserer Gesellschaft: Gericht, Schule, Irrenhaus und Konversation würden ihn zum Außenseiter machen: wer erträgt schon ohne Scham, sich zu widersprechen? Nun, dieser Antiheld existiert: es ist der Leser eines Textes in dem Moment, wo er Lust empfindet. Der alte biblische Mythos kehrt sich um, die Verwirrung der Sprachen ist keine Strafe mehr, das Subjekt gelangt zur Wollust durch die Kohabitation der Sprachen, **die nebeneinander arbeiten**: der Text der Lust, das ist das glückliche Babel."(5)

Wer liest, vor allem wer in der Bibel liest mit Lust, ja sogar mit Wollust, der hofft darauf, daß die Folgen des Turmbaus zu Babel, die **Verwirrung der Sprache**(6), rückgängig gemacht werden kön-

---

4 Ebda. 25f.   5 Ebda. 8.   6 Vgl. dazu **Arno Borst, Der Turmbau zu Babel**. Geschichte der Meinungen über Ursprung und Vielfalt der Sprachen und Völker I–IV. 1957–1963.

nen durch ein Sprechen, das nicht mehr nur "plappert", sondern
"**authentisch**" wird. Hermeneutik ist so das Bemühen um das "authentische" Sprechen des Menschen im Angesichte Gottes.

Wie ein Dichter hat Barthes ausgesagt, was geschieht, wenn ein
Text bloß "plappert":

> "Man legt mir einen Text vor. Der Text langweilt mich. Man
> könnte sagen, er **plappert**. Dieses Plappern des Textes ist nur
> jener Sprachschaum, der sich aufgrund eines bloßen Schreibbe-
> dürfnisses bildet. Hier hat man es nicht mit Perversion zu tun,
> sondern mit Bedarf. Beim Schreiben seines Textes nimmt der Schrei-
> ber eine Säuglingssprache an: sie ist imperativ, automatisch,
> lieblos, ein kleines Debakel von Schmatzern (jenen Saugphone-
> men, die der erstaunliche Jesuit van Ginneken zwischen Schrift
> und Sprache ansiedelte): es sind die Bewegungen eines Saugens
> ohne Gegenstand, einer undifferenzierten Oralität, abgeschnitten
> von der, die die Lüste der Gastrosophie und der Sprache hervor-
> ruft. Ihr wendet euch an mich, daß ich euch lese, aber ich bin
> für euch nichts andres als der, an den ihr euch wendet; ich ste-
> he in euren Augen für nichts, ich habe keinerlei Gesicht (höch-
> stens das der Mutter); ich bin für euch weder ein Körper noch
> ein Gegenstand (was mir auch egal ist: nicht die Seele in mir
> lechzt nach Anerkennung), sondern nur ein Feld, ein Gefäß zur
> Ausdehnung. Kurz, man kann sagen, ihr habt diesen Text bar
> jeder Wollust geschrieben; und dieser Plappertext ist im Grunde
> frigide wie jeder Bedarf, bevor sich in ihm die Begierde bildet,
> die Neurose."(7)

So können wir mit Barthes in der Hermeneutik danach fragen, ob die
Bibel nur ein **Bedarfsprodukt** ist, ein "frigider Körper" sozusagen,
oder nicht doch etwas mehr; ob die Schreiber bestimmter Bibelstücke
mit ihrem **Schreiben** wirklich nur einen "Bedarf" abdecken wollten,
oder ob es bei manchen von ihnen auch vorkam, daß ihr Schreiben
ein **Akt der Lust** war, dem der **Akt der Perversion** durch "wildes" Lesen entsprach.

Es ist schon seltsam, wieviele Exegeten darauf beharren, daß etwa die **Briefe des Apostels Paulus** nichts weiter als ein solches Bedarfsprodukt seien(8). Aber man lese doch die Briefe des Apostels
Paulus, und dann wird man 2 Kor 10, 10 auch lesen können, wie Paulus hier von einem **doppelten "Körper"** spricht, den er als Verkündi-
ger "hat": Er hat einmal den schwächlichen Körper des Fleisches, an
dem sich das Kreuz Christi offenbart(9); und er hat zum anderen den

---

7 Barthes, aaO. 10f. 8 Vgl. etwa Philipp Vielhauer, **Geschichte der urchristlichen Literatur**. 1975, 58ff.
9 Zur Exegese vgl. **Erhardt Güttgemanns, Der leidende Apostel und sein
Herr**. (FRLANT 90). 1966.

"Körper" seiner Briefe, die den Korinthern einen "kräftigeren" Eindruck machen. Auf diese Weise entsteht bei den Korinthern das hermeneutische Problem einer **widersprüchlichen Bedeutsamkeit zweier "Körper"**, durch das sie Paulus ad absurdum führen wollen. Für Paulus ist jedenfalls ebenso wie für Roland Barthes klar, daß zwischen dem Umgang mit dem leiblichen Körper des Apostels und dem Umgang mit dem Buchstaben-"Körper" seiner Briefe eine **Konkurrenz** auftreten kann, die schließlich den Apostel auch "umbringen" kann und sein Schreiben so erst recht **unter das Zeichen des Kreuzes** stellt. Hier sind wir theologisch ganz weit weg von einem rein mechanischen Mißverständnis des Schreibaktes und seines Produktes, weil hier gerade nach der **körperlichen Bedeutsamkeit** des Schreibaktes für den Akt des "**authentischen**" Sprechens gefragt wird.

Wer auf diesem sehr ernsten Hintergrund von den Briefen des Paulus als "Bedarfsprodukten" spricht, der macht auch den leiblichen **Körper** des Apostels mit seiner Offenbarung des Kreuzes zu solch einem "Bedarfsprodukt", weil Roland Barthes mit Recht und unter Anspielung auf hermeneutische Anfragen Sigmund Freuds(10) auf der **Verknüpfung des Körpers mit dem Lust-"Körper" des Textes** beharrt. Ein solcher Fehlinterpret merkt vielleicht auch gar nicht, daß er den Körper des Apostels einer Kadaververwertungsanstalt preisgibt.

So fragt uns Roland Barthes: Inwiefern ist die "Auslegung" der Theologen etwas anderes als eine "frigide" Kadaververwertungsmethode, wenn sie nichts mehr von der **Lust am "Körper" des Textes** weiß? Immerhin war der leibliche Körper des Apostels **Gegenstand der Begierde der Offenbarung**: Das Kreuz Christi offenbart sich am Leibe des Apostels und am "Körper" der Briefe als Lust am Text. Und dieser Text spricht von der liebenden Begierde Gottes nach den **Leibern** der Menschen. Ein Gott, der nicht mehr von der Begierde nach den Leibern der Menschen bestimmt ist, der kann auch nicht mehr der Gott der Auferstehung und damit nicht mehr der Vater Jesu Christi sein.

Roland Barthes ermutigt also die Theologen, die Lust am Text der Bibel wieder mit Gottes erotischer Lust an unseren Leibern zu verbinden. Skandalös, aber klar und bestimmt weist Barthes uns darauf hin, daß man die **Enterotisierung** und Leibflucht der Hermeneutik auch zu weit treiben kann.

10 Vgl. dazu unten Kap. 6 und 7.

2. Das Begehren des Buchstaben-"Körpers" nach der Vereinigung mit dem Leib des Lesers in der Lust des "Abschweifens"

Nicht nur der Leser ist getragen von der Lust am Text; auch der Text selbst wirkt auf den Leser ein, weil er den Leser **begehrt:**

> "Jeder Schriftsteller kann daher sagen: wahnsinnig kann ich nicht sein, gesund will ich nicht sein, also bin ich neurotisch. Der Text, den ihr schreibt, muß mir beweisen, daß **er mich begehrt.** Dieser Beweis existiert: es ist das Schreiben. Das Schreiben ist dies: die Wissenschaft von der Wollust der Sprache, ihr Kamasutra..."(11)

Lesen heißt deshalb für Roland Barthes **Kohabitation,** ein "Beischlaf" des Geistes mit dem "Körper" des Textes, der mir gestattet, Lust gerade beim **Abschweifen** zu haben:

> "Mit jemandem zusammensein, den man liebt, und an etwas andres denken: so habe ich die besten Einfälle, so finde ich am besten, was ich für meine Arbeit brauche. Das gleiche gilt für den Text: er erregt bei mir die beste Lust, wenn es ihm gelingt, sich indirekt zu Gehör zu bringen; wenn ich beim Lesen oft dazu gebracht werde, den Kopf zu heben, etwas andres zu hören. Ich bin nicht notwendig durch den Text der Lust **gefesselt;** es kann eine flüchtige, komplexe, unmerkliche, geistesabwesende Handlung sein: eine plötzliche Kopfbewegung, wie die eines Vogels, der nicht hört, was wir hören, der hört, was wir nicht hören."(12)

Bei Roland Barthes sind wir weit davon entfernt, uns den Akt des Lesens quasi "unkörperlich" vorzustellen. Im Gegenteil: Die **Materialität des "Körpers" der Bedeutsamkeit** wird, in Übereinstimmung mit Aurelius Augustinus(13) und erst recht mit der neutestamentlichen Thematik, stark betont. So wird der christliche Hermeneutiker daran gehindert, den lesenden Umgang mit der Hl. Schrift ohne seine Einmündung in das Thema der **Auferstehung** zu explizieren: Wo das "Wort des Heils" nicht mehr auf die **Leiblichkeit der Erlösung** als das "Ende der Werke Gottes"(14) zielt, da wird auch die Konkretheit der Erlösung durch Zuhören und Er-lesen(15) zur abstrakten "Seelenverwandtschaft", welche eher dem **Narziß** als dem "Gegenüber" des Sprechens ähnelt(16).

---

11 Barthes, aaO. 11f.　12 Ebda. 38.　13 Vgl. dazu unten Kap. 2.
14 **Friedrich Christoph Oetinger, Biblisches und Emblematisches Wörterbuch,** mit einem Vorwort von Dmitrij Tschižewskij. (1776). Nachdruck 1969. (Emblematisches Cabinet IX), 407.　15 Vgl. dazu **Erhardt Güttgemanns, Die Funktion der Erzählung im Judentum als Frage an das christliche Verständnis der Evangelien.** LingBibl 46. 1979, 5-61, bes. 49ff.
16 Vgl. dazu unten S. 20. 33.

Barthes betont diese **Materialität des Buchstabens** so stark, daß dieser sogar zum "Fetisch" werden kann, **der seinen Autor tötet:**

> "Der Text ist ein Fetischobjekt, und **dieser Fetisch begehrt mich.**
> Der Text wählt mich durch eine ganze Vorrichtung von unsichtbaren Filtern, selektiven Hindernissen: das Vokabular, die Bezüge, die Lesbarkeit usw.; und ganz verloren mitten im Text (nicht **hinter** ihm wie ein Deus ex machina) ist immer der andere, der Autor.
> Als Institution ist der Autor tot: als juristische, leidenschaftliche, biographische Person ist er verschwunden; als ein Enteigneter übt er gegenüber seinem Werk nicht mehr die gewaltigen Vaterrechte aus, von denen die Literaturgeschichte, der akademische Unterricht und die öffentliche Meinung immer wieder zu berichten hatten. Aber im Text **begehre ich** in gewisser Weise den Autor: ich brauche seine Gestalt..., so wie er meine Gestalt braucht (außer wenn er 'plappert')."(17)

Weil ich den "Körper" des Textes, auch den Buchstaben, brauche, um ein Verhältnis zu meinem eigenen Körper zu finden, darum bedeutet Menschsein, überall von Texten wie von "Körpern" umgeben zu sein: Menschsein bedeutet, in einem **Raum aus Text-"Körpern",** in der Intertextualität zu stehen(18):

> "Ich genieße das Reich der Formeln, die Umkehrung der Herkunft, die Ungezwungenheit, die den früheren Text vom späteren herkommen läßt... Und eben das ist der Inter-Text: die Unmöglichkeit, außerhalb des unendlichen Textes zu leben – ob dieser Text nun Proust oder die Tageszeitung oder der Fernsehschirm ist: das Buch macht den Sinn, der Sinn macht das Leben."(19)

3. Lesen – das Spiel mit dem "Körper" der Mutter – Inzest und Narziß

Woher erhält nun aber der Text seinen "Körper"? Roland Barthes gibt wieder eine verblüffende und zugleich provozierende Antwort: Der "Körper" des Textes ist der **Körper der Mutter** und ihrer Sprache, und jede Erzählung erzählt insgeheim die Mär vom **Tode des Vaters.** Natürlich steht auch bei dieser Formulierung Sigmund Freud Pate. Spezifisch christlich könnte man formulieren: Die Bibel ist als "Körper" erlösender Bedeutsamkeit der "Körper" der Mutter namens "Kirche" und dieser "Körper" erzählt vom Tode des Vaters **im Sohne.** Das ist die sprachlich einfachste, aber zugleich auch die gedanklich tiefsinnigste Definition der Bibel in der Philosophie Roland Barthes.

17 Barthes, aaO. 43.   18 Vgl. dazu **Sémiotique et bible** 15. 1979.
19 Barthes, aaO. 53f.

Als "Mutter" ist dabei derjenige Körper bezeichnet, der mich Sprechen gelehrt hat, der mich in meine **"Muttersprache"** einführte:

"Kein Gegenstand ist in ständiger Beziehung zur Lust... Für den Schriftsteller existiert dieser Gegenstand jedoch; es ist nicht die Sprechweise, sondern die Sprache selbst, **die Muttersprache.** Der Schriftsteller ist jemand, der mit dem Körper seiner Mutter spielt: um ihn zu glorifizieren, zu verschönern oder um ihn zu zerstükkeln, ihn bis zur Grenze dessen zu bringen, was vom Körper erkannt werden kann: noch die **Entstellung** der Sprache werde ich genießen, und die öffentliche Meinung wird Entsetzensschreie ausstoßen, denn sie will nicht, daß man 'die Natur entstellt'."(20)

Diese Einführung in die Muttersprache heißt nicht, daß ich die "richtigen" **Vokabeln** für wahrgenommene Gegenstände der Welt gelernt hätte. Solche "Vokabeln" wären nur **Namen** für bereits Wahrgenommenes und Erkanntes. Ich soll und will vielmehr mit meiner erlernten Muttersprache das noch nicht Wahrgenommene und das **Unerkannte** allererst entdecken; ich soll und will mithilfe der Muttersprache **fähig** werden, das noch **Ungedachte** zu denken. Ähnlich, wie dies durch Wilhelm von Humboldt betont wird(21), hebt Roland Barthes hervor, der Text, an dem ich **Lust** habe, kenne keine "Vokabeln":

"der Name kommt nicht über die Lippen, er ist in Praktiken aufgeteilt, in Wörter, die keine NAMEN sind. Indem der Text an die Grenzen des Sagens vordringt, in einer **Mathesis** der Sprache, die nicht mit der Wissenschaft verwechselt werden darf, löst er die Benennung auf, und diese Auflösung nähert sich der Wollust."(22)

Der Text, an dem ich Lust habe, ist auf der **Suche** nach einer unbekannten Geliebten: ich **sehne** mich nach dem "Sinn" meines Lebens, ohne genau zu wissen, worin er besteht. Ich **begehre** den Text, weil ich insgeheim hoffe und **wünsche**, er werde mir bei der Suche nach dem letzten, noch nicht bekannten "Sinn" meines Lebens helfen.

Nun ist dieser "Körper" des Textes aber der "Körper" der **Mutter:** Da mich die Sprache der Mutter, die Muttersprache, in die Welt einführte, habe ich gelernt, die Welt mit den **Augen** der Muttersprache zu sehen. Einmal in die Muttersprache eingeführt, kann ich die Welt gar nicht anders sehen als mit dem Augenkörper, den mir meine "Mutter" beim Sprechenlernen gab. Andere Augen stellt mir die Muttersprache nicht zur Verfügung. Kurz: Die Sprache der "Mutter" ist ein **blik** (23), d.h. ich sehe die Welt nur so, wie sie mir von dem sprechenden Körper der Mutter "vor-gesehen" wurde.(24) Sprechen heißt daher

---

20 Ebda. 56.   21 Vgl. **Wilhelm von Humboldt, Schriften zur Sprachphilosophie.** (Werke III), hg. v. Andreas Flitner u. Klaus Giel. 1963, 418.   22 Barthes, aaO. 67.
23 Vgl. dazu **Richard M. Hare, New Essays in Philosophical Theology.** 1955, 99-103.   24 Damit ist die hermeneutische Naivität der "unbestechlichen Augen" (Adolf Schlatter, Peter Stuhlmacher) in aller Form abgelehnt. Vgl. unten S. 21, Anm. 28.

immer auch: "nach-sehen" mit den Augen der "Mutter". Aber auch das **Lesen** kann nur ein "Nach-Sehen" mit den Augen der "Mutter" sein. Ich lese den Text nur mit dem **Spielraum** der Augen, die mir meine Muttersprache verpaßt hat. Ich bin, weil meine Leseaugen die Augen meiner "Mutter" sind, auf den "Körper" der "Mutter" beschränkt.

Daher begehe ich beim Lesen immer auch die **Perversion des Inzestes:** Ich zeuge mit dem "Körper" meiner "Mutter" immer nur solche geistigen "Kinder", welche **in der Familie** bleiben. Das sind jedoch "Kinder", die selten aus der Art schlagen, die kaum überraschen können. Die "Kinder" meiner "Mutter" sind immer meine **"Geschwister";** sie können mir kaum ganz **fremd** sein.

Nun begehre ich aber beim Lesen die "unbekannte Geliebte"; ich suche nach einem **fremden** Wesen, das mir das Unbekannte offenbart. Noch im Spiel mit dem mir bekannten "Körper" der "Mutter" beschäftigt, suche ich nach einem anderen, fremden **"Körper" für die Offenbarung.** Reichen zu dieser Offenbarung die Augen meiner "Mutter" eigentlich aus? Brauche ich nicht **andere** Augen, **neben** dem "Körper" meiner "Mutter" einen anderen "Körper", andere Sprachen, die mir **fremd** sind, deren Denken nicht mehr nur meine "Geschwister" erzeugt?

Wer immer nur in den **vorgebahnten** Denkwegen der von der Mutter erlernten Sprache bleibt, der wird vermutlich nur Gedanken produzieren, die nicht aus der "Schule" schlagen, Gedanken, die aus dem gleichen "Stall" kommen wie ich selbst. Wenn ich immer nur mit dem Spielraum der Augen meiner Mutter denke, dann erzeuge ich immer nur geistige "Brüder und Schwestern". Ich produziere Gedanken-"Körper", **Phäno-Texte,** die ganz wie ich selbst sind, eine Papagena, weil ich selbst ein Papageno bin(24a). Die geistigen "Kinder", die ich mit den Augen meiner "Mutter" zeuge, sind mein eigenes **Spiegelbild,** in welchem ich mich wiederfinden kann. Lesen als Inzest mit der "Mutter" ist so immer verbunden mit dem **Narzißmus, meine eigenen Gedanken im Spiegel des Textes wiederzufinden**(24b).

Der Text der Lust aber zwingt zum **Schreiben,** um durch das **Spiel mit den Buchstabenkörpern** das fremde Ungesagte und Ungedachte zu erreichen:

24a Vgl. dazu **Erhardt Güttgemanns, Erzählstrukturen in der Fabel von Wolfgang Amadeus Mozarts "Zauberflöte".** Ein Beitrag zur Heiterkeit der Kunst und zum historischen Jesus. LingBibl 31. 1974, 1–42.
24b Zum Narzißmus vgl. **Heinz Kohut, Narzißmus.** Eine Theorie der psychoanalytischen Behandlung narzißtischer Persönlichkeitsstörungen, übers. v. Lutz Rosenkötter. (stw 157). 1876; **Luce Irigaray, Speculum.** Spiegel des anderen Geschlechts. (es 946). 1980 (franz. 1974).

"Ich schreibe, weil ich von den Wörtern, die ich vorfinde, keine will: aus dem Bedürfnis, mich ihnen zu entziehen." Die **Wollust** "kann mir nur mit dem **absolut Neuen** kommen, denn nur das Neue erschüttert (verunsichert) das Bewußtsein..."(25)

Weil ich beim Lesen, dem Spiel mit dem "Körper" der "Mutter", das fremde Unbekannte suche, darum ist es nach Roland Barthes legitim, an **etwas ganz anderes zu denken,** weil ich ja gerade nicht mehr das denken soll, was "in der Familie bleibt". Daher suche ich beim Lesen die **Unterbrechung,** ein Auf- und Abblenden der Sprache, die mich das **Geheimnis** erahnen läßt:

> "Ist die erotischste Stelle eines Körpers nicht da, **wo die Kleidung auseinanderklafft?** Bei der Perversion (die das Spezifische der Textlust ist) gibt es keine 'erogenen Zonen'...; die Unterbrechung ist erotisch, wie die Psychoanalyse richtig sagt: die Haut, die zwischen zwei Kleidungsstücken glänzt..., zwischen zwei Säumen...; das Glänzen selbst verführt, oder besser noch: die Inszenierung eines Auf- und Abblendens."(26)

4. Ödipus – oder die Blendung der Augen

Wenn man vom Inzest mit der Mutter spricht, dann muß man auch von der **Tötung des Vaters** sprechen:

> "A. vertraut mir an, daß er es nicht ertragen würde, wenn seine Mutter sich Ausschweifungen hingäbe – aber bei seinem Vater würde es ihm nichts ausmachen; er fügt hinzu: merkwürdig, nicht? – Ein Name genügt, um sein Erstaunen aufhören zu lassen: **Ödipus!**"(27)

Der antike Mythos von Ödipus erzählt, wie Ödipus unwissend seinen eigenen Vater tötet und mit seiner eigenen Mutter schläft: Ödipus begeht den Inzest, von welchem wir oben sprachen. Als Ödipus seine Schuld erkennt, da "kastriert" er sich symbolisch, nämlich nicht durch Abschneiden der Genitalien, sondern durch **Blenden der Augen.** Damit hat Ödipus erkannt, daß seine Augen der "verführerischste" Teil seines Körpers sind, den seine Mutter gebar(28). Wenn er diese Augen blendet, dann tötet er die **Augen seiner Mutter.**

Die Augen sind auf diese Weise derjenige Körperteil, auf den der ganze leibliche Körper **verdichtet** werden kann: Der Körper, den die Mutter gebar, ist ganz zum Auge geworden. Den Vorgang einer solchen

25 Barthes, aaO. 61.   26 Ebda. 16f.   27 Ebda. 67.
28 Gegen **Peter Stuhlmacher, Vom Verstehen des Neuen Testaments.** (Grundrisse zum NT 6). 1979, 156-162, der sich auf Adolf Schlatter beruft.

Verdichtung nennt die antike Rhetorik **Metonymie**(29): ein Metonym ist ein **Teil**, in diesem Falle ein Körperteil, der für das **Ganze** steht. Wenn nun die Augen als Verdichtung des ganzen Körpers die Augen der "Mutter" sind, kann dann der Mensch vielleicht solange nicht **mit sich identisch werden**, wie er mit eben diesen Augen der "Mutter" herumläuft? Suche ich also beim Lesen ein Jenseits meines Körpers, weil auch dieser keine **Einheit und Identität** besitzt? Komme ich zur wahren **Lust am Text** erst dann, wenn ich die Realität leugne und ein "**Und dennoch...**" ausspreche?

"Viele Lektüren sind pervers, implizieren eine Spaltung. So wie das Kind weiß, daß seine Mutter keinen Penis hat, und gleichzeitig glaubt, daß sie einen hat..., kann auch der Leser ständig sagen: **ich weiß wohl, daß es nur Wörter sind, und dennoch...** Von allen Lektüren ist die tragische Lektüre die perverseste: ich habe meine Lust daran, mich eine Geschichte erzählen zu hören, **deren Schluß ich kenne:** ich weiß und ich weiß nicht, ich tue mir gegenüber so, als wüßte ich nicht: ich weiß genau, daß Ödipus entlarvt, daß Danton guillotiniert werden wird, **und dennoch.** Im Vergleich zur dramatischen Geschichte, bei der man den Ausgang nicht weiß, gibt es hier ein Schwinden der Lust und ein Fortschreiten der Wollust..."(30)

5. Das Auge und der Körper im Spiegel

Weil die Augen die **Verdichtung** des ganzen Körpers sind, darum gibt es zwischen drei Gegebenheiten eine geheime Beziehung, die mein Kommentar zu Roland Barthes´ Sentenzen an den Tag bringt: Mein Auge, mein Körper und der **Spiegel** stehen in einer Dreiecksrelation zueinander.

Meinen eigenen Körper kann ich nur zum **Teil** sehen; ich sehe ihn ohne das Hilfsmittel des **Spiegels** niemals ganz. Auch die mir ohne Spiegel sichtbaren Teile meines Körpers kann ich immer nur **teilweise** sehen(31). Ich blicke z.B. auf meinen rechten Arm und sehe dann in normaler Körperhaltung kaum meinen linken Arm; die Beine, die Brust, den Bauch usw. noch viel weniger. Kurz: ich kann die **Einheit** meines Körpers ohne Hilfsmittel kaum **auf einmal** wahrnehmen. Was ich wahrnehmen kann, das sind nur Teile meines Körpers; mein Körper erscheint mir in **Teile** zerstückelt(32). Dieses "Trauma" verfolgt mich,

29 Vgl. dazu ausführlicher unten S. 298. 300. 309-311. 321.   30 Barthes, aaO. 70f.   31 Vgl. **Jacques Lacan, Freuds technische Schriften,** übers. v. Werner Hamacher. (Das Seminar I). 1978, 97-206 (Die Topik des Imaginären).
32 Vgl. dazu J. Laplanche - J.-B. Pontalis, **Das Vokabular der Psychoanalyse.** (stw 7). ³1977, 242-247.

vielleicht bis hinein in den **Traum**, in welchem ich von meinem zerstückelten Körper träume oder mir vorstelle, wie der Körper meiner
Mutter zerstückelt wird. Die Verdichtung meines ganzen Körpers, das **Auge**, kann ich erst
recht nicht ohne Spiegel sehen. Erst der Spiegel hilft mir also, die
Einheit meines Körpers zu finden. Aber auch das gelingt mir nur
dann, wenn ich zwischen mir und meinem Körper eine **Distanz** schaffe,
wenn ich den "Körper" des Spiegels als **Trennung** zwischen mein Auge
und meinen Körper bringe.

Aus der **Kinderpsychologie** der Pariser Freud-Schule wissen wir,
daß das Kind zwischen 6 und 18 Monaten die Einheit seiner Körperbe-
wegungen noch nicht vollständig beherrschen kann. Wenn das Kind
seinen Körper zum ersten Male in einem Spiegel erblickt, dann beginnt es, im Unterschied zum Schimpansenjungen, mit seinem eigenen
Spiegelbild zu **spielen**: Es sieht im Spiegel sich selbst als die **künftige** Einheit des Körpers. Mein Spiegelbild, das bin "Ich selbst", wie
ich einmal eins **werden** will und soll. Mein Spiegelbild, das ist das
"Ich" der Zukunft, das "Ich" der Verheißung(33).

Mein Spiegelbild, das ist die **imago** aus einer künftigen Welt: Der
Spiegel zeigt mir das "imaginäre" Bild einer Welt, nach der ich auf
der **Suche** bin, eine "imaginäre" Welt, in welcher ich endlich zu mir
selbst und meiner Einheit finde. Es ist kein Wunder, daß ich mich
in mein eigenes Spiegelbild **verliebe**; denn vielleicht ist dieses Bild
aus der Zukunft ja jene "unbekannte Geliebte", welche ich auf der
Suche nach dem "Sinn" des Lebens **begehre**.

Die psychoanalytische Texttheorie, auf welche Roland Barthes
mehrfach anspielt(34), nennt diese Entwicklungsstufe des Kindes die
"Spiegelstufe"(35). In ihr gelingt dem Menschen die erste Produktion
einer "jubelnden" **Sprache der Lust** in der Mimik: Ich triumphiere,
noch lallend, weil ich **vor dem Spiegel** mit den Augen der Mutter die
Welt der Zukunft und der Einheit meines Körpers gefunden habe. Auch
wenn ich weiß, daß dies alles nur ein "imaginäres" **Bild** ist, so will
ich dennoch zu diesem Bilde aufbrechen. Vor dem Spiegel und seinem
"imaginären" Bilde der Einheit meines Körpers stehend, **lerne ich die**

33 Vgl. dazu **Jacques Lacan, Das Spiegelstadium als Bildner der Ichfunk-
tion**; in: **ders., Schriften I**, hg. v. Norbert Haas. (stw 137). 1975, 61-
70.   34 Vgl. Barthes, aaO. 32 (Lacan), 39 (Phallisches), 48 (gespalten), 50 (Imaginaria), 56 (Lacan), 62 (Freud), 68 (phantasmatisches
Reales), 80 (Phantasma), 93 (Leseneurose).
35 Vgl. Laplanche-Pontalis, aaO. 474-476.

"Sprache der Lust". Der "Text" der Lust ist hier die Imago des Körpers als Einheit in der Spiegelung des "Körpers" des Imaginären.

Aber weil meine Augen im Spiegel immer noch die Augen der Mutter bleiben, darum bleibe ich infolge dieser "Geburt" der Sprache vor dem Spiegel immer auf die Augen meines Gesprächspartners fixiert, wenn ich mit ihm sprechen will. Nicht umsonst meint der Volksmund, ich sei nicht recht bei der "Sache", wenn ich meinen Gesprächspartner nicht anschaue. Wenn das Auge des Sprechenden in das Auge des Hörenden schaut, dann weiß ich, daß er meine Augen, die Verdichtung meines ganzen Körpers, sieht, welche ich selbst gar nicht sehen kann.

Zwischen Sprechen und Anschauen gibt es also geheime Verbindungen, und diese Verbindungen hängen damit zusammen, daß die Augen des Gesprächspartners den Spiegel aus Glas ersetzen, vor welchem ich die Sprache der Lust fand: Der fremde "andere", dem ich sprechend begegne, ist der Spiegel, in welchem ich mich selbst zu finden oder sogar wiederzufinden hoffe, gerade wenn es mir um die Einheit meines eigenen Körpers geht. Nur das fremde Gegenüber kann mir das Trauma des "zerstückelten Körpers" nehmen, aber auch nur dann, wenn es ein sprechendes Gegenüber ist.

Wir kommen also nicht so schnell davon los, daß mein Sprechen mit dem fremden "anderen" als meinem Spiegelbild auf der Suche nach meinen "Geschwistern" ist, die ich mit der "Mutter" im Inzest "zeuge". Um von diesem Inzest loszukommen, muß ich das mir Unmögliche versuchen: Ich soll mir kein "imaginäres" Bild mehr von mir selbst machen; ich soll das 2. Gebot, das Bilderverbot, nicht nur auf Gott, sondern auch auf mein Gegenüber und erst recht auf "mich selbst" beziehen. Das aber kann ich nur tun, wenn ich zuvor den "Vater" getötet habe: Wie der Ödipus-Mythos zeigt, ist die Blendung der Augen die Folge der Tötung des Vaters.

6. Der "zerstückelte Körper" des Textes und die "bricolage"

Bevor wir fragen können, was denn die Tötung des Vaters konkret sei, betonen wir mit Roland Barthes nochmals, daß die **Produktion von Buchstaben** als "Text der Lust" nur dann ein **Akt der Erlösung** ist, wenn zugleich mit diesem Akt des Schreibens auch die **Einheit meines leiblichen Körpers** wiederhergestellt wird. Denn man darf ja in der Hermeneutik nicht übersehen, daß das **Imaginäre** nicht nur die Einheit meines leiblichen Körpers, sondern auch **die Einheit des "Körpers" des Textes** synthetisch herstellt, daß also der Akt des Lesens nur durch seine **synthetische "Arbeit"** eine "imaginäre" Einheit des Lesetextes bewerkstelligt(36):

> "Vollendet sich der Text in der vom Leser zu vollziehenden Sinnkonstitution, dann funktioniert er primär als Anweisung auf das, was es hervorzubringen gilt, und kann daher selbst noch nicht das Hervorgebrachte sein."(37)

Der materielle "Körper" des Textes, die Buchstaben, sind nicht von Natur aus, also als **Substanz**, "Sinn"-Träger, sondern nur als reine **Form der Anweisung zur "Arbeit"**, als "Partitur"(38), relevant: Die Substanz dieses "Körpers" ist nur eine "Stütze" für den "Sinn", nicht der "Sinn" selbst(39):

> "Autor und Leser also teilen sich das Spiel der Phantasie, das überhaupt nicht in Gang käme, beanspruchte der Text mehr, als nur Spielregel zu sein."(40)

Wo vom "Spiel der Phantasie" die Rede ist, da ist die Rede vom **Reich des "Imaginären"**. Dies erinnert den Hermeneutiker daran,

> "daß Bedeutungen weder über die mittelbare noch über die unmittelbare Decodierung von Buchstaben oder Wörtern erfaßt werden können, sondern erst über einen Gruppierungseffekt zu gewinnen sind"(41).

Solche Effekte nennt man auch **"Gestaltsehen"**(42). Dieses impliziert immer auch ein **illusionäres Moment**(43) und damit etwas "Imaginäres".

> "Da sich dieser Vorgang in unserer Einbildungskraft abspielt, vermögen wir uns von ihm nicht abzulösen. Das aber heißt, wir sind in das verstrickt, was wir hervorbringen. Verstricktsein ist der Modus, durch den wir in der Gegenwart des Textes sind, und durch den der Text für uns zur Gegenwart geworden ist."(44)

36 Vgl. **Wolfgang Iser, Der Akt des Lesens.** (UTB 636). 1976, 175–256.
37 Ebda. 175.   38 Vgl. ebda. 177.   39 Vgl. dazu unten S. 248–254.
40 Iser, aaO. 176.   41 Ebda. 194.
42 Vgl. **Friedrich Kainz, Psychologie der Sprache I.4.** Aufl. 1967, 115–119.
43 Vgl. Iser, aaO. 202.   44 Ebda. 214.

Unser Lesen ist also dem **Bildcharakter** des "Sinns" korreliert(45):

> "So bringt das Bild etwas zur Erscheinung, das weder mit der Gegebenheit des empirischen Objekts noch mit der Bedeutung eines repräsentierten Gegenstands identisch ist."(46)

Ebensowenig wie mein leiblicher Körper ohne den Spiegel des Gegenübers eines fremden Augen-"Körpers" als eine Einheit "vorgefunden" werden kann, ebensowenig ist auch der Text eine vorzufindende **empirische Einheit:** Vorgefunden werden nur "Stücke" einer Substanz, **welche erst im Spiegel der "Arbeit" der "imaginären" Phantasie des Leseaktes zu einer nicht-materiellen, "transzendentalen" Einheit werden.**

Wer diesen inneren Zusammenhang verkennt, auf den uns Roland Barthes und Jacques Lacan aufmerksam machen, der hat auf dem Felde der Hermeneutik von vornherein das Scheitern gewählt, weil er Leib und Seele im Akt des Lesens auseinanderreißt.

Beim Leseakt nehmen wir immer nur das lineare **Nacheinander von Zeichen** und damit eine "Zerstückelung" der "Sinn-Stützen" auf die **Zeit der Lektüre** (Erzählzeit)(47) wahr, welche zum nicht-linearen "Sinn"-Erleben in der sprachlosen Wollust in einer ewigen Spannung verbleibt:

> "Man kann nie genug die **Suspensionskraft** der Lust betonen: es ist eine regelrechte **epochê**, ein Anhalten, das alle angenommenen (von sich selbst angenommenen) Werte von weitem erstarren läßt. Die Lust ist ein **Neutrum** (die perverseste Form des Besessenen)." (48)

So hat der lustvolle Umgang mit einem Text keinen **Topos,** weil dieser Umgang durch die "topischen" Zeichen hindurch das "und dennoch..." des Imaginären postuliert:

> "Die Lust am Text ist eine Forderung, die sich gerade gegen die Trennung des Textes (scil. in der 'Zerstückelung') richtet; denn durch die Partikularität seines Namens hindurch sagt der Text die Allgegenwart der Lust, die Atopie der Wollust."(49)

> "Die Wollust am Text ist nicht prekär, viel schlimmer: **praecox;** sie kommt nicht zur richtigen Zeit, sie hängt von keinem Reifen ab. Alles geht mit einem Mal durch."(50)

> "Das ist ein wahres Jubilieren, der Augenblick, wo die verbale Lust durch ihr Übermaß einem den Atem raubt und in Wollust umschlägt."(51)

---

45 Vgl. ebda. 219ff.   46 Ebda. 220.
47 Vgl. **Günther Müller, Morphologische Poetik,** hg. v. Helga Egner u. Elena Müller. 1968, 247ff. 269ff. 299ff.   48 Barthes, aaO. 95.
49 Ebda. 87.   50 Ebda. 78.   51 Ebda. 15.

Ein Text, der nicht bloß "plappert", sondern der die **Imagination der Lust** erzeugt,

> "ist atopisch, wenn nicht in seiner Konsumtion, so doch wenigstens in seiner Produktion. Er ist nicht eine Redeweise, eine Fiktion, das System in ihm wird gesprengt, aufgelöst (dieses Sprengen, dieses Auflösen ist seine Signifikanz)."(52)

"Bedeutung" und "Sinn" (Signifikanz) sind nicht in den "Körpern" des Textes **inkarniert** und sie wirken dort auch nicht "ex opere operato": Der "zerstückelte Körper" des Textes ist ein **Zeichen für ein "Sprengen"**, welches nach dem imaginären **Bild von der Einheit des "Zerstükkelten"** suchen läßt. Zwar gilt vom "Sinn", er sei die Signifikanz, "insofern er sinnlich hervorgebracht wird"(53).

Aber der Text als **materieller** "Körper" ist gerade

> "die Sprache ohne ihr Imaginarium... die Signifikanz, die Wollust, gerade das ist es, was den Text von den Imaginaria der Sprache entfernt"(54).

Der Text der Lust ist im Gegensatz zum Satz, auch zum Satz des Professors, ein **Unabgeschlossenes**(55), nicht zuletzt, weil der Text der Lust mir "in Stücken" entgegentritt:

> "Die Lust in Stücken; die Sprache in Stücken; die Kultur in Stücken... Der Text der Wollust ist absolut intransitiv."(56)

So bleibt dem Leser, wenn er mehr leisten will als nur eine mechanische "Entzifferung", nur die **"bricolage"**(57), das synthetische Zusammenbasteln der "Körper-Stücke", welche als "Auswürfe" leiblicher Körper der Vergangenheit und ebenso **tot** wie diese auf ihre **Auferstehung in der Einheit des "Sinns"** als dem Grund der Einheit meines Körpers warten:

> Im Text "**begehre ich** in gewisser Weise den Autor: ich brauche seine Gestalt (die weder seine Darstellung noch seine Projektion ist), so wie er meine Gestalt braucht..."(58)

---

52 Ebda. 46.   53 Ebda. 90, im Original kursiv.
54 Ebda. 50.   55 Vgl. ebda. 75.   56 Ebda. 77.
57 Vgl. dazu **Roland Barthes, Die strukturalistische Tätigkeit.** Kursbuch 5. 1966, 190-196.   58 Ders., Lust 43.

7. Die Zeit des Textes und die Halluzination der Leseneurose

Der Leser, der sich von einem Buchstaben-"Körper" zum anderen zeitlich fortbewegt, ist gerade wahrnehmungsmäßig

"gar nicht in der Lage, einen Text in einem einzigen Augenblick
aufzunehmen... Bereits in dieser Hinsicht unterscheidet sich ein
Text von Wahrnehmungsobjekten."(59)

Die **Relation** zwischen Text-"Körper" und Lese-Körper ist ja gerade
nicht eine Relation zwischen zwei Einheiten, da sich auf beiden Seiten "zerstückelte" Körper gegenüberstehen: So wie das **Subjekt** als
leiblicher Körper nur **vor** dem **Spiegel** eine Einheit werden kann, so
wird auch umgekehrt der Text-"Körper" erst eine Einheit in der imaginären **Innenwelt** des Lesenden, so daß Text und Leser nicht wie in
einer Subjekt-Objekt-Relation des "Vorfindlichen" zu behandeln sind.

Der Text bleibt "dem wandernden Blickpunkt des Lesers gegenüber
eigentümlich transzendent. Mitten drin zu sein und gleichzeitig
von dem überstiegen zu werden, worin man ist, charakterisiert
das Verhältnis von Text und Leser."(60)

Die **Gegenständlichkeit** des Text-"Körpers"

"ist immer mehr als das, was der Leser von ihr in der jeweiligen
Erstreckung des Lektüreaugenblicks zu gewärtigen vermag. Folglich ist die Gegenständlichkeit des Textes mit keiner ihrer Erscheinungsweisen im stromzeitlichen Fluß der Lektüre identisch."
(61)

Das bereits **Gelesene** bleibt so nicht als materieller Körper, sondern
als **phantasmatischer** "Körper" in Erinnerung; denn was kein "Wahr-
nehmungsobjekt" ist, kann nur ein **"imaginäres"** Objekt, ein erinnertes
und so im Spiegel der Phantasiearbeit vergegenwärtigtes Objekt sein
(62).

Bereits **Gotthold Ephraim Lessing** hat in seinem "Laokoon" (1766)
das zeitliche (sukzessive) **Nacheinander der Zeichen der Sprachkunst**
in seinem Gegensatz zum räumlichen Nebeneinander der Zeichen der
"bildenden" Kunst betont.(63) Aber dieses Nacheinander, der Ablauf
der Sprach-Zeichen in der **Zeit**, ist kein semiotischer Nachteil:

"Was ..zunächst wie ein bloßer Nachteil gegenüber unseren Wahr-
nehmungsakten erscheint, zeigt sich nun als ein Erfassungsmodus,
der es erlaubt, den Text im Lesevorgang als ständige Abspaltung
und Verschmelzung seiner Innenhorizonte zu organisieren."(64)

59 Iser, Akt des Lesens 177.   60 Ebda. 178.   61   Ebda.
62 Vgl. ebda. 182.   63 Zur Interpretation vgl. **Erhardt Güttgemanns,
Die Funktion der Zeit in der Erzählung.** LingBibl 32. 1974, 56-76.
64 Iser, aaO. 183.

Abspalten und Verschmelzen: "Stücke" des Text-"Körpers" **abspalten**
und in der bricolage **zu einem "imaginären Körper" verschmelzen,** das
ist der Kern der "strukturalistischen Tätigkeit", auf den es auch Roland Barthes ankommt.(65)

Auf diesem Hintergrund entwickelt Barthes auch eine **Typologie
des Lesers** in seinem Umgang mit dem durch Halluzination erzeugten
"imaginären" Text:

> Eine Typologie der Leselust "könnte nur psychoanalytisch sein,
> sich auf das Verhältnis der Leseneurose zur halluzinatorischen
> Form des Textes beziehen. Dem Fetischisten würde der zerschnitte-
> ne Text, die Zerstückelung der Zitate, der Formeln, der Prägun-
> gen, die Lust am Wort zusagen. Der Zwangsneurotiker genösse
> den Buchstaben, die sekundären Sprachen, die Metasprachen...
> Der Paranoiker würde verzwickte Texte, wie Argumentationsreihen
> entwickelte Geschichten, nach Spielregeln, geheimen Zwängen auf-
> gebaute Konstruktionen konsumieren oder hervorbringen. Was den
> Hysteriker angeht..., so wäre er sicher derjenige, der den Text
> **für bare Münze** nimmt, der in die Komödie der Sprache ohne Hin-
> tergrund und Wahrheit eintritt, der nicht mehr das Subjekt ir-
> gendeines kritischen Blickes ist und sich in den Text **hinein-
> wirft.**"(66)

Kritischer und zugleich ironischer kann den Theologen nicht der **Spiegel** vorgehalten werden: Da sind einmal die "hysterischen" Biblizisten
mit ihrer Verbalinspiration, und da sind zum anderen die "historisch-
kritischen" Fetischisten, welche den Text-"Körper" am liebsten in Tra-
ditionsschichten zerlegen, ohne sich um die Einheit des "Körpers" **im
Denken** zu kümmern; am Rande erscheinen die paranoiden "Bibelfor-
scher". Der Linguist und Semiotiker wird es mit Roland Barthes vor-
ziehen, sich als Zwangsneurotiker zum "und dennoch..." des **Jenseits
des "Körpers"** zu bekennen und so den Geist **durch den Buchstaben**
hindurch zu begehren. Von der zwangsneurotischen Lektüre gilt:

> "nicht die (logische) Ausdehnung (scil. die Extension) fesselt sie,
> die Entblätterung der Wahrheiten, sondern das Blattwerk der Sig-
> nifikanz"(67).

> "Das ist ein anachronistisches Subjekt, das beide Texte in seinem
> Bereich hält und mit seinen Händen die Zügel der Lust und der
> Wollust...: es genießt die Beständigkeit seines Ich (das ist seine
> Lust) und sucht seinen Verlust (das ist seine Wollust). Das ist
> ein zweifach gespaltenes, zweifach perverses Subjekt"(68), "ein
> gespaltenes Subjekt, das im Text sowohl die Beständigkeit seines
> Ich als auch seines Sturzes genießt"(69).

65 Vgl. oben S. 27 Anm. 57.   66 Barthes, Lust 93.   67 Ebda. 19.
68 Ebda. 92.   69 Ebda. 31.

8. Schreiben – die Erzählung vom Tode des Vaters

Nun ist endlich auf die hermeneutische Relevanz des Ödipus-Themas zurückzukommen. Roland Barthes sagt: Das Auf- und Abblenden am "Körper" des Textes sei

> "eine ödipale Lust (den Ursprung und das Ende entkleiden, wissen, erfahren), wenn es wahr ist, daß jede Erzählung (jede Enthüllung der Wahrheit) ein Inszenesetzen des (abwesenden, verborgenen oder hypostasierten) VATERS ist – was die Gemeinsamkeiten der Erzählformen, der Familienstrukturen und der Nacktheitsverbote erklären würde, die bei uns alle im Mythos von den Söhnen Noahs, die ihren Vater bedecken, vereint sind."(70)

So bedeutet Schreiben, "vom Tode des Vaters erzählen", den "Vater" mit dem "Körper" aus Buchstaben zudecken. Aber wieso kann dann Schreiben noch lustvoll sein?

> "Der Tod des VATERS wird der Literatur viel von ihrer Lust nehmen. Wenn es keinen VATER mehr gibt, wozu dann Geschichten erzählen? Geht denn nicht jede Erzählung auf Ödipus zurück? Heißt erzählen nicht immer, nach seinem Ursprung forschen, seine Händel mit dem Gesetz sagen, in die Dialektik von Rührung und Haß eintreten?"(71)

Was kann es also heißen, durch Schreiben lustvoll vom Tode des "Vaters" erzählen? Wie ein Mensch als Schreiber und Leser die **Lust der Erlösung am Tode des "Vaters" im Sohne** haben kann, das ist die psychosemiotische Grundfrage der **Lektüre der Evangelien.** Von Roland Barthes her ist die Schriftlichkeit des Buchstabens in diesem Falle keinesfalls eine Bedarfsfrage, sondern die Frage nach der **Möglichkeit** der Erlösung meines Leibes durch die Produktion von "bedeckenden" Buchstaben-"Körpern", welche eben auch die **Nacktheit** des sterbenden Christus (vgl. Mk 15,24)(71a) "zudecken" und seine **Leiche** in die **Botschaft,** das "Anfassen" des leiblichen Körpers des Erlösers (vgl. Mk 16, 1) in das **"imaginäre Anschauen"** seines falschen Ortes, aber auch des wahren Ortes seiner **Erscheinung** verwandeln (Mk 16, 6f).(72)

Was also kann es heißen, durch Schreiben **kunstvoll** vom Tode des "Vaters" erzählen? Wer ist eigentlich der "Vater", dessen **Tod** jede Erzählung voraussetzt? Dieser "Vater" muß nicht unbedingt ein fremder Körper sein; er kann auch **"ich selbst"** als **"Körper" des Schreibens** sein: Ein "Vater" ist jeder, der den "Körper" der Buchstaben aus seinem leiblichen Körper auswirft.

---

70 Ebda. 17.   71 Ebda. 70.   71a Vgl. dazu **Artemidor von Daldis, Das Traumbuch,** übers. v. Karl Brackertz. (dtv-bibliothek 6111). 1979, 187f: Oneirokritika II, 53: Nachtheit des Gekreuzigten.
72 Zur Interpretation vgl. **Erhardt Güttgemanns, Linguistische Analyse von Mk 16, 1–8.** LingBibl 11/12. 1972, 13–53. Dort weitere Lit.

Wenn ich schreibe, dann produziere ich einen **zweiten** "Körper" **neben** meinem leiblichen Körper: ich schaffe meinem Körper eine **materielle Konkurrenz.** Wie 2 Kor 10, 10 zeigt, kann der "Körper" der Buchstaben als der "stärkere" sich **gegen** meinen "schwachen" Leib wenden: Meine Gegner können meine **Schrift** gegen mich als bedrohlichen "Körper" wenden, weil er **gegen mich** zu sprechen scheint. Jeder, der schreibt, wird so zum **"Vater"** eines "Körpers", der ihn auch "umbringen" kann, sobald sich die "Kinder" des Geschriebenen **bemächtigen.** Jeder, der schreibt, ist ein potentieller **"Selbst"-Mörder:** er denegiert seine **Identität,** weil er einen "Körper" aus Buchstaben vom Körper seines Fleisches **abspaltet,** den Buchstaben-"Körper" zu einem **"Auswurf"** macht.

Nun besteht dieser zweite "Körper" aus Buchstaben selbst wiederum aus **zwei** "Körpern": Ein "Körper", die **Materie** der Buchstaben, ist wahrnehmbar; aber diese Materie begehrt ja einen weiteren leiblichen Körper, den Körper des **Lesers** der Buchstaben. Erst in diesem Leser wird die Materie der Buchstaben in das **Denken** des Geistes umschlagen, aber nicht unbedingt so, daß dieses Denken das Subjekt des Schreibers **wiederholt:** Der Körper-"Auswurf" der Buchstaben wartet zwar auf den Körper eines Lesers, der sich ihn "einverleiben" wird; aber gerade dabei wird auch "zerkaut" und "verdaut", also **verwandelt.** Louis Marin betont diesen Gedanken, ganz im Sinne Roland Barthes', unter Hinweis auf die **Abendmahlsthematik:** Durch die Konsumation beim Essen wird auch **zerstört**(73), zugleich jedoch in einen **phantasmatischen Raum** verwandelt:

> "Es gibt einen **Körper des Textes,** so wie es einen Raum des Textes gibt. Der Raum des Textes ist der **Raum seines Körpers,** den er aufgliedert und verbindet, den er aber auch in seiner Oberfläche und seinen Funktionen **produziert;** kurz: in seiner unfaßbaren Kraft als solcher, nur in den Markierungen, die diese Kraft an die Oberfläche läßt und die vom Lesen und Schreiben des Textes unermüdlich nachgezeichnet werden. **Der Text ist also in seinem Raum des Schreibens und Lesens das mächtigste Phantasma des Körpers.**"(74)

73 Vgl. **Louis Marin, Semiotik der Passionsgeschichte,** übers. v. Siegfried Virgils u. Erhardt Güttgemanns. (BEvTh 70). 1976, 97ff. 133ff. 148ff. 156ff. 160f.   74 Ebda. 167. Zur Interpretation vgl. ebda. 195f.

9. Das Töten des Buchstabens als die Differänz

Vom "Körper" des Buchstabens können wir mit zwei Bibelzitaten scheinbar Widersprüchliches aussagen. Wir sagen einmal: **"littera enim occidit"** (2 Kor 3, 6), d.h. der Buchstabe, wenn er nur Materie bleibt,
tötet, gehört in das Reich des Leblosen. Der Buchstabe, wenn er nicht
mehr lesend aufgenommen und "umgesetzt" wird, legt Zeugnis davon
ab, daß sein **"Vater", der Schreiber, gestorben** ist. Der "Vater" ist
gestorben, sowohl physisch wie psychisch. Der Nicht-Leser sagt zum
Schreiber: Du bist für mich **"gestorben"**. Der schreibende "Vater" ist
gestorben, weil seine Hoffnung auf künftige Leser getrogen hat. Wo
keine Leser mehr sind, da hat der Schreiber **umsonst** "Lust" am
Schreiben gehabt: es wird keine "Lust" am Lesen mehr geben! Die
"Lust" des Schreibens ist verpufft, weil die "Lust des **'wilden'** Lesens" keine unerwarteten "Kinder" mehr erzeugt. Ein Autor

"kann nicht schreiben wollen, **was man nicht lesen wird**"(75).

Die vergangene und künftige Wollust lautet:

"Sie werden gelesen, ich habe gelesen."(76)

Wer schreibt, der will gelesen werden, der will vom materiellen "Körper" der Buchstaben zum "imaginären Körper" im **Leser** werden; zwar
wird sein leiblicher Körper sterben, aber der "Körper" aus Buchstaben
soll ewig bleiben:

"Für den Text wäre nur seine eigene Zerstörung umsonst: nicht,
nicht mehr schreiben, oder man wird nicht mehr vereinnahmt."
(77)

Zwar ist der Autor des Geschriebenen als Institution tot; er ist von
seinen Vaterrechten **enteignet**(78); aber wer schreibt, der enteignet
sich selbst, weil er einen "Körper" aus Buchstaben **neben** seinen leiblichen Körper stellt, seine leibliche Anwesenheit **überflüssig** macht und
die Kräfte der Imagination im Leser erwartet, die über "ihn selbst"
hinausgehen: Den leiblichen Tod schreibend im Leser zu transzendie-
ren, ohne seine eigene Identität in die **Differänz des Buchstabens** zu
bringen(79), das ist die hermeneutische Unmöglichkeit, ebenso wie es
unmöglich ist, identischen "Sinn" zu wiederholen(80).

75 Barthes, aaO. 18.   76 Ebda. 32, im Original kursiv.   77 Ebda. 37.
78 Vgl. ebda. 43 sowie oben S. 18. 79 Im Französischen schreibt man "différence". **Jacques Derrida, Randgänge der Philosophie.**(Ullstein-Buch 3288).
1976, 6-37 schreibt, orthographisch unkorrekt, "différance", um den obigen
philosophischen Akzent hervorzuheben. Ich imitiere diese unkorrekte Ortho-
graphie, um das Nicht-Identische, die Negativität, zu unterstreichen.
80 Vgl. Iser, aaO. 243 sowie 53.

Wer schreibt, der muß also wissen, daß er nicht nur "sich selbst" enteignet, sondern daß der Leser seine Identität erst recht enteignen wird, weil es die geistige Kontinuität zwischen Schreiber und Leser nur in der **Diskontinuität der individuellen Leiber** geben kann. Als Schreiber will ich im Leser keine stereotype **Wiederholung** meiner selbst, wenn ich kein Narziß sein will; ich will gerade im Leser **sterben**, damit er "er selbst" werden kann:

"Das Stereotype, das ist die ekelerregende Unmöglichkeit, zu sterben."(81)

Schreibend will ich nichts "Letztes", Endgültiges sagen, weil ich dies ohnehin nicht kann. Schon die "zerstückelten Körper" meines Textes zeigen, daß alles, was ich sage und schreibe, nur **fragmenta** sein können. Der Schreiber, der "authentisch" bleiben will, ist nicht wie ein Professor, "der seine Sätze abschließt"(82). Er wartet vielmehr auf den Leser, der ihn **ausplündert**, um selbst zum Jenseits des Gesagten und Gedachten aufzubrechen. Der Schreiber ist als "Vater" nicht der Diktator, sondern die "Stütze", nur der **"Ort"**, nicht die Inkarnation der **Denkgeschichte**(83).

Die Lust des "wilden" Lesens heißt nach Roland Barthes also auch, daß sich die wahre Lust erst dann einstellt, wenn ich den "Körper" des Textes **anstelle** des "Vaters" zerstückeln darf, um aus den Bausteinen der Buchstaben meine eigene Lektüre "zusammenzubasteln". Wer, wie das bei Theologen vielleicht nicht verwundern darf, gegen die **"wilde" Exegese** zu Felde zieht(84), der beweist, sicher ganz unbewußt, daß er immer noch im **Inzest** befangen ist, in welchem er selbst als "Vater" immer nur seine eigenen "Geschwister" erzeugen kann; er verrät aber auch, so würde Roland Barthes sagen, was **"Lust am Text"** heißt. Der Polemiker gegen die "wilde" Exegese vergißt, verdrängt, verneint, daß der "Vater" zuerst sterben muß, wenn ich mit seinem Buchstaben-"Körper" umgehe.

Neben das erste Bibelzitat vom Töten des Buchstabens können wir ein zweites stellen, welches die Hoffnung, den unbewußten **Wunsch** des "Vaters" ausdrückt: **"littera manet in aeternum"** (vgl. Ps 119, 89), der Buchstabe bleibt in alle Ewigkeit. Aber nun nicht als bloße Materie **außerhalb** eines Körpers, sondern als Materie, die wieder in einen

81 Barthes, aaO. 65.   82 Ebda. 75.   83 Vgl. dazu unten S. 248ff.
84 Vgl. etwa die Rezension zu Louis Marin (Anm. 73) durch **Wolfgang Wiefel**, ThLZ 103. 1978, 581-584. Ebda. 583: "Man wird sie den 'wilden Exegesen' zurechen müssen." Geschichte und Methodik der Semiotik als **strenger Wissenschaft** werden hier gar nicht vorgestellt; das emotionale Schlagwort genügt!

Körper eingeht. Dort wird und soll sie nicht nur sich selbst, sondern auch den **aufnehmenden** Körper verwandeln. Das erste Bibelzitat fährt ja fort: **"Spiritus autem vivificat "** (2 Kor 3, 6), der Geist macht lebendig. Das ist nicht der Geist, der als "Geist Gottes" den Buchstaben nur **verneint**; das könnte er ja auch gar nicht, sobald er ihn benutzt! Es ist vielmehr der Geist der "Auferstehung", welcher den "Körper" des Buchstabens **"aufhebt"**: Der Geist des göttlichen "Vaters" hebt den "Körper" des Buchstabens einerseits "aus den Angeln", um ihn andererseits zugleich für eine Welt der Zukunft und der "Auferstehungsverwandlung" des leiblichen Körpers zu **bewahren**.

10. "Manierismus" – oder Beweis des Geistes und der Kraft?

Nach **Georges Bataille**, auf den Roland Barthes häufig verweist(85), steht die biologische **Fortpflanzung** unter der Spannung zwischen Kontinuität und Diskontinuität(86): Ich pflanze mich fort, um meine **Kontinuität** zu wahren; aber mein Kind ist ein Wesen, zu dem ich als Subjekt auch in **Diskontinuität** stehe. Nicht ich, sondern mein Kind wird geboren; nicht mein Kind stirbt, wenn ich sterbe. Und wenn mein Kind stirbt, so sterbe nicht ich:

> "Zwischen dem einen und dem anderen Wesen liegt ein Abgrund, trennt sie die Diskontinuität."(87)

Ebenso ist es nach Roland Barthes auch bei der **"geistigen"** Fortpflanzung durch **Schreiben**: Meine geistigen "Kinder", meine in die Materie der Buchstaben verwandelten **Gedanken**, sind bei meinen Lesern, den "Kindern" des Buchstabens, zugleich in Kontinuität und Diskontinuität "auf-gehoben". Mit der Lust meines Schreibens möchte ich zwar erreichen, daß mein Buchstabe "für die Ewigkeit" bleibt und so dem Denken Kontinuität sichert. Aber ich weiß auch, daß mein erhoffter Leser **Wollust jenseits aller Worte** an dem "Körper" meiner Buchstaben haben kann, etwa wenn er mit meinen Buchstaben "spielt", um nach dem Ungesagten, vielleicht sogar nach dem **Unsagbaren** zu suchen.(87a)

---

85 Vgl. Barthes, aaO. 46. 72. 82. 88.
86 Vgl. **Georges Bataille**, Der heilige Eros. (Ullstein-Buch 3079). 1974, 11f.   87 Ebda. 11.
87a Vgl. dazu **Manfred Frank**, Das Sagbare und das Unsagbare. (stw 317). 1980.

Dieses Enkomion für Roland Barthes ist bewußt auch stilistisch anders gestaltet als die anderen Kapitel dieses Buches, um diesem zugleich als **Vorwort und Einleitung** zu dienen. So kann dem Leser von vornherein klar werden, daß in diesem Buche der gängigen Hermeneutik ein entschiedenes **"Nein!"** entgegengesetzt wird: Gerade von der "Sache" der Hermeneutik her, d.h. vom Geist **am** Buchstaben der Hl. Schrift her, ist die Hermeneutik veranlaßt, über den reduzierten Horizont der letzten 150 Jahre zu den zeichen- und sprachtheoretischen Implikationen und Explikationen der "Väter" der Hermeneutik zurückzugehen, um gerade so nach vorne aufzubrechen.

Wenn dieser Aufbruch in die Geschichte des hermeneutischen Denkens von einer spezifisch modernen Position her erfolgt, so nicht, weil diese Position "modern" ist; vielmehr hilft uns der "abschweifende" Blick mit den Augen Roland Barthes, das eher **konservative** "und dennoch..." der Verleugnung der bloßen Substanz(88) in ein **kritisches** "So nicht..." zu wenden: Zwar müssen die "Väter" der Hermeneutik sterben, sobald ihre Schriften von uns gelesen werden; zwar ist unser "wildes" Lesen legitim, wenn wir uns von den "Vätern" **absetzen,** unsere geistige Nabelschnur durchschneiden wollen, um selbst zu "Vätern" zu werden.

Aber dieser **"Ödipus"** kann nur funktionieren, wenn der wirkliche "Vater" und nicht eine Fälschung seiner Gestalt im Kampf zwischen seinem Wort und meinem Widerwort untergeht. So wird sich in diesem Buche vielfach zeigen, daß wir die "Väter" der Hermeneutik **zu schnell** ad acta gelegt haben, weil wir ihr Wort nicht so vernahmen, wie es, gelesen mit den Augen dieses einen "Vaters", in seiner **unbeschränkten** Dimension erscheint: Augustin, Schleiermacher, Wilke, de Saussure und Freud fragen uns Nachgeborene noch aus dem Grab heraus, ob wir es uns mit ihnen nicht zu leicht gemacht haben.

Ob wir wirklich bereits die "Virtuosen" geworden sind, welche sie sich wünschten, stellt sich an unserem Spiel mit den "Körpern" ihrer Buchstaben heraus: Jede Fälschung und Einengung des Blickes degradiert dieses Spiel zum Geklimper; das Spiel des Geistes und der Kraft kann nur in der **Dialektik** von Treue und Improvisation entstehen.

---

88 Vgl. dazu das Zitat oben S. 22.

Ein Leser hat diese meine Einstellung **"Manierismus"** genannt(89).Auch um zu beweisen, wie absurd dieses neue Schlagwort einer emotionalen Verdrängung meiner hermeneutisch-linguistisch-semiotischen Problemstellung ist, habe ich in diesem ersten Kapitel gerade nicht die "historische Exaktheit" in der Nachzeichnung des Denkens Roland Barthes gewählt, sondern mich durch seine **fragmenta** anregen lassen, auf dem Klavier seiner Zeichen einen **neuen Text** zu komponieren. Ich habe gerade am "Vater" demonstrieren wollen, wie man seinen Text-"Körper" ausplündert, um **sein Eigenes** zu sagen.

Insofern ist dieses erste Kapitel keine Darstellung, sondern ein **Bekenntnis** zu meinem Ziel. Natürlich gilt auch für mein Schreiben, was ich über den Tod des "Vaters" gesagt habe; aber wenn es für den Hermeneutiker gilt, am "Körper" des Buchstabens den Beweis des Geistes und der Kraft abzulegen, dann sollte sich kein Leser die Lektüre dieses Werkes so einfach machen wie mein Kritiker mit meinen früheren Werken: Nur wer dem Tod im Buchstaben und zugleich der **Differänz** standhält, indem er beide zugleich durch lesendes Schreiben überwindet, der verdient, daß er einen "Vater" gehabt hat(90).

So will dieses Buch in seinem nun folgenden nüchterneren Stil auch Zeugnis davon ablegen, welche "Väter" in hermeneuticis man zu schnell bereits tot gesagt hat, weil man mit ihren Buchstaben nicht mehr zu **spielen** verstand.

---

89 **Alex Stock, Theologie und Wissenschaftstheorie.** VF 20/2. 1975, 2-34. Wenn Stock mir ein "mechanische(s) Festhalten am Proppschen Klassifikationsmodell" vorwirft (ebda. 18), so kann ich das ignorieren; denn von Folkloristen wird mir eher entgegengehalten, daß ich den theoretischen Rahmen Propps zerstört habe. Vgl. Heda Jason, in: **dies. u. Dimitri Segal (Ed.), Patterns in Oral Literature.** 1977, 6. Wer sich in der komplizierten Geschichte der Erzählforschung nicht auskennt, der sollte besser schweigen! Wenn es dann jedoch weiter heißt: "Nur um den Preis des Manierismus kann man analytisch ermittelte Textsortenstrukturen direkt in Anwendungsregeln für heutiges Reden von Gott umsetzen"(ebda.), dann ist das dreifach inkriminierend. Erstens bin ich kein "analytischer Ermittler", sondern **Konstruktivist**, und zwar von Anfang an. Zweitens spreche ich nirgendwo einer direkten Übertragung das Wort, sondern unterscheide gerade zwischen "analytischer" und "synthetischer" Grammatik. Drittens ist "Manierismus" ein emotionales Schlagwort.   90 Auch Stock kann ja nur so unbefangen schreiben, nachdem unter anderem auch ich erst die Fronten geöffnet habe.

Wesentliche Literatur von Roland Barthes

Le Degré zéro de l'écriture. 1953 =
Am Nullpunkt der Literatur. 1959;
Mythologie. 1957 =
Mythen des Alltags. (es 92). 1964;
Sur Racine. 1963; daraus:
Literatur oder Geschichte. (es 303). 1969;
Essais critiques. 1964;
Eléments de sémiologie. Communications 4. 1964, 91-135 =
Elemente der Semiologie. 1979;
Critique et vérité. 1966 =
Kritik und Wahrheit. 1967;
Die strukturalistische Tätigkeit. Kursbuch 5. 1966, 190-196;
Introduction à l'analyse structurale des récits. Communications 8. 1966,
    1-27;
L'effet du réel. Communications 11. 1968, 84-90;
L'écriture de l'événement. Communications 12. 1968, 108-113;
Drame, poème, roman; in: Tel Quel, Théorie d'ensemble. 1968, 25-40;
S/Z. 1970 =
S/Z. 1975 (deutsch);
L'empire des signes. 1970 =
Das Reich der Zeichen. (es 1077). 1981;
Sade, Fourier, Loyola. 1971; deutsch 1974;
Leçon/Lektion, Französisch und Deutsch, übers. v. Helmut Scheffel. (es
    1030). 1980 (franz. 1978).

Über mich selbst, übers. v. Jürgen Hoch. 1978;
Erté. (Franz., Engl., Ital.). o.J.

11. Die Philosophie einer semiotisch-linguistischen Hermeneutik

Um schon zu Beginn deutlich zu machen, wodurch sich die vorliegende Hermeneutik von dem bisher in der Theologie üblichen Fragekanon unterscheidet, warum sie sich als "Nein!" von diesem Fragekanon abgrenzt, seien zunächst einige **Leitlinien** formuliert. Sie systematisieren einerseits den bisherigen Gedankengang und führen ihn in Richtung auf **spätere** Ausführungen fort; andererseits stellen sie auch stilistisch eine "Kehre" dar, um den Übergang zum Folgenden zu erleichtern und **Roland Barthes** in den Rahmen einer **Gesamtphilosophie** zu stellen, durch welche diese Hermeneutik geprägt ist.

11.1. Der Text und der leibliche Körper des Menschen

11.1.1. Ein Text, an dem ein Leser "Lust" (delectatio) hat(91), weil er nicht das inhaltsleere Plappergeräusch menschlichen Redens verstärkt, sondern den Menschen in die Ebene des **"Authentischen"** hebt, in welcher der Mensch zu seiner **Wahrheit** kommt, ein solcher Text darf niemals wie ein **Bedarfsprodukt** behandelt werden. Aus diesem Grunde wird dem Anspruch auf "authentisches" Sprechen, auf "Offenbarung" in der Hl. Schrift, nur ein **Umgang** mit der Hl. Schrift gerecht(92), der sich von vornherein am Richtwert der **"Sprache der Lust"** orientiert.

11.1.2. Mit diesem bewußt provozierenden Term soll von allem Anfang an betont werden, daß der Umgang mit der Hl. Schrift nur dann sachgerecht konzipiert wird, wenn er als **Umgang** mit **einem doppelten** "zerstückelten Körper" konzipiert ist.

91 Die durch Sigmund Freud hervorgehobene Thematik der "Lust" entspricht der rhetorischen Kategorie der "delectatio". Vgl. dazu **Heinrich Lausberg, Handbuch der literarischen Rhetorik.** 1960, § 257,2; S. 141f. Die "Lust" (voluptas), die durch pragmatisch wirksames, "rhetorisches" Sprechen erzeugt wird, ist ein Gegenmittel gegen die Langeweile. Vgl. Quintil., inst. or. IV, 1, 49: "et undecumque petita iudicis **voluptas** levat taedium." Dabei muß auch die voluptas der variatio, der Abwechslung, unterworfen werden, weil sonst Überdruß (fastidium) entsteht. Vgl. Cic., de or. III, 25, 100: "Sic omnibus in rebus voluptatibus maximis fastidium finitimum est." Im übrigen wird Kap. 2 anhand von Augustin zeigen, wie stark die delectatio auch und gerade in theologische Sachverhalte hineinreicht; von einer Fremdheit des "Lust"-Prinzips zur theologischen "Sache" kann also keine Rede sein. Zum Bezug Freuds zur Rhetorik vgl. **Samuel Jaffe, Freud as Rhetorician:** Elocutio and the Dream-Work. Rhetorik 1. 1980, 42-69.
92 Die vorliegende Hermeneutik unterscheidet sich auch dadurch von bisher üblichen, daß sie den **Umgang** mit der Hl. Schrift hermeneutisch wichtiger nimmt als die Hl. Schrift selbst quasi als "Objekt" außerhalb des Umgangs mit ihr: Die **Praxis** des Umgangs und die Regeln für diese Praxis stehen im Mittelpunkt; in der Praxis des Umgangs mit ihr ist auch der Rahmen für das abgesteckt, als **was** die Hl. Schrift erscheint. Schon insofern hat die vorliegende Hermeneutik einen ganz anderen Schwerpunkt.

11.1.2.1. Wenn ein Leser mit der Hl. Schrift umgeht, dann geht er eben damit mit seinem eigenen leiblichen **Körper** um, welcher keine originäre Einheit bildet, sondern nur als **"Bild im Spiegel"** die "Zerstückelung" in einzelne Organe überwinden kann.

11.1.2.2. Wenn ein Leser mit der Hl. Schrift, genauer: mit den nacheinander (also nicht gleichzeitig) geschriebenen **Buchstaben**, umgeht, dann geht er eben damit zugleich mit einem materiellen **"Körper"** um, der in eine Kette von aufeinander folgenden, zeitabhängigen **Zeichen** (genauer: Signifikanten) "zerstückelt" ist.(93)

11.1.2.3. Wenn ein Leser so gleichzeitig mit einem doppelten "zerstückelten Körper" umgeht, dann kann die Einheit des Leibes, der "Leib der Auferstehung", nur **gleichzeitig** mit der Einheit des Textes, mit dem Text des "authentischen" Sprechens entstehen; andernfalls begegnet dem Leser kein Text, sondern ein "Plappern". In dieser "Gleichzeitigkeit" besteht die eigentliche **synthetische Leistung,** die "Arbeit" des Leseaktes.

93 Diesen Gedanken hat bereits herausgestellt **Gotthold Ephraim Lessing, Laokoon oder Über die Grenzen der Malerei und Poesie.** (1766). (reclam 271/ 71/a/b). 1967. Zur darin implizierten Semiotik vgl. **Erhardt Güttgemanns, Die Funktion der Zeit in der Erzählung.** LingBibl 32. 1974, 56-76; **Udo Bayer, Lessings Zeichenbegriffe und Zeichenprozesse im 'Laokoon' und ihre Analyse nach der modernen Semiotik.** Phil. Diss. Stuttgart. Rotaprintdruck 1976; **Lucien Tesnière, Grundzüge der strukturalen Syntax,** hg. u. übers. v. Ulrich Engel. 1980 (franz. 1959), 32: "Die gesprochene Kette ist eindimensional. Sie stellt sich als Linie dar. Dies ist ihre wesentliche Eigenschaft... Der lineare Charakter der gesprochenen Kette hängt damit zusammen, daß das Sprechen in der Zeit verläuft, die ihrerseits eindimensional ist." Ebda. 40: "Man kann das Wort gar nicht aus sich selbst heraus definieren, sondern nur durch die Einschnitte, die seinen Anfang und sein Ende markieren." Wörter kommen im konkreten Sprechen m.a.W. nur als "herausgeschnittene **Stücke**" der gesprochenen Redekette vor; damit ist die Textlinguistik **syntaktisch** begründet. Vgl. dazu **Harald Weinrich, Sprache in Texten.** 1976, 12: "Die Frage muß nun weiter lauten, was eigentlich diese Abfolge sprachlicher Zeichen - gleich ob man sie sich schriftlichen oder mündlichen Text vorstellt - zu einem Text macht." Diese Frage nach der **Texthaftigkeit** des Textes, mit dem die Textlinguistik einsetzt, fragt also nach dem "imaginären" Ganzheitsprinzip jenseits der "Zerstückelung" (frz. articulation) in einzelne Zeichen. Tesnière, aaO. 46 definiert so die strukturale Syntax als das innere Gesetz des Zusammenwirkens der "Bestandteile", der "Stücke" des Textes. Kap. 2 wird bei Augustin die Zerstückelung der Zeit durch die Zeichen als **Gesetz des Todes** aufzeigen; Kap. 3 wird anhand von Schleiermachers Hermeneutik nachweisen, daß die Syntax als **Dialektik** konzipiert werden muß. Vgl. dazu **Harald Weinrich, Syntax als Dialektik.** Poetica 1. 1967, 109-126.

11.1.3. Da die vom Leser gelesenen Buchstaben als **materieller "Kör-per"** neben **dem leiblichen Körper** des Lesers begegnen, betont eine semiotisch-linguistische Hermeneutik gegenüber einer spiritualisieren-den und abstrahierenden Hermeneutik, daß die Buchstaben, die zu le-senden **Signifikanten**, als "Auswürfe" aus einem leiblichen Körper her-ausgetreten sind (Schreiben) und als "Einwürfe" wieder in einen leib-lichen Körper hineintreten müssen (Lesen), wenn es zum "Sinn" kommen soll. **Verdauungs- und Speisemetaphern**, die es seit alters in der Her-meneutik gibt, streichen dies besonders deutlich heraus. Solche Meta-phern kommen auch biblisch in besonders signifikanten Symbolzusam-menhängen vor (vgl. z.B. Ez 3, 1; Joh 4, 32; 6, 50f; Apk 2, 7), wo-bei vor allem die **Abendmahlsthematik** hervorzuheben ist.

11.1.3.1. Wenn ein Mensch mit einem Organ seines leiblichen Körpers, meist mit der **Hand**(94), Buchstaben schreibt, dann erscheint der **Akt des Schreibens** als eine körperliche **"Ausscheidung"**: Durch das Schrei-ben wird ein "Körper" aus materiellen Buchstaben vom leiblichen Kör-per des Schreibenden **"abgespalten"** und so **neben** diesen leiblichen Körper gestellt, so daß er sich auch verselbständigen kann.

11.1.3.2. Der Akt des Schreibens gehorcht insofern dem **"Gesetz der Signifikanten"**, welches als Gesetz der "Artikulation" das **Gesetz der "Abspaltung" und Nicht-Identität** ist(95): Indem der Schreiber einen "Körper" von seinem leiblichen Körper "abspaltet", schafft er seinem Leibe eine **materielle Konkurrenz**, welche sich als **"tötender"** Buchstabe gegen ihn wenden kann.

11.1.3.3. Der Buchstabe als materieller "Körper" des durch den Schrei-ber **Ausgesagten** (énoncé) ist als materielles **Produkt** eines körperlich-materiellen "Abspaltungs"-Vorgangs nicht mit dem **aussagenden** (énon-ciation) Leibe des Schreibenden identisch: Der Buchstabe ist das **Zei-chen einer Differänz** nicht nur zwischen dem schreibenden Körper und

---

94 Diese Einschränkung berücksichtigt, daß Behinderte, z.B. Contergankin-der, auch einen Fuß oder den **Mund** benutzen können. Vor allem letzterer Fall schärft ein, daß die Buchstaben "Ausfluß des Mundes" sind, also eine **Körperöffnung** brauchen, um als "Körper" **neben** den leiblichen Körper des Schreibenden treten zu können. Dieser Topos von den **"Löchern des Körpers"** spielt bereits bei Augustin eine hermeneutisch zentrale Rolle. Zum Nach-weis vgl. Kap. 2.
95 Dieser Gedanke ist der Zentralgedanke für die Entstehung einer semiolo-gischen Linguistik bei Ferdinand de Saussure. Zum Nachweis vgl. Kap. 5.

dem geschriebenen "Körper", sondern auch zwischen dem **Akt** des Aussagens und dem durch diesen Akt Ausgesagten, dem **Produkt**. Mit anderen Worten: Das Gesetz der "Abspaltung" gilt nicht nur für die Ebene materieller "Körper", d.h. für die Ebene der **Signifikanten**, sondern auch für die Ebene dessen, was zusammen mit dem Signifikanten als **"Bedeutung"** und **"Sinn"** (als Signifikat) "abgespalten" und "ausgeschieden" wird. Damit steht die Frage im Vordergrund, inwiefern die "Bedeutung" und der "Sinn" einerseits **Produkte des sterblichen Körpers** und somit selbst dem Gesetz der Vergänglichkeit unterworfen und andererseits im Falle der Hl. Schrift **Brot des Ewigen Lebens** sein können. Die hermeneutische Frage nach dem **Erlösungswert** des göttlichen Wortes ist so zugleich die **semiotische** Frage nach der "Nicht-Abspaltungs"-Funktion der **Signifikanten der Hl. Schrift**, deren "Auswurf"-Charakter aus einem menschlichen Leibe nicht bestritten werden kann.

11.1.3.4. Ein **Zeichen** ist als "Abspaltung" von einem sprechenden/schreibenden Körper immer eine **doppelte "Ausscheidung"**: Der sprechende/schreibende Körper setzt mit dem Akt des Sprechens/Schreibens nicht nur einen materiellen "Körper", den **Signifikanten** als "Bedeutungs"-**Träger**, neben sich(96); er scheidet zugleich auch ein **immaterielles** **"Sinn"-Gebilde**, das Signifikat, aus, welches sowohl neben seinem leiblichen Körper als auch neben dem "Bedeutungs-Körper" existiert. Mit anderen Worten: "Bedeutung" und "Sinn" **sind** nicht als "Körper", sondern in der **Differenz zu "Körpern"** (Signifikanten).

11.1.3.5. Auch wenn man das Geschriebene als Produkt einer Bewegung der Hand (motus manus) auf eine unkörperlich-seelische **"Bewegung des Herzens"** (motus cordis) zurückführt(97), wie es den Grundlagen

96 Exakter ist seit Ferdinand de Saussure davon zu sprechen, daß am materiellen Signifikanten nicht die Materie als solche "bedeutsam" ist, sondern ihrer abstrakte Eigenschaft, **Differenzen** zu markieren. Insofern ist die Zeichenmaterie nicht einmal "Träger", sondern allenfalls eine abstrakte "Stütze" des "Bedeutsamen". Vgl. dazu unten S. 248ff.In jedem Falle ist somit der Signifikant kein Zeichen einer Identität, sondern einer Differenz. Eine konsequent semiotische Erkenntnistheorie kann daher niemals eine Identitätsontologie, sondern nur eine **Differenzontologie** sein, in welcher auch der "deutende" Mensch keinen Indentitätspol darstellt. Zum Nachweis vgl. Kap. 6 und 7. Bereits Augustin ringt in seiner Hermeneutik mit dem Problem, daß das nach dem "Sinn" begehrende **Subjekt** durch das Gesetz der Signifikanten **"gespalten"** wird. Vgl. unten S. 135-145.
97 Dies ist ein Zentralgedanke der rhetorisch geprägten Hermeneutik Augustins. Zum Nachweis vgl. Kap. 2.

der **Graphologie** etwa bei Johann Caspar Lavater (1741-1801) ent-
spricht(98), bleibt diese Differenz zwischen der geschriebenen Materie
und dem schreibenden Gefühls- und "Bedeutungs"-Zentrum bestehen:
Die "Bedeutung" wird niemals in einen "Körper" **verwandelt,** sondern
sie geht immateriell **neben** einem "Körper" einher.

11.1.3.6. So ist auch der **Akt des Hörens/Schreibens** zunächst nur ein
Eingehen des "Bedeutungs-Körpers", des Signifikanten, in den Körper
des Hörenden/Lesenden (Signifikant)(99); aber dieses körperliche Eingehen ist eine **"Inkarnation"**(100), bei welcher die Differenz zwischen
dem materiellen Signifikanten und dem immateriellen Signifikat durchgehalten wird: Der Laut oder der Buchstabe werden als "Körper" weder mit der "Bedeutung" im Hörer/Leser (Signifikat) noch mit dem Leibe des Hörers/Lesers (Signifikant) identisch.

11.1.3.7. Weil sich so der Hörer/Leser nur die Signifikanten (Laute,
Buchstaben) **"einverleiben"** kann, nicht aber die immateriellen Signifikate ("Bedeutungen"), kann der Mensch als Leib niemals mit den
"Bedeutungen" **identisch** werden: Signifikate verweisen gerade durch
ihre Signifikanten auf eine **Differänz,** weil sie nicht aus der menschlichen Materialität abgeleitet werden können.

11.1.3.8. Der menschliche **Umgang mit Zeichen,** eben der Umgang mit
materiellen "Bedeutsamkeits-Körpern"(101), ist so immer auch ein **Um-**
gang mit dem eigenen Leibe: In der hermeneutischen Praxis des Um-

---

98 Vgl. **Johann Caspar Lavater, Von der Physiognomik.** 1772; ders., **Physio-**
gnomische Fragmente zur Beförderung der Menschenkenntniß und der Menschen-
liebe I-IV. 1772-1778; bes. Bd. III (Physiognomie der Hände, Ohren u.ä.).
Vgl. auch **Ludwig Klages, Ausdrucksbewegung und Gestaltungskraft.** Grundlegung der Wissenschaft vom Ausdruck, hg. v. Hans E. Schröder. (dtv 505).
1968; **ders., Handschrift und Charakter.** 27. Aufl. 1974.
99 Daß hier der leibliche Körper des Menschen als ein Signifikant erscheint, entspricht der Freud-Interpretation durch Jacques Lacan. Vgl.
dazu Kap. 6 und 7.
100 Diese Parallelisierung der christologischen Inkarnation des Logos im
Fleisch mit dem Vorgang des Eingehens von Gesprochenem in den Körper des
Hörenden, ohne daß dabei der Logos in das Fleisch und das beim Gesprochenen Gedachte in einen "Körper" verwandelt würde, verdanken wir der semiotischen Hermeneutik Augustins. Zum Nachweis vgl. unten S. 150f.
101 Dieser Term versucht, den terminus technicus "Signifikant" in die Terminologie der Hermeneutik Rudolf Bultmanns zu übersetzen, um den Übergang
vom traditionellen Fragekanon der Hermeneutik zu der vorliegenden Hermeneutik zu erleichtern. Dennoch zeigen der Kontext sowie der obige Gedankengang, daß zwischen Bultmanns existentialer Hermeneutik und der vorliegenden ganze Welten liegen.

gangs mit Texten, welche "ausgeschieden" und "einverleibt" werden, erscheint der menschliche **Körper** als ein Phänomen der **Signifikation**(102). Wer mit Texten und in ihnen zugleich mit seinem eigenen Körper umgeht, der geht nicht mit empirisch-physikalisch zugänglichen "Objekten", sondern mit **Signifikanten** um: Der leibliche Körper des Menschen ist in diesem Umgang sogar der zentrale Signifikant.

11.2. Roland Barthes als "Vater" einer semiotischen Texthermeneutik

11.2.1. Die Auferstehung des Leibes und die "Wiederkehr des Sinns"

Neben **Jacques Lacan** (1901-1981), dessen "nicht-biologischer" Freud-Lektüre ein eigenes Kapitel gewidmet ist(103), hat niemand stärker als **Roland Barthes** diesen von der idealistischen Hermeneutik immer wieder verdrängten elementaren Zusammenhang zwischen Signifikant und Leib betont. In gewissem Sinne kann man seine "Kehre" durchaus als **"materialistisch"** bezeichnen, aber eben in dem Sinne, daß gerade die theologische **Eschatologie** mit ihrer Thematik der **"Auferstehung des Leibes"** zum Kriterium einer **Hermeneutik** wird, für welche die **"Wiederkehr des "Sinns"** in den menschlichen Leib und damit die **"Wiederkehr des Körpers"** das eigentliche Zentrum bildet(103a).

Dieses Zentrum erscheint mir als Theologen als so "urbiblisch", daß ich mich wundere, es erst als **Semiotiker** in seiner elementaren Funktion gesehen zu haben. Mein "Nein!" gegenüber der traditionellen Hermeneutik ist eben auch darin begründet, daß etwas mit ihr nicht stimmen kann, wenn sie kein Wort über dieses Zentrum verliert, das eben bei Barthes einen ausgesprochenen Schwerpunkt bildet. Allein schon wegen dieser notwendigen **Korrektur** hat Roland Barthes die **auctoritas** erworben, in meine Hermeneutik als einer der "Väter" einzugehen.

102 Der Leser sollte beachten, daß damit eine grundsätzliche These vertreten wird, die sich nicht auf dem Umgang mit der Hl. Schrift beschränkt: Insofern die Hl. Schrift als **scriptura** ein Signifikant ist, besteht in dieser Hinsicht also keinerlei Besonderheit gegenüber anderen Texten. Sofern allerdings der Hl. Schrift bzw. dem Umgang mit ihr eine besondere **Heilsbedeutung** auch in bezug auf den menschlichen Körper zugeschrieben wird, wird eine semiotische Hermeneutik besonders kritisch nachfragen, ob dieser Anspruch der skizzierten semiotischen Problematik standhalten kann: Wenn einerseits jedes Zeichen als "Ersatz" durch andere Zeichen ersetzt werden kann und wenn andererseits die Hl. Schrift **als scriptura** ein Zeichen sein muß, inwiefern kann sie dann ein letztes, nicht mehr ersetz- und ablösbares Zeichen sein? Wer dieser kritischen Frage ausweicht, der immunisiert die theologische Hermeneutik vor einer langen innertheologisch-semiotischen Denktradition und wird damit heute absolut unglaubwürdig.
103 Vgl. unten Kap. 6.
103a Vgl. dazu **Dietmar Kamper - Christoph Wulf (Hg.), Die Wiederkehr des Körpers.** (es 1132). 1982.

Wer sich näher in seine ungewohnten Gedankengänge vertieft, der ist versucht, ein Motto **gegen** die nicht-semiotische Hermeneutik zu wenden, das diese gelegentlich für sich selbst in Anspruch genommen hat(104):

> "Wenn die Dinge sich in verrosteten Angeln bewegen, mit Euer Gnaden Erlaubnis, wie kann es da anders sein?"(105)

Roland Barthes **provokativer** Gedankengang ist jedenfalls das beste Mittel, die Tür der bisherigen Hermeneutik aus diesen Angeln zu heben.

11.2.2. Der "Sinn" und das "symbolische Feld"

Wer wie die Theologie um ein besonderes **Sprechen** herum konzentriert ist(106), der bewegt sich um ein Etwas herum, das von Jacques Lacan und Roland Barthes das **"symbolische Feld"** genannt wird(107). Dieses Feld

> "ist von einem einzigen Gegenstand besetzt(108), dem es seine Einheit entnimmt... Dieser Gegenstand ist der menschliche Körper"(109).

Dieser Körper ist der

> "Ort des Sinns, des Sexus und des Geldes: daher das kritische Privileg, das anscheinend dem symbolischen Feld zufällt"(110).

Dieses Zitat nennt mit **"Sinn"**, **Sexus** und **Geld** Phänomene, die grundsätzlich nur als **"symbolische"** zugänglich sind bzw. ihre **"Praxis"** haben: "Sinn", Sexus und Geld sind Erscheinungen des **"Tausches"**(111).

104 Vgl. z.B. **Peter Stuhlmacher**, **"...in verrosteten Angeln"**. ZThK 77. 1980, 222-238, ein Aufsatz, der gegen Erich Gräßer gerichtet ist. Es wird dem Leser wohl deutlich sein, daß ich **beide** auf einem Irrweg sehe.
105 Laurence Sterne, Tristram Shandy; zitiert nach dem Titelblatt von **Friedrich Gogarten**, **Entmythologisierung und Kirche**. 1953.
106 Vgl. dazu **Erhardt Güttgemanns**, **Theologie als sprachbezogene Wissenschaft**; in: ders., **studia linguistica neotestamentica**. (BEvTh 60). 1971, ²1973, 184-230. Dieser Aufsatz setzt sich in extenso mit Erich Gräßer auseinander.
107 Vgl. etwa Lacan, Schriften I, 105-131; ders., Seminar II, 221ff. Eine vollständige Belegung und Darstellung Lacans ist an dieser Stelle unmöglich, da wir unser Thema - die Hermeneutik von Barthes - aus den Augen verlieren würden. Mein Buch enthält jedoch andernorts so viele Hinweise auf Lacan, daß hier darauf verzichtet werden kann.
108 Der Term "Besetzung" entstammt der Terminologie Freuds; er bezeichnet die "Tatsache, daß eine bestimmte psychische Energie an eine Vorstellung oder Vorstellungsgruppe, einen Teil des Körpers, ein Objekt etc. gebunden ist" (Laplanche-Pontalis, Vokabular 92; im Original fett). Durch die "Besetzung" "erhalten die Objekte und die Vorstellungen in der persönlichen Welt des Subjekts bestimmte **Werte**, die das Feld der Wahrnehmung und des Verhaltens ordnen" (ebda. 95). Vgl. auch unten S. 287-289. 303.
109 Barthes, SZ 212.
110 Ebda. 257.
111 Vgl. dazu **Marcel Mauss, Essai sur le don**. Forme et raison de l'échange dans les sociétés archaïques. (Année sociologique, 2. Serie, Bd. I). 1923/

Gerade der **Sexus** beweist, daß es "den" Menschen nur als auch biologisch greifbare **Differenz** gibt, der immer das "Andere" fehlt, also
durch den "Tausch" **gegeben** werden muß. So wie man Geld als **Ersatz-**
"Körper", also als Signifikant, für das mit ihm "Bedeutete" gibt und
nimmt, so haben auch Sexus und "Sinn" nach Barthes dieses gemeinsam, daß dem menschlichen Körper etwas gegeben werden muß, was
ihm fehlt, wovon er also "getrennt" ist.

"Sinn", Sexus und Geld werden von Barthes als symbolische Signifikanten der drei **"Eingänge"** des symbolischen Feldes bezeichnet:
"man kann zu dem symbolischen Feld durch drei Eingänge, ohne
Vortritt, Zugang haben"(112).
Mit anderen Worten: durch "Sinn", Sexus und Geld wird der menschliche Körper ein **Netzwerk des "Symbolischen"** und eben damit selbst ein
"Text-Körper". Der menschliche Körper setzt also nicht nur Signifikanten aus seinem "Innen" nach "außen"(113), es treten nicht nur aus
den **"Löchern"** des Körpers Signifikanten aus und ein(114); vielmehr
tritt der menschliche Körper auch selbst durch **"Löcher"** in das "Symbolische" ein und wird damit allererst zum Kern der **Signifikanz:** Der
menschliche Körper durchtränkt den "Körper" des **Textes**(115); in einer
Reversibilität ist er selbst **"in Texte verstrickt"**(116).

Der "Sinn" bezeichnet nach Barthes den **rhetorischen** "Eingang":
Durch **Sprechen** wird der menschliche Körper "symbolisch", weil er mittels Sprechen nicht nur einen Signifikanten von sich nach **"außen"**
"abspaltet", sondern auch offenbart, daß ihm "innen" etwas **fehlt.**
Sprechen zeigt eben gerade nicht, daß der menschliche Körper "Sinn"
im "Innen" **hat,** sondern daß er ihn im "Außen" **"begehrt".** Indem der
menschliche Körper sich beim Sprechen **"spaltet",** sucht er nach "Sinn".

24; **ders., Die Gabe.** Form und Funktion des Austauschs in archaischen Ge-
sellschaften. 1968.
112 Barthes, SZ 257. Man sollte beachten, daß Barthes hier ausdrücklich
jede Vorrangigkeit éines der drei 'Eingänge' ablehnt, also auch nicht dem
"Sinn" gegenüber Sexus und Geld eine **Priorität** einräumt. Dies ist die
notwendige Korrektur gegenüber einem rein **idealistischen** "Sinn"-Verständ-
nis, das uns von der Materialität des Körpers trennt.
113 Damit ist auf die Dialektik Freuds von "Innen" und "Außen" angespielt.
Vgl. dazu unten S. 306f.
114 Dies ist ein Grundthema der Semiotik Augustins. Vgl. unten **S.** 154.
115 Vgl. Barthes, SZ 257.
116 Vgl. dazu unten S. 121.

11.2.3. Das Zeichen mit dem "Balken" der Differänz

Für diese "Spaltung" wählt Roland Barthes eine Figur der antiken Rhetorik als Illustration, nämlich die **Antithese**:

> "die ANTITHESE ist die Figur der **gegebenen**, ewigen, ewig rückläufigen Opposition; die Figur des Unsühnbaren. Jede Verbindung antithetischer Terme, jede Mischung, jede Versöhnung, mit einem Wort, jedes Überschreiten der Mauer der Antithese ist also eine Tabuverletzung."(117)

Für das richtige Verständnis dieses Zitats ist es absolut entscheidend, daß man jede **idealistische Verkürzung** von ihm fernhält. Barthes spricht hier eben nicht nur von einer Antithese zweier immaterieller Signifikate. Im Sinne von **Ferdinand de Saussure**(118), vor allem jedoch im Sinne **Jacques Lacans** versteht Barthes den materiellen **Signifikanten** (also auch den menschlichen Körper) und das immaterielle **Signifikat** als diejenige kardinale Antithese, deren **"Mauer"** nicht überschritten werden darf. Wer mit anderen Worten den menschlichen Körper als den zentralen Signifikanten vorschnell mit dem "Sinn" **versöhnt**, indem er – wie die nicht-semiotische Hermeneutik – die Materialität des Körpers überhaupt nicht als Problem empfindet, der begeht die gemeinte **Tabuverletzung**. Die Grundfrage einer semiotischen Hermeneutik lautet also, ob der menschliche Körper und der "Sinn" überhaupt **versöhnbar werden** bzw. wie diese Versöhnung in einem theologischen **Eschaton** vermittelt wird. Oder anders: Wie wird die **littera occidens** der Hl. Schrift am "Leibe der Auferstehung" so in den **spiritus vivificans** verwandelt, daß gerade dadurch der menschliche Körper **"versöhnte Einheit mit dem Sinn"** wird?

Jacques Lacan hat mehrfach ausführlich begründet, daß de Saussures Zeichenmodell, das in einer Ellipse aus Signifikant und Signifikat besteht, nur scheinbar ein **binäres** ist(119). Es enthält nämlich mit dem unscheinbaren **Trennstrich** zwischen Signifikant und Signifikat ein drittes Element, das Lacan als **"Balken"** (franz. barre) interpretiert, der wie ein **"Querstrich"** den Übergang vom Signifikanten zum Signifikat **"verriegelt"**

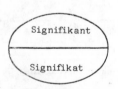

---

117 Barthes, SZ 31. Man beachte, daß hier von einer **"Mauer"** die Rede ist.
118 Vgl. dazu unten Kap. 6.
119 Vgl. z.B. Jacques Lacan, **Das Drängen des Buchstabens im Unbewußten oder die Vernunft seit Freud**; in: ders., **Schriften II**, ausgew. u. hg. v. Norbert Haas. 1975, 15-55; ders., **Die Metapher des Subjekts**; ebda. 56-59.

(barrer). So ist eben dieser "Balken" die graphische Darstellung dessen, was Barthes **"Antithese"** und Jacques Derrida **"Differänz"** nennen. Auf diese Weise illustriert nämlich das Zeichenmodell das für den menschlichen Körper **"gesperrte"** (barré) **Signifikat** einerseits und zugleich den für dieses Signifikat "gesperrten" menschlichen Körper als **Signifikanten.**(120) Betrachtet man das Modell als Ganzheit, dann ist

es einem **Wappen** der Heraldik vergleichbar, welches in der Mitte einen linken Schrägbalken enthält(121). Dieses zweite Modell illustriert, was die Rede vom **"schräggestrichenen"** menschlichen Körper oder "Subjekt" besagen soll.

Dieses Modell ist ja sowohl auf das Verhältnis des menschlichen Körpers zum "Sinn" als auch auf das menschliche **"Subjekt"** überhaupt anwendbar: Wie dem menschlichen Körper in seinem **"Mangel an Sein"** (manque à être) der "Sinn" fehlt und durch die Materialität der Zeichen **"versperrt"** bleibt, so ist auch das menschliche "Subjekt" ein **"sujet barré"** mit einem Körper, dem der "Sinn" **versagt** bleibt. Das Sprechen hat so als **Sagen** immer und grundlegend auch und gerade den Charakter des **"Ver-Sagens"**. Das heißt in dieser Hermeneutik, daß gerade das Sprechen des Menschen beweist, daß er "sich" – eben seinem "Subjekt" – den "Sinn" **abspricht**, weil er ihn weder **"hat"** noch **"beherrscht"**, sondern **braucht**. Das "schräggestrichene Subjekt" ist die schärfste **Antithese** dieser Hermeneutik gegen die Ableitung des "Sinns" aus der menschlichen **Subjektivität** in einer traditionellen Hermeneutik.

Man darf sich wohl wundern, daß einer theologischen Hermeneutik die **Ferne** und Differenz des Menschen von "Sinn" und "Wahrheit" allererst von einem Semiotiker eingeprägt werden muß. Das Dogma der von der "historisch-kritischen" Methode enggeführten traditionellen Hermeneutik, der Mensch sei sein eigener **"Sinn"-Produzent** und er könne jederzeit den **toten** Buchstaben der Hl. Schrift per lernbarer Methode in die **Unmittelbarkeit** des "Sinns" zum "Bewußtsein" verwandeln, wird mit diesem Gedankengang Lacans und Barthes' als Naivität und

---

120 Lacans Sprache enthält hier im Deutschen nicht imitierbare Wortspiele.
121 Vgl. ebda. 269 den Kommentar der Übersetzer im "Begriffsregister" sowie **Georges Mounin, Introduction à la sémiologie.** 1970, 103–115 (Semiotik des Wappens).

Verdrängung der Problematik einer "gesperrten" Leiblichkeit entlarvt. Denn keine "historisch-kritische" Methode bringt den **Körper** des Lesers mit dem realen Körper der Bibelautoren zur "Gleichzeitigkeit"; sie kann aber auch umgekehrt die realen Körper dieser Autoren nicht **"auferwecken"**, um den Akt ihres **Sagens** in unsere Gegenwart, zu bringen.

So wird aus der **Exegese**, welche nach Lacan und Barthes ein **Umgang mit einem "gesperrten Ersatz-Körper"** ist, ein vermeintlicher **Dialog von körperlosen "Geistern"**, die offenbar niemals einen Körper brauchten und auch niemals darauf hofften, als "Leiber der Auferstehung" **wiederzukehren**! Wozu dann der "Körper" der **Buchstaben** gut sein soll, wird man eine solche Position wohl vergeblich fragen. Fragt man noch schärfer, ob denn der "historisch-kritische" Rekurs in die **Imagination** der "Vergangenheit der Geschichte" nicht ein Gang Dantes in das **Reich der Toten** sei ("inferno"), aus dem es weder einen Wiederaufstieg ins Reich der Seligen ("paradiso") gebe noch überhaupt einen "Eintritt", dann wird deutlich, wie wenig Lacans und Barthes' Gedankengang durch einen naiven **Historismus**, welcher mit einem **Subjektivismus** verknüpft ist, erreicht wird.

Ein wesentlicher Grundgedanke dieser **semiotischen** Hermeneutik bliebe ungesagt, wenn die beiden illustrierenden **Modelle** nicht auch und vor allem auf das **Zeichen selbst** angewendet würden. Seit **Ferdinand de Saussure** ist es unmöglich geworden, im Stile der traditionellen Hermeneutik zu sagen, **das Zeichen "zeige"**, indem es "verweise" (122). Denn seit de Saussure "zeigt" das Zeichen als **Solidarität** von Signifikant und Signifikat allenfalls entweder auf **weitere Zeichen** oder auf das **"Nichts"**(123).

Betrachtet man noch einmal das Zeichenmodell mit seinem "Trennbalken" zwischen Signifikant und Signifikat, dann leidet die ohnehin nur unter Ausschaltung des Signifikats funktionierende einfache Zuordnung von **signum und res** nicht nur an ihrer **Binarität**, welche spä-

---

122 Vgl. z.B. Stuhlmacher, Verstehen 81 (zu Augustin): "Der ihn.. leitende Gedanke ist der, daß, wie alle Wirklichkeit auf Gott verweist, so auch die menschliche Sprache ein System von Zeichen und Bedeutungen darstellt, das, wenn es (in den biblischen Schriften) zum Medium der Offenbarung wird, als Verweis auf das wahre göttliche Sein verstanden werden muß." Daß an dieser Beschreibung der **Semiotik** Augustins so gut wie alles falsch ist, wird Kap. 2 detailliert nachweisen.   123 Zum Nachweis vgl. Kap. 5. Ich schließe an dieser Stelle aus, daß Stuhlmacher seine These mit der Zusatzthese verteidigt, Gott sei im Sinne der jüdischen Qabbala die **"Null"** und so auch das "Nichts", obwohl diese Zusatzthese Augustins Denken in den Bahnen einer **theologia negativa** (vgl. dazu unten S. 148f) wesentlich näher käme. Zur Sache vgl. **Gershom Scholem, Schöpfung aus dem Nichts und Selbstverschränkung Gottes**. Eranos-Jb. 25. 1956, 87-119; **ders., Ursprung**

testens seit **Charles Sanders Peirce** (1839-1914) für einen Semiotiker überaus problematisch ist(124). Sie begeht vielmehr im Sinne von Roland Barthes die Tabuverletzung einer **"antithetischen Versöhnung"** (125).

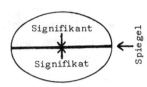

Das Zeichen selbst ist als durch den "Sperr-balken" **markiertes** Phänomen im Sinne Barthes' eine ewige **Antithese ohne "Versöhnung"** und gerade so allererst **"signifikant"**. Im Sinne Lacans kann man den "Balken" überdies als undurchlässigen **"Spiegel"** mit beidseitigen Spiegelflächen interpretieren, in welchem sich der Signifikant nur als Signifikant und das Signifikat nur als Signifikat **"widerspiegeln"** können. So wird das Modell für das Zeichen - durchaus im Sinne von **Georg Wilhelm Leibniz**(126) - zum Bild einer **"Monade"**, welche zwar keine "Fenster" hat, wohl aber eine "Sperr-Markierung", welche man im "symbolischen Feld" als **"Kastration"** bezeichnen kann: Ebenso, wie dem am biologischen **Sexus** Kastrierten die "Versagung" auf den Leib geschrieben ist, ebenso ist dem menschlichen Körper grundsätzlich der "Sinn" **entzogen** und somit gerade am menschlichen Leibe der "Trennbalken" zum "Sinn" wirksam. "Kastration" heißt in Lacans und Barthes' Sprachgebrauch genau dies, daß der menschliche Körper als Signifikant nicht **sinnfähig** ist, nicht mit dem Signifikat "versöhnt" werden kann und eben deshalb nach einer solchen Versöhnung **"begehrt"**: Dem menschlichen Körper **fehlt** der "Sinn" beim Sprechen genauso, wie ihm der biologisch nicht-existente Phallus fehlt, weil der Mensch beim **Sprechen** als "Ausscheiden" von "Bedeutungs-Körpern" etwas von seinem Körper **trennt**, um den **"Nicht-Körper"** zu suchen.

und **Anfänge der Kabbalah**. 1962, 301ff. 366ff. 373ff; **Johann Maier, Geschichte der jüdischen Religion**. 1972, 327ff.
124 Zur Ternarität bei Peirce vgl. hier nur **Günter Bentele - Ivan Bystrina, Semiotik. Grundlagen und Probleme**. 1978, 20-29; **Karl-Otto Apel, Der Denkweg von Charles S. Peirce**. Eine Einführung in den amerikanischen Pragmatismus. (stw 141.) 1975, 178ff. 279ff. u.ö.
125 Man braucht ja nur nachzufragen, worauf denn der menschliche Körper "zeige" oder wie man beweisen könne, daß er auf **Gott** "zeige", um die Absurdität der kritisierten These zu erkennen.
126 Zu dessen Semiotik vgl. unten S. 229ff.

11.2.4. Zur Wappenkunde des Signifikanten

Hat man diesen hier nur knapp skizzierten Gedankengang vor Augen, dann wird verständlich, warum mehr als ein französischer Denker im Rahmen einer semiotischen Texthermeneutik den Term "Wappenkunde" verwendet(127). Dabei ist es durchaus nicht nebensächlich, in welchem thematischen Zusammenhang dieser Term verwendet wird. Louis Marin verwendet ihn etwa, um die innere Beziehung der "Antithese" zwischen Jesu realem Körper und dem erzählten "Text-Körper" der Evangelien zu erläutern.

Die beiden Erzählungen von der Salbung Jesu (Mk 14, 3-9; Mt 26, 6-13; Joh 12, 1-8) und der Fußwaschung der Jünger (Joh 13, 1-20) erzählen von einer körperlichen Handlung, die zwar an menschlichen Körpern bzw. an distinkten Körper-"Teilen" vorgenommen wird (128), die jedoch erst in ihrer Finalität den "Eintritt" in die Signifikanz eröffnet(129). Diese Erzählungen ermöglichen nach Marin nämlich,

> "eine rituelle Karte des Körpers Jesu für jeden Körperbereich durch eine Umverteilung der signifikanten Funktionen zu zeichnen, denen bestimmte Erzählteile entsprechen"(130).

Man lese dieses Zitat genau! Hier steht nämlich, daß den auf einer "Karte" einzutragenden Körperteilen Jesu in der realen Körperlichkeit "Erzählteile" in der symbolischen "Körperlichkeit des Textes" entsprechen, so daß auch und gerade für Jesus selbst die konstitutive Korrelation zwischen "verteiltem" Leib und "verteilendem" Text gilt. Denn Marin beobachtet genau, daß diese Korrelation durch die Thematik des "verteilten" Mahles figural erneut in Erscheinung tritt:

> "Man wird verstehen, wie sich hier der signifikante Körper am Vorabend des Mahles determiniert, an dem Jesus als Gast und als

127 Marin, Semiotik d. Passionsgesch. 133f spricht z.B. von der "Wappenkunde des Körpers". Die oben S. 33 Anm. 84 zurückgewiesene Rezension von Wolfgang Wiefel macht sich infolge des Schlagworts "Wilde Exegese" nicht einmal die Mühe, überhaupt zu verstehen, was damit auch und gerade theologisch gemeint sein könnte. So einfach ist es in der Theologie, eine unverstandene Philosophie zu den Akten zu legen, um damit einer Philosophie der Naivität zu fröhnen!

128 Marin, aaO. 132 vermerkt ausdrücklich die Opposition zwischen Kopf und Füßen sowie den Wunsch der Jünger (Joh 13, 9), den ganzen Körper zu "reinigen". Was also hat das partielle "Eintauchen" des menschlichen Körpers mit dem Wunsch (désir) des Menschen nach dem "unzerstückelten Körper" zu tun? Es erscheint mir beinahe banal, diese kommentierende Frage ausdrücklich formulieren zu müssen, um Theologen zu verdeutlichen, worum es hier gehen könnte.

129 Mk 14, 8; Mt 26, 12; Joh 12, 7 stellen ausdrücklich einen Zusammenhang zwischen der Salbung und der Thematik des Todes Jesu her. Wieso gewinnt dieser durch das Zeichen der Salbung Signifikanz?

130 Marin, aaO. 133, wo auch eine graphische Illustration zu finden ist.

Nahrung teilnehmen wird: Nicht mehr berührt an Kopf und Füßen vor dem Mahl mittels einer **Salbung**, die **reinigen** und zugleich **ehren** soll, sondern **während** des Mahles mittels des **Essens** von Brot, das Leben **gibt** und zugleich **erinnern** soll."(131)

Noch einmal muß ein Semiotiker die Theologen daran erinnern, daß in einer semiotischen Texthermeneutik die "Wappenkunde" von der Salbung und vom **Abendmahl** ausgeht.

Keineswegs zufällig stellt nun auch **Roland Barthes** eben diesen kardinalen Zusammenhang zwischem dem **Wappen**(132), dem **"Einölen"** (133) und dem **"zusammengefügten Körper"**(134) her. Ein Wappen kann man zunächst als eine körperliche Oberfläche, also als "Haut", beschreiben, auf welche andere "Körper" quasi als **Stigmata** in der Weise "eingeschrieben" werden, daß sie zwar aus verstreuten Zusammenhängen stammen, aber im Wappen selbst eine neue, imaginäre **Einheit** bilden:

"Als **Gattung** ist das Wappen Ausdruck für den Glauben, daß eine **vollständige** Inventur einen **ganzen** Körper reproduzieren kann, als ob das Äußerste der Aufzählung in eine neue Kategorie, in die der Totalität, umschlagen könnte: die Beschreibung wird daher wie von einem aufzählenden Erethismus(135) erfaßt: sie akkumuliert, um zu totalisieren, vervielfältigt die Fetische, um endlich einen ganzen, entfetischisierten Körper zu erhalten"(136).

Aber ein solches Wappen ist eben kein Objekt des Sehens, sondern des **Lesens**, weil seine Einheit durch stigmatisierende **"Einschreibung"** zustandekam(137). Daher muß der Versuch, die **reale** Einheit des menschlichen Körpers durch die **imaginäre** Einheit des Wappens zu erstellen, letztlich scheitern:

"Tücke der Sprache: ist der ganze Körper erst einmal zusammengefügt, um selber **zur Sprache** zu kommen, muß er zu dem Wörterstaub, zu dem Spreu der Details, zum monotonen Inventar der Teile, zum Zerbröckeln zurückkehren: Sprache baut den Körper ab, verweist ihn auf den Fetisch. Diese Rückkehr wird unter dem Namen **Wappen** codiert."(138)

131 Ebda. 134; Hervorhebungen im Original.
132 Vgl. Barthes, SZ 116f.
133 Vgl. ebda. 112–114.
134 Vgl. ebda. 114–116. Marin, aaO. 134f spricht vom "gemeinschaftlichen Leib", also von einem Körper, der die "Spaltung" diesseits des **Todes** überwindet.
135 Terminus technicus der Medizin für "Überreizung".
136 Barthes, SZ 117; Hervorhebungen im Original.
137 Vgl. die Fortsetzung des Zitats aaO.: "indem sie das tut, **stellt** sie keine Schönheit **dar**: niemand kann die Zambinella **sehen**, die bis ins Unendliche sich wie ein unmögliches Ganzes abzeichnet, weil sie sprachlich ist, **geschrieben**".
138 Ebda. 116.

Wenn also der Körper Jesu, der **Crucifixus**, sowohl im Signifikanten-"Körper" der **Evangelien** wie in einem Wappen mit seinen einzelnen "Teilen" zur Sprache kommt(139) als auch am **Leibe des Apostels** seine στίγματα bewirkt (vgl. Gal 6, 17)(140), dann kann man einerseits sagen, die Buchstaben-"Körper" der Evangelien deckten **Jesu Nackheit am Kreuz** zu, brächten sie so zum **Verschwinden**(141); aber man kann auch andererseits sagen, die erotische Qualität der Evangelien(142), ihre **"Lust"**-Funktion für die fides, sei als **Stimme**, als viva vox

> "das Vermögen des **Einölens**; das Gebundene ist das, was der Stimme eigentümlich ist; das Modell des Eingeölten ist das Organische, das 'Lebende', mit einem Wort, der Samenlikör."(143)

Mit diesem Zitat meint Roland Barthes weder den rhetorischen "Eingang" in das "symbolische Feld" ("Sinn") noch den ökonomischen (Geld), sondern den **poetischen** (Sexus)(144). Diese drei "Eingänge"

139 Hier ist daran zu erinnern, daß die "einölende" Frau Jesu **Kopf** (Mk 14, 3; Mt 26, 7) **oder** Jesu **Füße** (Lk 7, 38) mit ihren Haaren, also "Teilen" ihres **Kopfes**, behandelt. (Die **Hände** werden nicht erwähnt!) Jesus wäscht den Jüngern die **Füße** (Joh 13, 5); Petrus will auch die **Hände** und den **Kopf** gewaschen haben (Joh 13, 9), nachdem in Jesu **Hände** πάντα gegeben ist (Joh 13, 3). Durch Jesu "Eintauchen" eines "Teils" des Petrus erhält dieser **ganz** "Anteil" an Jesus (Joh 13, 8b). Jesu **Hände** teilen auch den Brocken für Judas aus (Joh 13, 26f. 30), womit der Satan in den Körper des Judas fährt. Jesus zeigt Thomas seine durchbohrten **Hände** und seine durchstochene **Seite** (Joh 20, 25. 27), um so die **Ganzheit** seines auferstandenen Leibes zu demonstrieren. Aus diesen "Teilen" kann man im Sinne Marins (und Barthes') ein **Wappen** konstruieren, das in der Heraldik mehr als einmal solche "abgetrennten Teile" enthält und sie so zum Fetisch macht. Genau dies geschieht auch in den **Erzählungen**, die ja ebenfalls "abgetrennte Einheiten" sind.
140 Zur Interpretation vgl. Güttgemanns, Apostel 126-135. Heute würde ich formulieren: Der Körper des Apostels ist die "Haut" (das Pergament), auf die sich der Crucifixus "einschreibt", so daß er ein **"Zitat"** des Gekreuzigten an sich herumträgt. Vgl. Barthes, SZ 37: "jeder Körper ist ein Zitat: **schon-geschrieben.**"
141 So oben S. 30.
142 Vgl. dazu Marin, aaO. 134: "Im Vorspiel zum Mahl wird der **Körper** Jesu zum Signifikanten, und zwar in bezug auf die **Füße**, die eher für die Salbung und **weibliche** Gesten reserviert sind, und in bezug auf den **Kopf**, der eher für die Salbung und **männliche** Gesten reserviert ist." Vgl. ders., **Die Frauen am Grabe.** Versuch einer Strukturanalyse an einem Text des Evangeliums; in: **Claude Chabrol - Louis Marin, Erzählende Semiotik nach Berichten der Bibel.** 1973, 67-85. Ebda. 73: "Die Frau in Bethanien behandelt durch die Salbung den Leib als Leichnam; die Frau am Grabe behandelt den Leichnam als Leib." Ebda. 74: Die Frau "hat eine Beziehung zum Helden, aber es ist eine individuelle und affektive Beziehung besitzerischer Passivität: so der Kontakt der Salbung, das passive Berühren des Gegenstandes." Die **Erotik** ist hier also a priori **"symbolisch"** verstanden.
143 Barthes, SZ 113; Hervorhebung durch mich. Im Französischen steht "la liqueur séminale", was hier zwar wörtlich übersetzt ist, von dem man aber dennoch jedes biologische Verständnis fernhalten muß. Die "semina" sind ja gerade die "lumina" des Textes, seine "Saatkörner". Vgl. dazu oben S. 14. "Eingeölt" wird der Text-"Körper" also, wenn man ihm "ein Licht aufsetzt".
144 Vgl. ebda. 257.

sind **kein** undialektischer **Zugang zum** Signifikat; vielmehr bleibt die "Mauer" bestehen. Die "Eingänge"

> "führen zu einer Aussage über ein und dieselbe Störung der Klassifikation: es ist tödlich, sagt der Text, den Trennungsstrich, den paradigmatischen Querstrich zu entfernen, der es dem Sinn erlaubt, zu funktionieren (das ist die Mauer der Antithese), und dem Leben, sich zu erneuern (das ist der Gegensatz der Geschlechter), und den Gütern, sich zu schützen (das ist die Vertragsregelung)!"(145)

So, wie es zum Tod des Sexus führt, die Trennung der Geschlechter aufheben zu wollen, so führt es zum **Tod des "Sinns"**, den Querstrich zwischen Signifikant und Signifikat zu entfernen. Diese Entfernung ließe ein **Neutrum** entstehen, einen um seinen "Körper" gebrachten Text, kurz: einen **"kastrierten Text"**(146). Die zentrale Frage kehrt also immer wieder:

> "wie kann die Mauer des Aussagens, des Ursprungs, die Mauer des Eigentums durchbrochen werden?"(147)

Jedenfalls nicht so, daß man den "Sinn" dem menschlichen **"Subjekt"** zuordnet und eine **"Unmittelbarkeit"** behauptet, wie dies in der traditionellen Hermeneutik geschieht. Denn damit wird der "Trennstrich" entfernt:

> "es vollzieht sich im Subjekt das, was ein **paradigmatischer Sturz** genannt werden könnte: zwei Terme, die bisher von der stärksten aller Unterscheidungen auseinandergehalten wurden..., werden plötzlich in derselben Person zusammengebracht: die **unmögliche Zusammenfügung**... wird vollendet, der Sinn, vom Statut her als Differenz begründet, verschwindet: es gibt keinen Sinn mehr, und dieser Umsturz ist tödlich."(148)

Auch bei der **Lektüre der Evangelien** als verbaler "Einölung" des Crucifixus darf man den Text-"Körper" und das "Subjekt" nicht zu einer unmöglichen Zusammenfügung vereinigen. Die **Signifikanz** der Evangelien entsteht allererst, wenn ihr Text selbst als "quergestrichenes Wappen" in seiner vollen Dimension begriffen wird. Dieser Text ist nämlich als Buchstaben-"Körper" ebenso die **Differenz zum "Sinn"** wie er den Körper des Crucifixus **zudeckt**: Sowohl der **Körper Jesu** als auch sein "Sinn" sind durch den Text mit seinem **Stigma der "Ver-Sagung"** verdeckt, so daß man im Sinne Barthes' Lk 24, 16 und 2 Kor 3, 14f

---

145 Ebda. 213. Mit diesem Zitat ist der denkerische Bogen wieder geschlossen.
146 Vgl. ebda. 161: "Das Neutrum (**ne-uter**) des Kastraten". Ich nenne daher die gegen die "Wilde Exegese" gerichtete Position **"kastrierte Exegese"**.
147 Ebda. 50.
148 Ebda. 185.

gerade für die **Bibel selbst** gelten lassen muß, sofern diese **scriptura** ist:

> "Ihre Augen aber waren **gehalten,** so daß sie ihn (scil. Jesus) nicht **erkannten.**"

> "Denn bis auf den heutigen Tag bleibt dieselbe **Hülle** auf der **Verlesung** des Alten Bundes liegen, und sie wird nicht weggetan, weil sie nur in Christus abgetan wird. Ja, bis heute, sooft Mose **gelesen** wird, liegt eine **Hülle** auf ihrem Herzen."

Die beliebte Ausflucht der Theologen, dies gelte selbstverständlich nur für den Umgang des **Judentums** mit dem **Alten Testament,** nicht jedoch für den Umgang des **Glaubens** mit dem **Neuen Testament,** weil dieses Buch im Sinne von 2 Kor 3, 16f im Hl. Geist "offen" sei, wird natürlich in einer semiotischen Hermeneutik als naive und unbegründete Behauptung kritisierbar, welche die **Problematik der** scriptura überspringt. Abgesehen davon, daß 2 Kor 3 das **Eschaton** beruft, das ja wohl nicht bei jedem **Lesen** eintritt, kann auch die **viva vox** die semiotische Antithese nicht aufheben.

Auch die **Stimme** der Evangelien unterliegt einem **"fading"**(149), einem **Verschwinden** in das Nacheinander der Zeit und damit des Todes(150); denn im klassischen Text kann es,

> "auch wenn er ständig von der Aneignung des Sprechens besessen ist, zu einem Verlust der Stimme kommen, als würde sie in einem Loch des Diskurses verschwinden"(151).

In diesem Sinne ist Jesu Körper durch die "Ölung" nicht nur im **Grabe** verschwunden, sondern ebenso im **Text** der Evangelien, sofern diese seine "Einölung durch die Stimme" sind. Zwar war die Salbung Jesu durch die Frau, welche Joh 12, 3 als "Maria" bezeichnet wird, die Verehrung des Körpers Jesu als "**Fetisch**"; aber diese körperlich-reale Handlung wird vom Text ausdrücklich mit der symbolischen **Signifikanz der Erzählung** verknüpft:

> "Wahrlich, ich sage euch: Wo immer auf der ganzen Welt das **Evangelium** verkündet wird, da wird auch zu ihrem Gedächtnis **erzählt** werden, was sie getan hat" (Mk 14, 9; Mt 26, 13).

Wie der Körper die Stimme **produziert,** so ist die Stimme die **Rechtfertigung des Körpers**(152).

---

149 Vgl. dazu auch ebda. 25f.
150 Dies ist ein Grundgedanke der Semiotik Augustins. Vgl. dazu unten S. 150.
151 Barthes, SZ 46.
152 Vgl. ebda. 175: "der Körper produziert die Stimme, und die Stimme rechtfertigt den Körper." Die letzten Zitate sind "bricolage"-Zitate, stehen also bei Barthes in einem anderen Zusammenhang.

11.3. Georg Wilhelm Friedrich Hegel: Das Prinzip der "Negativität"

11.3.1. Zur Hegel-Rezeption in der neueren französischen Philosophie

Da es mit diesen immer noch ganz am **Beginn** einer semiotischen Hermeneutik stehenden Ausführungen nicht um eine Gesamtdarstellung des Denkhorizonts einzelner Philosophen, sondern nur um **Fragmente** gehen kann, aus denen sich meine Hermeneutik konstruiert, wende ich mich nun der Frage zu, ob der Duktus ihres Denkens "**typisch französisch**" genannt werden kann.

Ich würde diese Klassifikation für nicht sachgemäß und oberflächlich halten. Vor ihr warnt auch die überraschende **Hegel-Renaissance** in Frankreich, die einem idealistisch verzeichneten Philosophen ganz neue Nuancen abgewinnen kann, von denen ich hier einige als **Vorbereitung** für spätere "Kehren" meiner Hermeneutik skizzieren möchte.

Bereits die neue Marx-Lektüre von **Louis Althusser**(153) zeigt mit ihrer Nennung von Karl Marx, Friedrich Nietzsche und Sigmund Freud (154), daß deutsche Denker in einer semiotischen Hermeneutik beinahe omnipräsent sind. **Michel Foucault**(155) liest sich streckenweise wie ein Kommentar zu Friedrich Nietzsche und **Jacques Derrida** wirkt wie ein Kommentar zu Edmund Husserl(156), zu Martin Heidegger(157) und vor allem zu **Hegel**(158). Dieser wird dann auch von **Julia Kristeva**

153 **Louis Althusser, Pour Marx.** 1965; ders., **Für Marx.** 1968; ders. u.a., **Lire le Capital I-II.** 1966.
154 Vgl. dazu **Günther Schiwy, Der französische Strukturalismus.** (rde 310/311). 1969, 75. Diese Darstellung läßt es im übrigen an philosophischem Tiefgang fehlen, so daß sie kaum verdient, zur einzigen Quelle der Information hochstilisiert zu werden. Das gilt leider auch für ders., **Kulturrevolution und "Neue Philosophen".** (rde 381). 1978.
155 **Michel Foucault, Archäologie des Wissens.** 1973; ders., **Die Ordnung der Dinge.** Eine Archäologie der Humanwissenschaften. (stw 96). 1974; ders., **Die Ordnung des Diskurses.** (Ullstein Materialien 35037). 1977; ders., **Von der Subversion des Wissens,** hg. u. übers. v. Walter Seitter. (Ullstein Buch 3548). 1978; ders., **Schriften zur Literatur.** (Ullstein Materialien 35011). 1979. Außerdem werden herangezogen ders., **Wahnsinn und Gesellschaft.** Eine Geschichte des Wahns im Zeitalter der Vernunft. (stw 39). 1969, ³1978; ders., **Die Geburt der Klinik.** Eine Archäologie des ärztlichen Blicks. (Ullstein Buch 3290). 1976; ders., **Psychologie und Geisteskrankheit.** (es 272). 1968, 6. Aufl. 1980; ders., **Überwachen und Strafen.** Die Geburt des Gefängnisses, übers. v. Walter Seitter. (stw 184). 1976, ³1979; ders. (Hg.), **Der Fall Rivière.** Materialien zum Verhältnis von Psychiatrie und Strafjustiz, übers. v. Wolf Heinrich Leube. (stw 128). 1975. - Zu **Nietzsche** vgl. ders., Subversion 83-109. Vgl. auch **Angèle Kremer-Marietti, Michel Foucault** - Der Archäologe des Wissens. (Ullstein Buch 3302). 1976.
156 **Jacques Derrida, Die Stimme und das Phänomen.** Ein Essay über das Problem des Zeichens in der Philosophie Husserls, übers. v. Jochen Hörisch. (es 945). 1979.
157 **Ders., Randgänge der Philosophie.** (Ullstein Buch 3288). 1976.
158 **Ders., Die Schrift und die Differenz,** übers. v. Rodolphe Gasché. (stw 177). 1976, 380ff.

weitergeführt(159) und **Jacques Lacans** Freud-Lektüre vollzieht sich streckenweise mit den Augen Hegels und Heideggers. Was finden diese französischen Denker bei klassischen deutschen Philosophen so faszinierend, daß sie diese für eine **semiotische Hermeneutik** "ausplündern"?

11.3.2. "Begierde", "Trieb" und "Selbstbewußtsein" bei Hegel

Georg Wilhelm Friedrich Hegel (1770-1831) läßt sich in der neuen "französischen Lektüre" am besten so vorführen, daß man die Verbindung von Hegels **"Trieb"** zu Freuds "Trieb" im nicht-biologischen Verständnis **Jacques Lacans** zieht. Denn für Lacan und andere französische Philosophen ist die Kategorie des **"désir"** nicht nur der Kern der Ethik **Baruch de Spinozas** (1632-1677)(160), sondern auch der Angelpunkt des **"Selbstbewußtseins"** bei Hegel und damit die Relation der **"Negativität"** zwischen "Ich" und "Selbst" bei Freud.

Hegel äußert sich zur **"Begierde"** in verschiedenen Zusammenhängen: Von der "Phänomenologie des Geistes" (1807) zieht sich über die "Philosophische Propädeutik" ein Bogen hin zum "System der Philosophie", in welchem der innere Bezug zur "Negativität" immer wieder deutlich wird. Da man bereits unsere Beschäftigung mit **Roland Barthes** als Position der "Negativität" bezeichnen kann, ist daher der Rekurs auf Hegel an dieser Stelle notwendig.

Gehen wir von der auch für die Hermeneutik fundamentalen **Korrelation von "Subjekt" und "Objekt"**(161) aus, dann stehen nach Hegel dem "Selbstbewußtsein" **zwei** "Objekte" gegenüber:

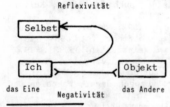

"Das Bewußtseyn hat als Selbstbewußtseyn nunmehr einen gedoppelten Gegenstand, den einen, den unmittelbaren, den Gegenstand der sinnlichen Gewißheit, und des Wahrnehmens, und den zweiten, nämlich **sich selbst**, welcher das wahre Wesen, und zunächst nur erst im Gegensatze des ersten vorhanden ist."(162)

159 **Julia Kristeva, Die Revolution der poetischen Sprache**, übers. v. Reinold Werner. (es 949). 1978.
160 Vgl. die Zitate oben S. 11f.
161 Vgl. **Georg Wilhelm Friedrich Hegel, Philosophische Propädeutik.** Gymnasialreden und Gutachten über den Philosophie-Unterricht. (Sämtl. Werke, Jubiläumsausg. 3). ³1949, 102: "Das Bewußtsein ist die bestimmte Beziehung des Ich auf einen Gegenstand...Zugleich aber ist der Gegenstand wesentlich in dem Verhältnisse zum Bewußtsein bestimmt." - Ich zitiere Hegel grundsätzlich nach dieser "Jubiläumsausgabe", auch wo es nicht angegeben ist.
162 **Georg Wilhelm Friedrich Hegel, Phänomenologie des Geistes.** (Sämtl. Werke 2). ³1951, 141; Hervorhebungen im Original. Vgl. ders., Propädeutik 106: "Es hat einen Gegenstand und bezieht sich auf ein Anderes, das aber

In diesem Zitat sind bereits alle Elemente dessen vorhanden, was Jacques Lacan in einem seiner **Spiegel-Modelle**(163) als Illustration der hermeneutischen **Narzißmus-Problematik** benutzt.

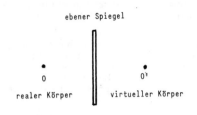

Denken wir uns einen **Signifikanten**, etwa den menschlichen Körper, in einem "Gegenüber" zu einem anderen Signifikanten, etwa einem **Spiegel**, dann sieht der menschliche Körper im Spiegel "sich selbst" **hinter** dem Spiegel und wird somit durch den Spiegel **verdoppelt**, d.h. "gespalten" in einen **realen** Körper und in ein virtuelles **Bild** dieses Körpers. Insofern hat der Spiegel ganz wörtlich eine **"imaginäre" Wirkung**(164).

Ebenso stehen nach Hegel dem Bewußtsein im **Selbstbewußtsein** sowohl das reale "Objekt" wie auch das "reflektierte Selbst" gegenüber. Dabei hat das reale "Objekt" den **Charakter des Negativen**, so daß die Relation zwischen "Bewußtsein" und "Objekt" über die "Negativität" **vermittelt** ist. Diese Relation ist auch für Hegel einerseits als **"Begierde"** und andererseits als **"Mangel"** zu definieren.

"Dieser Gegensatz seiner Erscheinung und seiner Wahrheit hat aber nur die Wahrheit, nämlich die Einheit des Selbstbewußtseyns mit sich selbst, zu seinem Wesen; diese muß ihm wesentlich werden, d.h. es ist **Begierde** überhaupt."(165)

"Die Beziehung auf das Object ist dem Subject daher nothwendig. Das letztere schaut in dem ersteren seinen **eigenen Mangel**, seine eigene Einseitigkeit an, - sieht im Object etwas zu seinem eigenen Wesen Gehöriges und dennoch ihm Fehlendes."(166)

In der Beziehung zwischen "Subjekt" und "Objekt" stehen sich zwei **"Eins"** gegenüber; dieses "Eins" ist die **"Negation"** des **"Anderen"**:

unmittelbar eben so sehr kein Anderes ist, oder es hat sich selbst zum Gegenstande." So wird das "Andere" im **Selbstbewußtsein** aufgehoben. Vgl. ders., Phänomenologie 137: "Ich unterscheide mich von mir selbst, und es ist darin unmittelbar für mich, daß dies Unterschiedene nicht unterschieden ist."

163 Man sollte beachten, daß diese insofern **"spekulativ"** sind, als "speculum" der **Spiegel** ist. Die "spekulative" Philosophie Hegels ist für Lacan also **"Spiegel-Philosophie"** und insofern eine Philosophie des **Narzißmus**. Narcissus, der Sohn eines Flußgottes und einer Nymphe, sieht in einer Quelle sein eigenes Bild und **verliebt** sich in es. Vgl. Ovid. metamorph. 3, 341.

164 Zu dem nebenstehenden Modell vgl. Lacan, Seminar I, 211. Auf die Funktion des Hohlspiegels kann hier nicht eingegangen werden.

165 Hegel, Phänomenologie 141; Hervorhebung im Original. Das Zitat steht unmittelbar vor dem in Anm. 162 aO.

166 **Georg Wilhelm Friedrich Hegel, System der Philosophie III. Die Philosophie des Geistes.** (Sämtl. Werke 10). ³1958, 278; Hervorhebung im Original.

"Das Eins ist das Moment der Negation, wie es selbst auf eine einfache Weise sich auf sich bezieht und Anderes ausschließt." (167)

Das "Eins" ist reine **Reflexivität**, das "Andere" reine "Negativität":

"die Einzelnheit tritt daher an ihm, als wahre Einzelnheit, als **Ansichseyn des Eins** hervor, oder als **Reflektirtseyn in sich selbst**."(168)

"Das Selbstbewußtseyn ist zunächst einfaches Fürsichseyn, sich-selbstgleich durch das Ausschließen alles **Andern aus sich**; sein Wesen und absoluter Gegenstand ist ihm **Ich**; und es ist in dieser **Unmittelbarkeit**, oder in diesem **Seyn** seines Fürsichseyns, **Einzelnes**. Was Anderes für es ist, ist als unwesentlicher, mit dem Charakter des Negativen bezeichneter Gegenstand."(169)

Die **"Begierde"** als erste Stufe des Selbstbewußtseins(170) versucht, die **Antithese** zwischen "Subjekt" und "Objekt" und damit das "gedoppelte Sein"(171) **aufzuheben**(172):

"Die **gefühlte Nothwendigkeit**, diesen Gegensatz aufzuheben, ist der Trieb."(173)

"Wo ein mit sich Identisches einen Widerspruch in sich trägt..., da tritt nothwendig der **Trieb** hervor, diesen Widerspruch aufzuheben."(174)

11.3.3. Jacques Lacan: Der "kleine andere" und der "große Andere"

Diese Dialektik Hegels ist die philosophisch-hermeneutische Grundlage eines eigentümlichen Sprachgebrauchs in der **Freud-Lektüre** Jacques Lacans(175). In diesem Sprachgebrauch ist nämlich von jedem "Objekt", besser: von jedem Signifikanten, als von dem **"objet a"** (gelesen: "objet petit-a") oder dem **"l'autre"** (gelesen: "le petit-autre") die Rede, welches dem "sujet" gegenübersteht. In **Erweiterung** Hegels im Sinne Freuds wird dem "Bewußtsein" das **"Unbewußte"** als **"l'Autre"** (gelesen: "le grand-Autre") korrigierend übergeordnet, welches über den **désir** dem "kleinen anderen" zugeordnet wird. So findet das "su-

167 Hegel, Phänomenologie 95; Hervorhebung im Original.
168 Ebda. 105; Hervorhebungen im Original.
169 Ebda. 150; Hervorhebungen im Original.
170 Vgl. auch ders., Propädeutik 103.
171 Vgl. ders., Phänomenologie 102: "Das Ding ist **Eines**, in sich reflektirt; es **ist für sich**; aber es ist auch **für ein Anderes**; und zwar ist es ein **Anderes** für sich, **als es** für Anderes ist. Das Ding ist hiernach für sich und **auch** für ein Anderes, ein **gedoppeltes** verschiedenes Seyn."
172 Vgl. dazu ebda. 94: "Das **Aufheben** stellt seine wahrhafte gedoppelte Bedeutung dar, welche wir an dem Negativen gesehen haben; es ist ein **Negiren** und ein **Aufbewahren** zugleich."
173 Ders., Propädeutik 107; Hervorhebungen im Original.
174 Ders., System 276; Hervorhebung im Original.
175 Da diese in Kap. 6 mit vielen Details und mit ihren hermeneutischen Konsequenzen vorgeführt wird, kann ich mich hier auf einige Andeutungen beschränken. Die Einzelbelege sind in verschiedenen Zusammenhängen dieses Buches zu ersehen.

jet" im "objet a" seine **Befriedigung**, aber auch seine **Anerkennung**.
Beide Themen sind in der Optik Lacans bereits bei Hegel vorbereitet; dort sind sie als **dialektische** Themen strukturiert. Nach Hegel
wird nämlich die **Befriedigung** nur über eine "**Negation**" erreicht, die
als "**Aufhebung**" der "**Negativität**" zu interpretieren ist:

"Um der Selbständigkeit des Gegenstandes willen kann es daher
zur Befriedigung nur gelangen, indem dieser selbst die Negation
an ihm vollzieht, und er muß diese Negation seiner selbst an sich
vollziehen, denn er ist **an sich** das Negative..."(176)

"Die Begierde und die in ihrer Befriedigung erreichte Gewißheit
seiner selbst ist bedingt durch ihn (scil. den Gegenstand), denn
sie ist durch Aufheben dieses Andern."(177)

"Die Thätigkeit der Begierde hebt also das Anderssein des Gegenstandes, dessen Bestehen überhaupt auf und vereinigt ihn mit
dem Subject, wodurch die **Begierde befriedigt** ist."(178)

Auf diese Weise wird die "absolute Negativität"(179) durch die **Vermittlung** des "Anderen" zur **Affirmation**(180): Die Aufhebung des "Objekts"
wird zur **Aufhebung des "Mangels"**(181). Zwar muß das "Objekt" dabei
zugrunde gehen, zwar wirkt die Begierde zerstörend(182):

"Die **Darstellung** seiner aber als der reinen Abstraktion des
Selbstbewußtseyns besteht darin, sich als reine Negation seiner
gegenständlichen Weise zu zeigen... Diese Darstellung ist das **gedoppelte** Thun; Thun des Andern, und Thun durch sich selbst.
Insofern es Thun des **Andern** ist, geht also jeder auf den Tod
des Andern."(183)

---

176 Hegel, Phänomenologie 146; Hervorhebung im Original.
177 Ebda.
178 Ders., Propädeutik 108; Hervorhebung im Original.
179 Vgl. ders., Phänomenologie 156. Sie ist das "reine Fürsichseyn". Vgl.
auch **ders., Vorlesungen über die Geschichte der Philosophie I.** (Sämtl.
Werke 17). ³1959, 383: "Aber es ist wichtig, daß das Fürsichseyn auch rei-
cher bestimmt ist; es ist die Beziehung auf sich durch Negation des Andersseyn."
180 Vgl. ebda. 384: "Es ist die Negation des Andersseyn, - dieses ist Negation gegen mich; so ist das Fürsichseyn Negation der Negation: und diese
ist, wie ich es nenne, die absolute Negativität. Ich bin für mich, da ne-
gire ich das Anderssseyn, das Negative; und diese Negation der Negation
ist also Affirmation. Diese Beziehung auf mich im Fürsichseyn ist so af-
firmativ, ist Seyn, das ebenso sehr Resultat ist, vermittelt durch ein
Anderes, - aber durch Negation des Anderen..."
181 Vgl. ders., System 278: "Aber durch diese Aufhebung des Objectes hebt.
.. das Subject auch seinen eigenen Mangel, sein Zerfallen in ein unter-
schiedsloses Ich = Ich und in ein auf ein äußerliches Object bezogenes
Ich auf..."
182 Vgl. ebda. 278f.
183 Ders., Phänomenologie 151; Hervorhebungen im Original. Vgl. **ders.,
Vorlesungen über die Aesthetik I.** (Sämtl. Werke 12). ³1953, 465: "Die un-
mittelbare und dadurch natürliche Negation in ihrer umfassendsten Weise
ist der **Tod**."

Aber diese Befriedigung der Begierde ist

> "etwas **Einzelnes**, **Vorübergehendes**, der immer von Neuem erwachenden Begierde Weichendes, – eine Objectivirung, die **niemals** ihr Ziel absolut erreicht, sondern nur den **Prozeß in's Unendliche** herbeiführt."(184)

Deshalb kann eine Befriedigung nicht im "Andern" des "Objekts" (nach Lacan: im "kleinen anderen"), sondern nur am **anderen Selbstbewußtsein** erreicht werden(185), und diese Befriedigung ereignet sich als **"Anerkennen"**:

> "Das Selbstbewußtseyn ist **an** und **für sich**, indem, und dadurch, daß es für Anderes an und für sich ist; d.h. es ist nur als ein Anerkanntes."(186)

> "Das Aufheben der **Einzelnheit** des Selbstbewußtseyns war das **erste** Aufheben; es ist damit nur als **besonderes** bestimmt. Dieser Widerspruch gibt dem Trieb, sich als freies Selbst zu **zeigen**(187), und für den Andern als solches da zu seyn, – den Prozeß des **Anerkennens**."(188)

Diese Begegnung zweier "Selbstbewußtsein" ist für Hegel ein **Spiegel-Phänomen**:

> "Indem Ich also dem Ich Gegenstand ist, ist es ihm nach dieser Seite als dasselbe, was es ist. Es schauet im Andern sich selbst an."(189)

> "Jedes ist absolut für sich und einzeln gegen das andere und fordert auch für das andere als ein solches zu sein und ihm dafür zu gelten, seine eigene Freiheit als eines fürsichseienden in dem andern anzuschauen oder von ihm **anerkannt** zu sein."(190)

Die von Jacques Lacan an Hegels **Identitätsphilosophie** angebrachte doppelte Korrektur ist trotz der hegelianisierenden Terminologie streng zu beachten. Durch diese Korrektur wird aus Hegel-Freud eine **Differenzphilosophie**. Die eine Korrektur betrifft die **"Spaltung des Subjekts"**, die andere die Opposition zur "Anerkennung", nämlich die **"Verleugnung"**.

---

184 Ders., System 279; Hervorhebungen im Original.
185 Vgl. ders., Phänomenologie 146.
186 Ebda. 148; Hervorhebungen im Original.
187 Hier setzt die berühmte Dialektik von Herr und Knecht ein. Vgl. ebda. 153-155; ders., Propädeutik 109f. Auf diese kann hier nicht eingegangen werden, obwohl sie für Lacans Anthropologie konstitutiv ist.
188 Ders., System 281; Hervorhebungen im Original.
189 Ders., Propädeutik 108.
190 Ebda. 109; Hervorhebung im Original.

11.4. Von Hegels "Entfremdung" zu Lacans "Spaltung"

11.4.1. Zur Vorgeschichte der "alienatio"

Zu Hegels **Dialektik** der Korrelation von "Subjekt" und "Objekt" gehört auch ein Begriff, welcher für die hegelianisierende Freud-Lektüre Lacans schlechterdings entscheidend ist und bereits bei Hegel selbst die **Unmittelbarkeit** dieser Korrelation verhindert. Es ist dies der schon in der Kirchengeschichte befrachtete Begriff der **"alienatio"**(191), der als **"Entfremdung"** mit der "Phänomenologie des Geistes" (1807) in der neueren Philosophiegeschichte wiederauftaucht und dort vielfältige Konsequenzen hatte(192). Bei **Lacan** ist dieser Begriff vermutlich durch den Hegel-Interpreten **Jean Hippolyte**(193) vermittelt, der regelmäßiger Seminarteilnehmer Lacans war(194). In jedem Falle versteht Lacan viele seiner Thesen als ausdrücklichen Kommentar zu Hegels "Phänomenologie"(195). Deshalb stelle ich Hegels Gedanken im folgenden in der Optik Lacans dar, um von dort aus ihre Weiterführung bzw. Korrektur bei Lacan selbst zu verfolgen.(196) Dabei läßt sich Hegels Konzept am besten an die **Vorgeschichte** des Begriffs anknüpfen:

191 Zur philosophiegeschichtlichen Tradition dieses Terms vgl. **E. Ritz, Art. Entfremdung**; in: **Joachim Ritter (Hg.), Historisches Wörterbuch der Philosophie II.** 1972, 509-525. Dort werden für die Theologie neben Eph 2, 12; 4, 18 genannt CorpHerm XIII, 1 sowie Origenes, Cyprianus, Athanasius, Augustinus, Guigo von Kastell, Hugo v. St. Victor, Richard v. St. Victor, Bonaventura, Thomas v. Aquin und Meister Eckart. Erst mit Jean-Jacques Rousseau und Wilhelm v. Humboldt greift die Philosophie die Thematik auf, in welcher dann Hegel die zukunftsweisenden Akzente setzt. Auf die Nachgeschichte des Begriffs bei F.W.J. Schelling, Ludwig Feuerbach, Bruno Bauer, F. Köppen, Max Stirner und Karl Marx kann hier nicht eingegangen werden, da ich mich auf die für eine semiotische Hermeneutik relevanten Aspekte beschränke.
192 Vgl. die Belege bei **J. Gauvin, Entfremdung et Entäusserung dans la Phénoménologie de l'Esprit de Hegel.** Arch. de Philos. 25. 1962, 558ff. Zur Sache vgl. **Arnold Gehlen, Über die Geburt der Freiheit aus der Entfremdung.** Arch. Rechts- u. Sozialphilos. 40. 1952, 338-353; **Wilhelm Heise, Über die Entfremdung und ihre Überwindung.** Dt. Z. Philos. 1965, 684 bis 710; C. Boey, **L'aliénation dans la phénoménologie de l'esprit de G.W. F. Hegel.** 1970; **J. Meszaros, Marx' Theory of Alienation.** 1971.
193 Vgl. **Jean Hippolyte, L'aliénation hégélienne de l'état et sa critique par Karl Marx.** Cahiers int. Sociol. 2. 1947, 142-161; ders., **Aliénation et objectivation**; in: ders., **Etudes sur Marx et Hegel.** 1955, 82-104.
194 Vgl. nur **Jacques Lacan, Schriften III,** übers. v. Norbert Haas u.a. 1980, 179. 191ff; ders., Seminar I, 83; ders., Seminar II, 29. 105 (Phänomenologie des Imaginären). Die zahlreichen wörtlichen Interventionen Hippolytes in den Seminaren können hier nur durch einige Beispiele angeführt werden.
195 Vgl. etwa Lacan, Schriften II, 167. 171f. 177. 215f; ders., Schriften III, 13. 99 Anm. 8. 171. 193f; ders., Seminar I, 189. 304; ders., Seminar II, 76. 94-97. Neben Hegel wird auf **Søren Kierkegaard** angespielt ders., Seminar II, 115f.
196 Die "Entfremdung" wird ausdrücklich thematisiert Lacan, Schriften I, 87. 148; ders., Schriften II, 146; ders., Schriften III, 158f; ders., Seminar I, 225. 293; ders., Seminar II, 96. 226. 409; **ders., Die vier Grund-**

"Der philosophische Begriff der E.(ntfremdung) bildet sich nicht in der Fortsetzung ihrer theologischen Traditionen, sondern in der Aufnahme des ökonomischen und juristischen Begriffs 'alienatio' – im Sinne von Entäußerung oder Veräußerung als Übertragung von Rechten – und des Problems der **Freiheit** unter den Bedingungen einer **Gesellschaft**, die im Hinblick auf ihr Recht, ihre Politik und das Verhältnis zum Individuum betrachtet wird."(197)

11.4.2. Jean-Jacques Rousseau: Soziale "Bildung" und "Lektüre"

Bereits **Jean-Jacques Rousseau** (1712–1778) sieht im Gesellschaftsvertrag die "**aliénation totale**" des **Naturzustands** des **Menschen**, die von der "natürlichen" Unabhängigkeit des Individuums zur Freiheit unter dem Allgemeinwillen führt.(198) Letzterer wirkt sich als **Meinung** der anderen auf das Individuum aus, das so stets "**außerhalb seiner**" lebt:

"le sauvage vit en lui-même; l'homme sociable, toujours hors de lui, ne sait vivre que dans l'opinion des autres."(199)

Insbesondere die **Erziehung**, welche durch die Lektüre der Geschichte im Menschen den **Wunsch** weckt, lieber ein anderer als er selbst zu sein, unterstützt dieses sich-selbst-fremd-Werden, bei dem die Menschen dann bedauern, nur sie selbst zu sein(200):

"Wer einmal anfängt, sich selber fremd zu werden, vergißt sich bald ganz."(201)

So ist die aliénation für Rousseau die Konsequenz der gesellschaftlichen Ungleichheit, also der sozialen **Differenz**.(202) Diese führt die Menschen zum **Vergleichen**, und das Vergleichen führt zum "Wunsch nach dem ersten Platz"(203). Besonders die **Beschäftigung mit der Geschichte** enthält die Gefahr der aliénation.(204) Jede Geschichtsschreibung, auch die vorbildliche des Thukydides, verändert das Bild der Historie durch die **Phantasie** des Historikers(205); von ihrer Lektüre gilt:

begriffe der Psychoanalyse. (Das Seminar XI), übers. v. Norbert Haas. ²1980, 219–229. 231. 248. 254. – Die Grundschwierigkeit der Lektüre Lacans, seine Anspielungen ohne Namensnennung oder Zitierung, macht es unmöglich, in den letzten drei Anmerkungen eine Vollständigkeit zu erreichen. Im übrigen kann die "Entfremdung" als ein **Grundthema** Lacans auch dort bezeichnet werden, wo der Term nicht explizit verwendet wird.
197 Ritz, aaO. 512; Hervorhebung von mir.
198 Vgl. ebda. 513.
199 Jean-Jacques Rousseau, **Discours sur l'inégalité**; in: Vaughan (Ed.), **The Political Writings**. ²1962, 195; zitiert nach Ritz, aaO.
200 Vgl. ders., **Emil oder Über die Erziehung**, übers. v. Ludwig Schmidts. (UTB 115). 5. Aufl. 1981, 249f.
201 Ebda. 250.
202 Vgl. dazu ebda. 240.
203 Ebda. 239.
204 Vgl. ebda. 242f.
205 Vgl. ebda. 243f.

"Man glaubt nicht zu lesen, sondern zu schauen."(206)

Die **Wirkungen** dieser Lektüre auf einen zu erziehenden jungen Mann sind negativ(207); man stellt ihm der Phantasie entsprungene Figuren als Beispiele vor(208), welche dann zur vergleichenden **Schau** führen:

"Bedenkt, daß sich das relative **Ich**, sobald sich die Eigenliebe entwickelt hat, ständig in das Spiel einmischt, und daß der Jüngling nie die anderen beobachtet, ohne auf sich selbst zurückzukommen und sich mit ihnen zu vergleichen."(209)

So hat die "Entfremdung" einerseits mit dem zu tun, was wir "**Bildung**" nennen(210); sie hat aber andererseits - für uns viel wichtiger - auch mit dem zu tun, was in der Hermeneutik Lacans als "**imaginäre**" Wirkung der "**Lektüre**" behandelt wird. Diese wird von Rousseau als über die Phantasie einer im Sinne Lacans "**narzißtischen**" Vergleichs-Schau vermittelte aliénation interpretiert, in welcher sich der "Naturmensch" den gesellschaftlichen Werten anpaßt und so im modernen Sinne "**sozialisiert**" wird.

Im Sinne Lacans ist diese "imaginäre" Wirkung näherhin als **Identifikation** mit seinem eigenen Spiegelbild zu interpretieren, welche mit der **Geburt der Sprache** beim in-fans auch biologisch zusammenfällt:

"Die jubilatorische Aufnahme seines Spiegelbildes... wird von nun an... in einer exemplarischen Situation die symbolische Matrix darstellen, an der das **Ich** (je) in einer ursprünglichen Form sich niederschlägt, bevor es sich objektiviert in der Dialektik der Identifikation mit dem andern und bevor ihm die Sprache im Allgemeinen die Funktion eines Subjektes wiedergibt."(211)

Was dem "Ich" aus dem Spiegel und der "imaginären Lektüre" entgegentritt, das nennt Lacan mit Freud das "**Ideal-Ich**", ein psychischer "Doppelgänger" der Zukunft, nach welchem wir als Ziel unserer "Suche" das Handeln **imitierend** ausrichten(212):

"Diesem Ideal-Ich gilt nun die Selbstliebe, welche in der Kindheit das wirkliche Ich genoß."(213)

206 Ebda. 244. Damit zitiert Rousseau ein Grundgesetz der antiken Rhetorik zur **evidentia**. Vgl. dazu unten S. 113.
207 Vgl. ebda. 247f.
208 Vgl. ebda. 248f (Augustus als Beispiel).
209 Vgl. ebda. 249; Hervorhebung im Original.
210 So auch **Wilhelm von Humboldt, Theorie der Bildung des Menschen.** (Bruchstück 1793); in: **ders., Schriften zur Anthropologie und Geschichte.** (Werke I, hg. v. Andreas Flitner u. Klaus Giel). ³1980, 234-240. Vgl. besonders ebda. 237: Bei der Verknüpfung des Ichs mit der Welt kommt es "darauf an, dass er in dieser Entfremdung nicht sich selbst verliere, sondern vielmehr von allem, was er ausser sich vornimmt, immer das erhellende Licht und die wohlthätige Wärme in sein Innres zurückstrale."
211 Lacan, Schriften I, 64. Zum Spiegelstadium als **exemplarisch** vgl. ders., Seminar I, 99.
212 Vgl. ders., Schriften I, 64f.
213 Ders., Seminar I, 172.

11.4.3. Hegels "Entfremdung" und das Sprechen

Auf diesem Hintergrund wird einerseits verständlich, warum **Hegel** den sich entfremdenden Geist als "**Bildung**" interpretiert.(214) Für **Lacan** ist andererseits der wichtigste Akzent, daß Hegel die "Entfremdung" mit dem **Sprechen** verknüpft. Eben diese Verknüpfung ist auch der Grund dafür, daß Hegels Thema **hermeneutische** Relevanz erhält.

Die oben dargelegte Dialektik der **Negativität** zwischen "Subjekt" und "Objekt" unterscheidet als **Logik** systematisch zwischen dem "Sein"(215), dem "Dasein"(216) und dem "Fürsichsein"(217). Diese drei sind in der Lehre vom Sein(218) als die drei Bestimmtheiten eines geschichtlichen **Prozesses** definiert(219).

Das "**Sein**" ist als "reines" unbestimmte **Unmittelbarkeit** und insofern

> "nur sich selbst gleich, und auch nicht ungleich gegen Anderes, hat keine Verschiedenheit innerhalb seiner, noch nach Außen " (220).

Es ist "leeres **Anschauen**", d.h. Anschauen des "Nichts", so daß "Sein" und "Nichts" eins sind(221). Das "**Dasein**" ist dagegen **bestimmtes** Sein, das durch die **Vermittlung** zwischen "Sein" und "Nichts" hervorgegangen ist(222), es ist

> "gegen ein **Anderes**, ist **veränderlich** und endlich, nicht nur gegen ein Anderes, sondern an ihm schlechthin negativ bestimmt" (223).

Seine Qualität ist somit als **Realität** und als **Negation** zu definieren. (224) Das "**Fürsichsein**" endlich ist die Vollendung des qualitativen "Seins" oder das "unendliche Sein", bei welchem die Negation in die Unendlichkeit, "in die **gesetzte** Negation der Negation" übergegangen, also **Affirmation** geworden ist(225).

Diese reichlich abstrakte Begriffsspielerei wird sofort konkreter, wenn man fragt, wie denn beim Prozeß der geistigen "Bildung" die Welt der "Objekte" zur **geistigen Welt** des "**Subjekts**" werden kann. Diese Frage ist nur die hegelianisierende Umformulierung einer bereits

---

214 Vgl. Hegel, Phänomenologie 372–459.
215 Vgl. dazu **Georg Wilhelm Friedrich Hegel, Wissenschaft der Logik I. Die objektive Logik.** (Sämtl. Werke 4). ³1958, 87–121.
216 Vgl. ebda. 122–183.
217 Vgl. ebda. 183–218.
218 Vgl. dazu ebda. 67ff.
219 Zum "Werden" vgl. ebda. 88–121.
220 Ebda. 87f.
221 Vgl. ebda. 88f.
222 Vgl. ebda. 122f.
223 Ebda. 122; Hervorhebungen im Original.
224 Vgl. ebda. 124f.
225 Vgl. ebda. 183f; Zitat ebda. 184.

in anderer Terminologie gestellten **hermeneutischen** Frage: Wie kann
der **materielle** "Text-Körper", z.B. das Buchstaben-"Objekt" der scriptura, in das menschliche **"Subjekt"** so eingehen, daß die ewige Differenz zwischen "Körper" und "Geist" über den "Balken" des Zeichens
hinweg **aufgehoben** wird? Oder biblisch formuliert: Wie kann der **Buchstabe** zum **"Geist"** werden?

Für Hegel hat jedenfalls die "Objekt"-Welt zunächst

"die Bestimmung, ein Aeußerliches, das Negative des Selbstbewußtseyns zu seyn"(226).

Als solche ist sie noch in der Phase des "Seins" einer **"Substanz"**,
der gegenüber sich das substanzlose, reine "Bewußtsein" allererst
"entäußern" muß, wenn die "Objekt"-Welt zum **"Dasein"** kommen soll:

"Sie erhält ihr Daseyn durch die **eigene** Entäußerung und Entwe-
sung des Selbstbewußtseyns... Dieß Thun und Werden aber, wodurch die Substanz wirklich wird, ist die Entfremdung der Persönlichkeit."(227)

"Nichts hat einen in ihm selbst gegründeten und innewohnenden
Geist, sondern ist außer sich in einem fremden, das Gleichgewicht des ganzen ist nicht die bei sich selbst bleibende Einheit
und ihre in sich zurückgekehrte Beruhigung, sondern beruht auf
der **Entfremdung des Entgegengesetzten.**"(228)

Gleichgültig, wie letzteres Zitat in der z.T. kryptischen Philosophie
Hegels selbst interpretiert werden muß, es wird von der französischen
Hegel-Rezeption in einer doppelten Weise **hermeneutisch** interpretiert.

Einerseits hat ein **Text** als nur wahrnehmbarer "Körper" keinen
"Sinn", der in ihm selbst als "Körper"-Gebilde gegründet wäre oder
ihm innewohnte, weil damit der "Sinn" **unmittelbar** – ohne "Entfremdung" – aus dem "Körper" **abgeleitet** und somit die "Mauer" der Antithese **übersprungen** würde. Weder ist ein Text eine in sich bleibende
Einheit noch ist der "Sinn" eine ewig wahre **Identität**; vielmehr ist
der Text selbst signifikant **aufgrund** der "Entfremdung der Gegensätze": Nur weil die Antithese zwischen "Körper" und "Geist" **bestehen**
bleibt, kann überhaupt ein **"Sinn"**-Prozeß entstehen.

Andererseits hat auch das mit Texten umgehende menschliche
"Subjekt" keine **Einheit** oder **Identität**, denn es befindet sich **aufgrund**
seines Sprechens immer schon in einer "Spaltung", die es "entfremdet".

So sind weder der "Text" noch das "Subjekt" für eine **semiotische**
Hermeneutik statische Einheiten, von denen a priori auszugehen wäre;

226 Ders., Phänomenologie 373.
227 Ebda.; Hervorhebung im Original.
228 Ebda. 373; Hervorhebung von mir.

vielmehr konstituiert gerade ihre **Differenz** den Umgang des "Subjekts" mit Texten.

Nach **Hegel** geht das "Subjekt" mit dem "Objekt" in einer "**Entäußerung**" um(229), weil es sich dabei "**objektiviert**"(230) und "**entzweit**"(231) und zugleich die Welt der "Objekte" allererst als solche **konstituiert**(232). Auch nach Hegel geschieht beides ausschließlich durch das **Sprechen:**

> "es ist die Kraft des Sprechens, als eines solchen, welche das ausführt, was auszuführen ist. Denn sie ist das **Daseyn** des reinen Selbst, als Selbst."(233).

Erst durch das Sprechen konstituiert sich das "**Ich**" des "Subjekts" (234); aber dieses "Ich" ist absolut "**zersetzt**"(235), denn die "Sprache der Zerrissenheit"(236) **schafft** das "zerrissene Bewußtsein"(237). Von dieser These aus ist es nur noch ein kleiner Schritt zu **Lacans** These aufgrund der **Psychoanalyse,** daß der Mensch nur von der "**Spaltung**" aus definierbar sei. Sie ist die Grundlage einer **psychosemiotischen Hermeneutik** wie der vorliegenden.

229 Vgl. ebda. 376f.
230 Ich wähle hier bewußt einen moderneren Term, um die hermeneutische Problematik der **Verobjektivierung** im Sinne Rudolf Bultmanns zu kritisieren: Alles Sprechen ist "Objektivation" und es ist die Illusion einer romantischen "**Unmittelbarkeit**", diese Notwendigkeit überspringen zu können. Vgl. Hegel, aaO. 379: "Denn die Macht des Individuums besteht darin, daß es sich ihr (scil. der Substanz) gemäß macht, d.h. daß es sich seines Selbst entäußert, also sich als die gegenständliche seyende Substanz setzt." Anders **Rudolf Bultmann, Das Problem der Hermeneutik.** 1950; in: **ders., Glauben und Verstehen II.** 1952, 211-235. Bultmanns "personale Begegnung" verkennt die **Leiblichkeit** und Materialität des Vorgangs und damit die semiotische Grundlage.
231 Vgl. Hegel, aaO. 380. 382: "es (scil. das Selbstbewußtseyn) schaut sein Doppelwesen darin an, in der einen sein **Ansichseyn**, in der andern sein **Fürsichseyn.**"
232 Vgl. etwa ebda. 376f: "Aber das Daseyn dieser Welt, so wie die Wirklichkeit des Selbstbewußtseyns beruht auf der Bewegung, daß dieses seiner Persönlichkeit sich entäußert, hierdurch seine Welt hervorbringt..." Ebda. 377: "Aber die Entsagung seines Fürsichseyns ist selbst die Erzeugung der Wirklichkeit..."
233 Ebda. 390; Hervorhebung im Original.
234 Vgl. ebda.: "Die Sprache aber enthält es in seiner Reinheit, sie allein spricht **Ich** aus, es selbst... Ich, das sich ausspricht, ist **vernommen.**"
235 Vgl. ebda. 397.
236 Vgl. ebda. 399: "Die Sprache der Zerrissenheit aber ist die vollkommene Sprache und der wahre existirende Geist dieser ganzen Welt der Bildung."
237 Vgl. ebda. 401: "Das zerrissene Bewußtseyn aber ist das Bewußtseyn der Verkehrung..."

11.5. Jacques Lacan: Das "gespaltene" Subjekt

11.5.1. Die hermeneutische Relevanz der Leib-Seele-Problematik

Da es im Rahmen dieser **fragmenta** nicht die Aufgabe sein kann, die Gesamtphilosophie Lacans darzustellen(238), beschränke ich mich hier auf elementare **semiotische** Sachverhalte. Indem ich nochmals von de

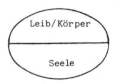

Saussures **Zeichenmodell** ausgehe, mache ich darauf aufmerksam, daß dieses Modell im Sinne Lacans nicht nur auf die **Sprache**, sondern auch und vor allem auf die anthropologische **Leib-Seele-Problematik** anwendbar ist.

Der aufmerksame Leser wird an dieser Stelle wohl verstanden haben, inwiefern eine semiotische Hermeneutik den **menschlichen Körper** als "Signifikanten" behandelt. Dieser Gedanke ist nicht einmal so merkwürdig, wenn man bedenkt, daß "Bedeutung" und "Sinn" seit alters einem "Bedeutungszentrum" zugeordnet werden, das man traditionell **"Seele"** oder **"Bewußtsein"** nennt. Insofern ist die Differenz zwischen dem menschlichen Körper und der Seele **analog** zu der Differenz zwischen dem **materiellen** "Text-Körper" und der **"geistigen"** Dimension dieses Textes.

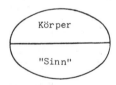

Der aufmerksame Leser wird weiter verstanden haben, daß der **"Balken"** zwischen Signifikant und Signifikat einerseits wie eine antithetische "Mauer" gegen die **Un-mittelbarkeit** des "Sinns" wirkt, und daß damit im Rahmen unserer Analogie anderseits die **"Sinn"-Bedürftigkeit** des menschlichen Körpers angezeigt werden soll. Damit ist nicht nur eine vom **Willen** abhängige Unmittelbarkeit des "Sinns" oder der "Seele" zum Körper (oder zur Materialität) unmöglich. Vielmehr ist damit seit **Sigmund Freud** und seiner Entdeckung des **"Unbewußten"** auch die Frage gestellt, ob eigentlich die einfache Zuordnung der "Seele" oder des "Bewußtseins" zum "Sinn" weiterhin möglich oder geradezu **unmöglich** geworden ist. Nicht mehr das körperlose oder auch das gerade **wegen** seines Körpers "quergestrichene **Subjekt"** ist der Ursprung des "Sinns", sondern das "Subjekt der **Verdrängung".** Aber was heißt das genauer?

238 Vgl. dazu **Hermann Lang, Die Sprache und das Unbewußte.** Jacques Lacans Grundlegung der Psychoanalyse. 1973; **Roland Sublon, Le temps de la mort.** Savoir - Parole - Désir. (Homme et Eglise 7). 1975. Im übrigen gibt es in Deutschland mehr falsche als zutreffende Deutungen Lacans. Vgl. dazu **Norbert Haas, Nachträge und Anmerkungen des Herausgebers;** in: Lacan, Schriften II, 259-268.

11.5.2. Das "Nachdrängen" als das "Gesetz der Signifikanten"

Es ist das "Gesetz der Signifikanten", daß die Frage nach dem Signifikat die Produktion immer neuer Signifikanten anregt: Wer nach der "Bedeutung" z.B. eines Wortzeichens fragt, dem kann diese "Bedeutung" nur mittels **weiterer** Wortzeichen (Signifikanten) dargelegt werden. In der **Signifikation** erhält man also die "Bedeutung", das Signifikat, niemals "rein", d.h. **ohne** Signifikanten(239). Man erhält m.a.W. die "Bedeutung" immer **zusammen** mit etwas, das von ihr **verschieden** ist, so daß das "Gesetz der Signifikanten" immer auch das **"Gesetz der Differenz"** ist: Ständig kann man ein **"Nachdrängen"**(240) von Signifikanten beobachten; das menschliche Sprechen und die unendliche Kette der Texte ist ein beredter Beweis dafür, daß der "Sinn" eben noch nicht **eingeholt** ist, sondern durchaus **"eschatologisch"** bleibt.

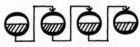
Signifikanten "drängen nach"

Das Signifikat wird verweigert

Wenn so stets neue Signifikanten "nachdrängen" müssen, so weist dies auf den Umstand, daß die "Bedeutung" durch die Signifikanten auch **"verdrängt"** wird: Signifikanten und Signifikat sind unterschiedene Ordnungen,

> "die von vornherein getrennt sind durch eine Schranke, die sich der Bedeutung widersetzt"(241).

Da es sich zwar um zwei verschiedene, aber dennoch **zusammen** etablierte Ordnungen handelt, entspricht dem "Gesetz der Signifikanten" ein "Gesetz des Signifikats": Da Signifikanten und Signifikate **gleichzeitig** aus dem Chaos zeichenfähiger Materie (sensibilia) und des Denkbaren (intelligibilia) "ausgeschnitten" werden, muß man sagen,

239 Vgl. Barthes, Elemente 41: Die Signifikation "läßt sich als Prozeß auffassen; sie ist der Akt, der Signifikant und Signifikat miteinander vereint, ein Akt, dessen Produkt das Zeichen ist." Ebda. 48: Dabei handelt es sich nicht um eine Korrelation eines Signifikanten und eines Signifikats, sondern um "einen Akt der simultanen Zerlegung zweier gestaltloser Massen"; "die Sprache ist ein Gegenstand, der zwischen dem Laut und dem Denken liegt: sie besteht darin, den einen mit dem anderen zu vereinen, indem sie beide gleichzeitig zerlegt" werden (im Original z.T. kursiv). Ebda. 37: "Isologie könnte man das Phänomen nennen, durch welches die Sprache unmerklich und untrennbar ihre Signifikanten und ihre Signifikate 'verklebt'."
240 Der Term "nachdrängen" stammt zwar aus der psychoanalytischen Verdrängungstheorie Freuds (vgl. dazu unten S. 320); aber wenn man einmal verstanden hat, daß diese niemals von der Verdrängung des Triebes selbst, sondern immer nur von der Verdrängung seiner **Signifikanten** ("Repräsentanz") spricht, dann werden die obigen Ausführungen verständlich.
241 Lacan, Schriften II, 21. Vgl. Barthes, aaO. 42: Lacan interpretiert den Trennstrich als einen "Balken"; "er stellt die Verdrängung des Signifikats dar".

"daß es keine Bedeutung gibt, die nicht notwendig auf eine andere Bedeutung verwiese"(242).

Eine semiotische **Differenz**-Hermeneutik wird also nicht nur bestreiten, daß es irgendeinen "Text-Körper" geben könnte, der seinen "Sinn" **einholt**; sie wird nicht nur bestreiten, daß die **Hl. Schrift** als Buchstaben-"Körper" eine solche "Einholung" sei; sie wird vor allen Dingen auch Hegels Philosophie des **"Selbstbewußtseins"** leugnen: Ebensowenig, wie der Signifikant des Textes eine Einheit ist, ebensowenig ist der **Mensch** oder das "Subjekt" eine Einheit, welche aus seinem Körper oder seiner "Seele" abgeleitet werden könnte. Die **Negativität** muß hier mit allen Konsequenzen durchgehalten werden.

11.5.3. Die psychoanalytische "Verdrängung des Signifikanten"

Wir hatten oben gesagt, der menschliche Körper sei für das Signifikat **"gesperrt"**, insofern sei alles Sprechen gerade ein **"Ver-Sagen"**(243). Wir werden weiter unten sehen, daß **Sigmund Freuds "Verdrängung"** niemals den Trieb selbst, sondern seine **Signifikanten** ("Repräsentanz") betrifft(244). Lacans geniale Operation besteht nun darin, daß er de Saussures Zeichenmodell auch in seiner

Der Körper tritt
als Signifikant auf

Dem Signifikat wird
der Signifikant verweigert

Umkehrung verwendet: Wie das "Gesetz der Signifikanten" besagt, daß sich das **Signifikat** den Signifikanten verweigert, so besteht die psychoanalytische "Verdrängung" darin, daß das menschliche "Subjekt" einem Signifikat, z.B. einem unangenehmen Gedanken, die **Signifikanten** verweigert. "Verdrängung" heißt nach Freud-Lacan, daß sich das "Ich" das **Aussprechen** eines Gedankens versagt, indem es ihn **"verneint"**, denegiert; dann aber macht sich der "verdrängte" Gedanke am menschlichen **Körper** gegen den Willen des "Bewußtseins" als neurotisches **Symptom** bemerkbar, holt also die "verneinten" **Signifikanten** nach.

Dieses nicht zu bestreitende Phänomen beweist, daß es im Menschen außer dem "Ich" noch einen **"Anderen"** gibt, von Freud das "Unbewußte" genannt, welcher sich als **"Sprache des Anderen"** z.B. im neurotischen Symptom, im Traum, im Witz und im Versprecher am

---

242 Lacan, aaO. 22. Die dazu gehörige Anm. 12 verweist pauschal auf **Augustin**, De magistro. Vgl. dazu unten S. 162-170.
243 Vgl. oben S. 47.
244 Vgl. dazu Kap. 6.

menschlichen **Körper** selbständig macht, weil die "Spaltung" zwischen der Instanz für das Signifikat und dem zentralen Signifikanten nicht bestehen kann. Das Phänomen beweist, daß der menschliche Körper die Signifikanten **"begehrt"**. Das Phänomen beweist weiter, daß dem menschlichen Körper als **Signifikanten** eben nicht nur die "Seele" oder das "Bewußtsein" als **Wille** zum "Sinn" oder als **Signifikat** zugeordnet werden kann, sondern zwischen Leib und Seele ein **"Balken"** besteht: Es gibt im Reiche des "Unbewußten" eine **Sprache**, die nicht aus dem menschlichen "Subjekt" (im Sinne der Identitätsanthropologie) stammt und die sogar **gegen** den bewußten Willen "spricht".

11.5.4. Der Mensch – das Unbekannte

So kommt es zu der elementaren These, das menschliche "Subjekt" sei nicht **Herr** des "Sinns":

> "Was heißt der Sinn? Der Sinn, das heißt, daß das menschliche Wesen nicht der **Herr** dieser primordialen und ursprünglichen Sprache ist. Es ist in sie **geworfen** worden, in sie **eingebunden**, es hängt in ihrem Räderwerk."(245)

Gegen **René Descartes** (1596–1650) kann das Phänomen des Sprechens nicht nur aus dem "Ego cogitans" abgeleitet werden(246), weil dieses "Ego" seit **Freuds** zweiter Topik in das "Ich" und das "Es" und damit in zweierlei Sprechen zerfällt. Das "Sein des Ich" ist nicht der **Ort** seines Denkens, weil die **Topik** zweierlei τόποι (loci) im "Subjekt" unterscheidet:

> "ich denke, wo ich nicht bin, also bin ich, wo ich nicht denke" (247).

Weil es **zwei** "seelische" Instanzen im Menschen gibt, gibt es einerseits zweierlei **Sprechen**; andererseits ist das Sprechen nicht mit dem Denken des "Subjekts" identisch:

> "Das ist der große dauernde Irrtum – sich vorzustellen, daß die Wesen denken, was sie sagen."(248)

So ist das Sprechen des Menschen immer auch ein **"Verkennen"**(249), weil es ein "gespaltenes" Sprechen ist. Die **Wahrheit** des Menschen <u>wird entweder</u> in diesem "gespaltenen" Sprechen oder überhaupt nicht

245 Lacan, Seminar II, 389; Hervorhebungen von mir. Vgl. ders., Seminar I, 72: "kann man sagen, daß in unserm Diskurs tatsächlich das Ego der Herr alles dessen sei, was die Worte verbergen?"
246 Die Kritik an Descartes' **Rationalismus** ist ein durchgängiges Element der zitierten französischen Autoren. Vgl. hier nur Lacan, Schriften I, 63; ders., Seminar II, 13. 42. 98f; ders., Seminar XI, 233ff.
247 Ders., Schriften II, 43.
248 Ders., Seminar I, 217.
249 Vgl. ders., ebda. 71f. 134. 214; ders., Seminar II, 58f; ders., Seminar XI, 89.

gefunden:

"Diese Illusion, die uns dazu treibt, die Wahrheit des Subjekts jenseits der Mauer der Sprache zu suchen, ist die gleiche, aufgrund deren das Subjekt glaubt, seine Wahrheit sei in uns bereits vorhanden oder wir wüßten sie im vorhinein."(250)

Diese "Wahrheit" besteht jedoch einerseits darin, daß der "begehrende" Mensch in seinem désir gerade die "Seinsverfehlung" realisiert (251):

"Begehren ist, was manifest wird in dem Zwischenraum, den der Anspruch diesseits seiner selbst aushebt, insofern das Subjekt, indem es die signifikante Kette artikuliert, das Seinsverfehlen an den Tag bringt mit dem Appell, das Komplement davon vom Andern zu erhalten, insofern der Andere, Ort des Sprechens, auch der Ort dieses Verfehlens ist."(252)

Die "Wahrheit" besteht andererseits darin,

"daß der Mensch viel mehr ist als sein Körper, gerade weil er von seinem Sein mehr nicht wissen kann"(253).

Ist die "Subjektivität" des Menschen in diesem Sinne eine "gespaltene", dann ist sie eine Struktur,

"die den Menschen die Vorstellung ermöglicht, sie könnten sich selber verstehen"(254).

Dabei wird einerseits verkannt, daß das "Nachdrängen" der Signifikanten aus der Zukunft erfolgt(255); es wird andererseits verkannt, daß das Signifikat unter dem Signifikanten "gleitet"(256), sich also nicht "einfangen" oder fixieren läßt: Es gibt keinen einzigen Signifikanten, kein "objet a", das den désir des Menschen endgültig zur Ruhe brächte; wer sich an ein bestimmtes "objet a", also z.B. an die Hl. Schrift, bindet, der befindet sich bereits in diesem Reiche der "Verkennung". Jedes "objet a"

"ist der Andere, den noch meine Lüge anruft als Garant der Wahrheit, in der sie Bestand hat"(257).

Von hier aus sind zwei Konsequenzen unumgänglich. Einerseits ist der Theologie eine vorschnelle und vorwitzige Anrufung Gottes als des letzten Garanten der "Wahrheit" deshalb untersagt, weil unser menschliches Sprechen immer in der skizzierten Problematik des "Verdrängens" verbleibt. Zwar besteht semiotisch ein Bezug zwischen "Gott"

---

250 Ders., Schriften I, 153.
251 Vgl. ebda. 178. 213f. 225.
252 Ebda. 218f. Zum "Begehren" als Differenz der "Spaltung" vgl. ders., Schriften II, 127.
253 Ders., Schriften III, 165; Hervorhebungen von mir.
254 Ders., Seminar I, 9; Hervorhebung von mir. Die Antithese zur "existentialen" Hermeneutik Bultmanns ist deutlich.
255 Vgl. Lacan, Seminar I, 205.
256 Vgl. ders., Schriften II, 36.
257 Ebda. 51.

und "l'Autre"; aber nicht im Sinne der theologischen Leerformel des "totaliter aliter", sondern im Sinne der These: **Gott ist "unbewußt"**, d.h. vom "Subjekt" nicht wißbar(258). Denn Freuds "Unbewußtes" hat bezüglich der "Wahrheit des Subjekts" die Konsequenz,

> "die Wahrheit in die Hände eines Andern zu legen, eines vollkommenen Gottes, der für die Wahrheit zu sorgen hat"(259).

Zum anderen ist eine **Anthropologie** herkömmlichen Stils als "wissenschaftliches **Wissen**" vom Menschen unmöglich.(260) Lacans Spitzensatz konstruiert sich über einem französischen Wortspiel. Der Mensch heißt "homme", das Menschlein, der homunculus, **"hommelette"**(261). In einer semiotischen Hermeneutik, die sich auf die Problematik Körper, "Sinn" und Zeichen konzentriert, ist der Mensch ein "Omelett", ganz wörtlich **"in die Pfanne gehauen"**, weil er seine Wahrheit, aber auch seine Lust niemals **sagen** kann.

11.6. Julia Kristeva: Sprechen als "Verwerfen"

11.6.1. Das "Innen" und das "Außen"

Wiederholen wir nochmals die These: Sprechen heißt, aus seinem leiblichen Körper einen materiellen Signifikanten **"nach außen"** setzen, ihn von seinem leiblichen Körper **"abspalten"**. Nach dem oben Ausgeführten kann das Sprechen ja nicht heißen, der Mensch behalte das Signifikat **"im Innen"** zurück; es heißt vielmehr, daß der "Sinn" gerade erst **aufgrund** der Differenz zwischen dem sprechenden Körper und dem gesprochenen "Körper" konstituiert wird. Insofern befindet er sich in einem **"imaginären Zwischen"** der beiden Signifikanten: Indem der Mensch spricht, entsteht in dem "imaginären" Zwischenraum zwischen dem sprechenden Körper und dem "ausgeschiedenen Körper" nicht nur der **"Sinn"**, sondern zugleich auch der **"Mangel an Sinn"** des menschlichen Körpers.

Diese Thematik **Freuds** wird zwar erst weiter unten entfaltet werden(262); sie ist aber auch die Grundlage der Überlegungen von **Julia Kristeva, die** aufgrund von Hegel und Lacan(263) zu der These kommt,

258 Vgl. ders., Seminar XI, 65.
259 Ebda. 42.
260 Vgl. ders., Schriften II, 237; ders., Seminar II, 92: "Der Mensch, so sagt man uns, ist das Maß aller Dinge. Wo aber ist sein eigenes Maß? Hat er's in sich selbst?"
261 Vgl. ders., Schriften II, 225f.
262 Vgl. dazu unten S. 306f.
263 Kommentiert werden neben Husserl, Frege vor allem Freud und Lacan, Schriften II, 91: "Die **Verwerfung** begreifen wir also als Verwerfung des Signifikanten." Vgl. ebda. 96f. 191f; ders., Schriften III, 175ff. 206; ders., Seminar I, 59. 78. Zum "Außen" und "Innen" vgl. ders., Schriften III, 198; ders., Seminar XI, 137: "Dieser Diskurs des Andern aber, den

das Sprechen sei ein **"Verwerfen"**(264). Dies ist eine klare Antithese
zu der hermeneutischen Banalität, was man ausspreche, **bejahe** man
auch, eine Banalität, welche aufgrund von Freuds **"Verneinung"** als
Irreführung zu beurteilen ist.

11.6.2. Das Spiel des "Fort–Da"

Man illustriert den Sachverhalt am besten durch einen Rekurs auf
Freuds Analyse des Kinderspiels **"Fort–Da"**(265). In seiner Abhandlung
"Jenseits des Lustprinzips" (1920)(266) wählt Freud eine Beobachtung
an seinem anderthalbjährigen Enkelkind(267), um den für den **"Todestrieb"** grundlegenden **"Wiederholungszwang"** zu illustrieren. Dieses En-
kelkind zeigte

"die gelegentlich störende Gewohnheit, alle kleinen Gegenstände,
deren es habhaft wurde, weit weg von sich in eine Zimmerecke,
unter ein Bett usw. zu schleudern"(268).

Es brachte dabei **Laute** hervor, die sich als "Fort" deuten ließen, sowie andere Laute beim Wiedererscheinen der Gegenstände, welche "Da"
bedeuteten. Das Kind spielte also das Spiel des "Fortseins", des Ver-
schwindens und Wiederkommens. Da das "Fortsein" der Gegenstände
Unlust erzeugt, lautet die Frage, wieso der **"Verlust"** als **"Lust"** erlebt werden kann und im Spiel **wiederholt** wird(269).

Für **Lacan** ist dieses Spiel exemplarisch für den **Verlust des "Objektes"**, der zwar als "Urverlust" jedes menschliche "Suchen", auch
die **"Suche nach Sinn"**, allererst konstituiert; aber viel entscheidender
ist, daß dieser Verlust beim **Sprechen** als "Wiederholung" vermittelt
wird und so das **"objet a"** konstituiert, an welchem sich die **"Lust"**
konkretisiert:

"Das menschliche Objekt konstituiert sich immer durch die Vermittlung eines primären Verlusts. Nichts Fruchtbares hat statt
für den Menschen, wenn nicht durch Vermittlung eines Verlusts
des Objekts."(270)

es zu realisieren gilt, der Diskurs des Unbewußten, ist nicht jenseits
des Abschließens, er ist **draußen."**
264 Vgl. Kristeva, Revolution; **dies., Pouvoirs de l'horreur. Essai sur**
l'abjection. 1980.
265 Anspielungen darauf finden sich Lacan, Seminar I, 276; ders., Seminar
II, 34; ders., Seminar XI, 68. 251.
266 Vgl. **Sigmund Freud, Jenseits des Lustprinzips.** (1920); G.W. XIII, 3
bis 69; in: **ders., Das Ich und das Es und andere metapsychologische
Schriften.** (Fischer-TB 6394). 1978, 121-169.
267 Vgl. ebda. 126f.
268 Ebda. 127.
269 Vgl. ebda. 128: "Wie stimmt es also zum Lustprinzip, daß es dieses
ihm peinliche Erlebnis als Spiel wiederholt?"
270 Lacan, Seminar II, 176.

In Analogie zum Kinderspiel kann man das "objet a" als Ort der Metapher der **Analität** bezeichnen und zusätzlich sagen, daß der biologisch nicht-existente **Phallus**(271) der **Signifikant des "Mangels an Sein"** ist:

> "Das Objekt a ist ein etwas, von dem als Organ das Subjekt sich getrennt hat zu seiner Konstituierung. Dieses Objekt gilt als Symbol des Mangels, das heißt des Phallus, und zwar nicht des Phallus an sich, sondern des Phallus, sofern er einen Mangel /ein Fehlen darstellt."(272)

Indem der menschliche Körper **spricht**, wiederholt er nicht nur die Konstitution des "Subjekts", sondern er artikuliert ("gliedert") die Signifikanten als **Ersatz** für das verlorene "Objekt", das ihm **entzogen** bleibt:

> "Dies ist der Grund, weshalb es der Repräsentanten, der Äquivalente bedarf, und all der Gestalten des Objekts a, die hier aufzuzählen wären. Diese Objekte a sind nur Stellvertreter, Darsteller... die Plazenta zum Beispiel - repräsentiert diesen Teil seiner selbst, den das Individuum bei seiner Geburt verliert, und der zutiefst ein Symbol für das verlorene Objekt ist."(273)

11.6.3. Anwesenheit und Abwesenheit

Für die Konstitution der **Signifikation** ist es auf diesem Hintergrund entscheidend, daß der **Signifikant** zwar die "Anwesenheit" eines "Körpers" **außerhalb** des menschlichen Körpers ist; aber wegen des "Sperrbalkens" ist das **Signifikat** gerade "abwesend". Indem der "Balken" die **"Verdrängung"** des Signifikats symbolisiert, macht er es gerade **"abwesend"**: Das Zeichen als "Ersatz" ist die "anwesende Abwesenheit" oder die **"abwesende Anwesenheit"**. Diese These wehrt jeder in der Theologie so schnell berufenen **"Realpräsenz"** oder der "Selbstmächtigkeit des Wortes Gottes". Wo derartiges behauptet wird, dort wird die "Antithese" zerbrochen, die "Tabuverletzung" begangen, die **Materialität** des Zeichens übersprungen. Entweder gilt nun das σάρξ ἐγένετο (Joh 1, 14) mit allen Konsequenzen - oder eine **theologische** Hermeneutik des **Semiotischen** braucht gar nicht erst anzutreten!

Für Lacan ist dieser Topos ein **"Hamlet-Thema"** des "to be or not to be"(274):

271 Er ist nicht mit dem männlichen Penis zu verwechseln, da Kinder vom Phallus der Mutter phantasieren. Vgl. dazu **Sigmund Freud, Die infantile Genitalorganisation.** (1923); G.W. XIII, 291-298; in: **ders., Drei Abhandlungen zur Sexualtheorie.** (Fischer-TB 6044). Ausg. 1979, 154-158.
272 Lacan, Seminar XI, 110.
273 Ebda. 207, eine Stelle, wo "hommelette" als "Lamelle", als nicht existierendes Organ, interpretiert wird. Im übrigen zeigt das **"Loch"** der Plazenta, der Nabel, den Urverlust auch am **Körper** des Menschen auf.
274 Anspielungen darauf finden sich z.B. Lacan, Seminar II, 244. 296f.

"Denn das Sein der Sprache ist das Nicht-Sein der Objekte."(275)

"Sein von Nicht-Seiendem, so kommt Ich als Subjekt herauf, das sich vereinigt mit der doppelten Aporie eines wahrhaften Fortbestehens, das sich durch sein Wissen liquidiert, und eines Diskurses, in dem der **Tod** die Existenz aufrechterhält."(276)

"So bringt uns der Tod die Frage nach dem, was der Diskurs verneint, aber auch die, ob er es sei, der die Negation in ihn einführt. Denn die Negativität des Diskurses, sofern sie darin sein macht, was nicht ist, verweist uns auf die Frage, was das Nicht-Sein, das sich in der symbolischen Ordnung(277) manifestiert, der Realität des Todes schuldet."(278)

Diese "Anwesenheit des Nicht-Seins" ist vor allem im **Buchstaben** die Materialisation der **"Instanz des Todes"**(279); jedes "objet a" ist ein **"vanitas-Objekt"**(280):

"Der Mensch widmet seine Zeit buchstäblich der Entfaltung der strukturellen Alternation, in der die An- und Abwesenheit sich gegenseitig aufrufen."(281)

11.6.4. Das "objet" als "abjet"

Ausgehend von Hegels **"Negativität"**(282) schlägt Julia **Kristeva** eine materialistische Lektüre Hegels vor, welche erlaubt,

"diese Negativität als die transsubjektive, transideale und transsymbolische **Trennungsbewegung der Materie** zu denken, mit der die Voraussetzungen für das Symbolhafte erst hergestellt und infolge eines Sprungs die Symbole selbst erzeugt werden"(283).

Diese Bewegung wird mit "Verausgabung" (forclusion) oder **"Verwerfen"** bezeichnet(284), welche die **materielle** Modalität von Freuds **"Verneinung"** (dénégation) ist(285). Die **"Ausstoßung"** des "Objektes" im Spiel des "Fort-Da" ist die symbolische Form einer biologischen Grundoperation(286), nämlich der oral-analen **"Ausscheidung"**(287). Ihre stärkste

275 Ders., Schriften I, 219.
276 Ders., Schriften II, 176; Hervorhebungen von mir.
277 Stehender terminus technicus Lacans für das Sprechen oder die Sprache.
278 Lacan, Schriften III, 190.
279 Vgl. ders., Schriften I, 22: Wir haben nicht vor, "die Letter (den Buchstaben, den Brief) mit dem Geist zu verwechseln, und erhielten wir sie auch auf pneumatischem Wege, auch wissen Sie, daß wir durchaus erkennen, daß der eine tötet, während der andere lebendig macht, insofern der Signifikant - Sie beginnen es vielleicht zu verstehen - die Instanz des Todes materialisiert."
280 Vgl. dazu ders., Seminar XI, 98. Ich benutze den Term in Anspielung auf Qoh 1, 2; 6, 11; 12, 8.
281 Lacan, Schriften I, 46. Vgl. ebda. 116f: Der Signifikant ist die "Spur" eines Nichts. Zur Dialektik von "Anwesenheit" vs "Abwesenheit" vgl. auch ders., Seminar I, 222f; ders., Seminar II, 53. 279. 396.
282 Vgl. Kristeva, Revolution 114ff.
283 Ebda. 122; Hervorhebung im Original.
284 Vgl. ebda. 123.
285 Vgl. ebda. 125f; dies., Pouvoirs 14f.
286 Vgl. dies., Revolution 128.
287 Vgl. ebda. 152ff.

Form ist der alimentäre Abscheu(288). Bei der "Verwerfung" (abjection) geht es nicht nur um eine Revolte gegen eine Bedrohung "von außen" (289), sondern vor allem um eine "Entleerung des Ich":

> "je m'expulse, je me crache, je m'abjecte dans le même mouve-ment par lequel 'je' prétends me poser"(290).

In diesem Sinne ist auch das **Sprechen** ein "Ausspucken" (vgl. ApkJoh 3, 14-16), welches sowohl den "Mangel an Sein" als auch den désir bezeugt.(291) Dabei wird im Signifikanten ein "Gegen-Stand" (ob-jet; ob-iectum) erzeugt, den der sprechende Körper **"verworfen"** hat (ab-jet; ab-iectum)(292). Deshalb ist das Sprechen eben nicht automatisch eine "Ich-Findung", sondern eher im Sinne von Mt 10, 39 / Lk 17, 33(293) ein Beweis für die **Heterogenität des "Ich"**(294). Der Zusammen-hang dieser Thesen sowohl mit der "Verdrängung des Signifikats" als auch mit der das "Nachdrängen" begründenden **"Urverdrängung"** ist offensichtlich. Denn letztere ist für Kristeva

> "la capacité de l'être parlant, toujours déjà habité par l'Autre, de diviser, rejeter, répéter"(295).

11.7. Jacques Derrida: Grammatologie – der Umgang mit der Schrift
11.7.1. Die romantische Opposition von "viva vox" und littera

In einer Hermeneutik für den Umgang mit der **"Hl. Schrift"** darf ein letzter semiotischer Rekurs auf die littera oder **scriptura** nicht fehlen. Seit der Romantik, vor allem seit **Johann Gottfried Herder** (1744-1803), ist es üblich, die verbale **Stimme** als "viva vox" dem fixierenden und starren **Buchstaben** gegenüberzustellen.(296) So erscheint in dieser Konzeption die Stimme als signum des **"Lebendigen"** und als "natura naturata" und der Buchstabe als signum signi und als signum des

288 Vgl. dies., Pouvoirs 10.
289 Vgl. ebda. 9.
290 Ebda. 11; Hervorhebungen im Original. ("Ich werfe **mich** hinaus, ich spucke **mich** aus, ich verwerfe **mich** in der gleichen Bewegung, durch welche 'ich' **mich** angeblich setze.")
291 Vgl. ebda. 13: "toute abjection est en fait reconnaissance du **manque** fondateur de tout être, sens, langage, désir."
292 Vgl. ebda.: Die Erfahrung des Mangels geht logisch dem "Sein" und dem "Objekt" voraus, sogar dem "Sein" des "Objekts"; das einzige Signifikat dieses "Seins" ist die "Verwerfung" selbst.
293 "Wer sich selbst gewinnen will, der wird sich verlieren; wer sich selbst (um meinetwillen) verliert, der wird sich gewinnen."
294 Vgl. Kristeva, aaO. 17: "Mais lorsque je (me) **cherche**, (me) **perds**, ou **jouis**, alors 'je' est **hétérogène**."
295 Ebda. 20. ("die Fähigkeit des sprechenden Wesens - das immer schon vom Anderen bewohnt ist - zu teilen, zurückzuwerfen, zu wiederholen").
296 Vgl. das Material und die detaillierten Belege bei **Erhardt Güttge-manns, Offene Fragen zur Formgeschichte des Evangeliums.** (BEvTh 54). 1970, ²1971, 119ff, die hier nicht wiederholt werden.

Toten. Obwohl ich unter Berufung auf die Semiotik Augustins mehrfach darauf verwiesen habe, daß dieser die **Stimme** wegen des Silbengesetzes gerade dem Gesetz des **Todes** unterstellt, könnte die ständige Anführung des "Sprechens" in den obigen Ausführungen von einer "Theologie des Wortes Gottes" mit ihrer Konzentration auf die verbale "**Verkündigung**"(297) als eine Bestätigung ihrer Position gelesen werden, wonach der Buchstabe gegenüber dem verbalen Sprechen logisch und ontologisch **sekundär** ist. Gegenüber diesem Mißverständnis sind folgende Präzisierungen angebracht.

11.7.2. Das fragwürdige "Sprechen"

Erstens muß nochmals unterstrichen werden, daß mein Sprachgebrauch den Term "Sprechen" a priori mit der materiellen "**Körperlichkeit**" des **Signifikanten** verbindet und somit jedem "doketischen" Verständnis des Phänomens entgegengesetzt ist. Die letzten Ausführungen haben klar genug gemacht, daß ich den Körpervorgang des "**Ausscheidens**" aus **dem Mund** meine und nicht die "unkörperliche" Produktion des Signifikats, dessen **nominalistische** "Setzung" durch den Menschen (oder durch das "Bewußtsein") oben gerade abgelehnt wird.

Zweitens ist durch die Berufung auf Freuds **Neuroselehre** wohl deutlich geworden, daß ich von einem "**Sprechen**" des Körpers ausgehe, welches grundsätzlich jede materielle Substanz benutzen kann(298), so daß auch das Schreiben der **Hand** ein "Sprechen" des Körpers ist. Semiotisch gibt es keinerlei Grund, der optischen Substanz der **Schrift** eine ontologisch sekundäre Funktion gegenüber der verbalen Substanz des **Lauts** zuzubilligen oder zu behaupten, der Laut sei dem "**Lebendigen**" näher als die Schrift. Zwar kann man sagen, die **Ohren** seien die einzigen "Löcher" des Körpers, welche man ohne Hilfsmittel nicht willentlich verschließen könne(299); auch ist der **Mund** als "leeres Loch" die Metonymie für das verlorene, ewig fehlende "objet a"(300). Aber damit ist er eher dem "**Nichts**" des Signifikanten näher als dem

297 Zur semiotischen Kritik vgl. **Erhardt Güttgemanns, Artikel Liturgy;** in: **Thomas A. Sebeok (Ed.), Encyclopedic Dictionary of Semiotics.** (in Vorbereitung).
298 Mein Begriff des "Textes" ist daher a priori von der alleinigen Bindung an die **verbale Materie** abgelöst. Vgl. **Erhardt Güttgemanns, Wissenschaftstheoretische Probleme der strukturaI-generativen Methode in den Textwissenschaften** 1. Grundlagen und Grundfragen. LingBibl 33. 1974, 89 bis 116.
299 Vgl. Lacan, Seminar XI, 204: "Die Ohren sind auf dem Felde des Unbewußten die einzige Öffnung, die sich nicht schließen kann."
300 Vgl. ebda. 188. Ähnlich ders., Seminar II, 302: "...jede Leere des Begehrens, das nämlich, was eigentlich die Eigenschaft der Mundöffnung bildet".

"Lebendigen"(301). Der Analytiker, der einem Patienten zuhört, soll Ohren haben,

> "um nicht zu hören, oder anders gesagt, um das aufzudecken, was gehört und verstanden werden muß"(302).

Drittens ist die zu hörende Stimme grundsätzlich die des **Gesetzgebers** (303); der Laut ist das Sprechen, der Diskurs des **"Gesetzes"**(304). Zwar ist das "Bewußtsein" an Augen und Ohren gebunden(305); zwar ist das **Auge** das Symbol des "Subjekts"(306), welches im **Spiegel** sich sich sehen sieht(307). Aber die Signifikanten wollen nichts sagen, sondern **"entziffert"** werden(308):

> "Denn Tragweite hat das Zeichen nur, weil es **entziffert** werden muß"(309).

Es darf ja einerseits nicht vergessen werden, daß in dieser Hermeneutik nicht das "Ich", sondern der **"Andere"** als der Ort des Sprechens eingeführt wird(310), weil das "Unbewußte" wie eine **Sprache** strukturiert ist(311) und das "Ich" durch das Sprechen entsteht. Insofern sind das "Subjekt" **determiniert** durch den ihm gegenüber primären "Anderen"(312) und das **Aussagen** (énonciation) durch die Gegenwart des "Unbewußten"(313).

Es darf andererseits nicht vergessen werden, daß in den **Diskurs**, in das Produkt des Sprechens, nicht der "Sinn", sondern **Zeichen** eingehen(314), und

> "daß das Sprechen.. nicht bloß aus jenen von vornherein entwerteten Worten besteht"(315), sondern

---

301 Vgl. ders., Seminar XI, 32: Oblivium, das blank-Machende, "meint das, was auswischt - aber was auswischt? den Signifikanten als solchen!" - Man kann an einen Schwamm für eine Tafel denken.
302 Ders., Schriften I, 92; Hervorhebung im Original. Anspielung auf Mk 4, 12 parr.
303 Vgl. ders., Seminar II, 74 unter Anspielung auf die Tafeln vom Sinai.
304 Vgl. ebda. 167f.   305 Vgl. ebda. 65.
306 Vgl. ders., Seminar I, 106.
307 Vgl. ebda. 275; ders., Seminar XI, 86: "Ich sah mich mich sehen" (im Original kursiv).
308 Vgl. ders., Schriften II, 218: "Ein Subjekt taucht erst dann zwingend auf, wenn es in der Welt Signifikanten gibt, die nichts sagen wollen und die entziffert werden müssen."
309 Ebda. 7; Hervorhebung im Original.
310 Vgl. ders., Schriften I, 220. 226.
311 Vgl. ebda. 97; ders., Seminar XI, 26.
312 Vgl. ebda. 259: "Sofern wir aber denkendes Subjekt sind, sind wir auf ganz andere Art impliziert, da wir abhängig sind vom Feld des Andern, das einige Zeit vor unserer Geburt schon da war und durch dessen kreisende Strukturen wir als Subjekt determiniert sind."
313 Vgl. ders., Schriften II, 212: "daß die Gegenart des Unbewußten, die im Ort des Andern ihre situative Bestimmung findet, in jedem Diskurs, in seinem Aussagen, zu suchen ist". Die strenge Trennung zwischen énonciation und énoncé ist zu beachten.
314 Vgl. ebda. 13.   315 Ders., Seminar XI, 24.

"daß die Sprache, bevor sie etwas bedeutet, für jemanden bedeutet"(316).

Viertens erklärt sich von hier aus die Definition des "Signifikanten": "Ein Signifikant ist, was für einen anderen Signifikanten das Subjekt(317) vorstellt."(318)

"Das Register des Signifikanten entsteht dadurch, daß ein Signifikant ein Subjekt für einen anderen Signifikanten repräsentiert." (319)

"Daraus folgt, daß das Subjekt auf der Ebene des andern Signifikanten sich auflöst."(320)

Lacan nennt dies die **"Aphanisis"**, das **"fading"** des "Subjekts"(321), dessen Personalpronomen "ich" im Sinne Roman Jakobsons(322) als linguistischer **"shifter"** zu behandeln ist(323). In einer semiotischen Hermeneutik gibt es keine Rückkehr zur Anthroplogie des "Ich"(324), denn im Signifikanten **"annulliert"** sich das "Subjekt"(325). Das wahre "Subjekt" ist das "Subjekt" des **"Unbewußten"**(326), das vom "Ich" **verkannt** wird(327). Dieses "Subjekt" trägt als Traum-"Subjekt" den Namen **"Nemo"**(328). Das gewöhnliche "Subjekt" entsteht erst aus den Signifikanten:

316 Ders., Schriften III, 27; Hervorhebungen von mir.
317 Das französische "sujet" bedeutet eher "Stoff, Vorwurf". Vgl. Anm. 16 aAnm. 318 aO.
318 Ders., Schriften II, 195.   319 Ebda. 219.
320 Ders., Seminar XI, 248.
321 Vgl. ebda. 218. 229f; ders., Schriften II, 123. 146. 174f. 191. 214.
322 Vgl. **Roman Jakobson, Shifters, Verbal Categories, and the Russian Verb**; in: **ders., Selected Writings II.** 1971, 130-147. Der Term "shifter" wurde geprägt von **Otto Jespersen, Die Sprache.** Ihre Natur, Entwicklung und Entstehung. (engl. 1923). 1925. Ein "shifter" lenkt auf die **Aussage** zurück. Das Pronomen "ich" bezeichnet den "Sprecher" und ist auf dessen Aussage bezogen. Vgl. Jakobson, aaO. 132. Von hier aus versteht man die These bei Lacan, Seminar II, 359, "daß schon vor seiner Geburt das Subjekt bereits situiert ist nicht allein als Sender, sondern als Atom des konkreten Diskurses". Damit ist jede personalistische "Begegnungs"-Hermeneutik à la Bultmann unmöglich, welche davon ausgeht, ein Mensch könne gegenüber einem "Du" "Ich" sagen. In der Linguistik des "Zeigfeldes" ist die Lehre von den "Positionszeigarten" allgemein bekannt. Vgl. **Karl Brugmann, Die Demonstrativpronomina der indogermanischen Sprachen.** (Abh.d. sächs. Ges. d. Wiss. 22). 1904; **Karl Bühler, Sprachtheorie.** Die Darstellungsfunktion der Sprache. 1934, ² 1965, 79ff.
323 Vgl. Lacan, Schriften II, 67; ders., Seminar XI, 145.
324 Vgl. ders., Seminar II, 265: "Die Rückkehr zum Ich als Zentrum und gemeinsames Maß ist keineswegs im Diskurs Freuds impliziert." Daran krankt die Darstellung von **Paul Ricoeur, Die Interpretation.** Ein Versuch über Freud. (stw 76). 1974; **ders., Hermeneutik und Psychoanalyse.** Der Konflikt der Interpretationen II. 1974.
325 Vgl. Lacan, Seminar II, 343 (in Anspielung auf Hegel): "Ebenso ist das Subjekt, insoweit es sich annulliert, vor seinem Herrn demütigt, wieder ein anderes, denn es ist immer da, ein anderes mit einem anderen Herrn und einem anderen Knecht usw."
326 Vgl. ders., Schriften III, 182.
327 Vgl. ders., Seminar II, 59: "daß das Unbewußte jenes dem Ich unbekannte, vom Ich verkannte Subjekt ist..."

"Das Unbewußte ist die Summe der Wirkungen, die das Sprechen auf ein Subjekt übt, auf jener Ebene, wo das Subjekt sich aus den Wirkungen des Signifikanten konstituiert."(329)

Fünftens ist das Sprechen als **Etablierung der "symbolischen Ordnung"** – durchaus im Sinne des Paulus – als **Errichtung des "Gesetzes"** zu behandeln. Die "viva vox" des Sprechens mit dem "Lebendigen" zu verbinden und so das **Signifikat** aus dem "Leben" abzuleiten, ist in einer semiotischen Hermeneutik allenfalls ein Aberglaube:

"Die Bedeutung geht ebensowenig aus dem Leben hervor wie den Körpern bei der Verbrennung Phlogiston entweicht."(330)

Sie ist vielmehr wegen des dem Individuum **vorausgehenden** Sprechens immer schon "besetzt", z.B. durch ethisch-moralische **Wertungen**, welche sich als "Zensur" über das "Ich" stülpen(331) und so ein **"Über-Ich"** aufbauen:

"Zensur und Über-Ich sind im gleichen Register zu situieren wie das Gesetz. Es ist der konkrete **Diskurs**,... insofern er dem Menschen seine eigene Welt gibt... Die Zensur liegt weder auf dem Niveau des Subjekts noch auf dem des Individuums, sondern auf dem Niveau des Diskurses, insofern dieser als solcher für sich ganz allein ein vollständiges Universum bildet und zugleich in all seinen Teilen etwas irreduzibel Unstimmiges hat."(332)

Das "Ich" **unifiziert** sich erst im Diskurs, wenn es seine "Geschichte" erzählt(333). Aber dieser Diskurs ist als **"Diskurs des Anderen"** gezeichnet von der **"Untersagung"**(334), deren gesetzliche Autorität durch den **"Vater"** repräsentiert wird(335). Dieser symbolische "Vater" wird von Lacan – durchaus nicht ohne theologische Anspielung – als das Sprechen **"im Namen-des-Vaters"** bezeichnet(336), dessen "Gesetz" der Mensch niemals vollständig verstehen oder **erfüllen** kann(337), weil die Dialektik von "Ich" und "anderem" durch den Bezug auf das "Gesetz" des Sprachsystems **transzendiert** wird(338). Der Ödipus- oder Ham-

328 Vgl. ebda. 205: "wir könnten dieses Subjekt außerhalb des Subjekts, das die ganze Struktur des Traums bezeichnet, **Nemo** nennen." Vgl. ebd. 73: "Das Subjekt ist niemand. Es ist zerlegt, zerstückelt."
329 Ders., Seminar XI, 132.
330 Ders., Schriften I, 183. Anspielung auf Aristot., meteor. 387 B, 18. Zur antiken Psychologie vgl. **Erwin Rohde, Psyche.** Seelencult und Unsterblichkeitsglaube der Griechen I-II. 1898, Nachdr. 1961.
331 Vgl. Lacan, Seminar II, 168f.   332 Ebda. 169; Hervorhebung von mir.
333 Vgl. ders., Seminar I, 252: "Seine Geschichte ist durch das Gesetz, durch das symbolische Universum, das nicht für alle dasselbe ist, vereinheitlicht."
334 Vgl. ders., Seminar XI, 135. 141; ders., Seminar II, 167: Das Gesetz untersagt zu **sagen**, auszusprechen.
335 Vgl. ders., Schriften II, 189.
336 Vgl. ders., Seminar II, 330f.
337 Vgl. ebda. 167: "Der Mensch ist immer in der Lage, das Gesetz nie vollständig zu verstehen, denn kein Mensch vermag den Diskurs des Gesetzes in seiner Gesamtheit zu meistern."
338 Vgl. ders., Seminar I, 202.

let -Mythos spricht deutlich genug vom "Fluch" oder von der "Sünde",
d.h. von einer "Seins-Verfehlung" durch den désir(339):

> "Der Vater, der Name-des-Vaters, stützt die Struktur des Begeh-
> rens mit der des Gesetzes – und er hinterläßt, worauf auch Kier-
> kegaard hinweist, als Erbschaft seine Sünde."(340)

Aus diesen fünf Gründen ist mein Sprachgebrauch von "Sprechen" ein
völlig anderer als in einer idealistischen "Verstehens"-Hermeneutik.

11.7.3. Die "Spur" im "Wunderblock"

Auf diesem Hintergrund wird vielleicht eher verständlich, warum zahlreiche französische Autoren dem **Schreiben** oder "**Einschreiben**" eine
für die Anthropologie wesentlich fundamentalere Funktion zubilligen
als dem oberflächlich und subjektivistisch mißverstandenen Sprechen.
Bereits bei **Sigmund Freud** finden sich zahlreiche Äußerungen, welche
den zwischen Wahrnehmung, Bewußtsein (W-Bw), Vorbewußten (Vbw)
und Unbewußten (Ubw) zergliederten Seelen-Apparat(341) als mehrfache
"**Niederschrift**" bezeichnen(342).

In seiner Kurzabhandlung "**Notiz über den 'Wunderblock'**"(343)
wägt Freud die Vor- und Nachteile der verschiedenen **Gedächtnishilfen**
ab. Ein **Blatt Papier** erhält zwar eine "Dauerspur", aber seine Auf-
nahmekapazität ist begrenzt; die **Schiefertafel** hat demgegenüber eine
unbegrenzte Kapazität, hinterläßt nach dem Auswischen jedoch keine
"Dauerspur"(344). Ein heute noch gelegentlich im Schreibwarenhandel
erhältliches Gerät, das Freud als "**Wunderblock**" bezeichnet, kompen-
siert die Vor- und Nachteile. Auf einer eingefaßten Wachsunterlage
sind zunächst ein dünnes, durchscheinendes Wachspapier und darüber
eine durchsichtige Zelluloidplatte befestigt, auf der durch Griffeldruck
geschrieben wird. So entsteht auf dem Wachspapier eine **Niederschrift**,
deren "**Spur**" auf dem Zelluloid auch nach dem Hochziehen beider noch
– wenn auch mit Mühe – gelesen werden kann(345). Für Freud ermöglicht dieses Gleichnis,

339 Gemeint ist hier der désir im Akt des **Sprechens**.
340 Lacan, Seminar XI, 41.
341 Freud wählt die Abkürzungen, um jede Verwechslung mit der "Bewußtseins"-Philosophie zu vermeiden. Vgl. **Sigmund Freud, Das Unbewußte**. (1913
/17). G.W. X, 264-303, bes. 271.
342 Die Metapher der "Schrift" findet sich z.B. G.W.I, 189; II/III, 141.
148f. 283f. 347. 358. 601; VIII, 404f; XI, 178f, vor allem im Zusammenhang
mit der **Traumlehre**.
343 **Sigmund Freud, Notiz über den "Wunderblock"**. (1925/31); G.W. XIV, 3
bis 8. Vgl. dazu Lacan, Seminar II, 181.
344 Vgl. Freud, aaO. 3f, wo bereits die Analogie zum System W-Bw gezogen
wird.   345 Vgl. ebda. 5-7.

"das aus Zelluloid und Wachspapier bestehende Deckblatt mit dem System **W-Bw** und seinem Reizschutz, die Wachstafel mit dem Unbewußten dahinter, das Sichtbarwerden der Schrift und ihr Verschwinden mit dem Aufleuchten und Vergehen des Bewußtseins bei der Wahrnehmung gleichzustellen"(346).

In diesem Sinne wird das "Unbewußte" **beschrieben**; es hinterläßt im "Bewußtsein" nach der "Verdrängung" (Auswischen) nur vage "Spuren" (347). Dies ist für viele französische Autoren ein elementares Gleichnis für eine **Anthropologie der Schrift**.

11.7.4. André Leroi-Gourhan: Gebiß und Wort, Kralle und Schrift

Ziemlich unbemerkt von der theologischen **Anthropologie** hat André Leroi-Gourhan eine neue **Paläontologie** entwickelt(348), welche in einer semiotischen Hermeneutik nicht übergangen werden kann, zumal Jacques **Derrida** auf sie rekurriert(349). Diese Paläontologie revolutioniert das Bild von der **Evolution** des Menschen(350), indem sie das Gehirn mit der **Hand**(351) und die Hand mit der **Sprache** verknüpft(352), zu welcher das **Graphische** von Anfang an gehörte(353). So zerstört die vergleichende **Anatomie** sowohl die wissenschaftliche Legende vom "Affenmenschen"(354) als auch das **Dogma vom "primären" Gebrauch des Mundes** und dem "sekundären" Gebrauch der Hand bei der Erzeugung sprachlicher Symbole, so daß **Freuds Position** eine Unterstützung von unerwarteter Stelle erhält.

Nicht die Entwicklung des Gehirns(355), sondern der aufrechte Gang, "der Besitz eines kurzen Gesichts und einer bei der Fortbewegung freien Hand" sind die **Kriterien des Menschen**(356). Denn erst so kann sich einerseits eine **technische Aktivität** entwickeln(357); andererseits ist der aufrechte Gang sowohl mit den **Gesichtsproportionen und der Gestalt** des **Gebisses** verknüpft(358) als auch mit der für

346 Ebda. 7.   347 Wenn Freud, G.W. X, 290f die mehrfache "Niederschrift" 1913/17 zurücknimmt und 1925/31 in seiner zweiten Topik wiedereinführt, so beweist dies nur den **Modell-Charakter** der Gleichnisse.
348 **André Leroi-Gourhan, Le geste et la parole** I. Technique et langage. 1964; II. Le mémoire et les rhythmes. 1965; **ders., Hand und Wort.** Die Evolution von Technik, Sprache und Kunst, übers. v. Michael Bischoff. 1980; **ders., Die Religionen der Vorgeschichte.** Paläolithikum, übers. v. Michael Bischoff. (es 1073). 1981 (franz. 1964).
349 Vgl. **Jacques Derrida, Grammatologie.** (franz. 1967). 1974, 7 Anm. 1; 148-156.   350 Vgl. Leroi-Gourhan, Hand 13ff.
351 Vgl. ebda. 42-83.   352 Vgl. ebda. 115ff. 147ff.
353 Vgl. ebda. 237-270.   354 Vgl. ebda. 24f.
355 Vgl. ebda. 36: Diese Entwicklung bildet "ein Korrelat des aufrechten Ganges und nicht, wie man lange angenommen hat, den Ausgangspunkt der Entwicklung". Vgl. ebda. 43: "Diese **zerebralistische** Sicht der Evolution erscheint heute ungenau, dagegen scheinen genügend Belege dafür vorzuliegen, daß die Fortschritte in der Anpassung des Bewegungsapparates eher dem Gehirn genützt haben, als daß sie von diesem hervorgerufen worden wären."
356 Ebda. 35.   357 Vgl. ebda. 36.   358 Vgl. ebda. 35.

Werkzeug und Schrift frei werdenden Hand:

"das der Hand zugeordnete Werkzeug und die dem Gesicht zugehörige Sprache bilden nur verschiedene Pole der gleichen Einheit" (359).

"Die Hand setzt die Sprache frei - und eben zu dieser Erkenntnis führt die Paläontologie."(360)

Die Tätigkeiten des Kopfes und die Tätigkeiten der vorderen Extremität gehören zum sog. "vorderen Relationsfeld"(361). Der Mensch ist

"die einzige lebende Art, bei der eine weitreichende Verbindung zwischen dem Gesichtspol und dem manuellen Pol ohne eine Beteiligung der vorderen Extremität bei der Fortbewegung besteht" (362).

Die mechanischen Verhältnisse des Schädels in bezug auf die Aufhängung an der Wirbelsäule(363) machen deutlich, daß dem aufrechten Gang nicht nur eine Zurückverlagerung des Gebisses entspricht(364), sondern auch eine Öffnung der Schädeldecke in Art eines "Kortikalfächers"(365), wodurch sich die für Sprache, Kehlkopf, Lippen und Hand zuständigen Neuronen überdimensional entwickeln können(366). Damit sind die evolutiven Bedingungen dafür gegeben,

"warum der Mensch seine Hand zur Fertigung und sein Gesicht zum Sprechen benutzt"(367).

Die Ergebnisse der Neurochirurgie zeigen,

"daß die Assoziationszonen, die den motorischen Kortex des Gesichts und der Hand umgeben, gemeinsam an der Hervorbringung phonetischer oder graphischer Symbole beteiligt sind"(368).

Somit ist es gerade paläontologisch unmöglich geworden, das Sprechen und das Schreiben, das Gesicht und die Hand, voneinander zu trennen; die Herstellung von Werkzeugen und Symbolen ist ein einheitlicher Prozeß, denn beide sind Gesten(369). Kurz: Gebiß und Kralle, ursprünglich zum Greifen der Beute bestimmt, entwickeln sich zu Gesicht und Hand, die zur Sprache taugen(370). Bei der technischen Geste

"sehen wir das Werkzeug buchstäblich aus den Zähnen und den Nägeln der Primaten hervorgehen, ohne daß irgend etwas in der Geste den Bruch bezeichnete"(371).

359 Ebda. 38.   360 Ebda. 40 unter Hinweis auf ein Zitat aus Gregor von Nyssa, Homilia I-II de creatione hominis (Migne PG 44, 257-297). 361 Vgl. ebda. 49f.   362 Ebda. 54 unter nochmaliger Zitierung Gregors von Nyssa.   363 Vgl. ebda. 62-83. 89ff. 162ff. 364 Vgl. ebda. 91: "der aufgerichteten Wirbelsäule entspricht die Rückverlagerung des vorderen Gebisses".   365 Vgl. ebda. 99-103. 366 Vgl. ebda. 103-108.   367 Ebda. 112. 368 Ebda. 117. Ähnlich ebda. 148.   369 Vgl. ebda. 149f. 370 Vgl. ebda. 297ff. Darin bleibt die Korrelation von Verdauung und Sprechen noch sichtbar.   371 Ebda. 301: "Menschlich ist die menschliche Hand durch das, was sich von ihr löst, und nicht durch das, was sie ist." Zur Verlagerung vom Gebiß zur Hand vgl. ebda. 304-307.

Diese **Exteriorisierung** ist für den Menschen konstitutiv und erfaßt letztlich auch das **Gedächtnis**(372), das durch die **Schrift** unterstützt wird(373).

11.7.5. Das Mythogramm als abstrakte Ideographie; die sekundäre Phonetisierung und Linearisierung der Schrift

Diese neue Konzeption zerstört auch ein Vorurteil des **"Sozialdarwinismus"**, nach welchem sich die Menschen vom Einfachen zum Komplexen und vom Bildhaft-Anschaulichen zum Abstrakten entwickelt haben(374). Dieses Vorurteil lebt in dem Dogma weiter, die Schrift sei ursprünglich eine die Wirklichkeit iconisch abmalende **Bilderschrift** gewesen und sei erst allmählich zur **Abstraktion des Buchstabens** gelangt(375). **André Leroi-Gourhan** widerlegt diese Vorurteile mit empirisch-paläontologischem Material so radikal, daß sie nur noch von Unbelehrbaren wiederholt werden können.

Die **Geburt des Graphismus** ereignete sich am Ende des Moustérien (35.000 v. Chr.) zugleich mit der Verwendung von **Farbstoffen** (Ocker, Mangan) und der Anfertigung von **Schmuckgegenständen**(376). Daraus sowie aus den obigen Befunden läßt sich der Schluß ziehen,

> "daß die bildende Kunst an ihrem Ursprung unmittelbar mit der Sprache verbunden ist und der Schrift im weitesten Sinne sehr viel näher steht als dem Kunstwerk. Sie ist eine symbolische Umsetzung und nicht Abbild der Realität"(377).

So kommt es hier zu der **Grundthese:**

> "das Abstrakte ist offenbar wirklich der Ursprung des graphischen Ausdrucks"(378).

Die ältesten graphischen "Objekte" sind **Mythogramme,**

> "die der Ideographie näherstehen als der Piktographie und der Piktographie näher als einer auf Abbildung bedachten Kunst" (379).

372 Vgl. ebda. 321ff.   373 Vgl. ebda. 324f.
374 Vgl. etwa **Herbert Spencer, First Principles.** 1862; ders., **The Study of Sociology.** 1873; ders., **The Principles of Sociology** I-III. 1877/96. Zur Kritik vgl. Güttgemanns, Offene Fragen 200f.
375 Seit **Athanasius Kircher** S.J., **Oedipus aegyptiacus** I-III. Romae 1652/ 54; ders., **China monumentis...** Amstelodami 1667 sind ägyptische Hieroglyphen und chinesische Schrift die beliebtesten Belege. Zur Kritik vgl. **William Warburton, Versuch über die Hieroglyphen der Ägypter.** Vorangestellt SCRIBBLE v. Jacques Derrida, hg. v. Peter Krumme. (Ullstein Materialien 35063). 1980 = **William Warburton, The Divine Legation of Moses,** demonstrated on the Principles of a Religious Deist, from the Omission of the Doctrine of a Future State of Reward and Punishment in the Jewish Dispensation, in nine books, 2nd ed. London 1742.
376 Vgl. Leroi-Gourhan, Hand 238.   377 Ebda. 240.
378 Ebda. 243.   379 Ebda. 242. Vgl. ebda. 253.

Nennt man Gesicht und Hand die beiden **Pole** des operativen Feldes, dann

> "bilden sich, im Ausgang von den gleichen Quellen, zwei Sprachen heraus; die eine ist dem Hörsinn verhaftet und mit der Evolution jener Bereiche verbunden, die für eine Koordination der Töne zuständig sind; die andere beruht auf visueller Wahrnehmung und ist mit der Evolution der Bereiche verknüpft, die für eine Koordination der in materielle graphische Symbole übersetzten Gesten sorgen."(380)

Trotz der neurologischen Verknüpfung von Gesicht und Hand ist das **Graphische** also zunächst vom **Phonetischen** unabhängig(381). Erst die seit 4.000 Jahren bestehende **lineare Schrift** sowie ihre Verknüpfung mit dem Phonetischen

> "haben uns zu einer Trennung von Kunst und Schrift geführt" (382).

Kurz: Dem Graphischen entspricht zunächst nicht der Laut, sondern der abstrakte **Begriff**(383); die **Linearisierung** ist eine revolutionäre "sekundäre" Entwicklung(384) und nicht a priori mit der Schrift verbunden. Jede **Hermeneutik des Schriftzeichens** wird diese Fakten berücksichtigen müssen, wenn sie nicht in einer bodenlosen Phantasie enden will.

11.7.6. Martin Heidegger: Der Logozentrismus der "Onto–Theologie"

Alle diese und ähnliche Überlegungen sind die Grundlage für die "**Grammatologie**" von Jacques Derrida(385), in welcher es um eine neue Philosophie des Umgangs mit der Schrift geht. In einer **semiotischen** Hermeneutik kann man sich nur an ihr orientieren und nicht an idealistischen Verniedlichungen der Problematik(386). Denn die Konzeption Derridas ist nicht nur ein **Generalangriff** auf einen Holzweg der philosophischen **Logos–Metaphysik**, sondern vor allem auch auf die unerkannten Überreste einer **Theologie der "Hl. Schrift"** in jeder bisherigen hermeneutischen Bestimmung des Umgangs mit Schriftlichem. Dabei findet eine ausführliche Auseinandersetzung mit den Prämissen der "existentialen" Interpretation bei **Martin Heidegger** statt(387), dessen Zi-

380 Ebda. 244-246.   381 Vgl. ebda. 246.   382 Ebda. 244. Zur Linearisierung vgl. ebda. 249ff.   383 Zum Chinesischen vgl. ebda. 255ff. 384 Vgl. ebda. 261f.   385 Vgl. die oben Anm. 156-158. 349. 375 angegebene Literatur.   386 Vgl. etwa Hans-Georg Gadamer, **Wahrheit und Methode.** Grundzüge einer philosophischen Hermeneutik. 1960, 152ff. 256f. 367ff. Die Orientierung am "**Logos**" kann ihre Herkunft aus einer theologischen Metaphysik nicht verleugnen. Das Zeichen (ebda. 144ff. 390ff) wird hier nur **vorsemiotisch** reflektiert. Zur Kritik vgl. **Ulrich Nassen (Hg.),** **Texthermeneutik.** Aktualität, Geschichte, Kritik. (UTB 961). 1979.
387 Vor allem mit **Martin Heidegger, Sein und Zeit.** 1927; **ders., Was ist Metaphysik.** 1929; **ders., Einführung in die Metaphysik.** 1953; **ders., Der Satz vom Grund.** 1957; **ders., Unterwegs zur Sprache.** 1959.

tierung Vertretern einer **"existentiale Interpretation"** selbstverständlich erscheinen wird und dessen kritische Kommentierung in der **"Grammatologie"** auch insofern naheliegt, als sich einerseits beide, Heidegger und Derrida, sowohl auf **Hegel** als auch auf **Nietzsche** (und Hölderlin) beziehen und sich von **Husserl** absetzen(388) als auch andererseits auf den ersten Blick wesentliche **Gemeinsamkeiten** zu haben scheinen. Indem ich diese im folgenden skizziere, werden zugleich auch die kritischen **Unterschiede** verzeichnet werden müssen. Diese entstehen auch an Heideggers Phänomenologie des Zeichens als **"Zeug"** (oder **"Zeigzeug"**)(389), dessen "Zuhandensein" für die "Umsicht" des "Besorgens" eher auf die **Herkunft aus der Hand** und damit indirekt auf die **Schrift** führt(390) und auch fragen läßt, ob man das "Um-zu" der "Verweisung" des "Zeigzeugs" einfach der **"Stiftung"** zuordnen kann(391), ohne dem **Nominalismus** zu verfallen. Viel gravierender sind jedoch folgende Punkte, welche eine autonome **Semiotik der Schrift**(392) vorbereiten.

Erstens sind beide Denker darin einig, daß die abendländische **Metaphysik** überwunden werden muß, und zwar so, daß in jenen der Metaphysik zugrundeliegenden "Anfang" zurückgegangen wird, der innerhalb der Metaphysik selbst nie zur Sprache kommt und auch nicht <u>kommen kann.</u> Dabei ist Heideggers "Verwindung" der Metaphysik(393)

388 Vgl. etwa **Martin Heidegger, Nietzsche I-II.** 1961; ders., **Hegels Phänomenologie des Geistes.** (Gesamtausg. II/32). 1980; ders., **Hölderlins Hymnen "Germanien" und "Der Rhein".** (Gesamtausg. II/39). 1980. Im übrigen sind die folgenden Belege nur als exemplarisch zu verstehen, da es auf Vollständigkeit nicht ankommt.
389 Vgl. dazu Heidegger, Sein u. Zeit 76-83. Die Beschränkung auf **Indices** (Verkehrszeichen, Anzeichen, Vorzeichen, Merkzeichen) unter Auslassung des "Logos", die Ausklammerung der Leib-Seele-Problematik, des "Außen" und des "Innen" zeigen bereits, daß hier keine **Semiotik** vorliegt. Dabei ist ihre phänomenologische Variante durchaus möglich, wie das Beispiel von **Wilhelm Schapp** zeigt. Vgl. dazu unten S. 121-127.
390 Heideggers unselige Wortspielerei vom "Zuhandensein", sein Beispiel des Hammers als "Zeug" (Sein u. Zeit 69) führen eher zu der Frage, warum man nicht genauso von "Mund-Zeugen" (Sprechen), "Ohren-Zeugen" (Hören), "Hand-Zeugen" (Schreiben) und "Augen-Zeugen" (lesen) sprechen kann.
391 Vgl. dazu ebda. 80f.
392 Vgl. dazu das Material bei D. Bolinger, **Visual Morphemes.** Language 22. 1946, 333-340; D. Diringer, The Alphabet. A Key to the History of Mankind. 1948/49; J. Gelb, A Study of **Writing.** 1952; **M. Cohen,** La grande invention de l'écriture et son évolution I-III. 1958; J. Friedrich, Geschichte der Schrift. Unter besonderer Berücksichtigung ihrer geistigen Entwicklung. 1966; H. Jensen, Sign, Symbol, and Script. 1970; Florian Coulmas, Zur Semiotik der Schrift: Einleitung. ZS 2. 1980, 313-317; Elmar Holenstein, Doppelte Artikulation in der Schrift; ebda. 319-333; Konrad Ehlich, Schriftentwicklung als gesellschaftliches Problemlösen; ebda. 335 bis 359; Florian Coulmas, Schriftentwicklung, Schriftverarbeitung: Herkunft und Funktionsweise der japanischen Schrift; ebda. 361-374.
393 Vgl. dazu Otto Pöggeler, Der Denkweg Martin Heideggers. 1963, 143ff.

ein Schritt zurück zu der ursprünglichen **Differenz** zwischen "Sein"
und "Seiendem"(394), womit bereits ein Kernwort Derridas genannt ist:
Die Überwindung der Metaphysik ereignet sich als "Verwindung des
Seins"(395). Das Verhängnis der Metaphysik ist seinsgeschichtlich notwendig,

> "weil das Sein selbst den in ihm verwahrten Unterschied von Sein
> und Seiendem erst dann in seiner Wahrheit lichten kann, wenn
> der Unterschied selbst sich eigens ereignet"(396).

Aber für eine von Derrida belehrte **Semiotik** bedeutet das, daß die
"différance" zwischen dem Signifikanten als dem "Seienden" und dem
"Sein" des Signifikats gerade nicht in einer "Lichtung" übersprungen
werden kann, weil der Signifikant das **"Nicht-Sein"** des Signifikats
ist und sich im Zeichen die **Differenz** zwischen Signifikant und Signifikat und nur insofern **"Bedeutsamkeit"** ereignet. Insofern ereignet sich
im **Zeichen** gerade nicht das "Sein", sondern seine **Negation**, womit
Derrida zweifellos **Hegel** gegen Heidegger zu Felde führt.

Zweitens beziehen sich daher beide auf die Problematik von **Identität und Differenz**(398); für beide ist die Sache des Denkens die Differenz **als** Differenz(399). Beide sind sogar darin einig, daß die **Vergessenheit** der Differenz zu denken ist:

> "Die hier zu denkende Vergessenheit ist die von der λήθη (Verber-
> gung) her gedachte Verhüllung der Differenz als solcher, welche
> Verhüllung ihrerseits sich anfänglich entzogen hat."(400)

Aber für Heidegger hat diese "Vergessenheit" kaum einen Bezug zu
Freuds "Verdrängung", welche für Derrida konstitutiv ist. Heideggers
"Vergessenheit" kann grundsätzlich von der ἀ-λήθεια **überwunden** werden; für Derrida lautet die Frage angesichts der immer und bleibend
"verdrängenden" **Signifikanten**, ob es nach Freuds "Unbewußtem" als
dem vom "Ich" **nicht Wißbaren** nicht allenfalls nur eine gebrochene
"Unverdecktheit" geben kann, ob es also ein grundsätzlich **Unsagbares**
gibt. Denn was sich vom "Unbewußten" als dem **"Anderen des Ich"** her
"lichten" könnte, ist ja das vom "Ich" a priori "Geleugnete", dessen
Affirmation dem "Ich" als in der Leugnung entstandener Instanz den
Boden entziehen würde: Das "Ich" **darf** hier gar nichts einräumen,
weil dies sein Ende wäre.

394 Vgl. **Martin Heidegger**, **Überwindung der Metaphysik**; in: ders., **Vorträge und Aufsätze**. 1954, ²1959, 71-99.
395 Vgl. ebda. 72.   396 Ebda. 78.
397 Vgl. dazu oben S. 46-49. 68-70. 74f.
398 Vgl. **Martin Heidegger**, **Identität und Differenz**. 1957.
399 Vgl. ebda. 43.   400 Ebda. 46f.

Drittens sind beide darin einig, daß die Metaphysik darin "Onto-Theologie" ist, daß das Sein als der **Grund** als prima causa und damit als "Gott" vorgestellt wird(401). Beide sind sogar darin einig, daß der "Grund" seit alters "Logos" genannt und in der "Logik" behandelt wird(402).

Aber genau hier setzt Derridas Kritik am unbegründeten "Logozentrismus" der abendländischen Metaphysik ein, welche das verbale **Wort** der manuellen **Schrift** gegenüber bevorzugt, so daß sich eine dem Logos und seiner "Logik" entsprechende "**Grammik**"(403) gar nicht erst als hermeneutische Disziplin bilden kann. Gerade wenn man die **Differenz** zwischen "Sein" und "Seiendem" als den Kern der abendländischen Metaphysik betont und den **Signifikanten** als "Seiendes" im materiell-"körperlichen" Bereich versteht, dessen **Differenz** allererst die hermeneutisch relevante **Signifikanz** begründet, muß man die Frage stellen, ob es denn keine Eigenbestimmtheit des "Seienden" mehr gebe(404), die nicht a priori vom **Logos** als der idealen Form der "Anwesenheit" bestimmt ist. Sowenig man das Signifikat aus dem Leiblichen deduzieren darf, sowenig ist auch das Leibliche sofort dem Logos der **Stimme** unterzuordnen, da diese nach Leroi-Gourhan nicht von der **Hand** zu trennen ist. Kurz: die **Materialität der Schrift** wird von Heidegger überhaupt nicht ernstgenommen.

Viertens sind beide darin einig, daß nicht nur der abendländische **Humanismus**(405), sondern auch der Rationalismus des "ego cogitans" bei René Descartes überwunden werden muß(406). Für Heidegger ist das "**Dasein**" des Menschen ein "Seiendes",

> "das nicht nur unter anderem Seiendem vorkommt. Es ist vielmehr dadurch ontisch ausgezeichnet, daß es diesem Seienden in seinem Sein **um** dieses Sein selbst geht"(407).

Das setzt jedoch voraus, daß das "Dasein" eine **Einheit** bildet, so daß <u>von dieser Ein</u>heit her die "**Erschlossenheit**" des Sinns von "Sein" the-

401 Vgl. ebda. 50ff, vor allem 57.
402 Vgl. ebda. 56.   403 Diese Bildung stammt von mir; sie will die Endung -ologie vermeiden, in der noch der Logos steckt. Derrida ist sich der Problematik seines worthaft mißzuverstehenden Schreibens wohl bewußt, so daß der Metasprache der Schrift eigentlich eine Metaschreibe entsprechen müßte. Derrida, Randgänge 155 druckt daher seine faksimilierte Unterschrift ab, um diese "Lichtung" zu begehen.
404 Dies ist die Frage von **Karl Löwith, Zur Heideggers Seinsfrage: Die Natur des Menschen und die Welt der Natur**; in: **ders., Aufsätze und Vorträge 1930-1970.** 1971, 189-203. Vgl. dazu **Erwin Hufnagel, Einführung in die Hermeneutik.** (Urban-TB 233). 1976, 55f.
405 Vgl. **Martin Heidegger, Brief über den Humanismus.** 1946; in: ders., **Wegmarken.** (Gesamtausg. I/9). 1976, 313-364.
406 Vgl. etwa ders., Vorträge 74.
407 Heidegger, Sein u. Zeit 12. Ist in diesem Satz der hegelsche Begriff der "**Begierde**" implizierbar?

matisierbar ist. Dies bedeutet, daß Heidegger nur scheinbar vom Zentrum "Mensch" abrückt.

Aber eine anthropologische "Lektüre", welche vom "Finis hominis" sprechen kann(408), ist dann doch etwas völlig anderes als bei Heidegger. Nachdem **Freud** das "Da-sein" als das Sein des "Da" und des "Anderswo" entdeckt und in seiner zweifachen Topik die Differenz der loci des Menschen systematisiert hat, ist Heideggers Denken nur als falsche **Identitätsphilosophie** zu charakterisieren:

> "Sie wird vom Prinzip der Prinzipien der Phänomenologie befehligt, vom Prinzip der **Präsenz** und der Präsenz in der **Selbstpräsenz**, wie sie sich dem Seienden und im Seienden, das wir sind, manifestiert... Die **Nähe** des Fragenden zu sich selbst autorisiert die **Identität** des Fragenden und des Befragten."(409)

Wenn diese "Präsenz" im Falle des "Bewußtseins" nur möglich ist, weil das "Unbewußte" die "Nicht-Präsenz" ist, wenn weiter der **Signifikant** als "Seiendes" zwar "präsent", aber gerade die "Abwesenheit" des Signifikats ist, dann ist ein solches Urvertrauen Heideggers in die grundsätzliche **Selbstzugänglichkeit** des Menschen nicht mehr einfach übernehmbar.

Fünftens sind beide darin einig, daß das "Sein" als das "Anwesendsein" gedacht wird(410), welches dem "Dasein" in der "Lichtung" als "Offenheit" oder "Nähe" der **Wahrheit** erscheint(411). Zwar kann die ἀ-λήθεια von der λήθη immer wieder "verstellt" werden(412); aber ihre grundsätzliche **Selbstpräsenz** wird von Heidegger nicht bezweifelt:

> "Wahrsein als entdeckend-sein ist eine Seinsweise des Daseins." (413)

Der darin implizierte "Logos"(414) ist das "versammelnde Vorliegenlas-

408 Vgl. Derrida, Randgänge 88-123.
409 Ebda. 109; Hervorhebungen z.T. von mir.
410 Vgl. Heidegger, Sein u. Zeit 219: "Das Wahrsein des λόγος als ἀπόφαν-σις ist das ἀληθεύειν in der Weise des ἀποφαίνεσθαι: Seiendes - aus der Verborgenheit herausnehmend - in seiner Unverborgenheit (Entdecktheit) sehen lassen." Vgl. ders., Identität 54: "Das Sein des Seienden entbirgt sich als der sich selbst ergründende und begründende Grund." Ebda. 62: "Sein geht über (das) hin, kommt entbergend über (das), was durch solche Überkommnis erst als von sich her Unverborgenes ankommt. Ankunft heißt: sich bergen in Unverborgenheit: als geborgen anwähren: Seiendes sein." Vgl. ders., Vorträge 229: "Bedenken wir erst, daß 'Sein' anfänglich 'Anwesen' heißt und 'Anwesen': hervor-währen in die Unverborgenheit."
411 Vgl. ders., Sein u. Zeit 226: "Die Erschlossenheit ist eine wesenhafte Seinsart des Daseins."
412 Vgl. etwa ebda. 222: "Daher muß das Dasein wesenhaft das auch schon Entdeckte **gegen** den Schein und die Verstellung sich ausdrücklich zueignen und sich der Entdecktheit immer wieder versichern." Zur Sache vgl. **Martin Heidegger, Aletheia.** (Heraklit, Fragment 16); in: ders., Vorträge 257-282; **ders., Vom Wesen der Wahrheit.** 1930; in: ders., Wegmarken 177-202; **ders., Platons Lehre von der Wahrheit.** 1931/32/40; in: ebda. 203-238.
413 Ders., Sein u. Zeit 220.   414 Vgl. dazu ders., Logos. (Heraklit,

sen"(415). Heidegger kann nicht umhin, bei seinem Verständnis des λέγειν als "legen" sofort das Lesen und damit die Schrift zu bedenken(416). Aber auch dieses "Legen" ist im Grunde

"das Anwesen des Vorliegenden in die Unverborgenheit"(417).

Zwar versucht Heidegger, die Stimme, den Laut und das leibliche Ohr zu entwerten(418); aber damit macht er den "körperlichen" Signifikanten "abwesend", vollzieht also die in der Psychosemiotik behandelte "Verdrängung". Heißt damit "Unverborgenheit" nicht ganz platonisch das "Unkörperliche"? Heißt Denken damit nicht das "zurückgedrängte" Leibliche, ein "Dasein" außerhalb des Körpers? Wegen dieser Fragen wird jeder Semiotiker bestreiten müssen, daß Heidegger sich wirklich vom metaphysischen Idealismus gelöst hat, welcher – vielleicht ungewollt – in einer theologischen Hermeneutik nur zum Doketismus führen kann. Die Theologie sollte sich jedenfalls sehr genau überlegen, ob sie Heideggers "Entbergung" so ohne weiteres in die Nähe der "Offenbarung" bringen darf, nur weil sie die "Onto-Theologie" des selbspräsenten "Logos" impliziert.(419) Zur einer wirklichen Zeichentheorie der "Hl. Schrift" würde sie auf diesem Wege nämlich niemals gelangen.

11.7.7. Das Gramma – die "Spur" der "Bedeutung" im "Anti-Logos"

Wenn ich nun der Versuch wage, Jacques Derridas "Grammatologie" als Zusammenfassung und radikalste Spitze der oben dargestellten semiotischen Philosophie auf wenigen Seiten zu skizzieren, so mag manchem Leser der bisherige Gedankengang – wie schon in früheren Fällen – als "umständlich" erscheinen(420). Doch ist einerseits zu bezweifeln, ob sich die Wahrheit "simpel" denken und sagen läßt, und andererseits festzustellen, daß Derridas Denken schon deshalb nicht "linear" und geradlinig sein kann, weil Linearität und das übliche Miß-Verständnis der Schrift zusammenhängen. Mit Derrida möchte ich jeden-

Fragment 50); in: ders., Vorträge 207-256.   415 Vgl. ders., Identität 54.
416 Vgl. ders., Vorträge 209: "Legen heißt: zum Liegen bringen. Legen ist zugleich: eines zum anderen-, ist zusammenlegen. Legen ist lesen. Das uns bekanntere Lesen, nämlich das einer Schrift, bleibt eine, obzwar die vorgedrängte Art des Lesens im Sinne von: zusammen-ins-Vorliegen-bringen." 417 Ebda. 211; Hervorhebung im Original.   418 Vgl. ebda. 212-215. 419 Zur Sache vgl. ders., Phänomenologie und Theologie. 1927; in: ders., Wegmarken 45-78. Dort wird vor allem das "nichtobjektivierende" Denken betont. Das Bedenken der Leiblichkeit kann jedoch noch nicht als solches diesem Verbot zugeordnet werden, da man auch die seit ders., Sein u. Zeit 235ff behandelte Todesproblematik nicht von der Leiblichkeit trennen kann. 420 So etwa Philipp Vielhauer, Geschichte der urchristlichen Literatur. 1975, 286 Anm. 14 zu meiner These vom ontologischen Unterschied zwischen Mündlichkeit und Schriftlichkeit. Zur Replik vgl. Erhardt Güttgemanns, Candid Questions Concerning Gospel Form Criticism, transl. by William G. Doty. (Pittsburgh Theol. Monograph Series 26). 1979, 223f footnote 122.

falls behaupten, daß eine theologische **Texthermeneutik der** "**Hl.**
Schrift" überhaupt noch nicht besteht, weil sie im Gefolge der abendländischen Metaphysik ständig verkennt, was ein "**Gramma**" ist.

Der Tatsache, daß ausgerechnet die Theologie den inneren Zusammenhang zwischen der "**Wiederkehr des Sinns**" und der "**Wiederkehr
des Körpers**" vergessen konnte, entspricht nämlich die Tatsache, daß
die Theologie als eine aus dem **Umgang mit der** "**Hl. Schrift**" geborene
Denkbewegung nicht das "Gramma", sondern den "**Logos**" in den Mittelpunkt ihrer Hermeneutik stellt, so als ob es **Joh 1, 14** heißen würde: καὶ ὁ θεὸς λόγος ἐγένετο. So wird die "Hl. Schrift" in der theologischen Hermeneutik nicht wirklich als "**Gramma**", sondern als "**Stimme**" behandelt – als ob das **semiotisch** so ohne weiteres ginge und die
oben "umständlich" dargestellten Gegengründe nicht bestünden. Das
auch bei **Marcel Proust** (1871-1922) und seiner "Suche nach der verlorenen Zeit" (15 Bände, 1913-1927) sichtbar werdende Ringen um einen
"**Anti-Logos**"(421) wird daher zunächst von der Theologie übersehen
werden, weil sich die Theologie ja gar nicht mehr auf der "**Suche**",
sondern in der absoluten **Selbstpräsenz des** "**Logos**" befindlich wähnt.
Dessen **semiotischer Unmöglichkeit** gilt Derridas ganze Energie. Wer
sie dennoch behauptet, wird sie denkerisch beweisen und daher in
jedem Falle eine **semiotische Theorie** vorlegen und dabei auch erklären
müssen, wieso die Theologie überhaupt eine **Hermeneutik** als Theorie
der "Suche nach dem Sinn" in der "Hl. Schrift" braucht. Dabei müssen
folgende **Gründe** Derridas überwunden werden.

Erstens ist die Geschichte der Metaphysik von Platon bis Hegel
eine Geschichte gewesen,

"die trotz aller Differenzen den Ursprung der Wahrheit im allgemeinen von jeher dem Logos zugewiesen hat". Diese **Geschichte
der Wahrheit** ist "immer schon Erniedrigung der Schrift gewesen,
Verdrängung der Schrift aus dem 'erfüllten' gesprochenen Wort"
(422).

"Die Epoche des Logos erniedrigt also die Schrift, die als Vermittlung der Vermittlung und als Herausfallen aus der Innerlichkeit des Sinns gedacht wird"(423).

Dennoch ist anzukündigen, daß die **Grammatologie**

"dank entschiedener Anstrengungen weltweit die Zeichen zu ihrer
Befreiung setzt"(424).

Dabei gilt es,

"**durch** die Frage nach dem Sein, so wie Heidegger und nur er
allein sie stellt, auf die Onto-Theologie zu und über sie hinaus
zu gehen"(425).

421 Vgl. dazu **Gilles Deleuze, Proust und die Zeichen.** (Ullstein Buch
3520). 1978, vor allem ebda. 85ff.
422 Derrida, Grammatologie 11f.　　423 Ebda. 27.　　424 Ebda. 13f.
425 Ebda. 42; Hervorhebungen im Original.

Damit beansprucht Derrida, aus der gleichen Quelle eine **Alternativ-Hermeneutik** zu entwickeln, aus der Rudolf Bultmann seine an der "viva vox" orientierte **"Kerygma-Hermeneutik"** entwickelt hat. Die mit Platon (Phaidros 275 A) begonnene Diffamierung der Schrift als Mittel der "Vergeßlichkeit der Seele" und als "von außen" kommende **"fremde Zeichen"** muß ein Ende finden(426).

Zweitens ist diese Verdrängungsgeschichte der Schrift nicht zuletzt durch die **Theologie** mitverursacht, welche das Erbe dieser Metaphysik übernahm(427). Denn die Theologie ist besessen von dem Glauben an ein **"absolutes Signifikat"**, das nicht mehr an einen "körperlich"-sensiblen Signifikanten **gebunden** ist und lediglich aus der **Differenz** zu ihm "Bedeutsamkeit" erwecken kann:

> "Als Ausdruck reiner Intelligibilität verweist es auf einen absoluten Logos, mit dem es unmittelbar zusammengeht. In der mittelalterlichen Theologie war dieser absolute Logos ein unendliches, schöpferisches Subjekt: die intelligible Seite des Zeichens bleibt dem Wort und dem Antlitz Gottes zugewandt"(428).

Von der **"Unkörperlichkeit"** Gottes her(429) wird dann auch der **"Hl. Schrift"** jede **"Körperlichkeit"** des Signifikanten bestritten, so daß die heiligen **"Grammata"** unversehens zur anscheinend weniger "körperlichen" **Stimme** werden. Die **"Schrift Gottes"** wird behandelt als Zeichen,

> "das einen Signifikanten bezeichnet, der seinerseits eine ewige, in der Nähe eines gegenwärtigen Logos ewig gedachte und ewig gesprochene Wahrheit bezeichnet"(430).

Damit wird **Gott** als derjenige gedacht, welcher der **"Inkarnation"** in den Signifikanten des menschlichen Körpers und damit auch des menschlichen **"Supplements"** der Schrift nicht bedarf:

426 Vgl. **Platon, Phaidros oder Vom Schönen**, übers. v. Kurt Hildebrandt. (reclam 5789). 1979, 86: "Auch du (scil. Theuth) sagtest jetzt als Vater der Buchstaben (γράμματα) aus Zuneigung das Gegenteil dessen, was sie bewirken (δύναται). Denn wer dies lernt, dem pflanzt es durch Vernachlässigung des Gedächtnisses Vergeßlichkeit (λήθη) in die Seele, weil er im Vertrauen auf die Schrift (πίστις γραφῆς) von außen her durch fremde Zeichen (ἔξωθεν ὑπ' ἀλλοτρίων τύπων), nicht von innen her (ἔνδοθεν) aus sich selbst die Erinnerung schöpft. Nicht also für das Gedächtnis (μνήμη), sondern für das Erinnern (ὑπόμνησις) erfandest du ein Mittel (φάρμακον)"(Hinzufügungen von mir). Zum Kommentar vgl. Derrida, aaO. 61f, wo zugleich de Saussure kritisiert wird.
427 Vgl. ebda. 133: "In Wahrheit aber ist dieser Theologismus mit all seinen ausdrücklichen oder versteckten Formen etwas anderes und mehr als nur ein Vorurteil gewesen: nämlich das Haupthindernis für jegliche Grammatologie." 428 Ebda. 28.
429 Vgl. ebda. 441: "Und Gott hat keine Hand, er bedarf keines Organs. Die organische Differenzierung stellt die Eigentümlichkeit und das Übel des Menschen dar. Und schon gar nicht steht die stille Bewegung für eine Rede. Gott bedarf keines Mundes, um zu sprechen, noch hat er es nötig, Stimmen zu artikulieren" (Kommentar zu einer Stelle aus **Jean-Jacques Rousseau, Essai sur l'origine des langues.**).
430 Derrida, aaO. 30.

"Der Unterschied zwischen Gott und uns besteht darin, daß Gott die Entschädigungen austeilt und daß wir sie empfangen... Gott allein ist das Supplement erlassen, das er erläßt. Er ist die Erlassung des Supplements"(431).

In der theologischen Leugnung der **Differenz** zwischen Signifikant und Signifikat als der "Bedeutungs"-Konstitution

"ist der Name Gottes... der Name der Indifferenz schlechthin" (432).

Denn auch die Idee der "guten", immer schon begriffenen Schrift produziert die Idee eines **Buches jenseits der Differenz:**

"Die Idee des Buches ist die Idee einer endlichen oder unendlichen Totalität des Signifikanten; diese Totalität kann eine Totalität nur sein, wenn vor ihr eine schon konstituierte Totalität des Signifikats besteht, die deren Einschreibung und deren Zeichen überwacht(433) und die als ideale von ihr unabhängig ist. Die Idee des Buches, die immer auf eine natürliche Totalität verweist, ist dem Sinn der Schrift zutiefst fremd(434). Sie schirmt die Theologie und den Logozentrismus enzyklopädisch gegen den sprengenden Einbruch der Schrift ab, gegen ihre aphoristische Energie und... gegen die Differenz im allgemeinen"(435).

Drittens muß es als verräterisch bezeichnet werden, daß sich die "Wort-Gottes-Hermeneutik" mit **Martin Heidegger** einen Philosophen wählt, der das ohne Signifikanten bereits konstituierte **Signifikat** als "Sein" und die "Stimme des Seins" als **A-Phonie** denkt, so daß das "Sein" der Bewegung des Zeichens **entgeht:**

"Zwischen dem ursprünglichen Sinn des Seins und dem Wort, zwischen dem Sinn und der Stimme, zwischen der 'Stimme des Seins' und der 'phone', zwischen dem 'Ruf des Seins' und dem artikulierten Laut besteht ein Bruch"(436),

so daß das Signifikat vom Signifikanten-Prinzip der **"Gliederung"** durch den Körper (articulation)(437) unbefleckt bleibt, aber eben deswegen dem menschlichen Körper auch nichts mehr "be-deutet". "Theologisches" Sprechen ist daher nicht wirklich eine **Ausstoßung von Signifikanten** aus dem menschlichen Körper, sondern wähnt sich

"**eingesäumt** vom unendlichen Signifikat, das über die Sprache hinauszugehen schien"(438).

Die **Leib-Seele-Problematik** kann daher auch nicht mehr als Derivat des **Schrift-Problems** erkannt werden(439). Statt dessen etabliert sich

431 Ebda. 430 (Kommentar zu einer Stelle aus **Jean-Jacques Rousseau, Profession de foi du vicaire savoyard.** 1762; Teil des "Emile").
432 Derrida, aaO. 124f.
433 Ich lese diesen Satz als Kritik an der "Inspirationslehre".
434 Schon deshalb kann mein Buch nicht die "Totalität", sondern nur **"fragmenta"** realisieren.
435 Ebda. 35.   436 Ebda. 41; Hervorhebung im Original.
437 Vgl. dazu ebda. 115.
438 Ebda. 16; Hervorhebung im Original. Es handelt sich um ein **bricolage**-Zitat.   439 Vgl. ebda. 62: "Die Seele-Körper-Problematik ist zweifellos ein Derivat des Schrift-Problems, dem sie - umgekehrt - ihre Metaphern zu leihen scheint."

eine **Kultur des Logos,**

> "in der der Sinn des Seins teleologisch als **Parusie** bestimmt ist" (440).

Damit wird die semantisch konstitutive "Antithese", der "Balken der Differänz" einerseits verkannt und gleichzeitig andererseits eingestanden, daß die **eschatologische** "Parusie des Sinns" eben noch keine **absolute Präsenz** ist, weil sie in der Gegenwart des Sprechens von der **"Brisur"** (franz. brisure; 441) des Zeichens verhindert wird:

> "Die Brisur markiert, daß es für ein Zeichen, für die Einheit eines Signifikanten und eines Signifikats unmöglich ist, in der Fülle einer Gegenwart und einer absoluten Präsenz zu entstehen. Aus diesem Grunde gibt es kein erfülltes gesprochenes Wort, ob man es mit oder gegen die Psychoanalyse wiederherstellen will." (442)

Viertens wird diese Parusie der Präsenz des Signifikats mit Hegel(443) der **Stimme** zugeschrieben. In einer Art **"Eschatologie des Eigenen"**(444) wird eine **Präsenz** des "erfüllten" Wortes behauptet,

> "das alle seine Differenzen und Artikulationen im Selbstbewußtsein ... des Logos resümiert"(445).

So behauptet auch die theologische Hermeneutik die

> "absolute Parusie der eigentlichen Bedeutung als **Selbst-Präsenz des Logos** in seiner Stimme, im absoluten Sich-im-Reden-Vernehmen"(446).

Sie stützt diese Behauptung mit der metaphysischen Prämisse, der **Logos** sei der **Phoné** am nächsten(447), die Stimme sei die **Nähe zum Signifikat:**

> "Jeder Signifikant, zumal der geschriebene, wäre bloßes Derivat, verglichen mit der von der Seele oder dem denkenden Erfassen des Sinns, ja sogar dem Ding selbst untrennbaren Stimme...: absolute Nähe der Stimme zum Sein, der Stimme zum Sinn des Seins, der Stimme zur Idealität des Sinns"(448).

Mittels einer zusätzlichen Prämisse muß natürlich auch die **Materialität** der Stimme, ihr "körperlicher" Signifikanten-Charakter bestritten werden. Die Stimme

> "bringt einen Signifikanten hervor, der scheinbar nicht in die Welt hinein-, aus der Idealität des Signifikats herausfällt, son-

---

440 Ebda. 90; Hervorhebung durch mich.
441 Dieser Term wird in der **Wappenkunde** für ein "Beizeichen" verwendet, so daß sich eine Anspielung auf oben S. 50ff ergibt. Derartige Feinheiten gehen leider in jeder Übersetzung verloren.   442 Derrida, aaO. 122.
443 Vgl. dazu ebda. 45: "Er hat die Ontologie als absolute Logik bestimmt; bei ihm findet sich versammelt, was das Sein als Präsenz begrenzt; der Präsenz hat er die Eschatologie der Parusie, der bei sich seienden unendlichen Subjektivität zugeschrieben. Aus denselben Gründen mußte er die Schrift erniedrigen und unterordnen."
444 Zur présence à soi bei Rousseau vgl. ebda. 187.
445 Ebda. 443   446 Ebda. 162; Hervorhebung durch mich. Zur Selbst-Präsenz im **Gespräch** vgl. ebda. 241. 285.
447 So bereits Aristot., interpr. I, 16 A, 3; vgl. dazu Derrida, aaO. 24.
448 Ebda. 25.

dern selbst in dem Augenblick, wo er das audio-phonische System des anderen erreicht, in der reinen Innerlichkeit der Selbst-Affektion verwahrt bleibt"(449).

"In nächster Nähe zu sich selbst **vernimmt sich** die Stimme... als völlige Auslöschung des Signifikanten: sie ist reine Selbstaffektion"(450).

In der **Theologie** wird diese "idealistische" These aus zweierlei Gründen vertreten. Einmal, weil das **signatum** als etwas gedacht wird,

"das im ewig gegenwärtigen göttlichen Logos, das heißt in seinem Atem, denkbar und sagbar wird"(451).

Zum anderen, weil die Hl. Schrift als "natürliche Schrift" nicht aus dem menschlichen Stimm-Atem entsteht, sondern an das **"Pneuma"** gebunden ist:

"Ihr Wesen ist nicht grammatologisch, es ist pneumatologisch." (452)

Damit wird allerdings ein Pneuma **jenseits des Signifikanten** konzipiert, das so "unkörperlich" ist, daß man sich wundern muß, daß es in der Bibel als **"Kraft der Auferweckung"** auch und gerade des Leibes gedacht wird (vgl. etwa Ez 37, 10; Mk 12, 24par.; Röm 1, 4). Denn was sollte der dezidierte **"Nicht-Körper"** ausgerechnet mit dem menschlichen Körper zu tun haben?! Indem die **Pneumatisierung** der Stimme zusammen mit ihrer "Entkörperlichung" die "Bedeutung" auf die Präsenz des signatum reduziert(453), ersetzt zugleich die **"Selbstpräsenz der Stimme"** die Gegenwart der res:

"Die Präsenz des Gegenstandes verschwindet ja schon in der Stimme. Die Selbst-Präsenz der Stimme, des Sich-im-Reden-Vernehmens, entzieht die Sache selbst..."(454)

Deshalb bezeugt das theologische Insistieren auf diesem Punkt nichts anderes als den **désir nach Nähe**, Beständigkeit, Permanenz und Dauer einerseits(455) und zugleich den Status des **"Mangels an Sinn-Präsenz"** andererseits, den man traditionell als "Sündenfall" bezeichnet(456). Denn dessen Mythos erzählt,

"daß die absolute Gegenwart, die Natur, das, was die Wörter 'wirkliche Mutter' bedeuten, sich immer schon entzogen, niemals existiert haben"(457).

449 Ebda. 284.

450 Ebda. 38. Vgl. ebda. 175: "Der Logos kann unendlich und sich selbst gegenwärtig nur sein, kann als **Selbstaffektion sich nur ereignen** durch die **Stimme"** (Hervorhebungen alle im Original). Zur **Ethik** des "lebendigen" Worts vgl. ebda. 242f. 451 Ebda. 127.

452 Ebda. 33; zugleich ein Kommentar zu einer Stelle aus Rousseau.

453 Vgl. dazu ebda. 488. 454 Ebda. 413.

455 Zu diesen Begriffen vgl. ebda. 74. Vgl. auch ebda. 70: "Grundsatzerklärung, frommer Wunsch und historische Gewalt eines gesprochenen Wortes, das seine erfüllte Selbstpräsenz träumt und sich als seine eigene Resumtion erlebt." Ebda. 123: Die Grammatologie will rätselhaft machen, "was vorgeblich unter dem Namen der Nähe, der Unmittelbarkeit und der Präsenz.. verstanden wird".

Fünftens ist wegen der Tatsache einer nicht-phonetischen Schrift(458) und wegen der paläontologisch gesicherten Ideographie(459) zu bestreiten, daß die Schrift zum bloßen "Supplement" oder "Instrument" des **Lauts** degradiert werden darf: Gerade wenn man die Schrift als **Doppel** des Laut-Signifikanten, als Signifikant eines Signifikanten (signum signi) behandelt, wird das "Gesetz der Signifikanten" bewiesen:

> "Es gibt kein Signifikat, das dem Spiel aufeinander verweisender Signifikanten entkäme, welches die Sprache konstituiert..."(460).

> "Ein Signifikant ist von Anfang an die Möglichkeit seiner eigenen Wiederholung, seines eigenen Abbildes oder seiner Ähnlichkeit mit sich selbst. Das ist die Bedingung seiner Idealität. Was ihn als Signifikant ausweist und ihm als solchem seine Funktion gibt und ihn auf ein Signifikat bezieht, kann aus denselben Gründen niemals eine 'einzigartige und besondere Wirklichkeit' sein."(461)

In einer **Grammatologie** gilt daher das Prinzip der

> "Befreiung des Signifikanten aus seiner Abhängigkeit, seiner Derivation gegenüber dem Logos"(462):

Die "Rationalität" der Schrift darf nicht mehr aus dem Logos abgeleitet werden(463), weil sonst Wort und Geste getrennt würden(464). Wenn jedes **Zeichen** "Supplement der Sache selbst" ist(465), dann ist es als **Substution**

> "der Mittelbegriff zwischen der totalen Abwesenheit und der absoluten Fülle der Anwesenheit"(466).

> "Das Supplement tritt an die Stelle eines Mangels, eines Nicht-Signifikats oder Nicht-Repräsentierten, einer Nicht-Präsenz."(467)

Diese "Exteriorität" des Signifikanten gilt nicht nur für die Schrift (468), sondern auch für die Stimme, weil **jedes** Zeichen auf ein anderes verweist(469).

Sechstens ist aus dem Nicht-Entgehen des Signifikats aus dem "Gesetz der Signifikanten" zu schließen, daß die Schrift das "Spiel" der Sprache ist(470). Dabei müssen allerdings die Begriffe "Spiel" und

456 Vgl. ebda. 486: "Das Zeichen ist immer das Zeichen des Sündenfalls. Die Abwesenheit nimmt immer Bezug zum Fernsein Gottes."
457 Ebda. 275.   458 Vgl. ebda. 22: "die mathematische Schrift war nie ganz an eine phonetische Produktion gebunden". Ebda. 46f (Lob der nicht-phonetischen Schrift bei Leibniz), 134f (das "chinesische" Vorurteil bei Leibniz), 142f (das "hieroglyphische" Vorurteil), 160f (Unmöglichkeit einer rein phonetischen Schrift).   459 Vgl. dazu oben S. 84f.
460 Derrida, aaO. 17.   461 Ebda. 165.   462 Ebda. 36.
463 Vgl. ebda. 23.   464 Vgl. ebda. 404.   465 Vgl. ebda. 250.
466 Ebda. 272.   467 Ebda. 521. Vgl. ebda. 348: "Die Re-Präsentation ist zugleich eine De-Präsentation. Sie ist an das Werk der Verräumlichung gebunden."   468 Vgl. ebda. 29: "Die Exteriorität des Signifikanten ist die Exteriorität der Schrift im allgemeinen."
469 Vgl. dazu ebda. 75f.
470 Ebda. 87 unter Hinweis auf Platon, Phaidros 277 E: "Wer aber glaubt, daß in jeder geschriebenen Rede (λόγος) notwendig vieles Spiel (παιδία) sein muß und daß niemals eine Rede... eines großen Eifers wert   sei

"Schrift" sofort wieder **"kreuzweise durchgestrichen"** werden(471), weil damit nicht traditionelle, sondern **künftige**, vom Logozentrismus gelöste Begriffe gemeint sind(472). Nimmt man einerseits Heideggers **"Differenz"** zwischen dem "Sein" und dem "Seienden" ernst und bestreitet man andererseits dennoch, daß das **Signifikat** dem "Sein" und der **Signifikant** dem "Seienden" analog sind, dann wird auch das **"Ist"** des Bedeutens (significare) fragwürdig(473): Sofern damit die Zeit der "Gegenwärtigkeit" gemeint ist, gilt:

> "die Ordnung des Signifikats ist mit der Ordnung des Signifikanten niemals gleichzeitig"(474),

weil auch die **Zeit** der zwischen ihnen bestehenden, bedeutungskonstituierenden **"Differenz"** nicht mehr als "Präsenz" gedacht werden darf(475). Vielmehr ist das "Zwischen" als **syntaktisches** Phänomen(476) des **"Aufschubs"** zu unterpretieren: Die vom "différer" abgeleitete "Differenz"(477) bedeutet den Akt der **Temporisation** und das heißt,

> "bewußt oder unbewußt auf die zeitliche und verzögernde Vermittlung eines Umweges rekurrieren, welcher die Ausführung oder Erfüllung des 'Wunsches' oder 'Willens' suspendiert und sie ebenfalls auf eine Art verwirklicht, die ihre Wirkung aufhebt und temperiert"(478).

Das als aufgeschobene (différée) Gegenwart definierte Zeichen(479) ist ein **"Spiel"** der Differenzen, die **"Differänz"** ist eine "Spielbewegung"(480); von ihr muß man sagen:

> "die **différance** ist nicht. Sie ist kein gegenwärtig Seiendes"(481).

Das stumme Spiel der Differenz ist die

> "Bedingung der Möglichkeit des Funktionierens eines jeden Zeichens"(482).

Daraus folgt semiotisch,

> "daß das Sein sich nie **selbst** zeigt, **jetzt**, außer in der Differenz, in allen Bedeutungen, die dieses Wort heute erfordert, nie <u>präsent</u> ist"(483).

(ἄξιον σπουδῆς γραφῆναι)..." (reclam 91; Zufügungen von mir). Derrida, aaO.: "**Spiel** wäre der Name für die Abwesenheit des transzendentalen Signifikats als Entgrenzung des Spiels, das heißt als Erschütterung der Onto-Theologie und der Metaphysik der Präsenz."
471 Vgl. ebda. 88.   472 Vgl. ebda. 107: "Durchstreichung der Begriffe nennen wir hier, was die Orte dieses zukünftigen Denkens markieren soll."
473 Zum durchgestrichenen "ist" vgl. ebda. 77.   474 Ebda. 35.
475 Vgl. ebda. 43: Unter den Strichen der kreuzweisen Durchstreichung des "Seins" bei Heidegger "verschwindet die Präsenz eines transzendentalen Signifikats und bleibt dennoch lesbar". Dies ist als Anspielung auf Freuds "Wunderblock" zu lesen. Vgl. dazu Derrida, Schrift u. Differenz 296. 307. 339f.
476 Vgl. ebda. 414 (Spiel der Syntax). Zur Ordnung des "Zwischen" vgl. ders., Randgänge 9.   477 Vgl. dazu ebda. 11f.   478 Ebda. 12.
479 Vgl. ebda. 14: "Das Zeichen wäre also die aufgeschobene (**différée**) Gegenwart."   480 Vgl. ebda. 16–18.

Der Begriff des "Spiels" schließt jede Totalisierung aus(484); das "Spiel" von Abwesenheit und Anwesenheit ist ein **Zerreißen** der "Präsenz"(485). Die **Bewegung des "Bedeutens"** behält immer einen "historischen" und zugleich einen **eschatologischen** Bezug(486):

> "Das Sein selbst ist als geschickliches in sich eschatologisch." (487)

Der Grund dafür ist, das es "das **erste Verborgene**" der "Spielbewegung" ist(488).

Siebtens ist das "Gesetz der Signifikanten" als Gesetz der **Wiederholung**(489) mit dem **"Wiederholungszwang"** und damit mit der "Ökonomie **des Todes"** zu verbinden(490). Derrida knüpft hier an **Sigmund Freud**, vor allem an den "Wunderblock", aber auch an den "Entwurf"(491) und an den "Todestrieb" an, um das Kernproblem der **Schrift** herauszuarbeiten(492). Aus dieser Anknüpfung erklären sich auch Begriffe wie "Verspätung" (oder "Nachträglichkeit")(493), "Bahnung"(494) oder **"Spur"**. Nach Derrida beziehen sich diese Begriffe auf einen unbewußten **Text**:

> "Der unbewußte Text ist schon aus reinen Spuren und Differenzen gewoben, in denen Sinn und Kraft sich vereinen; ein nirgendwo präsenter Text, der aus Archiven gebildet ist, die **immer schon** Umschriften sind... Immer schon, das heißt Niederschlag eines Sinns, der nie gegenwärtig war, dessen bedeutete Präsenz immer 'nachträglich', im Nachhinein und zusätzlich... rekonstruiert wird"(495).

Das **"Unbewußte"** als der Text des "großen Anderen"(496) beweist, daß man die Schrift nicht aus dem menschlichen **"Subjekt"** ableiten kann:

481 Ebda. 29. Vgl. ebda. 10: "daß sie folglich weder Existenz noch Wesen hat".   482 Ebda. 8.
483 Ders., Schrift u. Differenz 115; Hervorhebungen im Original.
484 Vgl. ebda. 436f.   485 Vgl. ebda. 440.
486 Vgl. ders., Randgänge 18f.   487 **Martin Heidegger, Holzwege.** 1950, ²1952, 302; zitiert bei Derrida, Schrift u. Differenz 220.
488 Vgl. ebda. 227f.   489 Vgl. ebda. 373: "Ein Zeichen, das sich nicht wiederholt, das nicht schon durch die Wiederholung in seinem 'ersten Mal' geteilt ist, ist kein Zeichen."
490 Vgl. dazu Laplanche-Pontalis, Vokabular 627-632 sub voce "Wiederholungszwang", "Wiederkehr des Verdrängten".
491 **Sigmund Freud, Entwurf einer Psychologie.** 1895; in: **ders., Aus den Anfängen der Psychoanalyse.** 1950, 305-384. Vgl. dazu Derrida, Randgänge 26.   492 Vgl. **Jacques Derrida, Freud und der Schauplatz der Schrift;** in: ders., Schrift u. Differenz 302-350.
493 Vgl. etwa Freud, Entwurf 359: "Die Pubertätsverspätung ermöglicht posthume Primärvorgänge" (im Original kursiv). Vgl. Derrida, aaO. 305: Freuds metaphorische Modelle gehören zu einer "Graphie, die nie der Rede unterworfen, ihr äußerlich oder nachträglich ist". Zur "ursprünglichen", irreduziblen "Verspätung" vgl. ebda. 311f.
494 Vgl. dazu ebda. 308f ("Bahnung" in Freuds "Entwurf").
495 Ebda. 323; Hervorhebung im Original.
496 Zur Kategorie des "Anderen" bei Derrida vgl. unten Anm. 505. 507.

"Da die Schrift das Subjekt konstituiert und zugleich disloziert, ist die Schrift etwas anderes als das Subjekt... Sie wird niemals unter der Kategorie des Subjekts zu fassen sein."(497)

"Die Verräumlichung als Schrift ist das Abwesend- und Unbewußt-Werden des Subjekts. Durch die Bewegung ihres Abweichens begründet die Emanzipation des Zeichens rückwirkend den Wunsch nach Präsenz... Als Verhältnis des Subjekts zu seinem eigenen Tod ist dieses Werden gerade die Begründung der Subjektivität..., das heißt der Ökonomie des Todes."(498)

Freuds Modell des **"Wunderblocks"**, auf dem lediglich die "Spur" einer früheren "Spur" stehengeblieben ist, dient Derrida als Metapher für das mit diesen Zitaten Thematisierte. Denn die ausgelöschte "Spur", die ihren eigenen **Ursprung** "durchstreicht"(499) und insofern nicht "ist"(500), dient einerseits als Bild für die **"Differänz"**(501), d.h. für den in einer **absoluten** Vergangenheit liegenden "Ursprung"(502), der durch die **Schrift** "repräsentiert" wird(503): Der Begriff der "Ur-Spur" besagt hier,

"daß der Ursprung nicht einmal verschwunden ist, daß die Spur immer nur im Rückgang auf einen Nicht-Ursprung sich konstituiert hat und damit zum Ursprung des Ursprungs gerät"(504).

Die "Spur" dient andererseits als Metapher für das **Verhältnis zum** **"Anderen"**(505), welches im Falle des "Lebens" als **"Tod"** zu definieren ist:

"diese Spur ist die Eröffnung der ursprünglichen Äußerlichkeit schlechthin, das rätselhafte Verhältnis des Lebendigen zu seinem Anderen und eines Innen zu einem Außen: ist die Verräumlichung" (506).

497 Derrida, Grammatologie 119.
498 Ebda. 120; Hervorhebung im Original. Vgl. ebda. 120f: "Die eigentümliche Abwesenheit des Subjekts der Schrift ist auch die Abwesenheit der Sache oder des Referenten."
499 Vgl. ebda. 157: "die - durchgestrichene - Transzendentalität der Ur-spur".
500 Vgl. ebda. 131: "Die Spur ist nichts, ist nichts Seiendes". Ebda. 287: "Die Spur selbst existiert nicht" (im Original z.T. kursiv).
501 Vgl. ebda. 99: "Und die Differenz kann... nicht ohne die **Spur** (trace) gedacht werden." Vgl. ebda. 105: "Urschrift, Bewegung der *Differenz*". Ebda. 109: "Die (reine) Spur ist die *Differenz. Sie ist von keiner sinnlich wahrnehmbaren... Fülle abhängig, sondern im Gegenteil deren Bedingung. Obwohl sie nicht existiert, obwohl sie niemals ein Anwesend-Seiendes außerhalb jeder Fülle ist, geht ihre Möglichkeit all dem zu Recht voran, was man Zeichen... nennt" (im Original z.T. kursiv).
502 Vgl. dazu ebda. 114-116.
503 Vgl. ebda. 287: "Die Schrift ist ein Repräsentant der Spur im allgemeinen, sie ist nicht die Spur selbst." Der Term "Repräsentant" stammt von Freud, der damit andernorts das **Zeichen** meint. Im übrigens kommt der Zeichenbegriff bereits im "Entwurf" beinahe auf jeder Seite vor!
504 Derrida, Grammatologie 107f.
505 Vgl. ebda. 82: "Die Spur, in der sich das Verhältnis zum Anderen abzeichnet,... ist notwendig verborgen, sie entsteht im Verbergen ihrer selbst. Wenn das Andere als solches sich ankündigt, gegenwärtigt es sich in der Verstellung seiner selbst."
506 Ebda. 124.

In der **Schrift** ereignet sich nicht nur der Tod des "Subjekts", sondern auch die Anerkennung des "Anderen" als die Kehrseite der "Differenz" (507):

> "der Tod ist die Bewegung der *Differenz, insofern diese Bewegung notwendig endlich ist. Das besagt, daß die *Differenz den Gegensatz zwischen der Anwesenheit und der Abwesenheit ermöglicht. Ohne diese Möglichkeit der *Differenz würde das Verlangen nach der Präsenz als solcher nicht zum Leben erweckt werden. Gleichzeitig heißt das, daß dieses Verlangen die Bestimmung seiner Unstillbarkeit schon in sich trägt. Die *Differenz bringt hervor, was sie versagt, sie ermöglicht gerade das, was sie unmöglich macht."(508)

Am Schluß dieses ersten, "umständlichen" Kapitels bleibt mir nur noch éin Satz:

> "Sprechen macht mir Angst, denn da ich nie genug sage, sage ich immer auch zu viel."(509)

507 Vgl. ebda. 194: "Der Tod der absolut eigenen Benennung, die in der Sprache den Anderen als reinen Anderen wiedererkennt und ihn anruft als das, was er ist, dieser Tod ist der Tod des reinen Idioms, welches dem Einzigen vorbehalten bleibt" (Anspielung auf **Max Stirner, Der Einzige und sein Eigentum.** 1845).
508 Derrida, Grammatologie 247f.
509 Ders., Schrift u. Differenz 19.

2. Kapitel
Aurelius Augustinus: Hermeneutik als Theorie des Sprechens mittels wirksamer Zeichen – Rhetorik und Semiotik

1. Die Bedeutung Augustins für die Geschichte der Rhetorik und der Semiotik

1.1. Im umfangreichen Opus des **Aurelius Augustinus**(354-430)(1) gibt es mehrere Werke, die am Beginn der Geschichte der christlichen Hermeneutik bereits ein außerordentlich modern anmutendes Panorama linguistischer, rhetorischer und semiotischer Aussagen entfalten. Diese Wertung gleich zu Beginn der Darstellung mag kühn erscheinen; aber die folgende Entfaltung soll nachweisen, daß diese These nicht nur ihre Berechtigung hat, sondern daß Augustin gerade dort als **Theologe** verkannt wird, wo man nicht erkennt, daß viele seiner theologischen Thesen direkte oder indirekte Folgen seiner **Rhetorik** und **Semiotik** sind(2). So muß ich mit Eugenio Coseriu beklagen, daß die Sprachphilosophie in Augustins Werk häufig nicht richtig betont wird,

> "obwohl Augustinus zweifellos als der größte Semiotiker der Antike bezeichnet werden kann und zugleich als der eigentliche Begründer dieser Forschungsrichtung anzusehen ist"(3).

1 Vg. dazu **Berthold Altaner – Alfred Stuiber, Patrologie. Leben, Schriften und Lehre der Kirchenväter.** 7. Aufl. 1966, 412-449; **Heinrich Kraft, Kirchenväterlexikon und Register.** (Texte der Kirchenväter V). 1966, 71 bis 98.
2 Dieser Einwand betrifft vor allem die neueste Gesamtdarstellung von **Kurt Flasch, Augustin. Einführung in sein Denken.** (reclam 9962). 1980. Dort wird die Rhetorik anscheinend als reine Stiltechnik mißverstanden; die rhetorische Affektenlehre wird auf das intellektuelle, gefühllose docere eines Wissens reduziert. Zwar wird die "Lust am Wort" anerkannt(ebda. 18), aber wohl nicht als delectatio des ethos verstanden. Zwar wird der Begriff von "Wahrheit" als "pathetisch und moralisch", also im Sinne von motus und delectatio, anerkannt(ebda. 21); dennoch wird dies auf die "früh aufgenommene stoische Denklehre" reduziert(ebda. 25), so daß Descartes Augustin variiert(vgl. ebda. 34. 39. 59-62) und "Liebe", "Herz" und Wille als Teilaspekte der **mens** erscheinen(ebda.57). Zwar wird das Problem der "Körperlichkeit" erkannt(ebda. 61f. 65. 67. 73. 77f. 109f) und seine Verbindung zum Gottesbegriff gesehen(ebda. 89f); aber die Implikationen seitens der Semiotik treten nur schwach zutage. Der Standpunkt der Rhetors gilt als "ästhetisch"(ebda. 95); es wird nicht mehr verstanden, warum theologisch-semiotische Gründe die Tendenz hervorbringen, "unsere Sprache und alle menschliche Vermittlungstätigkeit überflüssig zu machen"(ebda. 104). Diese einseitigen Prämissen führen zu der Einengung, "daß alles Sprechen dazu diene, zu lehren oder zu lernen oder das Gelernte ins Gedächtnis zurückzurufen. Dem modernen Leser fällt auf, daß dieser Sprachtheorie der pragmatische Aspekt ebenso fehlt wie der emotionale"(ebda. 121). Flasch scheint nicht bekannt zu sein, daß die memoria und das Phantasma **affektive** (und damit "pragmatische") Kategorien der Rhetorik sind. Vgl. Quintil., inst. or. X, 7, 15 sowie unten S. 115ff.

Unbestritten ist bei einem seiner nachher noch zu skizzierenden Werke, daß es

> "das wirksamste hermeneutische Buch, das die Kirchengeschichte überhaupt kennt"(4),

ist. Selbst die "existentiale" Hermeneutik anerkennt, daß Augustin in diesem Werk die Einsicht fordert

> "in den Zeichen-Charakter der Sprache, und zwar sowohl im grammatisch-strukturalistischen wie im ontologischen Sinn"(5).

Allerdings wird man als "Strukturalist"(6) diese Erkenntnis etwas ernster nehmen und den Details und semiotischen Implikationen der hermeneutischen Position Augustins stärker nachgehen. Ich halte es daher für angebracht, diese Thematik Augustins auf einer spezifisch linguistischen und semiotischen Folie zu entfalten und unter Aufnahme entsprechender Kommentare(7) zu zeigen, daß die Theologie Augustins als solche im Kern mit dem Problem ringt, wie Gottes Sprechen in der Hl. Schrift ein **Zeichen** sein kann und darf, wenn alle Zeichen geschaffene **Materie** sind, welche dem creator mundi als **Immateriellem** gegenübersteht.

Wenn nämlich alles Sprechen des Menschen von Gott geschaffene Materie als Zeichen "benutzen" (uti) muß, aber letztlich nur das "Genießen" (frui) Gottes begehren darf, so steht das Sprechen zwar einerseits im Dienst der einzig erlaubten **Begierde** (désir); andererseits muß jedoch die Spannung zwischen der Sterblichkeit, Vergänglichkeit und **Ersetzbarkeit** der Materie der Zeichen und der **Unwandelbarkeit** des ungeschaffenen Gottes anerkannt werden, so daß alles Sprechen

3 **Eugenio Coseriu, Die Geschichte der Sprachphilosophie von der Antike bis zur Gegenwart.** Eine Übersicht. I. 1969, 105.
4 Stuhlmacher, Verstehen 80.   5 Ebda. 82.
6 Ich nehme damit Stuhlmachers Schlagwort nur cum grano salis auf, ohne es für meine Position anzuerkennen. Diese ist eher als "Generativismus" zu bezeichnen. Zu diesem Unterschied vgl. **Eugenio Coseriu, Einführung in die Transformationelle Grammatik.** Autorisierte Nachschrift. 1970; ders., Synchronie, Diachronie und Typologie. (1968); in: ders., Sprache. Strukturen und Funktionen. (TBL 2). 1970, 71-88; ders., Synchronie, Diachronie und Geschichte. (IBAL 4). 1974. Wenn Peter Stuhlmacher, Schriftauslegung auf dem Wege zur biblischen Theologie. 1975, 50 von "Zitationskartellen" spricht, so sollte er diese Werke seines Tübinger Kollegen doch lesen!
7 Vgl. etwa **W. Otto, Über die Schrift des heiligen Augustins "De Magistro".** 1908; K. Kuypers, Der Zeichen- und Wortbegriff im Denken Augustins. 1934; Coseriu, Geschichte I, 105-123; Hans Arens, Sprachwissenschaft. Der Gang ihrer Entwicklung von der Antike bis zur Gegenwart. (Orbis Academicus I/6). ²1969, 32-34; **Elisabeth Walther, Allgemeine Zeichenlehre.** Einführung in die Grundlagen der Semiotik. ²1979, 17f; Lacan, Seminar I, 309-326: De Locutionis Significatione.   Vor allem letzteren Ausführungen verdanke ich vertiefte Einsichten, die eine theologische Engführung verhindern.

der Theologie nur in eine **theologia** **negativa**(8) münden kann: Augustins Theologie kommt einerseits von der Erkenntnis eines ontologischen **Mangels an den Zeichen selbst** her; andererseits mag der christliche Lehrer das **Interesse des Redners** an der Wirksamkeit der Zeichen und des Sprechens nicht aufgeben. An dieser Spannung seines Lebens ist Augustin vielleicht letztlich **philosophisch** zerbrochen.(9) Aber gerade wenn das so wäre, hätte der heutige Theologe die Aufgabe, die anstehenden Probleme besser als Augustin zu lösen.

1.2. Im Mittelpunkt unseres Kommentars stehen neben anderen(10) vor allem **zwei Werke** ausgesprochen rhetorischen und semiotischen Inhalts.

1.2.1. Das erste Werk ist die Schrift **"De magistro"**(11). Dabei handelt es sich um einen Dialog Augustins mit seinem unehelichen Sohne Adeodatus(12) aus dem Jahre 389; dieser Sohn verstarb bald darauf(13).

Daß Augustin in diesem Werk das Thema des Verhältnisses von Sprechen, Denken, Lehren und Lernen **dialogisch** entfaltet, ist nicht nur ein formaler Zufall oder "platonische" Abhängigkeit(14), sondern wie beinahe alles bei Augustin bewußt **konstruiert.**

Häufig wird dieser Dialog mit Platons Dialog **"Menon"** parallelisiert, in welchem das Erkennen als Wiedererkennen dargestellt wird, welche These dann in Plat., pol. VII, 514 A. 521 B in das berühmte **"Höhlengleichnis"** einmündet.

Nach diesem Gleichnis

> "stehen dem Gefangensein der Menschen in der bloßen Sinneserkenntnis der Abbilder die Urbilder (Ideen) gegenüber, wie die Sonne dem Höhlenfeuer"(15).

---

8 Vgl. dazu Flasch, aaO. 299-305, der die Einflüsse Plotins und die stoische Terminologie betont. Daß die "illuminatio" ein **rhetorischer** Topos ist (vgl. **Heinrich Lausberg, Handbuch der literarischen Rhetorik.** 1960, § 844f, S. 419-421) und wie stark die semiotischen Hintergründe sind, kommt hier nicht klar zutage. Das Urteil ist dann schnell gefällt: "Die 'Erleuchtung' hat mit Gnade nichts zu tun.."(Flasch, aaO. 305).
9 Darin liegt das Recht der **Theologiekritik** von Flasch.
10 Herangezogen wird noch: **St. Augustin's Confessions,** ed. **William Watts,** I+II. (Loeb Classical Library). (1912), Nachdruck 1960/61; **Augustin, Bekenntnisse.** (reclam 2791). 1979. 11 Zitiert nach CCL 29. 1970, 157-203.
12 Die Mutter war Augustins Konkubine zwischen dem 18. und 30. Lebensjahr. Vgl. Flasch, aaO. 49. 13 Vgl. Altaner-Stuiber, aaO. 423.
14 Flasch, aaO. 123 weist auf die Lächerlichkeit der Etymologie bereits in Platons "Kratylos" hin, welche Augustin fortführt.
15 **Curt Friedlein, Lernbuch und Repetitorium der Geschichte der Philosophie.** 11. Aufl. 1962, 50.

Im Zentrum der Frage des "Menon" stehen danach die "Ideen". Ob z.B.
die Tugend gelehrt oder nur "geübt" werden kann, weil sie "von Natur" den Menschen einwohnt (Plat., Men. 70 A), also nicht mehr gelehrt zu werden braucht, ergibt sich so als Frage der platonischen
Ideenlehre.

Bei Augustin handelt es sich dagegen, trotz allen "Platonismus" bei
ihm(16),

> "um eine ganz andere Fragestellung, da er von der Lehre der
> Zeichen ausgeht, indem er die Frage stellt, **wie** und **ob** es über-
> haupt möglich sei, durch die Wörter dem Menschen etwas beizu-
> bringen"(17).

1.2.2. Augustin knüpft damit an eine sprachphilosophische **Tradition**
an, die sich von Heraklit(18) bis hin zu den Stoikern(19) verfolgen
läßt(20).

Augustins **Semiotik** setzt so bei **Zenon** aus Kition (333-262 v.Chr.),
dem Begründer der Stoa, an. Dieser prägt in seiner "Logik", der Lehre vom λόγος, die bis heute üblichen semiotisch-grammatischen Zen-
tralbegriffe: Den Bezeichnungen (σημαίνοντα), den Lautgebilden und
Ausdrucksmitteln, korrespondieren die bezeichneten Wortinhalte (ση-
μαινόμενα), welche mit den realen Objekten nicht identisch sind(21).

> "Denn im Gegensatz zu den Objekten haben die Semainomena kein
> reales, körperliches Sein; sie existieren nur in unserer Sprache
> als etwas 'Ausgesagtes', λεκτόν. Dadurch sind sie aber von den
> 'bezeichnenden' Lautgebilden streng geschieden."(22)

Die Lautgebilde sind nach den Stoikern Produkte der Stimme(23) und
damit **Produkte des Körpers:**

> "Bei der Stimme gehen sie davon aus, daß sie das Ohr des Hö-
> rers mechanisch berührt, also eine körperliche Wirkung ausübt,
> und folgern, daß sie selbst körperlich sein muß."(24)

---

16 Vgl. dazu Flasch, aaO. 37-41. 53f, der das Fehlen der eigentlichen
"Dialektik" kritisiert. 17 Coseriu, Geschichte I, 105.
18 Vgl. dazu ebda. 19-26. 19 Vgl. dazu ebda. 96-104; **Max Poh-**
lenz, Die Stoa. Geschichte einer geistigen Bewegung. ³1964, 37-63.
20 Zur stoischen Tradition bei Augustin vgl. Flasch, aaO. 23-27.
21 Vgl. Pohlenz, aaO. 39. 22 Ebda.
23 Zur modernen Problematik dieses Themas bei Edmund Husserl vgl. **Jacques**
Derrida, Die Stimme und das Phänomen, übers. v. Jochen Hörich. (es 945).
1979. In dieser "Ontosemiologie" wird die **Schrift** als "Medium sui generis"
herausgearbeitet (ebda. 13; Hörich). Vgl. ebda. 11: "Geraten Augustin die
allegorisch gelesenen und geschriebenen Zeichen zu supplementären Schrift-
und Lektürefiguren der ausstehenden Präsenz Gottes, so erscheinen sie ihm
zugleich nicht länger als Medium uneinholbarer Verdrängung von Präsenz,
..., sondern vielmehr als deren Delegat" (Hörich). Vgl. weiter unten S.
117-119.
24 Pohlenz, aaO. 39f.

Die Stimme ist also als audibile ein **sensibile.** Die "wirkliche" Sprache dagegen, das zur Stimme gewordene **Denken** im Unterschied zum "Plappern" der Papageien, ist ein **intelligibile;** sie ist

> "nur vorhanden, wo die Stimme vom Denken ausgeht und die Artikulation dazu dient, die Gliederung der Gedanken zum Ausdruck zu bringen und die verschiedenen Dinge auf Grund einer bestimmten Erkenntnis zu bezeichnen"(25).

1.2.3. Mit diesen **Abgrenzungen** der Stoa war für Augustins semiotische Problemstellung die Frage gegeben, wie er mit der **"Körperlichkeit"** **der Zeichen** fertig werden konnte, wenn er, nicht zuletzt unter dem Einfluß des Manichäismus(26), die Negativität der Vergänglichkeit, Sterblichkeit und **Ersetzbarkeit** alles Körperlichen der **immutabilitas** **Dei** als Endziel alles menschlichen Glückseligkeitsstrebens gegenüberstellt:

> "Da äußerer Besitz und unser Körper allen Zufällen ausgesetzt sind, da die sichtbare Welt zu den moralischen Zweifeln der Manichäer und zu den intellektuellen Bedenken der Skeptiker Anlaß bietet, ist unser Glückseligkeitsstreben entweder sinnlos, oder es erfüllt sich einzig in einer nicht-sinnlichen Welt. Gesichertes Glück muß erreichbar sein, also ergreift der Mensch sein wahres Wesen in der intelligiblen Welt."(27)

Wenigstens im mundus intelligibilis

> "ist der Lebenssinn unbezweifelhaft und unzerstörbar"(28).

Der mundus sensibilis, das Körperliche, kann nicht im eigentlichen Sinne "sein"; denn alles, was "ist", ist auch "wahr"(29):

> "So kommt Augustin zu dem seltsamen Schluß, die Körperdinge seien falsch, weil sie die reinen Ideen bloß nachahmen."(30)

1.2.4. Damit bahnt sich die **hermeneutische Zentralfrage** an, die sich aus dieser semiotischen Problematik ergibt: Wie kann der einzig "wahre" Gott überhaupt von Menschen ausgesagt werden, wenn beim Sprechen immer "falsche Körper", nämlich die Zeichen, benutzt werden müssen? Wir werden in unserem Kommentar verfolgen, wie Augustin ständig mit diesem Problem ringt, ohne es vielleicht befriedigend lösen zu können. Wenn er jedoch dazu etwas zu sagen hat, so muß die Analyse seines Dialogs "De magistro" dazu den Schlüssel liefern. Denn wenn der sprechende Lehrer nichts "Wahres" von Gott lehren kann, ist dann sein Sprechen mehr als ein "Plappern"?

25 Ebda. 40.   26 Vgl. dazu Flasch, aaO. 27-35.   27 Ebda. 37.
28 Ebda. 38.   29 Vgl. dazu ebda. 55-66.
30 Ebda. 65. Zur platonisierenden "Nachahmung" vgl. unten S. 234-236.

1.2.5. Das zweite hier zu behandelnde Werk, **"De doctrina christiana"**(31), wurde zum großen Teil (I-III, 25) um 396/397 verfaßt und im Rahmen der "retractatio"(32) um 426/427 ergänzt und abgeschlossen(33).

In diesem wirksamsten Buch der Hermeneutik nimmt Augustin "das erste lateinische Kompendium der biblischen Hermeneutik", das um 383 von dem Donatisten **Tyc(h)onius** (✝ um 400) verfaßte "Liber regularum" mit seinen sieben Regeln zur Auffindung des Schriftsinns, kritisch auf(34), indem er ihm seine eigenen Regeln entgegensetzt (doctr. christ. III, 30-37).

Augustin muß zwar gestehen,

> "daß sie (scil. die Regeln) zur Durchdringung verdeckter Aussprüche Gottes nicht geringe Dienste leisten"(35).

Dennoch muß man nach ihm dieses Buch

> "mit Vorsicht lesen, nicht bloß wegen einzelner Dinge, worin er als Mensch geirrt hat, sondern hauptsächlich um dessenwillen, was er als häretischer Donatist sagt"(36).

1.2.6. Der **Aufbau** des Werkes Augustins läßt bereits den prägenden Einschlag von Semiotik und Rhetorik erkennen.

> I, 2 behandelt die **Relationen** zwischen "Zeichen" (signa) und "Sachen" (res);
> I, 3 werden die "Sachen" eingeteilt in zwei Mal zwei Gruppen: "Sachen" können "genossen" (frui) und "gebraucht" (uti) werden (passiv); "Sachen" können selber "genießen" und "gebrauchen" (aktiv);
> I, 4 werden dann diese Grundbegriffe des **Umgangs** mit "Sachen" näher definiert, wobei der zentrale Begriff des **amor** eingeführt wird;
> I, 5 wird Gott als höchste "Sache" der fruitio und des amor eingeführt;
> I, 8f gibt Gott als höchster "Sache" den Vorrang vor allen anderen "Sachen";
> I, 10: Nur die reine Seele kann Gott als ewige Weisheit "genießen";
> I, 11f: Diese Seelenreinigung ist der Inkarnation isomorph;
> I, 20f: Gott allein darf man "genießen";
> <u>I, 31, 34</u>: Gott "genießt" uns nicht, er "gebraucht" uns;

---

31 Zitiert nach Migne PL 34. 1887, 15-122; P. **Sigisbert Mitterer** (Hg.), **Des heiligen Kirchenvaters Aurelius Augustinus ausgewählte Praktische Schriften**, homiletischen und katechetischen Inhalts. (BKV 49). 1925, 3 bis 225.   32 Vgl. dazu Altaner-Stuiber, aaO. 419; Kraft, aaO. 77. 33 Vgl. Mitterer, aaO. 3.   34 Ebda. Zum "Liber regularum" vgl. Altaner-Stuiber, aaO. 373. Zur Quelle vgl. Migne Pl 18, 15-66. 35 August., doctr. christ. III, 30, 42; BKV 144. 36 August., doctr. christ. III, 30, 43; BKV 145.

II, 1 definiert Begriff und Einteilung der Zeichen;
II, 3, 4: die Worte als vornehmlichste Zeichen;
II, 4, 5: Vom Ursprung der Schrift;
II, 10, 15: Unbekannte und zweideutige Zeichen als Hindernis der Schriftauslegung;
II, 16, 23-26: Zum Verständnis der Symbolik in der Hl. Schrift;
II, 25, 38f: Einteilung der Einrichtungen in überflüssige, zweckmäßige und notwendige;
II, 31, 48f: Der Wert der kunstgemäßen Dialektik;
II, 37, 55: Der Wert von Rhetorik und Dialektik;
III, 9, 13: Von der Knechtschaft der Zeichen;
III, 10, 14-16: Die Kennzeichen der figürlichen Redeweise;
III, 15, 23: Wie man figürliche Ausdrücke behandelt;
III, 24, 34: Vom wörtlichen und figürlichen Schriftsinn;
III, 29, 40f: Die notwendige Kenntnis der rhetorischen Tropen;
IV, 2, 3: Der christliche Apologet und die nützliche Rhetorik;
IV, 3, 4f: Vom jugendlichen Lernen der Beredsamkeit;
IV, 4, 6: Die pragmatischen Zwecke des christlichen Lehrers;
IV, 5, 7f: Der christliche Lehrer soll weise und beredt sprechen;
IV, 6, 9f: Dies ist bei den Verfassern der Hl. Schrift erreicht;
IV, 8-11: Das rhetorische Hauptziel der claritas;
IV, 12-27: Vom dreifachen Stil des Redners: docere, delectare, movere;
IV, 18, 35-37: Die Anpassung des Stils an den erhabenen Stoff;
IV, 20: Proben für verschiedene Stilfiguren der Bibel;
IV, 21: Stilproben aus den Kirchenlehrern;
IV, 22-23: Zur Abwechslung der Stilgattungen;
IV, 24: Die Wirkung des erhabenen Stils;
IV, 25: Die Verwendung des gemäßigten Stils.

Diese Übersicht läßt zweierlei erkennen: Erstens ist die Rhetorik bei Augustin keineswegs auf das **docere** eingeschränkt; zweitens reflektiert Augustin sehr ausführlich über die Wirkungen des Sprechens und besitzt damit eine **Pragmatik**(37). Beides soll nun im einzelnen nachgewiesen werden.

2. Der christliche Lehrer, der als Redner über die Imagination durch Zeichen-Körper nachdenkt

Augustin hat seine Hermeneutik in kritischer Auseinandersetzung mit der Tradition der Semiotik und Rhetorik entwickelt. Wenn man zu einem vertieften Verständnis dieser Hermeneutik kommen will, muß man diese beiden Disziplinen als Rahmen einer inneren Systematik nehmen und die Einzelaussagen Augustins in diesen Rahmen hineinkonstruieren. Dies soll hier im folgenden mit einigen zentralen Zitaten skizziert und danach im einzelnen entfaltet werden.

37 Bereits diese kurze Übersicht zeigt, wie sehr das Urteil von Flasch (vgl. oben S. 101 Anm. 2) die Optik einengt.

2.1. De pulchro et apto

2.1.1. Daß Augustin von der **Rhetorik** her denkt, zeigen nicht nur viele Titel seiner Schriften, sondern auch seine eigenen Angaben in den "Confessiones".

Als Lehrer der Rhetorik in Karthago schrieb er 380/381 die verlorene Erstlingsschrift **"De pulchro et apto"**(38). Dieser Titel ist im Rahmen der rhetorischen Tradition so prägnant, daß es kein allzu großes Wagnis ist, den Inhalt dieser Schrift zu rekonstruieren. Denn in diesem Titel ist ein zentraler terminus technicus der Rhetorik aufgenommen: das **aptum**. Es steht in einer inneren Relation zum **pulchrum**, womit ein zweiter Zentralterm anklingt.

2.1.2. Da **Marcus Fabius Quintilianus** (ca. 35-100) "der berühmteste Professor der Rhetorik in Rom" und der erste öffentlich besoldete Lehrstuhlinhaber ist(39), welcher die "Summe" der antiken Rhetorik zusammenfaßt(40), ist es durchaus sachgemäß, ihn als Kronzeugen heranzuziehen, auch wenn Augustin die rhetorische Tradition 373 zunächst an Ciceros **"Hortensius"** kennenlernte(41), welche sich hier als "genus deliberativum"(42) spürbar machte.

Quintilian stellt nämlich die klassische Regel des "pulchrum" der elocutio auf, eine Form wirke schön,

"wenn sie sich mit schlagkräftigen Gedanken verbindet";
"quotiens in sententias acris incidit."(43)

Acer ist das "Scharfe", das sich in die Sätze "einschneidet", z.B. in der Form der "Verfremdung", welche der Langeweile (taedium) des Hör- und Lesepublikums durch den "pathetischen" **motus** und die "ethische" **de**lectatio entgegenwirkt(44) und in der Ekstase von "Furcht und Mitleid" endet(45): Wer "acer" sein will, muß vehementior werden.(46)

---

38 Vgl. dazu Altaner-Stuiber, aaO. 422.   39 **Helmut Rahn (Hg.), Marcus Fabius Quintilianus, Ausbildung des Redners. Zwölf Bücher. I+II.** (Texte zur Forschung 2). 1972. I, XI.   40 Ich zitiere nach dieser Edition.
41 Vgl. dazu **M. Festard, S. Augustin et Cicéron I-II.** 1958; Flasch, aaO. 17-20.   42 Vgl. dazu Lausberg, Handbuch § 224-238, S. 123-129. Es handelt sich dabei um den Sprechakt des "Anratens" vs "Abratens" nach dem Kriterium des "utile" vs "inutile" in bezug auf die Zukunft.
43 Quintil., inst. or. IX, 3, 76; Rahn, aaO. II, 352f; Lausberg, aaO. § 638, S. 324.   44 Vgl. dazu ebda. § 1219, S. 589f.
45 Vgl. ebda. § 1221, S. 590.   46 Vgl. Quintil., inst. or. IV, 1, 63-70; Lausberg, aaO. § 271δα'', S. 155.

"Scharf" kann eine Rede auch werden, wenn sie mittels anaphorischer Wiederholung Schlagworte in die Zuhörer hämmert: der **gravitas** einer Rede entspricht ihre acrimonia.(47)

Das "acriter" gilt erst recht für die **figurae elocutionis**, welche sowohl grammatisch als auch rhetorisch sein können:

"Eindringlicher ist die folgende Gruppe von Figuren, die nicht nur auf dem Sprachgebrauch beruht, sondern dem Sinn selbst bald Reiz, bald zudem auch noch Kraft verleiht";

"Illud est acrius genus, quod non tantum in ratione positum est loquendi, sed ipsis sensibus tum gratiam tum etiam vires accommodat."(48)

2.2. Die Kraft der "Rührung"

2.2.1. Die Rede wird also mittels rhetorischer Figuren so "scharf" gemacht, daß sie sich nicht nur an den Verstand (mens), sondern auch an die **affectiones** wendet und ihre "Kräfte" (vires) darauf einstellt. Wo von der "pathetischen" **Kraft des Sprechens** die Rede ist, da ist man mitten in der Pragmatik, denn es geht hier um die Wirkungen des Sprechens auf die **Gefühle**. Augustin hat die aufwühlende Wirkung des "pathetischen" Sprechens und Schreibens dramatisch erfahren, obwohl er später bedauert,

"daß ich die Dido beweinte, die sich aus Liebe das Leben nahm (49), während ich Elendester, davon gefesselt, zur selben Zeit trockenen Auges mir nichts daraus machte, mich von dir, Gott, meinem wahren Leben, abzukehren und den Todesweg zu beschreiten"(50).

2.2.2. Daß der Zweck des Sprechens nicht nur das docere ist, sondern sich über das delectare zum **movere** steigert, betont Augustin ausdrücklich unter Berufung auf Cic., Brut. Or. 21, 69:

"Docere necessitatis est, delectare suavitatis, flectere victoriae." (51)

Damit spielt Augustin auf die **drei** dem "aptum" entsprechenden **"elocutionis genera"** an(52), von welchen Cicero als den drei officia des Redners spricht:

"quot officia oratoris, tot sunt genera dicendi: subtile in probando, modicum in delectando, vehemens in flectendo."(53)

---

51 August., doct. christ. IV, 12, 27; Migne 101. Vgl. **Cicero V: Brutus Orator.** (Loeb 342). 1939, Nachdruck 1971, (Ed.) G.L. Hendrickson - H.M. Hubbell, 356; statt "docere" steht dort "probare".
52 Vgl. dazu Lausberg, aaO. § 1078-1082, S. 519-525.
53 Ebda. § 1078, S. 519: Fortsetzung des Cicero-Zitats.

Das **genus subtile** (tenue, gracile) mit dem officium docendi et probandi besitzt die virtutes der Latinitas, der perspicuitas und des dilucidum.(54) Nach Augustin ist es darin eine necessitas, daß diese

"in rebus est constituta quas dicimus",

also im Stoff unserer Rede selbst liegt(55).

Das **genus medium** (floridum, modicum, mediocre vel moderatum) mit dem officium delectandi besitzt die virtutes der lenitas, dulcitas, suavitas und der elegantia.(56) Nach Augustin hat es den pragmatischen Zweck, die Aufmerksamkeit des Hörers zu fesseln,

"ut teneatur ad audiendum"(57).

Natürlich hat die suavitas auch ihre rhetorischen **vitia**, vor allem dann, wenn sie nicht im Dienste der **Zustimmung** des Hörers steht: Nur Wahres, nicht Ruchloses (iniquia) soll gesprochen und gerne (libenter) gehört werden.(58)

Das **genus grande** (vehemens, amplum, sublime, grandiloquum, validum) mit dem officium movendi vel flectendi (ad conversionem) besitzt die Kraft, die stärksten Gefühle der Zuhörer zu erregen.(59) Nach Augustin ist es gerade im Dienste christlicher Lehre unverzichtbar, durch starke Gefühlserregung die Kenntnis der Pflicht in die Willensrichtung zum **Tun der Pflicht** zu verwandeln:

"ita flectendus, ut moveatur ad agendum."(60)

Im Falle der necessitas (docere) muß das **Pathos** eingesetzt werden, wenn die Zuhörer

"trotz der Kenntnis ihrer Pflicht sie nicht erfüllen wollen".

"Den endgültigen Sieg.. entscheidet die Rührung (flectere), weil ja der Mensch trotz Belehrung (docere) und Ergötzung (delectare) seine Zustimmung verweigern kann. Was helfen aber dann Belehrung und Ergötzung, wenn die Zustimmung fehlt?"(61)

"Wenn also der kirchliche Redner eine Pflicht einschärft (suadere), dann muß er nicht bloß lehren, um zu unterrichten, und darf nicht bloß ergötzen, um zu fesseln, sondern er muß auch rühren, um zu siegen."(62)

Der Zuhörer wird vom Redner "gerührt",

"wenn er liebt, was du versprichst, fürchtet, was du androhst, haßt, was du anklagst; wenn er gerne tut, was du empfiehlst, wenn er das bedauert, was du bedauernswert nennst, wenn er

---

54 Vgl. ebda. § 1079, 1, S. 519f.   55 doctr. christ. IV, 12, 27; Migne 101; BKV 185.   56 Vgl. Lausberg, aaO. § 1079, 2, S. 520-522. 57 A(Anm. 55)aO.   58 Vgl. doctr. christ. IV, 14, 30; Migne 102; BKV 188.   59 Vgl. Lausberg, aaO. § 1079, 3, S. 522-524. 60 doctr. christ. IV, 12, 27; Migne 101.   61 doctr. christ. IV, 12, 28; Migne 101; BKV 186.   62 doctr. christ. IV, 13, 29; Migne 102; BKV 187.

sich darüber freut, was du freudig anpreisest, wenn er sich
derer erbarmt, die du ihm durch deine Rede als erbarmungswür-
dig darstellst, und wenn er vor jenen flieht, vor denen du ihn
durch Schreckensworte warnst"(63).

In diesem Sinne ist auch die Warnung Augustins vor dem "Liber regularum" des Tyconius kein bloßes docere, sondern ein actus flectendi.
Dem Linguisten wird überdies bei diesem Zitat auffallen, wie stark
Augustin die Affekte mit bestimmten Sprechakten verknüpft(64), welche
die drei genera rhetorices des genus iudiciale, des genus deliberativum und des genus demonstrativum belegen(65).

2.3. Das aptum als Akkommodation

Diese Ausführungen gerade des späten Augustin beweisen eindeutig,
daß der emotionale Aspekt der Rhetorik hier keineswegs fehlt(66). Zu
diesem Aspekt gehört auch die Kategorie des aptum aus dem Buchtitel
des frühen Augustin.

Wenn nämlich das acre mit dem pulchrum verbunden wird, dann
wird ein doppeltes aptum berücksichtigt.

Einerseits entspricht das "innere" aptum einem modus compositio-
nis im "genus medium": Die ornamenta der Rede haben eine forma suavitatis; die temperatio des "Pathetischen" in Richtung auf das "Ethische" geht mit der elegantia einher.(67)

Andererseits kann die einer Person in den Mund gelegte Rede
(sermocinatio) in drei affektivischen Gestalten erscheinen, nämlich als
allocutio moralis, als allocutio passionalis und als allocutio mixta.
Darin bringt sie das "äußere" aptum zum Zuge.(68)

Kurz: "Schön" und "treffend" spricht der Redner, wenn sich seine Redekomposition der Situation der äußeren Umwelt und der gefühlsmäßi-
gen Innenwelt der Zuhörer zielsicher anpaßt. Das aptum ist also ein
Kriterium der Akkommodation.

Auch wenn wir mit diesen Ausführungen den Inhalt der Erstlingsschrift Augustins nur deduktiv konstruiert haben, so zeigen doch die
vielfältigen Verknüpfungen der Titelstichworte, wie stark das Rhetorische mit dem Theologisch-Philosophischen verbunden ist.

63 doctr. christ. IV, 12, 27; BKV 185; Migne 101.
64 Vgl. dazu Erhardt Güttgemanns, Einführung in die Linguistik für Textwissenschaftler 1. (FThL 2). 1978, 79f. 92ff.
65 Vgl. Lausberg, aaO. § 61, S. 53-55.   66 Gegen Flasch, aaO. 121.
67 Vgl. Lausberg, aaO. § 1079, 2c, S. 521.   68 Vgl. ebda. § 1131, S. 543.

2.4. De servo arbitrio et de motu in der figuralen Rede

2.4.1. Die rhetorische Tradition schlägt auch in der Behandlung der sieben artes liberales (ab 386 in Mailand) durch, wenn auch nur "Principia dialecticae" (386), "De grammatica" (Bruchstücke) und "De musica" (387-389) ausgearbeitet werden(69).

Man sollte jedoch nicht übersehen, daß auch in scheinbar entlegenen Zusammenhängen das rhetorische Element versteckt sein kann. So hat etwa das Thema **"De libero arbitrio"** (388/395)(70) ebenfalls einen geheimen Bezug zur Rhetorik, der sich bis zu Luther und Melanchthon durchhält(71).

Quintilian führt nämlich zur **libertas**(72) beim "rhetorischen" Sprechen aus:

> "at quo modo fit, ut adficiamur? neque enim sunt motus in nostra potestate. temptabo etiam de hoc dicere. quas φαντασίας Graeci vocant (nos sane visiones appellemus), per quas imagines rerum absentium ita repraesentantur animo, ut eas cernere oculis ac praesentes habere videamur. has quisquis bene conceperit, is erit in adfectibus potestissimus."

> "Aber wie ist es möglich, sich ergreifen zu lassen? Die Gemütsbewegungen stehen doch nicht in unserer Gewalt! Auch hiervon will ich zu sprechen versuchen. Jeder, der das, was die Griechen φαντασίαι nennen – wir könnten 'visiones' (Phantasiebilder) dafür sagen –, wodurch die Bilder abwesender Dinge so im Geiste vergegenwärtigt werden, daß wir sie scheinbar vor Augen sehen und sie wie leibhaftig vor uns haben: jeder also, der diese Erscheinung gut erfaßt hat, wird in den Gefühlswirkungen am stärksten sein."(73)

Der **motus**, Quelle und Effekt des genus grande vel vehemens, ist also gerade nicht "frei", sondern **"gefesselt"**; denn dem leidenschaftlichen Sprechen des Körpers (motus corporis) entspricht eine Unruhe des Herzens (motus cordis), bei welcher der Mensch nicht mehr frei ist, wie der Tränenausbruch Augustins über Didos Tod zeigt:

> "inquietum est cor nostrum, donec requiescat in te";
> "unruhig ist unser Herz, bis es ruhet in dir."(74)

---

69 Vgl. Altaner-Stuiber, aaO. 423.   70 Vgl. ebda. 427.
71 Zum Nachweis vgl. **Klaus Dockhorn, Luthers Glaubensbegriff und die Rhetorik.** LingBibl 21/22. 1973, 19-39.   72 Zu deren Funktion in der Rhetorik vgl. Lausberg, aaO. § 761, S. 376f; Quintil., inst. or. IX, 2, 27: "quod idem dictum sit de oratione libera, quam Cornificius licentiam vocat, Graeci παρρησίαν. quid enim minus figuratum quam vera libertas?" (Rahn, aaO. II, 280f). Hier wird eine Relation zwischen der libertas und der figuratio hergestellt. Vgl. dazu Lausberg, aaO. § 820, S. 407f.
73 Quintil., inst. or. VI, 2, 29f; Rahn, aaO. I, 709-711. Vgl. dazu Lausberg, aaO. § 811, S. 402.   74 August., Conf. I, 1; Loeb 2; reclam 29.

Bei diesem zwar viel zitierten, aber wahrscheinlich weniger verstan-
denen Wort darf man ebenfalls nicht übersehen, daß die **inquietas** eine
Form des motus ist. Selbst die **fides** als persuasio ist noch bei Luther und Melanchthon eine im Kern rhetorische Kategorie.(75) Denn
was ist der Glaube anderes als die Wirkung einer "Vergegenwärti-
gung" des Abwesenden und Unsichtbaren durch die Anwesenheit des
Sichtbaren in der phantasmatischen **narratio**?(76)

> "non omnia, quae in re praesenti accidisse credibile est, in ocu-
> lis habebo?"(77)

> "Habe ich (als Redner) nicht all das, was man in einem anste-
> henden Gerichtsfall glauben soll, vor Augen?"

> "Daraus ergibt sich die ἐνάργεια (Verdeutlichung), die Cicero
> 'illustratio' (Ins-Licht-Rücken) und 'evidentia' (Anschaulichkeit)
> nennt, die nicht mehr in erster Linie zu reden, sondern vielmehr
> das Geschehen anschaulich vorzuführen (ostendere) scheint, und
> ihr folgen die Gefühlswirkungen (adfectus) so, als wären wir bei
> den Vorgängen selbst zugegen."(78)

2.4.2. Damit stehen auch die rhetorischen **Tropen** im Zentrum der "**Affektion**". Z.B. erstrebt die **Metapher** eine Versinnlichung und lebendi-
ge Vereindringlichung (amplificatio) der Aussage:

> Darin "liegt eine große Ergötzlichkeit, teils weil durch ein ein-
> zelnes Wort ein Gedanke, ein vollständiges Gleichnis ausgedrückt
> wird, teils weil jede mit Verstand gemachte Übertragung (transla-
> tio)(79) den Sinnen selbst nahetritt (ad sensus admovetur), vor-
> züglich dem Gesicht (oculi), das der schärfste Sinn (acerrimus)
> ist"(80).

> "Die versinnlichende Metapher wirkt der genuinen Dunkelheit der
> Metapher entgegen und macht sie unmittelbar dem Empfinden ein-
> gänglich in sinnlicher Vergegenwärtigung."(81)

So ist die **figurale** Rede mit ihrem Effekt des vergegenwärtigenden
Phantasmas ein Mittel, den **Willen** des Hörers über die Erregung des
motus zum **servus der credibilitas** zu machen. Genau darin liegt nun
für Augustin auch die hermeneutische Gefahr. Zwar hält er die Kenntnis der Tropen zur Auflösung von Zweideutigkeiten (ambiguitas) der
Hl. Schrift für notwendig.(82) Aber es gilt für den Umgang mit den

---

75 Zum Nachweis vgl. Dockhorn, aaO. 30-33.   76 Zum rhetorischen Kontext vgl. Lausberg, aaO. § 289-347, S. 163-190.
77 Quintil., inst. or. VI, 2, 32; Rahn, aaO. I, 710. Die deutsche Übersetzung ist an dieser Stelle nicht prägnant genug. Zum Kommentar vgl. Dockhorn, aaO. 30f.   78 Quintil., inst. or. VI, 2, 32; Rahn, aaO. I,
710f.   79 Zur translatio beim tropus vgl. Lausberg, aaO. § 566, S. 292.
80 Cic., or. III, 40, 160; zitiert nach **Marcus Tullius Cicero, Vom Redner**,
übers. v. Raphael Kühner. (Goldmanns Gelbe TB 850/851). o.J., 309.
81 Lausberg, aaO. § 559c, S. 287.
82 Vgl. doctr. christ. III, 29, 41; BKV 142; Migne 81.

Figuren die Regel,

> "das, was man liest, so lange sorgfältig zu wenden (versare), bis die Erklärung (interpretatio) zum Reiche der Liebe gelangt" (83).

Denn diese **Liebe** ist

> "die Bewegung der Seele (motus animi) dahin, um Gott seiner selbst wegen, sich und den Nächsten aber wegen Gott zu lieben; Begierlichkeit (cupiditas) aber heißt das Streben des Geistes (motus animi), sich, den Nächsten und jeden Körper (corpus) nicht wegen Gott zu genießen"(84).

Damit ist Augustin wieder bei dem semiotischen Thema der **Körperlichkeit** als dem vitium des "Figuralen" angelangt, dem wir uns nunmehr zuwenden.

2.5. Von der Gegenwärtigkeit des Seins im "Imaginären"

2.5.1. Die zentrale Frage der Semiotik im Bereich der rhetorischen "imaginatio" lautet: Wie kann die abwesende, immaterielle res, welche durch signa nur "vertreten" wird, dennoch materiell "anwesend" gemacht werden? Wie kann z.B. die Vergangenheit der Geschichte(85) im **"Imaginären"** eines erzählenden Sprechens "vergegenwärtigt" werden, wenn das Subjekt dieser Geschichte der nicht-geschaffene, immaterielle Schöpfer-Gott ist, welcher dann mittels geschaffener, materieller Zeichen ausgesagt wird?

2.5.2. Augustin steht angesichts dieser Frage vor einem ausgesprochen **paradoxen** Sachverhalt:

> Einerseits kann man nur vom Deus immutabilis sagen, er "sei" und deswegen auch "wahr"; die "falschen Körper" "sind" dagegen nicht.

Andererseits "sind" weder Vergangenheit noch Zukunft:

> "Die Vergangenheit ist nicht mehr, die Zukunft ist noch nicht. Die Gegenwart scheint eher zu **sein**."(86)

Aber diese Gegenwart hat keine **Dauer**:

> "praesens autem nullum habet spatium."(87)

83 doctr. christ. III, 15, 23; BKV 128; Migne 74.
84 doctr. christ. III, 10, 16; BKV 122; Migne 72.
85 Zur Zeitproblematik bei Augustin vgl. Flasch, aaO. 263-286.
86 Ebda. 269.
87 August., Conf. XI, 15, 20; Loeb 244.

Kurt Flasch interpretiert:

"Es gibt folglich kein unteilbares Zeitelement. Was es gibt, ist
der ständige Übergang des Zukünftigen ins Vergangene, und dieser Übergang geschieht plötzlich, schlagartig (raptim), so daß
er keine Dauer hat."(88)

Wie kann unter diesen Umständen das Sprechen in der verfließenden
Gegenwart, welche als mutable ebenfalls nicht eigentlich "sein" kann,
den eigentlich "seienden" Gott der geschichtlichen Vergangenheit aussagen, wenn diese Vergangenheit weder selbst "ist" noch in der Gegenwart des Sprechens zum "wahren Sein" werden kann?

2.5.3. Augustin beantwortet auch diese Frage als **Rhetor**:

"Was nicht ist, kann man doch nicht sehen (videri). Und die Vergangenes erzählen, könnten gewiß nichts Wahres (vera) erzählen,
wenn sie es nicht im Geiste schauten (si animo illa non cerne-
rent). Wäre das aber nichts (nulla), könnte man es auch nicht
schauen (cerni). Also ist es doch, das Zukünftige und das Vergangene."(89)

Dies ist ganz aus dem Geist der Rhetorik formuliert. Denn für diese
sind die sinnlichen **Metaphern des Schauens** "lebhafter" als alle anderen, weil sie den motus imaginationis anregen:

"illo vero oculorum multo acriora quae pene ponunt in conspectu
animi quae cernere et videre non possumus"(90);

"die von dem Gesichtssinn entlehnten (scil Ausdrücke) sind un-
gleich lebhafter, indem sie Gegenstände, die wir nicht wahrnehmen und sehen können, vor die Anschauung des Geistes hinstel-
len."(91)

Damit geht es bei Augustin um die rhetorische **evidentia**, eine affektivische Figur, welche das **Gleichzeitigkeitserlebnis** konstituiert(92):

"multum confert adiecta veris credibilis rerum imago, quae velut
in rem praesentem perducere audientis videtur."

"Großen Eindruck macht es, wenn man zu den wirklichen Vorgängen noch ein glaubhaftes Bild hinzufügt, das den Hörer gleichsam
gegenwärtig in den Vorgang zu versetzen scheint."(93)

Die evidentia oder ὑποτύπωσις ist

"eine in Worte so ausgeprägte Gestaltung von Vorgängen, daß man
eher glaubt, sie zu sehen als zu hören";

"proposita quaedam forma rerum ita expressa verbis, ut cerni
potius videantur quam audiri."(94)

---

88 Flasch, aaO. 271.   89 August., Conf. XI, 17; reclam 337; Loeb 247.
90 Cic., or. III, 40, 161; vgl. Lausberg, aaO. § 559c, S. 287.
91 ed. Kühner, aaO. 309.   92 Vgl. dazu Lausberg, aaO. § 810,
S. 399f.   93 Quintil., inst. or. IV, 2, 123; Rahn, aaO. I, 484f.
94 Quintil., inst. or. IX, 2, 40; Rahn, aaO. II, 286f.

"Und nicht nur was geschehen ist oder geschieht, sondern auch was geschehen wird oder geschehen sein würde, malen wir bildhaft gegenwärtig";

"nec solum quae facta sunt aut fiant, sed etiam quae futura sint aut futura fuerint, imaginamur."(95)

2.5.4. Nach diesen Zitaten scheint mir absolut erwiesen, daß Augustins philosophische Zeitreflexionen eine kommentierende Anspielung auf diese bei Quintilian erscheinende rhetorische Problematik des **"Imaginären"** sind.(96) Die termini technici memoria(97), imago(98) und praemeditatio (praedictio) müssen als typisch rhetorisch erkannt werden, erst dann kann man sagen:

"Die Gegenwart des Vergangenen heißt Gedächtnis, memoria, die Gegenwart des Gegenwärtigen heißt 'Anblick', die Gegenwart des Zukünftigen heißt Erwartung."(99)

Augustin spricht vom "Imaginären" als der einzigen **Gegenwart des "Seins"** ganz klar:

"Freilich, wenn wir Vergangenes wahrheitsgemäß erzählen, holen wir aus der Erinnerung (memoria) nicht die Dinge selbst (res ipsae) hervor, die vergangen sind, sondern nur Worte, die die Bilder wiedergeben (verba concepta ex imaginibus eorum), die jene Dinge im Vorübergehen durch die Sinne (sensus) dem Geist (animus) wie Spuren (vestigia) eingeprägt haben. So liegt meine Jugend, die nicht mehr ist, in der Vergangenheit, die gleichfalls nicht mehr ist. Ihr Bild (imago) jedoch, wenn ich ihrer gedenke und von ihr erzähle, schaue ich in der Gegenwart, da es noch jetzt in meinem Gedächtnis (memoria) ist."(100)

In ähnlicher Weise kann auch die **Zukunft** bereits jetzt geschaut werden:

"Spricht man.. von einem Sehen zukünftiger Dinge, so werden nicht sie selbst, die noch nicht sind, weil sie erst zukünftig sind, sondern vielleicht ihre Ursachen oder **Zeichen** (causae vel signa) gesehen, die bereits sind. Diese sind den Seelen nicht zukünftig, sondern gegenwärtig, und aus ihnen, wenn der Geist sie erfaßt, wird die Zukunft vorausgesagt (praedicari). Diese geistigen Eindrücke (conceptiones) also sind bereits, und wer Künftiges voraussagt, schaut sie gegenwärtig in seinem Innern." (101)

---

95 Quintil., inst. or. IX, 2, 41; Rahn, aaO.   96 Dort bewirkt die narrative imaginatio das verisimile. Vgl. Lausberg, aaO. § 290, 3aß, S. 166.
97 Vgl. ebda. Zitat von Herenn. rat. dic. 1, 8, 13: "historia est gesta res, sed ab aetatis nostrae memoria remota."
98 Vgl. ebda. § 1088, S. 526.   99 So Flasch, aaO. 272.
100 August., Conf. XI, 18; reclam 338; Loeb 248.
101 Conf. XI, 18; reclam 338f; Loeb 248f.

2.5.5. Damit hat Augustin die Gegenwart des "Seins" ganz an die Materialität des Sprechens gebunden. Aber da diese Materialität wegen
ihrer Vergänglichkeit ebenfalls nicht "ist", kann sie allenfalls eine
"imaginäre" visio "stützen"(102), bei welcher nicht mehr, wie noch
bei Zenon, die Stimme als Körperprodukt gehört wird, sondern der motus animi zur **unkörperlichen** "inneren" imago geleitet wird: Die Körperlichkeit des Hörens verwandelt sich nach Augustin in die "innere"
Schau der **"illustratio"**, welche als energia letztlich zum amor Dei
führt.

Isidorus Hispalensis (600-636) definiert später:

> "energia est rerum gestarum aut quasi gestarum sub oculis induc-
> tio."(103)

Die Schemata dianoeas sagen ganz ähnlich:

> "ἐνάργεια est imaginatio quae actum incorporeis oculis subicit,
> et fit modis tribus: persona, loco, tempore."(104)

So besteht zwischen dem **ornatus** der "geschmückten" Rede und den **Augen** eine geheime Beziehung:

> "Ich nun halte diese Lichter der Rede(105) gleichsam für die Au-
> gen der Beredsamkeit."

> "ego vero haec lumina orationis velut oculos quosdam esse elo-
> quentiae credo."(106)

2.6. Augustins "Bekehrung" und das "Imaginäre": der "gespaltene" Mensch

2.6.1. Die anwesende Abwesenheit und die Differänz der Schrift

2.6.1.1. Auf diesem Hintergrund hat Jochen Hörisch ganz recht, wenn
er von **Augustins "Bekehrung"** sagt, sie sei

> "weniger Folge eines ihn erreichenden Kerygmas als vielmehr Re-
> sultat einer Inversion des Verhältnisses von Präsenz und Rede
> oder von Wort und Wortinhalt/Bedeutung, die diesen göttlichen
> Ruf erst ermöglicht: nicht länger gilt ihm das Sprechen als Ver-
> drängung und supplementäre Deckfigur mangelnder Präsenz, wenn

---

102 Zum "Stützen" vgl. unten S. 248-253.   103 Isid., orig. II, 21,
33; Lausberg, aaO. § 810, S. 400.   104 Schem. dian. 1; Lausberg, aaO. § 812, S. 402.   105 Zu diesem rhetorischen terminus
technicus vgl. oben S. 14 das Zitat von Roland Barthes (Anm. 4).
106 Quintil., inst. or. VIII, 5, 34; Rahn, aaO. II, 216f.

er das Wort als Lautgefäß von seinem Inhalt trennt. Dazu nötigt ihn die Gewißheit der Erfahrung, wie das Absente und deshalb graphisch Verzeichnete nicht zu lesen sei."(107)

Nach diesem Zitat geht es also bei der "Bekehrung" Augustins um das plötzliche **"anwesend"-Werden des bisher "Abwesenden"**, indem zugleich das bisher "Anwesende" "abwesend" wird: Das bisher "anwesende" menschliche **Subjekt** wird in dem Augenblick als körperliche Schein-identität und damit als "sündhaft" und vor Gott "abwesend" erkannt, als das bisherige Medium der "Abwesenheit", die schriftliche **Körper-lichkeit des Buchstabens** der Hl. Schrift, in die innere imaginatio um-schlägt, welche sich am Körper des "Bekehrten" als **Zeichen einer af-fektivischen Wandlung der fides** anbahnt und niederschlägt. Kurz: Auch die "Bekehrung" Augustins ist ein semiotischer Vorgang, bei dem die "innere" imaginatio an die "rhetorische" Wirksamkeit des Zeichen-"Körpers" auf den leiblichen Körper und auf das "Imaginäre" der Seele dialektisch gebunden bleibt.

2.6.1.2. Angesichts der **Schriftlichkeit** der Hl. Schrift wird in der "Be-kehrung" also eine **Differänz**(108) sichtbar, weil der Raum-"Körper" der Schrift das bisherige Merkmal der Subjekt-Identität, den leiblichen Körper des Lesenden (und Schreibenden), **verdrängt**; oder anders: weil der "Körper" des Buchstabens als **Zeichen des Sagens** so zwischen dem Sagen und dem Ausgesagten unterscheidet(109), daß er seine materielle Präsenz einerseits an die Stelle der Präsenz des leiblichen Körpers setzt und diesen so "abwesend" macht und daß er andererseits als "anwesendes" Zeichen des Sagens auf etwas "zeigt", was gerade im Gesagten **noch nicht gesagt**, also "abwesend", ist. M.a.W.: Indem das Sagen sowohl das Gesagte als auch das Subjekt des Sagens(110) an die räumlich-zeitliche **"Zerstückelung"** des Zeichen-"Körpers" bindet, entsteht eine **"imaginäre" Illusion von "Anwesenheit"**, zugleich aber auch die "Abwesenheit" des (noch) nicht Gesagten; wegen dieser **Defek-**

107 Hörisch, in: Derrida, Stimme 10.
108 Vgl. zu diesem Topos oben S. 90-100.
109 Diese semiotische Differenz zwischen dem **Akt des Sagens**, der semanti-schen "Arbeit" des Geistes mittels materieller Zeichen-"Körper", und sei-nem **Produkt**, dem stets durch neues Sagen ergänzbaren Gesagten, ist ein Angelpunkt bei **Algirdas Julien Greimas - Joseph Courtés, Sémiotique.** Dic-tionnaire raisonné de la théorie du langage. 1979, 123-128.
110 Vgl. ebda. 127: l'énonciation "est en même temps l'instance de l'in-stauration du sujet (de l'énonciation)". Die Zeichen-"Körper" der Text-oberfläche konstituieren gerade mit der grammatischen Morphologie "le su-jet de l'énonciation par tous ce qu'il n'est pas". Der "Ort" des Sagens ist "imaginaire", "qui confère au sujet le statut illusoire de l'être".

tivität bleibt das sprechende Subjekt auf stets neue Akte des Sagens verwiesen, so daß es zwar auf sie hin "ist", aber niemals als ihr **Schöpfer** gelten kann: Das Subjekt ist Geschöpf, aber nicht Schöpfer des Wortes.

2.6.1.3. Im Akt des Sagens steckt ein Wunsch nach einem "Mehr", das **Begehren** nach einem "Jenseits" des bereits Gesagten; im Akt des Sagens steckt ein "Zeigen" auf alle anderen Akte des Sagens. Insofern ist dieser Akt ein **transzendentales Zeichen**. Das "Ich" dieses Aktes, traditionell "Subjekt" genannt, kann sein Sagen niemals einfangen und in ein Gesagtes "bannen". Das "Ich" hat seinen Ort überhaupt nur im Sagen, das ihm stets vorausgeht, sowohl in der Vergangenheit als auch in der Zukunft, in beiden Fällen als **Sagen von anderen**. Durch neues Sagen dem Gesagten etwas **nachzutragen**, was immer noch fehlt, das ist das Zeichen der schicksalhaften Geschichte des "Ich". Jeder Versuch, diese Defektivität zu beseitigen, etwa durch die Fixierung des Gesagten in der Schrift, vergrößert nur den **Mangel** des "Ich". Denn gerade das fixierende Nachtragen beweist, daß der einmalige Akt des Sagens eben nicht genügte: In dem "Körper" der Schrift bekommt das "Ich" schwarz auf weiß, daß es im Begehren **hinter dem Sagen herläuft**.

Gerade an der unendlichen Kette seines Sagens wird also offenbar, daß dem sprechenden Subjekt etwas vorausgeht, mit dem es niemals **identisch** werden kann: Nicht eigentlich das Gesagte, sondern das "Ich" wird in der Differänz der Schrift nachgetragen. Unübertroffen formuliert Jochen Hörisch diesen Sachverhalt:

"Gegen die Imagination gelesener Präsenz des Sinns und sinnvoller Präsenz legt Derrida die Verräumlichungsbewegung der Schrift als 'das Abwesend- und Unbewußt-Werden des Subjekts'(111) aus. In der Lektüre von Schrift nämlich wiederholt sich zwanghaft und unendlich die Sub-iectivität und Nachträglichkeit des Subjekts, von der dieses sich, sich reden-hörend, emanzipieren zu können und so die Katastrophe seiner Absenz phantasmatisch zu kompensieren meint."(112)

Lesender Umgang mit dem Buchstaben der Hl. Schrift ist so geleitet von dem **Wunsch**, die "Abwesenheit der Sache" und des Subjekts in der Abwesenheit der Schrift(113) in die **Präsenz des "Imaginären"** zu verwandeln.

111 **Jacques Derrida, Grammatologie,** übers. v. Hans J. Rheinberger – Hanns Zischler. 1974, 120.   112 Hörisch, in : Derrida, Stimme 13f.
113 Vgl. Derrida, Grammatologie 120f: "Die eigentümliche Abwesenheit des Subjekts der Schrift ist auch die Abwesenheit der Sache oder des Referenten."

2.6.2. "In Geschichten Verstricken": Die rhetorische Dynamik des Affektivischen der narratio und die Intertextualität

2.6.2.1. Von diesem Wunsch nach Verwandlung zeugt auch Augustins **Erzählung** von seiner "Bekehrung". Zweifellos handelt es sich bei dieser Erzählung streckenweise um "spätere literarische Stilisierung" (114):

> "In den **Confessiones** hat der Rhetorikfachmann Augustin eine Lebensbeschreibung des Wüstenheiligen Antonius, biblische Reminiszenzen – Feigenbaum des Nathanael aus Joh. 1, 48 – und antike Muster eingearbeitet."(115)

Auch kann man von einer "Lebenskrise" und einer körperlichen **Krankheit** sprechen und mit Flasch dazu anmerken:

> "Aber die Krankheit war die Folge eines seelischen und eines intellektuellen Konflikts, nicht umgekehrt."(116)

Aber gerade wenn man das Verhältnis zwischen Leib und Seele bedenkt und die **Körperzeichen** einer Krankheit als Folge seelischer Vorgänge interpretiert, darf man umso weniger verkennen, daß der "Rhetorikfachmann" Augustin seine **narratio** nicht nur mittels einer affektivischen Pragmatik strukturiert, sondern sich auch beim Leser seiner narratio eine ähnliche Dynamik des Affektivischen in Richtung auf eine "Bekehrung" zum Ziel setzt. Kurz: Mittels "imaginärer" **affectio** infolge einer Verwandlung des gelesenen Buchstabens der "Vita Antonii"(117) und der Hl. Schrift(118) in die "innere" visio des agendum entstand nicht nur in Augustin selbst die "Bekehrung"; die narratio derselben hat vielmehr auch den rhetorischen Zweck, den Leser ebenfalls in diese conversio zu **verstricken,** wie der Erzähler in sie verstrickt ist. So belegt diese narratio gerade die affektivische **Pragmatik des "Verstrickens"**, welche Flasch dem Augustin abspricht(120).

---

114 So Flasch, aaO. 47, dort als Frage formuliert.   115 Ebda. 48.
116 Ebda.   117 Sie wurde um 357 von Athanasius (295-373) geschrieben. Vgl. Altaner-Stuiber, aaO. 276; Fundort: Migne PG 26, 835-976; Migne PL 73, 125-170.   118 Vgl. August., Conf. VIII, 12; reclam 228; Loeb 464f. Er liest Röm 13, 13: "non in comissationibus et ebrietatibus, non in cubilibus et impudicitiis, non in contentione et aemulatione, sed induite dominum Jesum Christum, et carnis providentiam ne feceritis in concupiscentiis." Augustin liest hier den Text der Itala. Die leicht abweichende Vulgata-Version wurde erst ab 386 in Bethlehem durch Hieronymus (347-420) redigiert.
119 Zum "verwickelnden" Charakter der narratio vgl. **Wilhelm Schapp, In Geschichten verstrickt.** Zum Sein von Mensch und Ding. 1953. ²1976 mit einem Vorwort v. Hermann Lübbe.   120 Vgl. die Belege oben S. 115 Anm. 2.

2.6.2.2. Bevor wir diese These mit dem Einzelnachweis belegen, ist es angebracht, auf das "Verstricktsein" in Geschichten etwas ausführlicher einzugehen, zumal diese Definition Wilhelm Schapps so gut wie meist auch in der theologischen Narrativik übersehen wird(121). Dieser Hinweis auf Schapp ist auch insofern keine Abschweifung von der Thematik Augustins, als bei Schapp sowohl die Relation zwischen Erzählung und "imaginärem" Bild(122) als auch die Relation zwischen Erzählung und leiblichem Körper thematisiert werden(123), beides hermeneutische Kardinalpunkte, auf welche wir schon mehrfach gestoßen sind. Abgesehen davon ist auch die rhetorische Komponente bei Schapp nicht zu übersehen(124); ebensowenig, daß Schapp ausdrücklich **Augustin** als Beispiel für seine Theorie namhaft macht(125).

2.6.2.3. Wilhelm Schapp beginnt sein Buch gleich mit der Hauptthese:
"Wir Menschen sind immer in Geschichten verstrickt. Zu jeder Geschichte gehört ein darin Verstrickter. Geschichte und In Geschichte-verstrickt-sein gehören so eng zusammen, daß man beides vielleicht nicht einmal in Gedanken trennen kann."(126)

121 **Ephrem-Josef Bucher** ofmcap, **Religiöse Erzählungen und religiöse Erkenntnis.** (FThL 6). 1978, 114-124. 139-149 verkennt bei seiner Darstellung meiner Position, wie stark ich Schapp bereits in LingBibl 11/12. 1972, 2-12 herangezogen habe. Abgesehen davon, daß **Siegfried J. Schmidt, Texttheorie.** (UTB 202). 1973 keine "Generative Poetik" vertritt, stellt Bucher meine Position viel zu flächig dar. Z.B. kommt die narrative Deiktik überhaupt nicht zum Tragen.
122 Vgl. Schapp, aa. 76ff: Das Auftauchen der "Welt im Bild". Vgl. ebda. 81f. 152f zum Traum. Ebda. 96-99: Geschichten und Illustration.
123 Vgl. ebda. 22f: Der tätige Leib ist der Leib, von innen her gesehen; er taucht vor dem von außen her gesehenen visuellen und erst recht vor dem stofflichen Leib auf. Vgl. ebda. 98: "Dies Rotkäppchen, welches die Geschichte erlebt, ist ja sicher nicht identisch mit dem Leib, mit dem es vor uns auftaucht, mit dem Leibe, den schließlich ja nur wir sehen, den es selbst nicht einmal sieht." Ebda. 99f: Der Leib erzählt eine Geschichte. Ebda. 127: "Wir sehen sie (scil. die geschichtliche Welt, EGü.) immer nur so, wie der Kopf seinen Körper sieht, den Körper, zu dem er selbst gehört." Ebda. 133f: Der Zugang zum Menschen ist nicht vom Leibe aus, sondern nur von seinen Geschichten her möglich. Ebda. 135: Das Verstricktsein in Geschichten ist das Primäre gegenüber dem Leib. Vgl. ebda. 193f. 124 Darauf verweisen z.B. die vielen Beispiele aus der juristischen Praxis des Richters oder des Anwalts, welche die Hauptanwendung antiker Rhetorik darstellt. 125 Vgl. ebda. 128: "Es gibt andere Geschichten, die als Einzelgeschichte im Mittelpunkt eines ganzen Lebens stehen, von denen aus ein ganzes Leben verständlich wird, von denen aus erst alle vorhergehenden und nachfolgenden Geschichten ihren letzten Sinn erhalten. So ist es bei den großen Bekehrungen, etwa bei der Bekehrung des Apostels Paulus und des Heiligen Augustinus. Unter dem Gesichtspunkt dieser Bekehrung wird das ganze Leben in zwei Abschnitte zerteilt, einen ersten Abschnitt mit dem Stempel der Nichtigkeit und in den zweiten, der das eigentliche Leben des Heiligen eröffnet." 126 Ebda. 1.

So ist das **Narrative** diejenige Ganzheit, in welcher allein die Ganzheit und Einheit sowohl des Menschen als auch der sog. Außenwelt erscheint. Das gilt nach Schapp auch für die von Menschen geschaffenen Dinge, welche Martin Heidegger "Zeug"(127) und Schapp "Wozudinge" nennen(128). Ihre Herstellung verweist nämlich auf ihr Alter (129) und ihre Wozu-Bestimmtheit verweist auf ihren Zweck(130). Das Alter hat mit ihrer erzählbaren Vergangenheit und ihr Zweck hat mit ihrer Zukunft zu tun.(131) So sind sie verwoben in eine erzählbare Geschichte der Tätigkeiten des Menschen, welcher selber nur als der in Geschichten Verstrickte erscheint.(132) Dieser verstrickte Mensch kommt in Geschichten vor

> "mit seiner ganzen Seele..., mit seinen Leidenschaften, seinen Trieben, seinen Charakteranlagen, seiner Liebe, seinem Haß, seiner Trauer, seiner Freude, seiner Vernunft, seinem Verstand, seinem Wissen, seinen Kenntnissen. Man kann sogar fragen, ob nicht der einzelne Verstrickte immer nur durch sein seelisches Gesamtgefüge in Geschichten verstrickt sein kann."(133)

2.6.2.4. Damit ist das auch von der Rhetorik zum Zentrum genommene **Affektivische als Grund des Verstricktseins** angegeben. Seine Modifikation sind auch die halluzinatorischen Formen der Wahrnehmung,

127 Vgl. **Martin Heidegger, Sein und Zeit.** 8. Aufl. 1957, 68: "Wir nennen das im Besorgen begegnende Seiende das **Zeug.**" "Die verschiedenen Weisen des 'Um-zu' wie Dienlichkeit, Beiträglichkeit, Verwendbarkeit, Handlichkeit konstituieren eine Zeugganzheit. In der Struktur 'Um-zu' liegt eine **Verweisung** von etwas auf etwas." Der implizit semiotische Akzent ist hier zu beachten. 128 Vgl. Schapp, aaO. 3: "Mit Wozuding haben wir die von Menschen geschaffenen Dinge wie Tische, Stühle, Tassen, Häuser, Paläste, die Werke der Menschen im Auge." Ebda. 3f: Seinen Sinnzusammenhang, seine Bedeutsamkeit erhält das Wozuding durch seine Einfügung in die Geschichte des Menschen. 129 Vgl. ebda. 13: "Das Wozuding tritt uns mit einem mehr oder weniger bestimmten Alter entgegen... Das Alter scheint auf die Herstellung des Wozudinges zu verweisen."
130 Vgl. ebda. 14: "Das Wozuding taucht.. notwendig in seinem Charakter, in seiner Bestimmtheit als Wozuding auf."
131 Vgl. ebda. 17: "Die Wozudinge tauchen in oder mit ihren Bestimmtheiten, mit ihren Charakteren auf. Damit steht in engem Zusammenhang, daß sie nicht in einer punktuellen Gegenwart oder als nur punktuell gegenwärtig auftauchen, sondern mit einer Vergangenheit, mit einer Geschichte, mit einem Alter. Diese Vergangenheit, diese Geschichte wird immer mit gegenwärtig."
132 Vgl. ebda. 19-23: Der "Stoff", das "Auswas" der Wozudinge, taucht im Zusammenhang der erzählbaren menschlichen Tätigkeiten auf, in welchem auch der menschliche Leib erscheint. 133 Ebda. 2.

"die Vorstellung in der Hypnose, im Traum, in der Erinnerung
oder in der Phantasie"(134).

"Das Schwergewicht des Traumes scheint.. darin zu liegen, daß
wir Geschichten träumen." "Die Sprache scheint dies auch schon
dadurch anzudeuten, daß man ungezwungen sagen kann, man habe
Geschichten geträumt, während man kaum sagen kann, daß man
Gegenstände oder Vorstellungen geträumt habe."(135)

Ganz im Sinne der Rhetorik beharrt hier Schapp auf dem untrennbaren
pragmatischen Zusammenhang von **narratio und imaginatio**. Dieser Zusammenhang hat auch zur Folge, daß sich das Narrative nicht wie
ein "Gegenstand" untersuchen läßt,

"weil etwas Geschichte nur insoweit ist, als ich in die Geschichte
verstrickt bin"(136).

Weil nach Schapp zu behaupten ist,

"daß weder die eigene Geschichte noch die fremde Geschichte je-
mals Objekt, Gegenstand, werden könnte",

ist die eigentlich angemessene Relation des Zuhörers/Lesers zum Erzählten

"eine Unterhaltung zwischen mir, dem Ichverstrickten, mit dem
anderen Verstrickten, mit dem Mitverstrickten, die alle in einem
Wir geeint sind"(137).

2.6.2.5. Damit deutet Schapp einen Topos an, welcher in der neueren
Narrativik als **narrative Deixis** bezeichnet wird(138): Jede Geschichte
hat eine Vorgeschichte,

"die mit den ersten Sätzen auftaucht und sich nach rückwärts
im Dunkeln verliert". "Auch die Vorgeschichte hat wieder ihre
Vorgeschichte. Eine Geschichte mit einem absoluten Anfang oder
der absolute Anfang einer Geschichte kann nicht auftauchen."
(139)

Zur narrativen Deixis gehört auch ein Hintergrund sowie das Moment
des **Andeutens**. Die Geschichte würde

"auch keine Geschichte sein, wenn dies alles nicht andeutungswei-
se und im Hintergrunde oder im Horizont mit vorhanden wäre"
(140).

Zur deiktischen Dynamik des Narrativen gehört vor allem die raum-
zeitliche **Bewegung** sowie eine eigentümliche **Verwandlung der Zeit**:

"Die eigentliche Bewegung... verläuft im Vordergrunde, während
das Kennzeichen des Hintergrundes Ruhe und Beharren ist, doch
so, daß aus ihm alles hervorbrechen kann."(141)

---

134 Ebda. 80.   135 Ebda. 81.   136 Ebda. 85.
137 Ebda. 87.   138 Vgl. dazu Dieter **Wunderlich, Pragmatik,Sprech-**
situation, Deixis. LiLi 1/2. 1971, 153-190; Reinhold **Winkler, Über Deixis**
und **Wirklichkeitsbezug** in fiktionalen und nicht-fiktionalen Texten; in:
Wolfgang Haubrichs (Hg.), Erzählforschung 1. Theorien, Modelle und Methoden der Narrativik. (LiLi, Bh. 4). 1976, 156-174.
139 Schapp, aaO. 88.   140 Ebda. 90.   141 Ebda. 91.

Diese Bewegung ist weder etwas Gradliniges noch etwas Eingleisiges
mit einem festen Ziel,

> "sondern von Anfang an ist die Geschichte... ständig sich weit
> voraus. Vom Anfang spannt sich ein Bogen, der schon eine Rich-
> tung auf ein Ende hat. Dieser Bogen füllt sich aber nicht aus.
> Die Richtung, in die er weist, wird aufgegeben, abgebaut, neue
> Bogen tauchen auf."(142)

Vom Eigentümlichen der Zeitbeziehung des Narrativen muß man festhalten, daß sich die Geschichte nicht in Zeitabschnitte einteilen läßt;
vielmehr fällt auf,

> "daß die Einzelgeschichte eigentlich keinen Anfang hat und auch
> kein Ende hat, sondern in Vorgeschichte und Nachgeschichte über-
> geht." "Die Geschichte ist sich ständig selbst voraus und ist auch
> ständig nach rückwärts gewandt."(143)

2.6.2.6. Dieses deiktische "Zeigen" voraus und zurück, technisch Pro-
tention und Retention genannt, ist für das sachgemäße Erfassen des
Narrativen schlechterdings entscheidend: Da jede Einzelerzählung auf
alle ihr vorausgehenden und auch auf alle an sie anschließbaren anderen Einzelerzählungen verweist, erscheint in dieser narrativen
Dynamik so etwas wie eine **transzendentale Intertextualität**(144). D.h.
jede Einzelerzählung ist ein Deiktikon, welches als Fragment auf das
niemals als materieller Gegenstand "vorliegende" **Ganze des Erzählbaren** "zeigt". Insofern jede Erzählung als Zeichen auf die Gesamtheit
der narrativen Welt "zeigt", ist sie ein auf Akte der **Anschließung**
"offenes Kunstwerk"(145) und niemals mehr als eine Partitur, eine **Anweisung** auf die "Arbeit" des Zuhörers/Lesers(146).

2.6.2.7. Das hat auch Auswirkungen auf die Relation der Erzählung
zur **Zeit**, weil auch die Zeit des Erzählens auf die Zeiten vergangenen
und künftigen Erzählens "zeigt":

142 Damit spielt der Husserl-Schüler Schapp auf die poetische Deixis-Theo-
rie bei einem anderen Husserl-Schüler an. Vgl. **Roman Ingarden, Das literarische Kunstwerk.** ²1960, 197ff. 235ff. 247ff; ders., **Vom Erkennen des literarischen Kunstwerks.** 1968, 95ff. Vgl. ebda. 100ff zur narrativen "Deixis am Phantasma": "Die Satzsinne, welche der Leser in der gerade gelesenen Phase des Werkes explicite entfaltet, treten in den bereits gelesenen
und in diesem Sinne 'vergangenen' Teilen des Werkes als fertige, und in
einem zusammenfassenden Meinungsakt erfaßte Sinneinheiten auf und in dieser Gestalt werden sie im lebendigen Gedächtnis erhalten." Zur Deixis
am Phantasma vgl. Güttgemanns, Einführung 70. Zu ihrem synthetischen Charakter vgl. Iser, Akt 175ff.   143 Schapp, aaO. 139.
144 Vgl. dazu bereits oben S. 18.
145 Vgl. dazu **Umberto Eco, Das offene Kunstwerk,** übers. v. Günter Memmert.
(stw 222). 1977.
146 Vgl. dazu oben S. 25f. 28 die Zitate aus Iser, Akt 178.

"Im strengen Sinne vergangene Geschichte gibt es nicht. Jede Geschichte kann noch wieder aus ihrem Platz im Horizont hervorbrechen." Die zukünftige Geschichte muß "schon im Horizont in der
Gegenwart gegenwärtig sein, ja sie kann auch in den vergangenen Geschichten und muß in ihnen als zukünftige Geschichte gegenwärtig sein, damit überhaupt aus der vergangenen Geschichte
eine Geschichte wird. Die in der Vergangenheit stets schon gegenwärtige Zukunft reicht dabei schon immer über jede Gegenwart,
über Gegenwart in jedem Sinne hinaus." "Wenn mich 'vergangene'
Geschichten in den Bann ziehen, wenn sie mich gefangennehmen,
so taucht mit jeder vergangenen Geschichte das auf, was damals
als Zukunft im Horizont lag."(147)

So wird die Zeit bei Schapp von der narrativen, deiktisch strukturierten **Verstrickung** her gedacht:

"Soweit Verstrickung vorliegt, liegt Gegenwart vor."(148)

Ähnlich wie Augustin, nach dem **Gegenwärtigkeit** nicht im Materiellen
von Raum und Zeit, sondern allein im rhetorisch produzierten "Imaginären" vorliegt(149), kann Schapp formulieren:

"Damit verwandelt sich Vergangenheit und Zukunft in Gegenwart,
dehnt sich die Gegenwart auf Kosten der Vergangenheit und Zukunft, wie man auch sagen könnte, ins Unendliche aus."(150)

2.6.2.8. Was vom Vorrang der Gegenwärtigkeit des "Imaginären" vor
dem Materiellen der Zeit gilt, das gilt nach Schapp auch von der **Materialität des menschlichen Leibes.** Auch diese taucht nach Schapp erst
im Rahmen den narrativen Welt auf. Schapp fragt:

"Ist das, was mit dem menschlichen Leib auftaucht und was auftaucht, wo uns Menschen begegnen, einerlei, ob sie uns im Bilde
oder in der Wirklichkeit begegnen, nur die Geschichte von diesem
Menschen?"(151)

Schapp antwortet positiv:

"Mit jeder Geschichte taucht der darin Verstrickte oder tauchen
die darin Verstrickten auf. Die Geschichte steht für den Mann.
Sie verlängert oder vertieft sich gleichsam **ohne unser Zutun** je
nach dem Gewicht, welches ihr innewohnt, in den Mann hinein.
Wir meinen auch, daß der Zugang zu dem Mann, zu dem Menschen, nur über Geschichten, nur über seine Geschichten erfolgt,
und daß auch das leibliche Auftauchen des Menschen nur ein
Auftauchen seiner Geschichten ist, daß etwa sein Antlitz, sein
Gesicht, auch auf eigene Art Geschichten erzählt, und daß der
Leib für uns nur insofern Leib ist, als er Geschichten erzählt
oder, was dasselbe wäre, Geschichten verdeckt oder zu verdecken
versucht."(152)

147 Schapp, aaO. 142.   148 Ebda. 143.
149 Vgl. dazu oben S. 114f.   150 Schapp, aaO. 143.   151 Ebda. 99.
152 Ebda. 100; Hervorhebung von mir.

2.6.2.9. Zu fragen ist hier lediglich, in welchem Sinne das "ohne unser Zutun" gilt. Im Voranklang zu Claude Lévi-Strauss(153) meint
Schapp,

"daß die bekannte Geschichte sich gleichsam selbst erzählt, wenn
im Zusammenhange der Geschichten ihr Stichwort auftaucht, und
daß vielleicht dies Auftauchen wieder in Zusammenhänge eingebet-
tet ist, die den Zusammenhängen beim Erzählen und Hören entsprechen"(154).

Diese letzteren Zusammenhänge sind jedoch entschieden stärker als bei
Schapp als **Anweisungen** zur deiktisch-imaginären "Arbeit" zu betonen:
Die Selbsterzählung mittels intertextueller Deiktika geschieht ja gerade nicht ohne denjenigen, der sich darin verwickeln läßt.(155) Wohl
gilt "De servo arbitrio" innerhalb der Rhetorik als Merkmal einer passiven **Köderbarkeit des motus** durch "pathetisches" Reden(156); aber
damit ist zugleich gesagt, daß der mich in das Narrative verwickelnde
Redner mich über meine Leidenschaften an seine Geschichte **anzu-
schließen** versucht, möglichst sogar so, daß ich gar nicht bemerke,
wie ich von der affektivischen Wirkung seines Sprechens geködert wer-
de(157). M.a.W.: Das **"Wir" des Mitverstricktwerdens**(158) kommt immer
über den durch Sprechen wirkenden **"Anderen"** zustande.(159) Dieser
"Andere" kann durchaus als **"Mutter"** bezeichnet werden(160); auch
kann man sagen, dem Mutter-Kind-Verhältnis könne man sich nur über
Geschichten nähern(161). Aber diese Geschichten müssen erst erzählt,
im **Akt des wirkungsvollen Erzählens** aktualisiert werden, wenn die

---

153 Vgl. **Claude Lévi-Strauss, Strukturale Anthropologie.** 1969, 226-254;
ders., **Mythologica I.** Das Rohe und das Gekochte. 1971, 11-53; ders., **Mythologica IV.** Der nackte Mensch 2, übers. v. Eva Moldenhauer. (stw 170).
1976, 738-817; ders., **Mythos und Bedeutung,** hg. v. Adelbert Reif. (es
1027). 1980.   154 Schapp, aaO. 101f.
155 Die Unterbetonung hängt damit zusammen, daß Schapp, aaO. 160 das (ak-
tive) Tätigsein als nur éin Moment der Geschichte vom (passiven) Verstricktsein als einem auf die ganze Geschichte bezogenen Element unterscheidet.   156 Vgl. dazu oben S. 112f.
157 Vgl. dazu **Gonsalv Mainberger, Philosophische Beiläufigkeiten zur Rhetorik.** LingBibl 48. 1980, 97-115.
158 Vgl. dazu Schapp, aaO. 190ff.   159 Gesprochen: "der gros-
se Andere" nach Jacques Lacan "l'Autre". Vgl. dazu unten Kap. 6.
160 Vgl. Schapp, aaO. 196: "Von allen Gemeinschaften gibt es nur eine,
die in nächster Beziehung zur Wirbeziehung steht. Das ist die Gemein-
schaft, die wir mit dem Ausdruck Verwandtschaft zu treffen versuchen..."
"Diese Verwandtschaft gibt es nur in ganz konkreten Verhältnissen als Mutter-Kind-Verhältnis, als Vater-Kind-Verhältnis, wobei das Mutter-Kind-Verhältnis vielleicht das fundamentale ist." - Es sollte nur betont werden,
daß dieses Verhältnis durch die Einführung in die Sprache fundiert wird.
Vgl. dazu oben S. 19f.   161 Vgl. Schapp, aaO. 196f: "Man findet dann nicht irgendein Objekt im üblichen Sinne, sondern ein Gebilde,
dem man sich nur in Geschichten und über Geschichten nähern kann, indem
man sich in das Mutter-Kind-Verhältnis vertieft."

"ködernde" imaginatio in Gang kommen soll. Man wird also das "ohne unser Zutun" gegen das Mißverständnis der Wirksamkeit des bloßen Zeichens **"ex opere operato"** absichern müssen und es so deuten, daß die **Dynamik** des Narrativen nicht einfach als dem **Willen** des **"Betroffenen"** unterworfen verstanden wird(162).

2.6.3. Die affektivische Pragmatik der Erzählung von der "Bekehrung" Augustins

2.6.3.1. Hat man diese Ausführungen vor Augen, dann erkennt man bei der genaueren Lektüre der Erzählung von der "Bekehrung" Augustins sehr bald, wie Augustin durch seine Erzählung von seiner "Verstrickung" indirekt und unbemerkt auch seinen Leser "verstricken" will: Durch sein Beispiel lesender "Verstrickung" soll der Leser affektivisch **"angesteckt"** werden, wie Augustin selbst durch **Lesen** "angesteckt" wurde. Um diese **Pragmatik** zu demonstrieren, folgen wir am besten dem kompositorischen **Aufbau** dieser rhetorischen narratio und kommentieren dabei wesentliche Aussagen und ihre pragmatische **Funktion** im Aufbau. Vor allem ist dabei auf die rhetorische Prägung zahlreicher Ausdrücke zu achten.

2.6.3.2. Wie nach rhetorischer Anschauung ein vollständiges Ganzes **drei Teile** (tria loca) haben muß, nämlich initium, medium und finis(163), so wird auch bei einer rhetorisch wohlgeformten narratio eine **Disposition** in drei Teile empfohlen(164). Dabei darf diese Einteilung durch eine **digressio** unterbrochen werden, welche vor allem der **delectatio** dient(165), aber auch die Rückkehr zum Thema, den **transitus**(166), offenhalten muß:

162 Zur Kategorie der "Betroffenheit" vgl. **Harald Weinrich, Narrative Theologie.** Conc 9. 1973, 329-334. Besonders ebda. 333a/b: "Die Betroffenheit ist eine generell narrative und nicht spezifisch historische Kategorie." Zu ihrer Interpretation auf dem Hintergrund der Rhetorik vgl. Güttgemanns, LingBibl 46. 1979, 38-42. - Bei meiner Kritik am "Historischen" geht es ähnlich wie bei Weinrich nur darum, die erkenntnistheoretische Priorität "historischen" Erkennens zu bestreiten und diese dem Narrativen einzuräumen. Lévi-Strauss, Mythos 105 wendet sich "gegen die Anschauung, die historische Erkenntnis sei von einer anderen Erkenntnissen überlegenen Art". Vgl. ebda. 123: Bei den Anhängern der "Geschichte um jeden Preis" geht es um "einen Mystifizismus und Anthropozentrismus". Vgl. ebda. 225: "Wogegen ich mich.. auflehne, ist, der Geschichte einen privilegierten Platz unter den Möglichkeiten der Erkenntnis zuzuweisen." Es geht bei der Kritik also um den erkenntnistheoretischen Historismus, der keine andere als die "historische" Seinsweise zuläßt.
163 Vgl. Lausberg, aaO. § 443,2a, S. 242.   164 Vgl. ebda. § 338, S. 187; § 300-302, S. 171f.   165 Vgl. ebda. § 340-342, S. 187f.
166 Vgl. ebda. § 288, S. 163; § 343, S. 188.

"ab re digressio, in qua cum fuerit delectatio, tum reditus ad rem aptus et concinem esse debebit";

"das Abschweifen vom Thema, wonach man, wenn es seinen entspannenden Zweck erfüllt hat, in passender und harmonischer Weise die Rückkehr zum Thema finden muß"(167).

Eine solche "unterbrochene" Erzählung ist eine **narratio ornata**(168); ihr ornatus

"ist kein 'Zuviel', vielmehr hat er die Wirkung, sowohl die lange narratio kurz erscheinen zu lassen als auch den Zielen der narratio probabilis zu dienen"(169).

Dieses Ziel ist das **persuadere**(170), so daß die Erzählung die fides begründet:

"narratio est rerum explicatio et quaedam quasi sedes et fundamentum constituendae fidei"(171).

2.6.3.3. In diesem Sinne ist **Augustins Erzählung** sowohl dreigeteilt als auch durch digressio "unterbrochen"(172).

2.6.3.3.1. Bereits das **initium** (Conf. VIII, 1) ist mehrfach kunstvoll gegliedert. Kompositionstechnisch fällt es mit dem prooemium exordii zusammen.(173) Dieses hat allgemein die **Funktion**, den Leser benevolum, docilem, attentum parare.(174) Dabei wird die Aufmerksamkeit des Publikums durch Affekterregung gewonnen.(175) Je nach dem **Vertretbarkeitsgrad** der vorgetragenen "Sache" (causa) wird die Rede einem bestimmten genus zugeordnet.(176) Da in unserem Falle die Zuordnung der causa, nämlich des Ereignisses der "Bekehrung", dem Leser fraglich sein und zwischen honestum und turpitudo schwanken kann, scheint die Erzählung zunächst dem **genus dubium** anzugehören(177). Da Augustin jedoch erreichen will, daß das Ereignis als **honestum** beurteilt wird, will er den Leser dazu bewegen, daß seine causa als zum **genus honestum** gehörig anerkannt wird(178). Da dieses Ziel dem Empfinden des Lesepublikums vielleicht sogar als schockie-

167 Quintil., inst. or. IX, 1, 28; Rahn, aaO. II, 260–263.
168 Vgl. Lausberg, aaO. § 313–314, S. 176f.   169 Ebda. § 313, S. 176.
170 Vgl. ebda. § 293, S. 167f.
171 Cic., part. or. 9, 31; vgl. Lausberg, aaO. § 289, S. 164.
172 Mein Kommentar verdeutlicht manche Züge durch Stilparallelen aus dem Zusammenhang von Augustins an die Bekehrung anschließendem Aufenthalt in Cassiciacum (Conf. IX, 1–6), der mystischen gradatio in Ostia (Conf. IX, 10–11) sowie seiner Bestimmung der memoria (Conf. X, 7–19).
173 Vgl. dazu Lausberg, aaO. § 263–288, S. 150–163.
174 Vgl. ebda. § 266–279, S. 151–160.   175 Vgl. ebda. § 271δ, S. 154.
176 Vgl. ebda. § 64, S. 56–60.   177 Vgl. dazu ebda. § 64,2, S. 57f.
178 Vgl. dazu ebda. § 64, 1, S. 57.

rend vorkommen kann (genus admirabile)(179), muß Augustin sich bemühen, von Anfang an einen hohen, entgegenlaufenden **motus** einzusetzen, welcher den Leser gleich zu Beginn gefangennimmt. Dies geschieht formvollendet auf folgende Weise.

2.6.3.3.1.1. Augustin gibt gleich zu Beginn ein **doppeltes pragmatisches Ziel** seiner Erzählung an. Er will einerseits erzählen, wie Gott
seine "Bande" zerrissen hat.(180) Die Erzählung soll ein dankbares
und preisendes **Gedenken** des unvergleichlichen Gottes sein:

> "Laß mich, mein Gott, in Dankbarkeit deiner gedenken und dich
> preisen, daß du dich meiner erbarmtest."(181)

Aber die Erzählung soll andererseits auch beim Leser in das **Lob** ein-
münden:

> "alle, die zu dir beten, sollen sagen, **wenn sie es hören**: 'Ge-
> lobt sei der Herr im Himmel und auf Erden, groß und wunderbar
> ist sein Name'."(182)

Da die laus Dei als Ziel angegeben wird, steht die narratio im Dienste des **genus demonstrativum** (epideiktikon): Der Leser soll als Zu-
schauer(183) des "Imaginären" das Verhalten Augustins nicht als tur-
pe, sondern als honestum beurteilen.(184) Da sich das Epideiktische
nach der rhetorischen Einteilung der genera causarum je nach ihrem
Zeitbezug auf die **Gegenwart** bezieht(185), geht es bei der Erzählung
weniger um Vergangenes als um das Gegenwärtigwerden einer **amplificatio laudis Dei**, für welche die narratio den ornatus beisteuert(186).

2.6.3.3.1.2. Aus der memoria holt Augustin sodann die **Vorgeschichte**
seiner "Bekehrung" hervor. Diese kam nicht plötzlich und unvorberei-
tet; vielmehr galt schon vorher:

> "Tief hafteten deine Worte in meinem Herzen, und auf allen Sei-
> ten umlagertest du mich."(187)

Augustin hatte schon die **Gewißheit** über Gottes wesenhafte Unverderb-
lichkeit, wenn auch "in aenigmati et quasi per speculum"(188). Aber
diese Gewißheit war noch nicht in den **Körper** Augustins eingegangen:

179 Vgl. dazu ebda. § 64,3, S. 58.   180 Verarbeitet ist dabei
Ps 116 (115), 16b.17: "Diripuisti vincula mea: Tibi sacrificabo hostiam
laudis."   181 Conf. VIII, 1; reclam 201; Loeb 402.
182 Ebda.   183 Vgl. dazu Lausberg, aaO. § 59,2, S. 52f.
184 Vgl. dazu ebda. § 61,3, S. 55.   185 Vgl. ebda. § 60, S. 53.
186 Vgl. Quintil., inst. or. III, 7, 6: "sed proprium laudis est res am-
plificare et ornare" (Rahn, aaO. I, 350). Vgl. Lausberg, aaO. § 61,3b,S.55.
187 Conf. VIII, 1; reclam 201; Loeb 402.
188 Ebda. Zitiert wird 1 Kor 13, 12.

"Was aber mein zeitliches Leben anlangt, so war noch alles im
Fluß, und mein Herz mußte noch gereinigt werden von dem alten
Sauerteige."(189)

Das **Problem** der "Bekehrung" besteht für Augustin also in der Frage,
wie die Unvergänglichkeit des immateriellen Gottes in das wandelbare
Herz eingehen kann. Wir werden noch sehen, wie dieses Problem bei
Augustins theologisch-semiotischem Verständnis der **Inkarnation** wieder-
kehrt(190) und auch in der Frage mitschwingt, durch welche **"Löcher
des Körpers"** jeweils etwas ein- oder ausgeht(191).

2.6.3.3.1.3. Zur Vorgeschichte gehört auch noch Augustins **Aufbruch
zu Simplicianus**(192) aufgrund einer göttlichen Eingebung(193). Mit
ihm wollte Augustin sich über seine inneren Nöte (aestus) aussprechen
und sich den aptus modus für diese Lage raten lassen.(194) Diese Lage war gekennzeichnet durch ein Mißfallen an weltlichen Geschäften
und einem Ringen zwischen der Lust an der Ehe(195) und dem "evangelischen Rat" von Mt 19, 12.

Man darf nicht verkennen, daß auch diese scheinbar "neutrale"
Erzählung ihr **pragmatisches Ziel** geschickt verdeckt: So wie Augustin
sich von Simplicianus hat beraten lassen, so soll der Leser bewogen
werden, sich von Augustin beraten zu lassen. Denn Augustin erzählt
alsbald, wie die Erzählung von der Bekehrung des Victorinus ihn zur
Nachahmung anstachelte. Insgesamt dient das initium also der **imitatio**.

2.6.3.3.2. Der **Hauptteil** (medium) der Erzählung (Conf. VIII, 2-12)
ist in kunstvoller Weise (ornatus!) ebenfalls dreifach gegliedert.

2.6.3.3.2.1. Augustin beginnt in einer scheinbaren digressio nicht sofort mit der Erzählung seiner eigenen "Bekehrung"; ihr schaltet er
vielmehr in zwei Gängen **Erzählungen von der "Bekehrung"** anderer
vor, welche ihn damals zu seiner eigenen "Bekehrung" anregten. Die
erste ist die **Erzählung von Victorinus**(196), einem römischen Redner,

189 AaO.   190 Vgl. dazu unten S. 150.   191 Vgl. unten S. 154.
192 Dieser wurde 397 in hohem Alter Nachfolger des Ambrosius. Vgl. Thimme,
reclam 465.   193 Die Wendung "inmisti in mentem meam" (Loeb
402) ist rhetorisch vorgeprägt: Die affektische Figur der metathesis nennt
man diejenige Erscheinung, "quae mittit animos iudicum in res praeteritas
aut futuras" (Isid. Hisp. 2, 21, 34). Vgl. Lausberg, aaO. § 851, S. 423.
194 Conf. VIII, 1; reclam 202; Loeb 404. Die rhetorische Prägung ist nicht
zu verkennen.   195 Flasch, aaO. 49 schreibt: "Die 'Bekehrung'
war vor allem der Beschluß, jeden Beischlaf zu fliehen."
196 Es handelt sich um Gn. M. Victorinus Afer. Vgl. Thimme, reclam 465.

welche Augustin von Simplicianus hörte (Conf. VIII, 2-4). Wieder gibt Augustin als Ziel des Erzählens das **Lob Gottes** an:

"Was er (scil. Simplicianus) mir von ihm erzählte, das will ich nicht verschweigen, denn man vernimmt daraus lauten Lobpreis deiner Gnade" (magna laus gratiae tuae)(197).

Man darf wohl ergänzen: Um des gleichen Zieles willen kann Augustin auch seine eigene Geschichte nicht verschweigen.(198)

Victorinus war

"bis ins hohe Alter ein Verehrer der Götzen und Teilnehmer an ihrem unheiligen Kult gewesen". "Aber nun schämte er sich (eruberit) nicht, ein Jünger deines Christus zu werden..."(199)

In einer **digressio** vom Narrativen stellt Augustin die Frage an Gott:

"Wie hast du nur in diese Brust Eingang gefunden?" "quibus modis te insinuasti illi pectori?"(200)

Die **insinuatio** ist ein genus des exordiums und besteht darin,

"daß durch listige Verwendung psychologischer Mittel... das Unterbewußtsein des Publikums in einem für uns günstigen Sinne beeinflußt wird und so langsam der Boden für eine Sympathiegewinnung vorbereitet wird"(201).

Sie hat in diesem Falle eine dreifache **pragmatische Richtung:** Erzählt wird einmal, wie die Sympathie des Victorinus für Gott gewonnen wurde. Mit dieser Erzählung wird zum anderen auch erzählt, daß durch das Beispiel des Victorinus die Sympathie Augustins gewonnen wurde. So wird, drittens, letztlich dem Leser nahegelegt, für die causa Dei ebenfalls Sympathie in sich erwecken zu lassen. Dabei werden auch affektivische Mittel eingesetzt.

2.6.3.3.2.2. Nachdem Victorinus eifrigst die Heilige Schrift und die ganze christliche **Literatur durchforscht** hatte (investigabat studiosissime et perscrutabatur), bekannte er insgeheim und vertraulich (secretius et familiarius) vor Simplicianus, er sei Christ geworden. Dies wollte Simplicianus jedoch nur dann glauben, wenn Victorinus sein Bekenntnis in der **Öffentlichkeit der Kirche** wiederholte.(202) Die **Furcht** des Victorinus vor einer Beleidigung seiner Freunde schlug durch abermaliges **Lesen** und ernstes Nachdenken in die Furcht vor dem Weltenrichter Christus um; er

197 Conf. VIII, 2; reclam 203; Loeb 408.
198 Auch das Verschweigen ist eine rhetorische Technik. Sie betrifft z.B. die signa non necessaria mit der Eigenschaft des dubium. Dazu gehören auch die Zeichen der Liebe. Vgl. Lausberg, aaO. § 363-365, S. 196f.
199 Conf. VIII, 2; reclam 204; Loeb 408.   200 Ebda.; Loeb 408.410.
201 Lausberg, aaO. § 281, S. 160.   202 Conf. VIII, 2; reclam 204;
Loeb 410. Zur Opposition "heimlich vs öffentlich" vgl. **Walter Magaß, Das öffentliche Schweigen.** 1967.

"ward sich des schweren Unrechts bewußt, daß er sich der Geheimnisse deines demütigen Wortes schämte (erubescere), aber sich nicht schämte des unheiligen Kults stolzer Dämonen... Nun legte er seine eitle Scham ab, ward schamrot vor der Wahrheit"(203)

und ging mit dem fassunglosen Simplicianus(204) zum öffentlichen Bekenntnis in die Kirche:

"Rom staunte (mirari), voll Freude war die Kirche."(205)

Das Angebot der Presbyter zu einem leisen Bekenntnis lehnte er ab; er zog es vor,

"vor den Augen der frommen Menge lautes Zeugnis abzulegen. Denn in der Redekunst (rhetorica), deren Lehrer er gewesen, war kein Heil, und doch hatte er sie öffentlich (publice) vorgetragen."(206)

Mit dieser **Öffentlichkeit** rief er nicht nur ein freudiges Jauchzen (exultatio), sondern auch den **motus** der Menge hervor:

"Da verkündete er den wahren Glauben mit herrlicher Zuversicht (praeclara fiducia), und alle hätten ihn gern an ihr Herz gezogen (rapere intro in cor suum). Und sie taten's auch in Liebe und Freude – denn das waren die Hände, mit denen sie ihn an sich zogen" (rapere).(207)

---

203 Das Wortspiel ("depuduit vanitati et erubuit veritati") hat einen affektivischen Bezug in der Rhetorik: Mittels der vanitas soll das Publikum attentum gemacht werden. Die vanitas gehört also zu den Affekten des Prooemiums. Vgl. Lausberg, aaO. § 2716, S. 154; Quintil., inst. or. IV, 1, 33: "si iudex aut sua vice aut rei publicae commovetur, cuius animus spe, metu, admonitione, precibus, vanitate denique, si id profuturum credemus, agitandus est"; "vor allem jedoch, wenn entweder im eigenen oder im Staatsinteresse der Richter erregt wird, dessen Geist deshalb aufgepeitscht werden muß mit Hoffnung, Furcht, Mahnen, Bitten, ja auch Täuschung, wenn wir uns davon Erfolg versprechen" (Rahn, aaO. I, 418f). Beim ornatus ist die vanitas die Preziosität, die Furcht vor verba humilia, ein Phänomen der mala affectatio. Vgl. Lausberg, aaO. § 908, S. 453f. Die Gefahr der vanitas ist ein übersteigerter ornatus. Vgl. ebda. § 1073, S. 515.   204 "ille non se capiens laetita" ist eine affektivische Stilform: Die Zuhörer "delectatione capiuntur". Vgl. Quintil., inst. or. VIII, 3, 5: "nam qui libenter audiunt, et magis adtendunt et facilius credunt, plerumque ipsa delectatione capiuntur, nonnumquam admiratione auferuntur" (Rahn, aaO. II, 150). Vgl. Lausberg, aaO. § 538, S. 277.
205 Conf. VIII, 2; reclam 205; Loeb 410.412. Fortun., art. rhetor. II, 3 (104, 17) teilt die loci nach publici und privati ein. Vgl. Lausberg, aaO. § 383, S. 211. Hier ist die christliche fides ein locus religiosus und als solcher publicus.   206 Conf. VIII, 2; reclam 206; Loeb 412. Wieder wird vorausgesetzt, daß die fides eher als die rhetorica ein locus publicus vel honestus ist. Im übrigen ist der "Fall" des Victorinus genau der Augustins selbst.
207 AaO.; reclam 206; Loeb 414. Thimme, reclam 465 bemerkt zur Komposition: "Auch jetzt folgt wie IV 4 auf eine Erzählung, die das Herz des sich Erinnernden stark bewegte, eine lange Meditation." Rhetorisch ist das folgende also eine digressio. Vor allen den similitudines gilt das Adjektiv praeclarae. Vgl. Lausberg, aaO. § 843, S. 419.

Wiederholt man jetzt Augustins Frage, wie die **insinuatio** in diesem
Falle funktioniert hat, so liegt die Antwort auf der Hand: Durch das
Lesen der Hl. Schrift und der christlichen Literatur(208), zu welcher
auch Augustins eigenes Buch gehört, entsteht ein **motus** zwischen der
"täuschenden" Scham vor dem motus des Publikums und dem motus Christi. Letzterer wird bei der insinuatio vom Leser als stärker empfun-
den, so daß er seinen eigenen **Willen,** welcher sich von der falschen
Scham leiten läßt, aufgibt und den **fremden Willen** annimmt, weil er
durch den motus der Schrift und ihres Erzählens "gefangen" wird.
Die darauf gewählte Öffentlichkeit des Bekenntnisses, zu welcher auch
die **Öffentlichkeit der Literatur** gehört(209), läßt in der Kirche delectatio und pathos verstärkt erscheinen. Dabei hat der Buchtitel **"Confessio"** zwar auch die Konnotation eines "Herzensergusses"(210); aber
dieser ist keine Regung privater Intimität, sondern ein Affekt öffentlich wirksamen und daher gesteuert eingesetzten Sprechens und Wer-
bens für die honesta causa Dei.(211) Alles "Spontane" ist hier "gemacht", weil die Rhetorik die **Regeln für** "gesteuerte" **Spontaneität** vorgibt.

---

208 Das Lesen gehört zur exercitatio der ars rhetorica mit dem Ziel der
firma facilitas. Vgl. Lausberg, aaO. § 1092, S. 528. Vgl. ebda. § 1141,
S. 546: "Die wiederholte Lektüre dringt in die memoria (Quint. 10,1,19)
ein und führt schließlich zur imitatio." Vgl. Quintil., inst. or. X, 1,
19: "ut cibos mansos ac prope liquefactos demittimus, quo facilius dige-
rantur, ita lectio non cruda, sed multa iteratione mollita et velut con-
fecta memoriae imitationique tradatur"; "wie wir die Speisen zerkaut und
fast flüssig hinunterschlucken, damit sie leichter verdaut werden, so soll
unsere Lektüre nicht roh, sondern durch vieles Wiederholen mürbe und
gleichsam zerkleinert unserem Gedächtnis und Vorrat an Mustern (zur Nachahmung) einverleibt werden" (Rahn, aaO. II, 438f). Die Speisemetaphern
betreffen den Topos "Eingehen in den Körper", auf den wir zurückkommen.
Die Tropen, zu denen allgemein auch die "imaginäre", metaphorische Erzählung gehört, "sensus legentis exerceant" (Isid. Hisp. 1,37,2; Lausberg,
aaO. § 552, S. 283).
209 Für die Rhetorik hängen kollektive Öffentlichkeit und fictio personae
eng zusammen. Vgl. Lausberg, aaO. § 828, S. 412f; ebda. § 388, S. 213;
Cic., inv. I, 27, 40: "publicum est quod civitas universa aliqua de causa
frequentat, ut ludi, dies festus, bellum." Das publicum steht als commune
in Opposition zum singulare oder privatum.
210 Die circuitio als benevolentia-suchende insinuatio wird zur confessio.
Vgl. Lausberg, aaO. § 281, S. 161.
211 Die Rhetorik unterscheidet vier status (summa quaestio), nämlich die
status coniecturae, finitionis, qualitatis et translationis. Vgl. ebda.
§ 79-138, S. 64-85. Beim genus demonstrativum wirkt sich der status finitionis als Definitions-Periphrase des Lobgegenstandes aus. Diese ist eine
"confessio". Vgl. ebda. § 251, S. 137.

2.6.3.3.2.3. Noch immer innerhalb des ersten Ganges des Hauptteils folgt jetzt eine **meditative digressio** (Conf. VIII, 3-4), welche noch einmal über die **Gesetze des motus** reflektiert. Dabei ist die digressio nur scheinbar, weil Augustin durch sie umso plausibler machen kann, daß es aufgrund dieser ersten Erzählung auch bei ihm zu einem gesteigerten motus kam (Conf. VIII, 5). Erst danach ist der erste Gang abgeschlossen. Modern gesprochen, kann man beinahe den Eindruck eines "Methodismus" haben, welcher deutlich machen will,

> "quid agitur in homine, ut plus gaudeat de salute desperatae animae et de maiore periculo liberatae, quam si spes ei semper affuisset aut periculum minus fuisset?"

> "Was geht doch, gütiger Gott, in dem Menschen vor, daß er sich mehr über die Rettung einer hoffnungslos verlorenen Seele und ihre Befreiung aus ärgerer Gefahr freut, als wenn er immer für sie gehofft hätte und die Gefahr geringer gewesen wäre?"(212)

> "Was also geht in der Seele vor (agitur in anima), daß sie sich mehr freut, Dinge, die sie liebt, wiederzufinden oder zurückzubekommen, als wenn sie sie immer behalten hätte?"(213)

Augustin gibt auf die Frage eine **doppelte Antwort.** Einmal betont er den grundsätzlichen Zusammenhang zwischen dem **Lesen der Hl. Schrift** und dem **motus:** Tränen der Rührung werden beim Lesen der Erzählung vom Freudenfest für den verlorenen Sohn (Lk 15, 22-24) vergossen(214). Diese "gerührte" Freude entsteht vor allem in der **Kollektivität** der Kirche, weil das Beispiel die **imitatio verstärkt:**

> "Denn freut man sich mit vielen zugleich, ist auch die Freude der einzelnen größer (uberius), da sie sich einer an dem anderen erwärmen und entflammen (ferverfaciunt se et inflammantur ex alterutro)(215). Sodann, wenn die zum Glauben Erweckten vielen bekannt (noti) sind, sind sie auch für viele ein kräftiger Antrieb zum Heil (auctoritas ad salutem)(216), und viele werden ihrem Vorgang folgen."(217)

Die erste Antwort nimmt also Bezug auf die **amplificatio-Öffentlichkeit** des Lesens der Hl. Schrift, welche den gewünschten motus zum "Fieber" anschwellen läßt. Im Sinne dieser ersten Antwort kann Augustin sich selbst und sein Lesepublikum nur aufrufen:

---

212 Conf. VIII, 3; reclam 206; Loeb 414.
213 Ebda.; reclam 207; Loeb 416.   214 Ebda.; reclam 207;
Loeb 414: "et lacrimas excutit gaudium solemnitatis domus tuae, cum legitur in domo tua de minore filio tuo."
215 Der motus des stilus fervefactus, tumidus et inflatus gehört zu den vitia des genus grande. Vgl. Lausberg, aaO. § 1079,3g, S. 524. Dieses vitium wird hier von Augustin bewußt in Kauf genommen.
216 Die auctoritas ist nicht nur die aus sich heraus wirkungsvolle Würde eines Sprechenden, die durch Sprechen erworbene Einschätzung des Redners durch das Publikum (vgl. Lausberg, aaO. § 327, S. 182), sondern auch eine vorbildliche Norm (vgl. ebda. § 1060, S. 510f).
217 Conf. VIII, 4; reclam 209; Loeb 420.

"Wohlan, Herr, weck auf (excita)(218) und ruf uns zurück, ent-
flamme (accende) und reiße hin, laß deinen Duft, deine Süßigkeit
genießen (dulcesce), laß uns lieben, laß uns laufen!"(219)

Die zweite Antwort spielt auf den **motus** des "Begehrens" an: Die Freude ist umso größer, je größer vorher die **Entsagung** war, weil das
"Schmachten" der **Sehnsucht** durch die Wartezeit gesteigert wird.(220)
So stellt sich die "Lust" (voluptas) erst durch absichtlich und freiwil-
lig übernommene **Beschwerden** (molestia) ein.(221)

Man sollte dies zweite Antwort nicht vordergründig mißverstehen
und theologisch die freiwillige Verlängerung der Sündenzeit als Steigerung der Freude der "Bekehrung" beanstanden. In Wahrheit begründet Augustin mit dieser zweiten Antwort nebenbei und unbemerkt auch
die **innere Pragmatik der digressio**(222): Die "Abschweifung" von der
eigentlichen Erzählung ist eine absichtliche **Verzögerung,** eine "Verschiebung" der "Lust am Text" im Dienste seiner Steigerung. Nur so
wird plausibel, warum Augustin anschließend von dem motus erzählt,
den die Erzählung von Victorinus bei ihm hervorrief.

2.6.3.3.2.4. Denn diese Erzählung hatte eine "Spaltung" bei Augustin
zur Folge (Conf. VIII, 5). Zwar hatte Simplicianus mit seiner Erzählung bei Augustin die Nachahmung erregen wollen und diese auch er-
reicht(223); aber die imitatio rückt das Thema **"De servo arbitrio"** so
auf den Leib, daß die Einheit des "Subjekts" darüber zerbricht: Augustin wollte frei werden von der rhetorica zugunsten des verbum Dei,
"quo linguas infantium facis disertas"(224).

218 Das excitare ist ein Moment des attentum parare. Vgl. Lausberg, aaO.
§ 637, S. 323.
219 Conf. VIII, 4; reclam 208; Loeb 420. Stilistisch ist hier das Hohelied
imitiert. Vgl. etwa Ct 1, 3: "Trahe me: post te curremus in odorem unguen-
torum tuorum." Ct 4, 16 - 5, 1: "Surge Aquilo, et veni Auster, perfla hortum meum, et fluant aromata illius. Veniat dilectus meus in hortum suum,
et comedat fructum pomorum suorum." In der Sache handelt es sich um eine
amor-Metaphorik, die dem Topos des "Begehrens" korrelliert ist.
220 Conf. VIII, 3; reclam 208; Loeb 416: "et institutum est, ut iam pac-
tae sponsae non tradantur statim, ne vile habeat maritus datam, quam non
susperavit sponsus dilatam."
221 Ebda.: "easque ipsas voluptates humanae vitae etiam non inopinatis
et praeter voluntatem inruentibus, sed institutis et voluntariis molestiis
homines adquirunt."
222 So wie sich die erste Antwort auf das **Lesen** bezieht, muß auch die
zweite darauf bezogen werden. Darin besteht die Raffinesse der Indirekt-
heit rhetorischer Pragmatik.
223 Conf. VIII, 5; reclam 210; Loeb 422: "exarsi ad imitandum: ad hoc enim
et ille narraverat."
224 Ebda. Es handelt sich um eine Zitatmischung aus Mt 21, 16 / Ps 8, 3
("Quia ex ore infantium, et lactantium perfecisti laudem") und Quintil.,
inst. or. X, 7, 15 (Rahn, aaO. II, 534): "pectus est enim, quod disertos
facit, et vis mentis." Vgl. dazu unten S. 151.

Sein **begehrendes Seufzen** (suspirare)(225) entstand jedoch gerade angesichts seines "gefesselt"-Seins

> "nicht durch ein fremdes Band, sondern das Eisenband meines Willens"(226).

Korrekter ist nicht einmal vom Willen eines "Ich", sondern vom **Willen eines "Anderen"**, eines Gegenübers zum "Ich", eines "Feindes" (inimicus), zu sprechen,

> "der hatte mir daraus eine Kette geschmiedet, mit der ich mich gefesselt hielt"(227).

"Catena" nennt Augustin dieses Phänomen, weil sich die Schritte des "gefangen"-Werdens wie Ringe ineinanderfügen:

> "Denn aus verkehrtem Willen (voluntas perversa) ward **Leidenschaft** (libido), und da der Leidenschaft ich nachgab, ward Gewohnheit (consuetudo) daraus, Gewohnheit aber, der man nicht widersteht (resistere), wird zum **Zwang** (necessitas)."(228)

Zwar regte sich schon ein **neuer Wille** zum "gratis colere fruique" in bezug auf Gott, aber er konnte den alten Willen noch nicht überwinden. Der **Widerstreit** der beiden Willen, ihre discordia, zerriß Augustins Seele.(229) Aus dieser Erfahrung (experimentia) entstand **das Verständnis des in der Hl. Schrift Gelesenen**(230), daß der Mensch nämlich mit seinem Willen dahin kommt, wohin er nicht will. Nicht das "Ich" eines wollenden Bewußtseins treibt die menschlichen Handlungen, auch nicht seine Gedanken; diese

> "glichen den Versuchen derer, die aufwachen wollen, aber vom tiefen Schlummer überwältigt zurücksinken"(231).

Zwar ist in Erinnerung an Eph 5, 14(232) die Zeit zum **Aufwachen aus der Libido** (cupiditas) und zur **Übereignung an die caritas Dei** gekommen:

---

225 Das desiderium (Opposition: suspicio) betrifft als psychologisches Moment der literarischen narratio einen Direktheitsgrad der mimesis; vgl. Lausberg, aaO. § 1175,2c, S. 561.
226 Conf. VIII, 5; reclam 210; Loeb 424: "ligatus non ferro alieno, sed mea ferrea voluntate" (Wortspiel!). 227 Ebda.
228 Ebda. Leider läßt sich bei **Sigmund Freud, G.W. XVIII.** Gesamtregister, zusammeng. v. Lilla Veszy-Wagner. 1968, 983 keine direkte Titelnennung Augustins durch Freud nachweisen. Dennoch scheint mir berechtigt, eine Lektüre Freuds zu postulieren. Sie könnte zu seiner Gymnasialbildung gehört haben.
229 Conf. VIII, 5; reclam 210f; Loeb 424: "discordando dissipabant animam meam." 230 Ebda.; reclam 211; Loeb 424. Erinnert wurde Gal 5, 17: "Caro enim concupiscit adversus spiritum: spiritus autem adversus carnem: haec enim sibi invicem adversentur: ut non quaecumque vultis, illa faciatis." 231 Ebda.; reclam 211; Loeb 426: "et cogitationes, quibus meditabar in te, similes erant conatibus expergisci volentium, qui tamen superati soporis altitudine remerguntur."
232 "Surge qui dormis, et exurge a mortuis, et illuminabit te Christus."

"Das eine hatte mein Herz gewonnen und überwunden, aber das andere lockte und hielt mich gebunden."(233)

So obsiegte die **Verzögerung** (in longum ire); Augustin konnte "nichts erwidern als träge, schlaftrunkene Worte: 'Bald, ja bald, laß mich noch ein Weilchen!'"(234)

2.6.3.3.2.5. Wir halten einen Augenblick bei der Analyse inne und bündeln die bisherigen Ergebnisse in bezug auf die **Semiotik**. Mit seiner Erzählung holt Augustin aus seiner **memoria** nicht die vergangenen "Dinge selbst" (res ipsae) hervor, sondern die **Wörter**, welche aus den **Bildern** der Dinge konzipiert werden.(235) Dabei setzt die Erzählung das **Seufzen** fort, welches in der "Spaltung" entstanden war. Beides hat mit dem semiotischen Problem der **Präsenz** zu tun. So ist auch die Erzählung strukturiert durch die Dialektik von **"Anwesenheit vs Abwesenheit"**(236): Die "Anwesenheit" einer negativen **libido** (cupiditas, concupiscentia) ist zugleich die "Abwesenheit" nicht nur eines der Freiheit des "Ich" verpflichteten Willens, figural dargestellt als "Schlaf" oder "Traum", sondern auch der positiven caritas oder des amor.(237) Der **motus animi** will (noch nicht) "propter Deum" genießen. Der Wille ist vielmehr der Gefangene der **Bilder seines "Begehrens"**, also "zu Hause" im Reiche des "Imaginären". Denn diese Bilder werden dem Willen durch das **Sprechen des Buchstabens** vorgegeben, welches als narratio die "ansteckende" und "fesselnde" **imaginatio** weitergibt. So kommt der Mensch auch bei der "aufweckenden" Erzählung (excitatio) letztlich nicht aus der **"Knechtschaft der Zeichen"**(238) heraus: Einerseits ist die narratio als intertextuelles Deiktikon, welches auf den "Anschluß" des Lesers wartet ("zeigt"), ein **transzendentales Zeichen**, das auf die **Defektivität** alles Sagens "zeigt".(239) Andererseits macht sich der theologische Diskurs der "Confessiones" die rhetorische Prämisse von der **Köderbarkeit der Imagination** zu eigen, nur daß sich jetzt der Aufstieg aus der Vergänglichkeit und Ersetzbarkeit des Körperlich-Materiellen in das unwandelbare Immaterielle und insofern "Wahre" verstärkt.(240)

233 Conf. VIII, 5; reclam 212; Loeb 426: "sed illud placebat et vincebat, hoc libebat et vinciebat."
235 Vgl. dazu oben S. 116 das Zitat aus Conf. XI, 18.
236 Vgl. dazu oben S. 117f.   237 Zur Opposition "amor vs cupiditas" vgl. oben S. 114: doctr. christ. III, 10, 16.
238 Vgl. dazu doctr. christ. III, 9, 13.
239 Vgl. dazu oben S. 124.   240 Vgl. dazu Conf. IX, 1-6. 10-11.

138

Ganz kurz kann man auch sagen: Die Köderbarkeit des motus animi
wird "benutzt" (uti), um zu der einzig "wahren" **fruitio** zu gelangen. Insofern alles, was "benutzt" wird, nach Augustin ein **Zeichen**
ist(241), "zeigt" die Köderbarkeit des Menschen auf ein "imaginäres
Jenseits" seines gespaltenen "Subjekts", welches mit seiner Dynamik
im Akt des Erzählens bereits jetzt bleibende **"Gegenwärtigkeit"** und
damit "Anwesenheit" in einem qualifizierten, transzendentalen Sinne
wirksam werden läßt.

Dieses unauflösbare **Ineinander** von Theologie, Rhetorik und Semiotik zeigt, wie intensiv Augustin die "Knechtschaft der Zeichen" bedenkt. Wenn wir seiner **Hermeneutik** gerecht werden wollen, werden
wir diesen Topos noch intensiver erarbeiten müssen.

2.6.3.3.2.6. Wenn wir jetzt zum **zweiten Gang des Hauptteils** (Conf.
VIII, 6-11) kommen, können wir uns kürzer fassen, denn dieser wiederholt die rhetorischen Strukturen der **Pragmatik** des ersten Gangs.

Augustin will erzählen, wie **weitere Erzählungen des Ponticianus**
ihn endlich vom vinculum desiderii concubitus befreiten.(242) Ein Afri-
kaner und Höfling namens Ponticianus fand anläßlich eines Besuches
bei Augustin "ganz wider Erwarten" (inopinate sane) ein **Buch** des
Apostels Paulus auf Augustins Spieltisch. Als Augustin ihm erzählte,

"daß ich diesen Schriften die größte Aufmerksamkeit schenke"
(curam maximam impendere)(243),

kam das Gespräch auf die **"vita Antonii"**, welche Ponticianus nacher-
zählte. Die Zuhörer konnten über diese ihnen unbekannten Geschichten
nur staunen (mirari). Das Staunen steigerte sich bei weiteren Erzählungen über verschiedene **Klöster** in Mailand und bei Trier. In letz-
terem fand Ponticianus ein Exemplar der "vita Antonii". Einer der
Reisegefährten

"fing an darin zu **lesen**, staunte, geriet in Flammen (mirari et
accendi) und ward, während er noch las, von dem Gedanken er-
griffen, auch solch ein Leben zu wählen, die weltliche Laufbahn
zu verlassen (relicta militia saeculari) und dir zu dienen"(244).

So wird der Mensch beim **Lesen von Erzählungen** in den motus "verstrickt":

---

241 Es könnte gezeigt werden, daß auch "uti" und "frui" rhetorisch vorgeprägt sind.   242 Conf. VIII, 6; reclam 212; Loeb 428.
243 Conf. VIII, 6; reclam 214; Loeb 432.
244 AaO.; reclam 215; Loeb 434. Hervorhebung von mir.

"Plötzlich erfüllt von heiliger Liebe (amor) und in ernster Scham (pudor) sich selbst grollend",

will er auch die Gefährten "anstecken";

"erschüttert von den Geburtswehen des neuen Lebens, heftete er wieder seine Augen auf die Seiten des Buches".

Durch Lesen wird der Lesende innerlich **verwandelt** (mutari intus), seine mens löst sich von der Welt; die Wellen innerer **Erregung** gehen hoch (volvit fluctus cordis ei), **Seufzen** (infremere) setzt ein und so wird der Wille "gefangen"(245). Der "Gefangene" erzählt anderen,

"quoque modo in eis talis voluntas orta est atque firmata"(246).

Eben dies tut jetzt auch Augustin selbst, wenn er von seiner eigenen **Erschütterung** aufgrund dieser Erzählung erzählt (Conf. VIII, 7), welche zum Seelenkampf im Mailänder Garten führte (Conf. VIII, 8a). Dieser ließ noch einmal den **Zwiespalt** des Willens erscheinen (Conf. VIII, 8b. 9). Nach einer meditativen digressio zu diesem Topos (Conf. VIII, 10) erzählt Augustin vom **Todeskampf** des alten Menschen in ihm (Conf. VIII, 11), womit der Hauptteil der narratio abgeschlossen ist.

2.6.3.3.2.7. In dieser Komposition tritt der Topos der **"Spaltung"** mit vielfältigen Aspekten zutage. Auch weil uns dieser Topos bei **Sigmund Freud** erneut beschäftigen wird(247), ist es angebracht, einige dieser Aspekte anzuführen.

Die "Spaltung" betrifft nach Augustin sowohl den inneren Zusammenhang zwischen Leib (corpus) und Seele (animus, anima) als auch den Willen; Augustin nennt sie eine "Ungeheuerlichkeit" (monstrum) (248). An ihr wird nämlich offenbar, daß die **Einheit des "Subjekts"** eine **Täuschung** ist:

"Leichter gehorchte der Körper dem geringsten Willensantrieb der Seele (voluntas animae) und bewegte auf ihren Wink seine Glieder, als daß die Seele sich selbst gehorcht und allein durch ihren Willen ihr starkes Wollen in Tat umgesetzt hätte."

"Der Geist (animus) befiehlt dem Körper, und sogleich wird gehorcht. Der Geist befiehlt sich selber, und da wird **Widerstand** geleistet" (resistitur).(249)

---

245 Ebda.   246 Ebda.; reclam 216; Loeb 436.
247 Vgl. dazu unten Kap. 6.
248 Conf. VIII, 9; reclam 220; Loeb 446. Thimme, reclam 466 Anm. 12 merkt
hier den Bezug auf Röm 7, 15ff an.   249 AaO.

So kann der Mensch nicht von seinem eigenen **Willen** her definiert werden; einerseits ist dieser nicht "frei", andererseits zeigt der Widerstand der Seele, daß auch sie nicht "Herrin" des Willens ist, sondern
diesem gegenübersteht. Eher kommt die Einheit mit dem der Seele
Fremden, z.B. mit dem materiellen Körper, zustande als die Einheit
der Seele in sich selbst:

> "Der Geist (animus) befiehlt, die Hand soll sich bewegen, und
> es geschieht mit solcher Leichtigkeit (facilitas), daß Befehl (im-
> perium) und Ausführung (servitium) kaum zu unterscheiden
> sind, und doch ist der Geist Geist und die Hand Leib (corpus).
> Der Geist befiehlt, der Geist soll wollen; der aber ist kein ande-
> rer (alter) und tut's doch nicht."(250)

Gerade in der Seele wird also keine **Ganzheit** erreicht:

> Der Geist befiehlt, "er soll wollen, und könnte nicht befehlen,
> wenn er nicht wollte, und tut doch nicht, was er befiehlt. Aber
> es ist kein ganzer Wille, darum auch kein ganzer Befehl.(251)
> Denn er befiehlt nur insoweit, wie er will, und insoweit er es
> nicht will, geschieht auch nicht, was er befiehlt. Denn der Wille
> befiehlt, daß Wille sei, kein anderer als er selbst. Aber er be-
> fiehlt nicht voll und ganz (plena), darum geschieht auch nicht,
> was er befiehlt." "Also sind es zwei Willen, denn der eine von
> ihnen ist nicht ganz, und was dem einen fehlt, das hat der an-
> dere."(252)

Tatsächlich gibt es also in der Seele doch einen **"Anderen"**: Das Hören
"bewegender" Erzählungen führt mit seiner "Verstrickung" eine **Spaltung des Subjekts** ein:

> "Damals nun, als mit mir zu Rate ging (deliberabam), dem Herrn,
> meinem Gott, zu dienen, wie ich schon lange mir vorgenommen
> (disposueram), war ich (ego) es, der wollte, ich auch, der nicht
> wollte, ich allein war's (ego eram). Aber weder mein Wollen noch
> mein Nichtwollen war voll und ganz (plene). Darum stritt ich mit
> mir selbst und war in mir zerspalten (dissipabar a me ipso).
> Diesen Zwiespalt erlitt ich wider Willen (me invito), aber er be-
> kundete nicht das Dasein eines fremden Geistes (naturam mentis
> alienae), sondern nur die Strafe meines eigenen."(253)

2.6.3.3.2.8. Mit diesem Zitat kämpft Augustin zwar für das "Individuum", welches die "Spaltung" in einen wollenden "Ich"-Teil und einen
widerstehenden Teil eines fremden "Anderen" **verneint**.(254) Zugleich
muß er jedoch die "Spaltung" selbst eingestehen und als Strafe empfinden. Nach Augustin ist sie kein Beweis zugunsten des manichäischen
Dualismus von zwei entgegengesetzten geistigen Naturen (duae mentes);

250 Conf. VIII, 9; reclam 220f; Loeb 446. 448.
251 "sed non ex toto vult: non ergo ex toto imperat."
252 Ebda.; reclam 221; Loeb 448.
253 Conf. VIII, 10; reclam 222; Loeb 450.
254 Zur Funktion der "Verneinung" als Zentrum der Psychoanalyse vgl. unten
S. 300–309.

denn tatsächlich gibt es mehr als nur zwei Willen im Menschen: Wenn
Mord, Diebstahl und Ehebruch im gleichen Zeitpunkt zusammengedrängt
werden (concurrere in unum articulum temporis), wenn das alles

> "in gleicher Weise für begehrenswert gehalten wird (pariter cupi-
> untur omnia) und doch nicht alles zugleich getan werden kann,
> wird die Seele von vier oder, bei großer Fülle begehrenswerter
> Güter (in tanta copia rerum, quae appetuntur), von noch mehr
> streitenden Willen zerrissen" (discerpere)(255).

Dieses Zitat macht nun vollends deutlich, daß Augustin den Willen
nicht von seinem angeblichen Ursprung, etwa vom "Ich" her denkt,
sondern von seinem **Ziel** her. Dieses Ziel hat jedoch mit wünschenswerter Klarheit den **Charakter des "Begehrens-Objektes"**, so daß die
"Spaltung" letztlich von der unendlichen Ersetzbarkeit und Vervielfäl-
tigung, der **"Zerstückelung"** der Begehrens-Objekte herrührt.

Auch wenn Augustin den semiotischen Hintergrund seiner Argumentation nicht direkt offenlegt – er kann es schon wegen der rhetorischen Verdeckungstechnik nicht –, kann bereits in diesem Stadium der
Darstellung begründet vermutet werden, daß die Korrespondenz zwischen der "Spaltung des Subjekts" und der "Zerstückelung" des Be-
gehrens-Objekts die Konsequenz einer **semiotischen Prämisse** ist:

Wenn das **Suchen** nach Bedeutsamem und nach "Sinn" als dem Intelligiblen in der memoria ans sensible und damit materielle **Bilder**
davon gebunden ist, welche durch die **"Löcher"** des Körpers in diesen
eingehen, wie ist dann eine **"ideelle"** memoria zu denken, welche sich
in der gradatio vom Körperlich-Materiellen abhebt?

Wenn nämlich einerseits die "Zerstückelung" eine Folge der **Ersetzbarkeit** des Materiellen in seiner Zeichenfunktion ist, und wenn
andererseits alles Sprechen, also auch die **Sprache des Glaubens**, der
Zeichen bedarf, dann ergibt sich hier ein theologisches **Dilemma**:

Entweder gibt es ein "Reden von Gott" aus einer immateriellen
memoria, welche dem Zwang des Ersetzbaren und der Materialität des
Sprechens nicht mehr unterworfen ist. Diese memoria müßte dann allerdings auch die **Materialität des Buchstabens** der Hl. Schrift einord-
nen und von einer **Köderbarkeit** des Menschen **ohne Körper** sprechen
können, obwohl der **meta**sprachlich sprechende Theologe ja gerade
die **Öffentlichkeit des Kirchen-"Körpers"** braucht.

Oder das "Reden von Gott" ist wie alles Sprechen nur ein Suchen
nach einem **ersetzbaren** "Begehrens-Objekt", von dem nicht mehr angegeben werden könnte, wieso es dem "Spaltung" schaffenden **Zwang des**

---

255 Conf. VIII, 10; reclam 223; Loeb 454.

Begehrens nicht mehr unterworfen, also endgültig **unersetzbar,** ist.
Wir müssen diese Probleme vorläufig noch offen lassen, um zunächst
die Analyse der Erzählung zu beenden.

2.6.3.3.2.9. Scheinbar nebenbei deutet Augustin auch an, daß die **Einheit des Willens** im Menschen auch im Angesichte der Hl. **Schrift** keine
Selbstverständlichkeit ist. Seine "Spaltung" stammt, gegen die Manichäer, nicht vom Kampf einer "guten Wesenheit" (substantia) gegen
eine "böse Wesenheit", da auch im Bereich des "Guten" mehrere Willen gegeneinanderstehen. Wenn Augustin die Manichäer fragte,

> "ob es gut (bonum) sei, sich an der Lesung des Apostels zu er-
> freuen (delectari lectione apostoli), ob es gut sei, sich an einem
> frommen Psalm zu erfreuen (delectari), und ob es gut sei, das
> Evangelium auszulegen (disserere), werden sie jede dieser Fragen
> bejahen. Aber wie? Wenn nun alles in gleicher Weise und zur sel-
> ben Zeit Freude macht (delectare), würden nicht auch dann ver-
> schiedene Willen des Menschen Herz in Zwiespalt bringen (disten-
> dere), wenn er sich überlegt (deliberari), wonach von allem er
> nun zuerst greifen sollte (arripere)? Lauter gute Willen sind's
> und streiten doch so lange miteinander, bis man eines erwählt
> (eligere), auf das sich nun der ganze, vorher zerteilte Wille
> wirft (quod feriatur tota voluntas una, quae in plures divideba-
> tur)."(256)

Dieses vielleicht überraschende Zitat beweist zunächst, **daß auch der
Buchstabe der Hl. Schrift den Willen "spaltet",** daß also die "Spaltung" durch das Lesen des Buchstabens für Augustin ein grundsätzli-
ches Phänomen ist.(257) Denn auch die Hl. Schrift stellt verschiedene
bona zur **Wahl,** weil niemand alle durch die Buchstaben "zerteilten"
Objekte **gleichzeitig** wollen kann. Also gibt es auch in der Materialität der Hl. Schrift keine "Gleichzeitigkeit" und **Ungeteiltheit des "Begehrens"-Objektes;** sie kann nur dort zu finden sein, wo man sich aus
der Materialität des Buchstabens in das **"Imaginäre"** erhebt.

Von diesem "Imaginären" spricht Augustin anschließend ganz
klar(258), wenn man nur aufmerksam zu lesen versteht. Angesichts
des Gelesenen und Erzählten stand Augustin kurz vor dem Zerreißen

---

256 Ebda.; reclam 224; Loeb 454. 257 Daß hier die Hl.
Schrift nicht ausgenommen ist, konnte Augustin Hebr 4, 12 entnehmen: "Vi-
vus est enim sermo Dei, et efficax, et penetrabilior omni gladio incipiti:
et pertingens usque ad divisionem animae ac spiritus, compagum quoque ac
medullarum, et discretor cogitationum et intentionum cordis." Das Motiv
stammt aus Ps 149, 6. Vgl. dazu August., Enarr. in Ps 149, 6: "'Sermo Dei
gladius bis acutus.' Unde bis acutus? Dicit de temporalibus, dicit de ae-
ternis. In utroque probat, quod dicit, et eum, quem ferit, separat a mun-
do." Vgl. Conf XII, 14. Auch 2 Kor 3, 6b kann herangezogen werden (vgl.
Conf. V, 14; VI, 4): "littera enim occidit, Spiritus autem vivificat".
258 Die Schlüsselstelle ist für Augustin 1 Kor 13, 12: "Videmus nunc per
speculum in aenigmate: tunc autem facie ad faciem." Sie findet sich u.a.
Conf. VIII, 1; X, 5; XII, 13; XIII, 15. An sie schließt sich das Thema

seiner "Fesseln", da Gott in sein "Unbewußtes" eindrang (instabas in occultis meis, domine)(259). Augustin wußte, daß "es" gleich geschehen würde (modo fiat); er glitt nicht mehr

"in die frühere Unentschlossenheit zurück, stand ganz dicht vorm Ziel und schöpfte Atem".(260)

Der **Abstand** zum Ziel des Begehrens, ein anderer zu werden, wurde immer geringer, so daß Augustin es beinahe berührte (attingere). Dennoch hielt er sich in der **Schwebe** (suspendere). Denn die alten Freundinnen, Torheiten und Nichtigkeiten (nugae nugarum et vanitates vanitatum), hielten ihn zurück (retinere), freilich nicht als "Dinge selbst", sondern als **suggestive memoria** der alten consuetudo.(261)

Das Entscheidende an dieser "Wende" ist also die **Suggestivität der "Bilder" aus der memoria**, denen Augustin "Auge in Auge" gegenüberstand. Denn diese Suggestivität beweist erneut die **Knechtschaft** des Willens: Der Wille ist eben nicht das Produkt eines ungeteilten "Ich", sondern die **Wirkung** eines "bewegenden" und "ergötzenden" Bildes, welches durch die "imaginäre" Kraft der Buchstaben der Erzählung entsteht. So wendet man beim Lesen, aber auch beim narrativen Zuhören, die Augen oder das "Gesicht" durch die Materialität des Buchstabens hindurch auf die "unkörperlichen" Bilder, die so erregt werden:

"Denn nun zeigte sich mir (aperiri) auf der Seite, wohin ich mein Gesicht (facies) gewandt, obschon ich ängstlich noch nicht hinüberzueilen wagte, die reine Würde der Keuchheit (casta dignitas contentiae)." "Sie streckte, mich an sich zu ziehen und zu umfangen, fromme Hände aus und hielt in ihnen mir entgegen ganze Scharen edler Vorbilder (exempla)." "Sie lächelte mich an, und in ihrem Lächeln lag eine Mahnung (et inridebat me inrisione hortatoria)!", welche auf Gottes Kraft verwies, die der Ohnmacht des Menschen gegenübersteht.(262)

Angesichts dieser "Schau" errötete Augustin vor Scham (erubescere) und hörte die Mahnung, die Ohren vor den falschen Bildern zu verschließen (obsurdescere).

Augustin macht sofort deutlich, daß dies alles nur eine **Metapher** ist:

"Das war das Streitgespräch (controversia) in meinem Herzen, und nur ich selbst war's, der so gegen sich selbst ankämpfte" (de me ipso adversus me ipsum)(263).

der "speculatio Divina" an. Zum "Herzensspiegel" vgl. **Reinhard Breymayer**, LingBibl 39. 1976, 102-111. Im übrigen gilt hier der rhetorische Lehrsatz: "speculum est consilium formae" (Martian., capell. rhetor. IX, 16, 1); vgl. Lausberg, aaO. § 595,3, S. 307.
259 Conf. VIII, 11; reclam 224; Loeb 456.   260 Ebda.; reclam 225; Loeb 456.   261 Ebda.; reclam 225; Loeb 256. 258; z.B.: "et quae suggerebant in eo, quod dixi..."
262 Ebda.; reclam 226; Loeb 258. 260.   263 Ebda.; reclam 226;

Nicht die Augen des Körpers wendet Augustin dem unkörperlich-metaphorischen Bild der Keuchheit zu; vielmehr sind es die Augen des Herzens oder desjenigen, aus der **imago** geschaffenen, neuen "Ich", das dem alten "Ich" gegenübersteht. Die zu verstopfenden "Löcher" der Ohren, durch welche die falschen Vorbilder eingehen, verschieben sich analog von den Ohren des Körpers zu den Ohren des Herzens, das sich dem **Andrängen** des lockenden neuen Begehrens-Objektes öffnet.

Diese Stelle der narratio des Augustin ist auf ihre Weise ein Beleg für die Raffinesse der **dissimulatio artis**, bei welcher das rhetorisch-pragmatische Vorgehen nicht spüren läßt, in welcher Weise der Leser **beeinflußt** wird.(264) Cicero definiert die **Insinuation**:

> "insinuatio est oratio quadam dissimulatione et circumitione **obscure** subiens auditoris animum."(265)

Der wirkungsvoll sprechende und schreibende Redner schleicht sich also so in die Brust des Hörers/Lesers ein, daß dessen Geist auf **unbewußte** Weise "unterwandert" wird. Diese Unterwanderung des Lesers leistet Augustin nicht nur durch die metaphorische **"Verschiebung"** der controversia cordis, d.h. des Spruchs des alten "Ich" und des Widerspruchs des neuen "Ich", zu einem Bild im Angesichte eines **Wider-Bildes** des neuen Begehrens-Objektes; er läßt vielmehr den Leser auch die simple Tatsache "vergessen", daß er im **Akt des Lesens** anhand der Buchstaben der Hl. Schrift in eben jenen **"Spiegel"** schaut, aus dem ihm die **Vor-Bilder** als zu wählende Bilder des Herzens entgegentreten. "Einschleichend" soll dem Leser nahegebracht werden,

> "welch köstlichen Genuß (sapida gaudia) dem verborgenen Mund (occultum os) seines sinnenden Herzens die Speise deines Brotes bereitete"(266).

Denn zur Stärkung des Leibes dient die Speise, zur Stärkung des Geistes jedoch die **Lektüre**.(267) Da man einem Leser nur **schweigend** zuschauen darf(268), Augustin aber sprechen muß, damit der Leser eine Lektüre erhält, nimmt sein schreibendes Sprechen den Gestus des **Verschweigens** an: Augustin verschweigt, ja **leugnet** erneut(269), daß das <u>Bild des neuen</u> Begehrens-Objektes, der Keuchheit, von außen und da-

---

Loeb 460.   264 Vgl. dazu Lausberg, aaO. § 265, S. 150f.
265 Cic., inv. I, 15, 20.   266 Conf. VI, 3; reclam 145; Loeb 272.
Diese Stelle gibt die Empfindung wieder, die Augustin beim Anblick des
lesenden Ambrosius hatte.   267 Ebda.: "aut corpus reficiebat
necessariis sustentaculis aut lectione animum."
268 Ebda.; reclam 146; Loeb 272: "sic cum legentem vidimus tacite et aliter numquam, sedentesque in diuturno silentio..."
269 Vgl. oben S. 140. Dabei soll Augustin "ein anderer" (aliud) werden!
Conf. VIII, 11; reclam 225; Loeb 456.

mit als **"ein Anderer"** auf ihn zukommt; er behauptet, es sei nur sein eigenes "Ich", im Kontrovers-Spiegel zum **"Selbst"**, und dieses "Spiegel-Gegenüber" habe er mit der metaphorischen illustratio dargestellt. Dabei kann Augustin doch gar nicht leugnen, daß der lesende Körper weder seinem "Ich" noch seinem "Selbst", sondern nur dem kunstvollen **Buchstaben-"Körper"** der Lektüre gegenübersteht. So schaut der Leser dem lesenden Augustin "imaginär" dennoch zu, eben weil Augustin **erzählt:** Man soll zwar dem "Subjekt" beim Lesen nicht zuschauen; aber wenn man liest, sieht man dem Buchstaben und damit der **Differänz** zu. Damit der Leser dies nicht bemerkt, wird die evidentia des "Unbewußten" bemüht.

2.6.3.3.3. Nach diesen systematischen und sehr raffinierten Vorbereitungen kann dem Leser der **Schlußteil** (finis) der narratio geboten werden (Conf. VIII, 12). Aus kompositorischen Gründen ist er sehr kurz, da Buch IX die **Pragmatik** der narratio auf manchmal gewundenen Pfaden fortführt.(270)

2.6.3.3.3.1. Das **Ziel** dieser Pragmatik ist die innere **"illuminatio"** des Lesers; er soll, von der Erzählung gerührt, erfreut und belehrt, mit Augustin sagen können:

"Nunmehr war ja mein Gut (bona) nicht mehr draußen (foris), und ich suchte (quaerere) es nicht mehr mit den leiblichen Augen in diesem Sonnenlicht. Denn die sich an dem, was draußen ist (forinsecus), freuen (gaudere) wollen, schwinden rasch dahin (vanescere), zerfließen im Sichtbaren und Zeitlichen, und ihre Gedanken lecken hungrig an bloßen Bildern."(271)

Augustin wünscht allen Menschen und damit auch den Lesern:

"Oh, daß sie im Innern das Ewige sähen (internum aeternum), wie ich es schon gekostet hatte (gustaveram)!"

Zugleich weiß er jedoch um seine **Grenze:**

"Nun ergrimmte ich, weil ich es ihnen nicht würde **zeigen** (ostendere) können, wenn sie zu mir kämen, und Herz und Auge wären fern von dir, nur aufs Äußere gerichtet (foris a te)..."(272)

Augustins ganze Pragmatik ist somit durchdrungen vom Wissen um die **Defektivität des "Zeigens"**, was er dem Leser an dieser Stelle unum-

270 Z.B. werden Conf. IX, 3 Verecundus und Nebridius kurz vor ihrem Tode von Augustins Beispiel "angesteckt". Wird der Leser diese Kette fortsetzen? Conf. IX, 6 werden Alypius und Adeodatus zusammen mit Augustin getauft. Dabei weist Augustin ausdrücklich auf seine Schrift "De magistro" hin. 271 "et effunduntur in ea, quae videntur et temporalia sunt, et imagines eorum famelica cogitatione eambiunt" (Conf. IX, 4; reclam 238; Loeb 20). Augustin sagt dies alles angesichts seiner **Lektüre** von Ps 4, 5: "Irascimini et nolite peccare" (abweichender Text!). 272 Conf. IX, 4; reclam 239; Loeb 20. 22.

wunden eingesteht. Dennoch hat seine narratio die˙Funktion, das Elend (miseria) des Menschen "in conspectu cordis" zu rücken.(273)

2.6.3.3.3.2. Mit dieser Formel spielt Augustin auf die rhetorische Lehre von der **Leistung der Metapher** an. Erinnern wir uns noch einmal an Ciceros Aussage:

> "illa (scil. tralatio) vero oculorum multo acriora quae paene ponunt in conspectu animi quae cernere et videre nun possumus." (274)

Genau dies war mit Augustin beim Lesen und "Verstricktwerden" in die narratio geschehen; es soll nun wieder geschehen, wenn der Leser Augustins narratio liest. Denn nun steigert sich der **motus** auf die Spitze: Beim conspectus cordis

> "erhob sich ein gewaltiger Sturm und trieb einen gewaltigen Regenguß von Tränen heran. Daß ungehemmt er strömen und tosen könnte, erhob ich mich von Alypius – denn der Weinende ist, deuchte mich, am besten allein – und entfernte mich so weit von ihm, daß seine Nähe nicht mehr stören konnte."(275)

So trieben die **Körperzeichen** der Erschütterung Augustin nicht nur von seinem alten "Ich", sondern auch von seinem Gefährten fort, hin unter den Feigenbaum, der zum Topischen gehört(276). In dieser amarissima contritio cordis hörte Augustin die **Stimme** eines Kindes: "Tolle lege." Sofort wandelte sich auch das Zeichenspiel seines Gesichts (vultus); er erinnerte sich an das **Beispiel des Antonius**, welcher durch das zufällige Auffinden einer Bibelstelle bekehrt worden war. Er griff nach dem **Apostolos** (auf seinem Spieltisch) und las Röm 13, 13.(277)

> "Weiter wollte ich nicht **lesen**, brauchte es auch nicht. Denn kaum hatte ich den Satz beendet, durchströmte mein Herz das Licht der Gewißheit, und alle Schatten des Zweifels waren verschwunden." (278)

2.6.3.3.3.3. Dieser Vorgang bei Augustin hatte sofort "ansteckende" **Folgen** bei seinem Gefährten Alypius. Augustin legte

> "den Finger oder ein anderes Zeichen (signum) in das Buch, schloß es und machte mit nunmehr ruhiger Stimme dem Alypius Mitteilung."

---

273 Conf. VIII, 12; reclam 227; Loeb 462. 274 Cic., de or. III, 40, 161; vgl. Lausberg, aaO. § 559c, S. 287 sowie oben S. 113 die deutsche Übersetzung. 275 Conf. VIII, 12; reclam 227; Loeb 462: "aborta est procella ingens, ferens ingentem imbrem lacrimarum." Raffiniert, daß der Leser Augustins Tränen dennoch "imginär" zuschaut!
276 Vgl. dazu oben S. 120 sowie Joh 1, 48 (Rede Jesu an Nathanael).
277 Vgl. das Zitat oben S. 120 Anm. 118.
278 Conf. VIII, 12; reclam 228; Loeb 464: "quasi luce securitatis infusa cordi meo, omnes dubitationes tenebrae diffugerunt."

Alypius "wollte sehen, was ich gelesen. Ich zeigte (ostendere)
es ihm, und er las aufmerksam noch über jene Stelle hinaus."
Dort heißt es: "infirmum vero in fide recipite."(279)

"Durch diese Mahnung gefestigt (tali admonitione firmatus),
schloß er sich, ohne im mindesten zu schwanken und zaudern (sine ulla turbulenta cunctatione), dem guten Plan und Vorsatz an,
der so ganz zu seinen Sitten (mores) paßte, die die meinen schon
längst weit in den Schatten stellten. Sodann gehen wir zur Mutter
hinein und berichten (indicare); sie freut sich."(280)

So harmlos diese Schilderung wirkt, so raffiniert setzt sie die **semiotischen Prämissen** für die rhetorische Pragmatik ein. Zu diesen Voraussetzungen gehören sowohl die Korrelation zwischen **Finger und Zeichen** allgemein(281) als auch die Korrelation zwischen dem in das
Buch gelegten Zeichen und den mit seiner Hilfe "gezeigten" Zeichen,
den **Buchstaben.** Diese wirkten bei Alypius als Mahnung (admonitio)
und zugleich als **Befestigung** (firmatus) der πίστις .(282) Letztere
vollzieht sich als probatio der eigenen fides mithilfe der refutatio der
falschen, früheren fides.

2.6.4. In diesem Sinne sind die Buchstaben der narratio Augustins
der "Finger", welcher dem Leser nicht nur die Buchstaben der Hl.
Schrift und durch sie hindurch die "Verstrickung" Augustins, sondern
auch die Befestigung der eigenen fides zeigt: Nach der Lektüre dieser
narratio kann der Leser infolge der **Kunst** des Sprechens(283) nicht
mehr der gleiche sein wie vor der Lektüre; dessen ist Augustin gewiß. Mit Augustins Finger ist also trotz alles Wissens um die Defektivität des "Zeigens" ein **Zeichen** vorhanden, mit dem Augustin auf das
"zeigen" kann, worauf es ihm ankommt, nämlich auf die Nachahmung.
Für das "Subjekt" des Lesens wirkt sich die **Nachahmung** konstitutiv
aus. Denn hier gilt:

"Nachahmen heißt ganz gewiß: ein Bild reproduzieren. Aber im
Grunde heißt es, daß das Subjekt sich in eine Funktion einrückt,
bei deren Ausübung es voll erfaßt wird."(284)

279 Röm 14, 1: "Infirmum autem in fide assumite, non in disceptationibus
cogitationum." Augustin liest den leicht abweichenden Text der Itala.
280 Conf. VIII, 12; reclam 228f; Loeb 464. 466.
281 Daß der Zeigegestus des Fingers (intentio digiti) ein semiotisches
Problem ist, wird in "De magistro" ausführlich behandelt. Vgl. dazu unten
S. 167.   282 Vgl. dazu die Anweisung für die argumentatio (=πίστις)
bei Isid. Hisp., orig. II, 7, 2: "argumentandum est ita, ut primum nostra
firmemus, dehinc adversa confringamus." Vgl. Lausberg, aaO. § 430, S. 236.
283 In diesem Sinne "benutzt" Augustin die ars rhetorica gerade auch in
seiner Kritik an ihr. Vgl. dazu **Walter Magaß, Die Kritik der Künste in
den Confessiones des Augustin.** Kairos 22. 1980, 122-128.
284 **Jacques Lacan, Die vier Grundbegriffe der Psychoanalyse.** (Das Seminar
von Jacques Lacan XI), übers. v. Norbert Haas. 1978. ²1980, 106.

2.6.5. Wir haben diese Erzählung bewußt ausführlich in einer Mikro-
analyse ihrer rhetorischen Pragmatik vorgetragen, um den ganzen
Reichtum des pragmatischen Verfahrens, aber auch die enge **Verflech-
tung von Rhetorik und Semiotik** vor Augen zu führen. Augustins Umgang mit den Buchstaben, seine **Hermeneutik**, zeigte sich uns als eine
theoretische Reflexion über das **Sprechen mittels wirksamer Zeichen**,
wobei freilich eine Reihe von zentralen Problemen offengeblieben ist,
denen wir uns nunmehr zuwenden. Dabei muß vor allem noch einmal
gefragt werden, wieso denn Zeichen eigentlich **wirksam** sein können,
wenn ihre Materialität am Vergänglichen und Ersetzbaren und damit
am "Falschen" teilhat.

3. Die "Löcher" des Körpers, die memoria und die gradatio
3.1. Theologia negativa als Konsequenz der Semiotik

3.1.1. Zur Beantwortung der soeben gestellten Frage greifen wir eine
frühere Frage wieder auf.(285) Wie kann die abwesende, immaterielle
res, welche durch signa nur "vertreten" wird, dennoch materiell **"anwesend"** gemacht werden? Wie kann z.B. der immaterielle **Gott** in den
materiellen Zeichen "anwesend" gemacht werden? Auf diese Frage mit
allen ihren inkarnationstheologischen Implikationen konzentriert sich
die theologische Konsequenz aus Augustins semiotischen Prämissen.

3.1.2. Augustin steht hier vor einem Paradoxon: Wenn ich immer zur
geschaffenen Materie, den **Zeichen**, greifen muß, wenn ich den ungeschaffenen, immateriellen Gott aussage, darf ich dann nicht einmal
sagen, er sei "unaussprechlich", weil ich ja so eben doch genau dieses "ausspreche"?

> "Woher weiß ich das anders, als weil Gott unaussprechlich ist?
> Sollte aber nicht dadurch, daß ich sage, Gott sei unaussprech-
> lich, das Unaussprechliche schon ausgesprochen sein? Und daher
> darf Gott nicht einmal der Unaussprechliche genannt werden, weil
> ja doch schon dadurch, daß er nur so genannt wird, etwas von
> ihm ausgesagt wird."(286)

Augustin nennt das eine "pugna verborum"(287) und nimmt damit ebenfalls einen rhetorischen Topos auf: Der Spruch des Anklägers und der
Widerspruch des Verteidigers vor Gericht ist eine pugna (Quintil.,

285 Vgl. dazu bereits oben S. 114.
286 August., doctr. christ. I, 6; BKV 18; Migne 21.   287 Ebda.

inst. or. VII, 1, 8)(288); aber auch der Einzelredner soll das vitium der pugnantia inter se verba vermeiden.(289) Vor allem die Antithese, das "compositum ex contrariis", ist eine Redefigur;

"haec figura constat ex eo, quod verba pugnantia inter se, paria paribus, opponuntur" (Aquila, de fig. sentent. 22).(290)

3.1.3. Inhaltlich hat sich Augustins Argumentation bis zu keinem Geringeren als bis zu RaMba''M (R. Moshe ben Maimon, 1135–1204) und seinem "Moreh Nebûkhîm" (1190/1200) durchgehalten:

Man muß bedenken, "daß Gott kein **Körper** ist und daß es zwischen ihm und seinen Geschöpfen durchaus keine Ähnlichkeit in irgendeiner Hinsicht gibt"(291).

"Alles aber, was sich auf Gott bezieht, ist in jeder Beziehung von unseren Attributen verschieden, so daß es nicht von demselben Begriffe umfaßt werden kann. Und ebenso wird das Wort 'Existenz' von dem Dasein Gottes und dem Dasein anderer Wesen...nur **homonym** gebraucht."(292)

"Es ist bekannt, daß das Dasein eine zufällige Eigenschaft ist, die dem Daseienden zukommt. Es ist somit etwas zu dem Wesen des Daseienden Hinzukommendes", also im aristotelischen Sinne keine "Substanz", sondern ein "**Akzidens**"(293).

"Bei demjenigen aber, dessen Dasein keine Ursache hat, und dies ist Gott allein,... ist sein Dasein mit seinem Wesen und sein Wesen mit seinem Dasein identisch. Er ist also nicht ein Wesen, dem es **zufällig** widerfährt, daß es existiert – denn sonst wäre das Dasein etwas zu seinem Wesen Hinzukommendes –; vielmehr muß ihm das Dasein **notwendig** immer zukommen... Somit existiert er, aber nicht durch die Existenz, er lebt, aber nicht durch das Leben, er weiß, aber nicht durch Wissen, er ist mächtig, aber nicht durch Macht, er ist weise, aber nicht durch Weisheit, sondern dies alles wird wieder zu Einem Dinge, in welchem es... keine Vielheit gibt."(294)

3.1.4. Diese **semantica negativa theologica** des größten jüdischen Systematikers findet sich durchweg bereits bei **Augustin**. Schon ganz zu Beginn der "Confessiones" (I, 4) heißt es über Gottes Herrlichkeit:

"Du liebst, und gerätst doch nicht in Wallung, eiferst und bist doch gelassen, es reut dich und bist doch unbekümmert, du zürnst und bleibst doch ruhig, änderst wohl dein Verhalten, aber nie deinen Ratschluß, nimmst an dich, was du findest, und hast's doch niemals verloren, kennst keinen Mangel und freust dich doch des Gewinns, weißt nichts von Habgier und forderst doch Zinsen."(295)

---

288 Vgl. Lausberg, aaO. § 80, S. 64. Zur Sache vgl. **Birgit Stolt, Wortkampf**. Frühneuhochdeutsche Beispiele zur rhetorischen Praxis. (Respublica literaria 8). 1974. 289 Vgl. Lausberg, aaO. § 722, S. 360; § 796, S. 392. 290 Ebda. § 796, S. 392. 291 **Mose ben Maimon, Führer der Unschlüssigen** I. (PhB 184a). 1972, 109 (Kap. 35). 292 Ebda. 110 (Kap. 35). 293 Ebda. 191f (Kap. 57). 294 Ebda. 192f (Kap. 57). 295 August., Conf. I, 4; reclam 31f; Loeb 8.

Später (Conf. XI, 6) führt Augustin aus, daß auch das **Schöpfungswort** Gottes nichts **Materielles** sein kann:

"Nun gab es aber vor Himmel und Erde nichts Körperliches, oder wenn doch, so hättest du es sicherlich ohne vergängliche Stimme geschaffen, um daraus die vergängliche Stimme zu erschaffen, mit der du etwa sagen wolltest, Himmel und Erde sollten entstehen.... Was also war's für ein Wort, durch welches der **Körper** gebildet wurde, dem diese Worte entsprungen sein sollten?"(296)

Wir haben bereits gesehen, daß diese Formulierung eine semiotische These ist, welche von der Vergänglichkeit und Körperlichkeit des Signifikanten ausgeht. So können wir bereits hier ein semiotisches Merkmal des Sprechens Gottes bei der Schöpfung festhalten: Bei diesem Sprechen gab es noch nicht die **Zeit der Ablösung** des einen Zeichens durch ein anderes:

"Denn da löst nicht éin Laut den andern ab, bis nach und nach alles gesprochen werden kann, sondern in eins und ewig wird alles gesprochen." "Aber in deinem Worte gibt's keinen Ab- und Zugang, denn es ist wahrhaft unsterblich und ewig."(297)

Dieses Zitat belegt noch einmal schlagend den bereits aufgewiesenen semiotischen Ablösungs- und **Ersetzungszusammenhang**, von dem Augustin Gott selbst ausnimmt.

3.1.5. Wenn Gott in der **Inkarnation** als Wort Fleisch wird, dann erscheint zwar das ewige, immaterielle Wort in der vergänglichen Materie, aber es wird dadurch nicht "kommutiert", d.h. der rhetorischen Kategorie der **immutatio** unterworfen(298):

"Wie aber kam sie (scil. die Predigt) anders als dadurch, daß das Wort Fleisch geworden ist und unter uns gewohnt hat? (Man hat sich das ungefähr so vorzustellen:) Soll beim Sprechen der Gedanke unseres Innern durch das fleischliche Ohr zum Geiste unserer Zuhörer gelangen, so wird er und das in unserm Herzen schlummernde Wort zum Schall, und heißt dann Sprache. Aber unser Gedanke verwandelt sich nicht in den Schall, sondern er bleibt nach wie vor ein Gedanke und nimmt nur ohne jeden Makel der Veränderung die Form der Stimme an, um so in jedes Ohr eindringen zu können. So ist auch das Wort Gottes nicht verändert, aber doch Fleisch geworden, um unter uns zu wohnen."(299)

Dieses erstaunliche Zitat parallelisiert die Inkarnation Christi mit dem **Eingehen eines Gedankens durch das "Loch" des Körpers** und nennt damit einen zentrales Motiv der Psychosemiotik. Obwohl Maimonides diese Inkarnationshermeneutik selbstverständlich nicht übernehmen kann, findet sich bei ihm der ganz ähnliche Gedanke, daß man zwar

296 Conf. XI, 6; reclam 326f; Loeb 222.   297 Conf. XI, 7; reclam 327; Loeb 224. Dies gilt für das Schöpfungswort im Gegensatz etwa zum Wort Gottes bei der Taufe Jesu (Mt 3, 17; Conf. XI, 6).
298 Vgl. dazu Lausberg, aaO. § 462,4, S. 253f.
299 August., doctr. christ. I, 12; BKV 23.

bei Gott nichts "Körperliches" denken darf und es daher in bezug auf
Gott keinem Zweifel unterliegt,

> "daß bei dem Nichtvorhandensein der Körperlichkeit auch alle die-
> se Bewegungen, wie Auf- und Absteigen, Gehen, Stehen, Sichauf-
> richten, Umkreisen, Sitzen, Wohnen, Ein- und Ausgehen, Vorüber-
> gehen und alles, was diesen ähnlich ist, nicht vorhanden sind"
> (300).

Dennoch braucht die **Sprache der Menschen**, welche die Thora spricht
(b Berakh 31b; b Jebam 71a; b Qidd 17), als Gebilde aus materiell-
körperlichen Zeichen auch "körperliche" Konzepte:

> "Dies bedeutet, daß es zulässig sei, auf Gott alles anzuwenden,
> was alle Menschen auf der untersten Stufe des Denkens verstehen
> und sich vorstellen können. Demgemäß wird Gott mit Attributen
> dargestellt, die auf Körperlichkeit hindeuten, um damit auszu-
> drücken, daß er existiert, weil die Menschen auf der untersten
> Stufe des Denkens keine andere Existenz als die eines Körpers
> begreifen, und weil das, was kein Körper oder nicht in einem Kör-
> per ist, nach ihrer Ansicht nicht existiert."(301)

In diesem Sinne darf man sagen, die theologia negativa Augustins mit
ihren erstaunlichen Aussagen zur Inkarnation sei eine Konsequenz der
Semiotik. So kann von der "Sache" her deutlich werden, daß die Theologie ohne die Semiotik nicht auskommt, weil sie anders die Frage
nach der **Wahrheit** ihrer Aussagen nicht beantworten kann.

3.2. Die Wirkung der Zeichen durch die "Löcher" des Körpers auf die Gefühle

3.2.1. Der wichtigste rhetorische Topos in einer derartigen Argumenta-
tion ist, wie wir bereits gesehen haben, der der **Körperlichkeit der
Zeichen in der imaginatio**. Wieder bringt Quintilian das klassische
Zitat:

> "Quare capiendae sunt illae, de quibus dixi, rerum imagines,
> quas vocari φαντασίας indicavimus, omniaque, de quibus dicturi
> erimus, personae, quaestiones, opes, metus habenda in oculis,
> in adfectus recipienda: pectus est enim, quod disertos facit, et
> vis mentis."

> "Deshalb gilt es, diese anschaulichen Vorstellungen von den Ge-
> genständen, die ich gerade genannt habe, und die, wie wir ge-
> zeigt haben, φαντασίαι (Vorstellungen) heißen, zu erfassen und
> alles, worüber wir gerade reden wollen, die Personen, die Fra-
> gen, um die es geht, Hoffnungen und Befürchtungen, leibhaftig
> vor den Augen zu haben und ins Gefühl aufzunehmen. Unser In-
> neres ist es nämlich, was beredt macht, und die geistige Kraft
> in uns."(302)

300 Maimon, aaO. 76 (Kap. 26).   301 Ebda. 74.
302 inst. or. X, 7, 15; Rahn, aaO. II, 534f; vgl. dazu Lausberg, aaO. §
811, S. 402 sowie oben S. 135 Anm. 224.

Die "Bilder der Dinge", die "imaginären" **Zeichen**, wirken also durch die **Augen** (oder durch ein anderes "Loch" des Körpers) auf die **Gefühle** der Seele ein, denn das Herz, der "Sitz" der Gefühle, macht die Menschen zu "bered " **sprechenden**, indem es dem Verstand die rhetorische vis verleiht. Diese vis ist einerseits die affektivische Energie des Redners(303) und seiner Kunstmittel(304); sie ist andererseits sowohl die Ausdrucksenergie dieser Kunstmittel(305) als auch ganz allgemein der **Wirksamkeitsrahmen** des Sprechens(306).

3.2.2. Ganz im Sinne dieser rhetorischen Position sind auch für Augustin die Zeichen **"benutzbare Dinge"**, um die Gefühle des Herzens zu kommunizieren. Nach dem Ende seiner Kindheit bemühte Augustin sich

> "um Zeichen (signa), meine Gefühle (sensa) auch andern kundzutun"(307).

Augustin lernte sprechen zunächst nicht durch Worte, die dann noch durch Buchstaben ersetzt werden,

> "sondern ich lernte es, als ich kraft der mir von dir, mein Gott, verliehenen Geistesgaben mit Seufzern (gemitus) und mancherlei Lauten und Gesten (motus membrorum) die Gefühle meines Herzens (sensa cordis) äußern wollte, daß man meine **Wünsche** (voluntas) erfüllte"(308).

Das Sprechen der anderen und die damit verbundene **Zeigebewegung** des Körpers ließen Augustin erfassen,

> "daß mit solchem Wort ein bestimmtes Ding gemeint sei, das sie mir zeigen wollten. Daß sie eben dies wollten und meinten, war.. zu ersehen aus den Bewegungen (motus) des Körpers, gleichsam der natürlichen Sprache aller Völker, die durch Mienenspiel, Augenblinzeln (vultu et nutu oculorum) sowie allerlei sonstige Gebärden und Laute die Regungen des Gemütes (affectio animi) kundtut, das Gegenstände bald haben und behalten, bald von sich weisen und fliehen möchte."(309)

3.2.3. Dieses Zitat ermöglicht eine erstaunliche direkte Verbindung zur **Psychosemiotik** Sigmund Freuds und Jacques Lacans, welche uns später ausführlicher beschäftigen wird.(310) Denn Freud schreibt in bezug auf die Libido- oder **Begehrens-Relation** des Sprechens und ihre Beziehung auf Objekte:

> "Die Eigenschaft, über die (beim Zusprechen einer Eigenschaft, EGü.) entschieden werden soll, könnte ursprünglich gut oder schlecht, nützlich oder schädlich gewesen sein. In der Sprache

---

303 Vgl. Lausberg, aaO. § 314, S. 177.   304 Vgl. ebda. § 352, S. 191f.
305 Vgl. ebda. § 605, S. 310: "figurarum genus rhetoricum sensibus vires accommodat." Diese Akkommodationslehre ist auch inkarnationstheologisch sehr wichtig.   306 Vgl. ebda. § 49, S. 49; § 255, S. 139f.
307 August., Conf I, 6; reclam 35f; Loeb 16.
308 Conf. I, 8; reclam 39; Loeb 24.   309 Ebda.; aaO.
310 Vgl. dazu Kap. 6 und 7.

der ältesten, oralen Triebregungen ausgedrückt: das will ich essen oder will es ausspucken, und in weitergehender Übertragung: das will ich in mich einführen und das will ich ausschließen. Also: es soll in mir oder außer mir sein."(311)

3.2.4. Walter Magaß hat bereits darauf aufmerksam gemacht, daß Augustin die "oralen" **Speise- und Ausscheidungsmetaphern** dem sprachlichen Vorgang des Lernens und Lehrens widmet.(312) Auch in den "Confessiones" spricht Augustin in extenso von den "Türen meines Fleisches"(313), und zwar sowohl im Zusammenhang der **"Begehrens"**-Thematik als auch im Zusammenhang einer rhetorischen **Inventions**-Theorie(314), welche als "Grammatik" des Suchens in der memoria dort sowohl die "imaginären" Bilder realer Dinge, aber auch die ideellen "Dinge selbst" **als** Bilder, die affectiones und letztlich auch Gott auffinden läßt. Dieser doppelte Zusammenhang ist nur zu sehr sachgemäß, wenn man bedenkt, daß auch das "Begehren" ein **Suchen** ist(315), also auf einen **"Mangel an Sein"** hinweist(316), den Augustin offenbar in der materiellen und "vergegenwärtigenden" **memoria** überwunden sieht. Wieder einmal stoßen wir damit auf einen Problemkomplex, in welchem die innere Sachverknüpfung von Rhetorik, Semiotik und Theologie nicht zu übersehen ist. Folgendes kann zur Vertiefung des bereits Gesagten ausgeführt werden.

311 **Sigmund Freud, Die Verneinung.** (1925); in: **G.W. XIV.** (1948), 5. Aufl. 1972, 13. Zur weiteren Kommentierung vgl. unten S. 300-309. 312 **Walter Magaß, Anmerkung zu "Auswurf" und "Körperöffnung".** LingBibl 47. 1980, 92 unter Hinweis auf August., Enarr. in Psalmos 144, 9; CCL 40, 2094. Zur Sache vgl. auch **Hans-Jörg Spitz, Die Metaphorik des geistigen Schriftsinns.** 1972, 243-245. 313 Conf. X, 6; reclam 268; Loeb 88: "fores carnis meae"; Conf. X, 10; reclam 275; Loeb 102: "ianuae carnis meae". 314 Vgl. dazu Lausberg, aaO. § 260-442, S. 146-240. 315 Vgl. Greimas-Courtés, Sémiotique 305: Der figurative Term "Suche" (quête) "désigne à la fois la tension entre le sujet et l'objet de valeur visé, et le déplacement de celui-là vers celui-ci..." Logisch ist die Suche die Vermittlung (Neutralisierung) zwischen einer Disjunktion zwischen Subjekt und Objekt und einer Konjunktion zwischen beiden: Man "sucht" nur, weil man von der "Trennung" (Disjunktion) herkommt und die "Vereinigung" (Konjunktion) **begehrt.** 316 Vgl. dazu Lacan, Seminar XI, 95: "das Subjekt als genichtet - genichtet in einer Form, die jenes **Weniger-Phi** [(- φ)] der Kastration bildhaft inkarniert..." Vgl. ebda. 110: "Das Objekt **a** ist ein etwas, von dem als Organ das Subjekt sich getrennt hat zu seiner Konstituierung. Dieses Objekt gilt als Symbol des Mangels, das heißt des Phallus, und zwar nicht des Phallus an sich, sondern des Phallus, sofern er einen Mangel/ein Fehlen darstellt." "Beim Sehen befinden wir uns... auf der Ebene des Begehrens, das sich an den Andern richtet." Ebda. 111: "Deswegen kann das Auge als Objekt **a**, das heißt auf der Ebene des Fehlens (- φ), fungieren." (Gesprochen wird: "Objekt klein a".) Ebda. 135: Die unbewußte Ursache ist "ein μὴ ὄν , aus der Untersagung, die ein Seiendes zum Sein bringt ungeachtet seines Nichtankommens, sie sie unter Funktion des Unmöglichen, worauf sich eine Gewißheit gründet." Gegen Descartes' "cogito" stellt Lacan so (mit Augustin) des Freudsche "desidero"

154

3.2.5.1. Nach Augustin treten die Bilder (imagines) durch die "Lö-cher" des Körpers in den Menschen ein und werden in der immateriel-len memoria nach loci geordnet. Dabei entspricht zunächst jedem "Loch" ein bestimmter locus der memoria:

> "Alles aber tritt hier ein, ein jedes durch seine Tür (fores), und wird hier aufgehoben (reponuntur). Freilich sind's nicht die Din-ge selbst, die eintreten(317), sondern nur die Abbilder der wahr-genommenen Dinge (rerum sensarum imagines) stehen dort dem Denken (cogitatio) zur Verfügung, das sich ihrer erinnert (remi-niscere)."(318)

Für die topische Strukturierung der memoria gilt also zunächst das Prinzip des Eingangs-"Loches":

> "Alles wird dort säuberlich getrennt und artweise (distincte gene-ratimque) geordnet aufbewahrt, und ein jedes trat durch seine eigene Eingangspforte (aditus) ein. So das Licht und alle Farben und Formen der Körper (corpora) durch die Augen (oculi), durch die Ohren (aures) aber alle Arten von Tönen, alle Gerüche durch die Nase (aditus narium), alle Geschmacksempfindungen durch die Pforte des Mundes (oris aditus), durch das im ganzen Körper ver-breitete Gefühl (sensus totius corporis) alles, was hart und weich, warm und kalt, glatt und rauh, schwer und leicht draus-sen und drinnen im Körper (sive extrinsecus sive intrinsecus cor-pori) sich bemerkbar macht."(319)

3.2.5.2. Daß hinter diesen Zitaten eine bestimmte Semiotik steht, kann bereits nach den bisherigen Ausführungen deutlich sein; explizit bele-gen läßt es sich jedoch durch Aussagen Quintilians zur memoria (Quintil., inst. or. XI, 2).

Die memoria ist nicht nur ein Geschenk der Natur, sondern sie läßt sich durch Ausbildung steigern; ohne sie ist alles Lehren (doce-re) vergeblich, so daß die memoria mit Recht "thesaurus eloquentiae" genannt wird (§ 1). Auch die Syntagmatik des Sprechens beruht auf ihr: Reihenfolge, Anordnung und passende Stelle (opportuni loci) der Gedanken werden eingeprägt (§ 2). Diese "lokale" Struktur der memo-ria leitet das Suchen der freien Rede:

> "Denn während wir das eine sagen, müssen wir schon im Blick haben, was wir sagen wollen; während so die Gedankenarbeit im-mer schon weiterläuft, gilt ihr Suchen (quaerere) dem, was erst

als Knotenpunkt der Bestimmung des Menschen dar (vgl. ebda. 162). Vgl. auch Greimas-Courtés, aaO. 222b: "Dans le schéma narratif canonique, dé-rivé de Propp, le manque est l'expression figurative de la disjonction initiale entre le sujet et l'objet de la quête: la transformation qui opère leur conjonction... joue un rôle de pivot narratif... et correspond à l'épreuve décisive."   317 Die res ipsae können nicht eintre-ten, weil sie "Körper" sind. Also ist die Verwandlung der "Körper" (sensi-bile) in imagines (intelligibile) bereits der erste Schritt aus dem Er-setzbarkeits- und Vergänglichkeitsrahmen der Zeichen hinaus! 318 Conf. X, 8; reclam 271f; Loeb 96.   319 Ebda.; reclam 271; Loeb 94.

später kommt, alles aber, was sie gefunden hat (repperit), gibt sie gleichsam dem Gedächtnis zur Verwahrung (deponit)..."(320)

Quintilian will nicht so leichtgläubig (credulus) sein und die alte Meinung über die Voraussetzung dieser Leistung des Gedächtnisses(321) übernehmen,

"daß sich im Geist (animus) eine Art Spuren (vestigia) einprägen (imprimi) so, wie sich im Wachs die Abdrücke (signa) der Siegelringe erhalten"(322).

Viel stärker bewundert er (admirari) die Kraft der memoria im **Traum**,

"daß sich Dinge der Vergangenheit, die nach langer Zeit wieder hervorgeholt werden, einstellen und darbieten, und das nicht nur, wenn man sie sucht, sondern zuweilen auch ganz von selbst (sponte), und nicht nur, wenn man wach ist, sondern sogar auch dann, wenn man sich in Ruhe befindet"(323).

Simonides von Keos (557-467 v. Chr.) soll man die Erkenntnis verdanken,

"daß das Gedächtnis dadurch gestützt wird, daß man **feste Plätze** (sedes) bezeichnet, an denen die Vorstellungen haften"(324).

"Es müßten daher die, die dieses Geistesvermögen üben wollten, gewisse Plätze auswählen, das, was man im Gedächtnis behalten wollte, sich unter einem Bild vorstellen und in diese Plätze einreihen. So würde die Ordnung der Plätze die Ordnung der Sachen bewahren; die Sachen selbst aber würden durch Bilder bezeichnet; und so könnten wir uns der Plätze statt der Wachstafeln und der Bilder statt der Buchstaben bedienen."(325)

3.2.5.3. Diese **locus-Methode**(326) erleichtert auch die **inventio**: Bei der Wiedererinnerung beginnen die Redner

"von Anfang an diese Örtlichkeiten (loca) wieder zu durchmustern und sammeln wieder auf, was sie jeder Stelle anvertraut haben, wie jeweils das Bild (imago) die Erinnerung an das Betreffende weckt"(327).

Quintilian merkt auch bereits an, daß das locus-Prinzip der **Imagination** Schwierigkeiten macht, wenn man es auf die **zusammenhängende Rede** bezieht(328). Er sieht noch davon ab,

320 Quintil., inst. or. XI, 2, 3; Rahn, aaO. II, 586f.
321 Vgl. bereits Plat., Theaet. 191 D. 193 C.   322 Quintil., inst. or. XI, 2, 4; Rahn, aaO. II, 586f.   323 Ebda. XI, 2, 5; Rahn, aaO. II, 588f.   324 Ebda. XI, 2, 17; Rahn, aaO. II, 592f; vgl. Cic., de or. II, 86, 351-354.   325 Cic., de or. II, 86, 354; Kühner, aaO. 251. Zitiert bei Quintil., inst. or. XI, 2, 21; Rahn, aaO. II, 594f.
326 Wer als moderner Leser eine bildhafte Anschauung von ihr gewinnen will, der greife nach **Johann Amos Comenius, Orbis sensualium pictus.** (1658). (Die bibliophil. Taschenbücher 30). 1978. Nach einer Einladung zum "discere sapere" mittels eines "vivum et vocale Alphabetum" (2-5) folgt Deus, Mundus, Coelum, die vier Elemente usw., dargestellt durch ein "emblematisches" Bild. Vgl. dazu **Arthur Henkel - Albrecht Schöne (Hg.), Emblemata.** Handbuch zur Sinnbildkunst des XVI. und XVII. Jahrhunderts. 1967.   327 Quintil., inst. or. XI, 2, 20; Rahn, aaO. II, 594f.
328 Dies wurde zum schlagenden Argument gegen eine allzu naive poetische

"daß manche Wörter gar nicht mit Abbildern (simulacra) bezeichnet werden können wie doch jedenfalls die Bindewörter (coniunctiones)"(329).

Viel wichtiger ist die Frage, ob denn die memoria während des zusammenhängenden **Sprechens** ständig in einer schier endlosen Zahl von "Örtlichkeiten" hin- und herhuschen kann:

"Denn wie soll dann die Rede im Zusammenhang dahinfließen, wenn man wegen jedes einzelnen Wortes auf die einzelnen Sinnbilder blicken muß?"(330)

Quintilians **semiotische Theorie** möchte das "Zerreißen" und "Zerhacken" der Rede vermeiden.(331) Dazu dienen ihm dann die abstrakteren **"Merkzeichen"** (signa).(332)

3.2.5.4. Augustins memoria-Theorie erscheint im Vergleich zu der Quintilians weniger mechanistisch. Mehrfach betont er die **pragmatische Wirkkraft** der memoria:

"Magna ista vis est memoriae..."
"Groß ist die Macht des Gedächtnisses..."(333)

Diese vis (rhetorica) hält nämlich das Bild (imago) dessen fest (teneri), was als "Sache selbst"

"dem Körper abhanden kam",
"quamvis ipsa res abesset a corpore"(334).

Weil also das **"Imaginäre"** ein Ersatz für das dem Körper Fehlende ist, verlangt die memoria bei der inventio nach der **"Rückerstattung des Fehlenden"** anhand dessen, was noch nicht **"vergessen"** ist.(335) Das "Suchen" in der memoria ist ein **désir** nach "vergegenwärtigender" **imaginatio**:

"Wenn nämlich etwas den Blicken (oculis), aber nicht dem Gedächtnis entschwindet (perit), etwa irgendein sichtbarer Gegenstand (corpus quodlibet visibile), hält man innerlich sein Bild fest und sucht so lange, bis man es wieder vor Augen hat."(336)

"Anschaulichkeits"-Theorie des Simonides von Keos ("ut pictura poesis") ausgearbeitet von **Theodor A. Meyer**, Das Stilgesetz der Poesie. 1901. Seitdem ist dies ein Standardwerk. Zur Sache vgl. Güttgemanns, Offene Fragen 232-250, bes. 245f.   329 Quintil., inst. or. XI, 2, 20; Rahn,aaO. 594f.
330 Ebda. XI, 2, 26; Rahn, aaO.: "nam quo modo poterunt copulata fluere, si propter singula verba ad singulas formas recipiendum erit?"
331 Vgl. ebda. XI, 2, 27; Rahn, aaO. II, 596. 598: "aliqui rursus multae erunt et eam distringent atque concident."   332 Vgl. ebda. XI, 2,29f; Rahn, aaO. II, 598f.   333 August., Conf. X, 8; reclam 273; Loeb 98; Conf. X, 17; reclam 283; Loeb 120.
334 Conf. X, 15; reclam 280; Loeb 116.
335 Conf. X, 19; reclam 285; Loeb 126: "an non totum exciderat, sed ex parte, quae tenebatur, pars alia quaerebatur, quia sentiebat se memoria non simul volvere, quod simul solebat, et quasi detruncata consuetudine claudicans reddi quod deerat flagitabat?"
336 Conf. X, 18; reclam 284f; Loeb 124: "tenetur intus imago eius et quaeritur, donec reddatur aspectui."

Augustin nimmt damit die rhetorische Lehre von der "vereindringli-
chenden" rerum sub aspectum (vel sub oculos) subiectio, also von der
evidentia, auf(337): Vor allem beim **Erzählen** wird nicht etwas "gesagt", sondern vielmehr etwas **"gezeigt"**(338), so daß das zu Hörende
nicht durch die "Löcher" der Ohren, sondern durch die **"Löcher" der
Augen** eingeht(339). Wenn Augustin erzählt, dann verscheucht er die
falschen Bilder

> "mit der Hand des Geistes (manus cordis) aus den Augen meiner
> Erinnerung (a facie recordationis meae), bis endlich das Ge-
> wünschte aus Nebel und Versteck hervortritt und meinen Blicken
> (conspectus) erscheint"(340).

Der Akt des Erzählens holt so aus der memoria als **wunschgeleitetes**
"Suchen" dasjenige hervor, was dem **Körper** fehlt: Das Erzählens versucht, den **Mangel des Körpers** durch das "Begehren" des erlaubten
und guten **"Imaginären"** zu beheben, indem anhand von **Zeichen** die
Örtlichkeiten der **Bilder** durchsucht werden. Das Lernen als "lokales"
Sammeln impliziert ein **"sammelndes"** Denken, das sich gegen die **"Zerstückelung"** wendet:

> "Wenn wir die Dinge **lernen** (discere), deren Abbilder (imagines)
> wir nicht durch die Sinne (sensus) empfangen, sondern die wir
> ohne Bilder, so wie sie sind und durch sich selbst, inwendig
> schauen (intus cernimus), dann geschieht nichts anderes, als daß
> wir das, was bisher durcheinander und ungeordnet (passim atque
> indisposite) im Gedächtnis lag, gleichsam **denkend sammeln** (cogi-
> tando quasi colligere) und mit Bedacht dafür sorgen, daß es hin-
> fort im Gedächtnis nicht mehr wie früher zerstreut, vernachlässigt
> und verborgen bleibt (ubi sparsa prius et neglecta latitabant),
> sondern gleichsam **zur Hand** liegt (ut tanquam ad manum posita
> in memoria) und, wenn die Aufmerksamkeit (intentio) sich darauf
> richtet, zur **Verfügung** steht (facile occurrant)."

> "Daher heißt **denken**, etwas gleichsam **aus der Zerstreuung** sam-
> meln";
> "id est velut ex quadam dispersione colligenda, unde dictum est
> cogitare."(341)

Auch Augustin kennt also Quintilians "Zerstückelungs"-Verdacht bei
der zusammenhängenden Rede; aber da er die "sammelnde" evidentia
und die **Ganzheit des "Schauens"** beim Erzählen stärker hervorhebt,
ist das "Suchen" von der **Ganzheit des "Findens"** her geleitet(342):

337 Vgl. dazu Lausberg, aaO. § 680, S. 342f.
338 Vgl. dazu ebda. § 319, S. 179 sowie Quintil., inst. or. IV, 2, 64:
"evidentia in narratione... est quidam magna virtus, cum quid veri non
dicendum, sed quodammodo etiam ostendendum est, sed subici perspicuitati
potest." (Rahn, aaO. I, 460. 462).
339 Vgl. bereits oben S. 112f. 115f.
340 Conf. X, 8; reclam 271; Loeb 94.
341 Conf. X, 11; reclam 276; Loeb 104. 106.
342 Vgl. Conf. X, 18; reclam 284f; Loeb 124. Als Metapher dafür wird Lk
15, 8 angeführt.

Der Mangel des Körpers "zeigt" auf ein **Wiederfinden** des Verlorenen, welches die "Zerstückelung" in die Evidenz verwandelt.

3.2.5.5. Dennoch muß das "Begehren" zwischen erlaubten und verführenden imagines unterscheiden. Vor allem im Schlaf und im **Traum** tritt die falsche **Konkupiszenz** auf, concupiscentia carnis et concuspicentia oculorum et ambitio saeculi:

> "Aber noch leben in meinem Gedächtnis... die Bilder (imagines) von diesen Dingen, durch Gewohnheit (consuetudo) dort eingeprägt. Tauchen sie auf, wenn ich wache, fehlt es ihnen zwar an Kraft (vires), aber im Schlaf (somni) treiben sie mich nicht nur bis zum Lustgefühl (delectatio), sondern auch zum willentlichen **Bejahen** (consensio), das ist schon fast zur Tat. Und solche **Macht** besitzt das Gaukelbild in meiner Seele und meinem Fleische (et tantum valet imaginis illusio in anima mea in carne mea), daß falsche Gesichte (falsa visa) den Schlafenden verlocken (persuadere) können, wo doch den Wachenden wahre unberührt lassen. Bin ich denn, Herr, mein Gott, nicht auch im Schlaf **ich selbst** (numquid tunc ego non sum)?"(343)

Mit diesem Zitat bekräftigt Augustin nochmals sowohl das Thema "De servo arbitrio" in bezug auf die Bilder-Zeichen, welche auch die "persuasive" Rede des pragmatisch wirkungsvoll Sprechenden ausnutzt, als auch die **"Spaltung"** zwischen dem "verneinenden Ich" des Wachens und dem "bejahenden" oder auch **Widerstand** leistenden "Ich" des Schlafes: Da das "Ich" im Traum der Macht der Bilder stärker verfällt als im Wachen, taucht mit dem Traum eine Instanz auf, welche sich radikal als **Herrin des "Ich"** offenbart. Diese Thematik wurde also nicht erst von **Sigmund Freud**, sondern bereits von Augustin geschaffen.

Da man nur dasjenige **wollen** kann, wovon man eine sichere Kenntnis hat(344), zeigt der Traum nach Augustin eine vom "Ich" durch Widerstand **verdrängte** Kenntnis verführerischer "Begehrens"-Objekte: Der Akt des "Verneinens" kann wohl zurückdrängen, aber nicht endgültig **abwesend** machen, anscheinend auch dann nicht, wenn das Subjekt dieses Aktes **Gott selbst** ist:

> "Ist etwa nicht mächtig (potens) genug deine Hand, allmächtiger Gott, alle Schwächen meiner Seele zu heilen (sanare omnes languores animae mea) und durch deine überschwengliche Gnade auch die lüsternen Regungen meines Schlafes auszutilgen (lascivos motus etiam mei soporis extinguere)?"(345)

Nimmt man die ständige Möglichkeit eines neuen Aufbrechens des **motus** ernst, dann kann die "Bekehrung" schon aus diesem Grunde kein ein-

---

343 Conf. X, 30; reclam 296; Loeb 150. 152. Wenige Zeilen später wird vom **Widerstand** (resistimus) gesprochen!   344 Vgl. Conf. X, 21; reclam 289; Loeb 134: "Hätten wir keine sichere Kenntnis davon, würden wir es auch nicht mit solch sicherer Bestimmtheit wollen."
345 Conf. X, 30; reclam 297; Loeb 152.

maliger Akt, sie muß ein **ständiges Nachdrängen** des wahren gegen den falschen motus sein. Vielleicht ist Augustins Stil auch aus diesem Grunde wesentlich affektiver und "pathetischer" als der Quintilians.

3.2.5.6. Augustin kennt jedenfalls die stets drohende **Präsenz der "Ge- lüste"** in der memoria, durch welche der Körper auf die Seele ein- wirkt. Zwar braucht der Körper gegen seinen Zerfall (ruinae) Essen und Trinken; aber diese Nötigung (necessitas) impliziert nach Augu- stin die **Lust** (suavis est mihi),

> "und gegen dies Lustgefühl (suavitas) kämpfe ich an, daß es mich nicht gefangennehme (ne capiar)...; aber immer noch ist's mir ein Genuß (voluptas), die Schmerzen zu vertreiben."(346)

Täglich streitet Augustin gegen die **Gier** (concupiscentia) nach Speise und Trank(347), wesentlich weniger gegen die Lockungen (inlecebra) der Wohlgerüche(348), heftig gegen die Lüste (voluptates) der Ohren, vor allem gegen die Tränen-"Rührung" durch den Gemeindegesang(349). Am gefährlichsten ist die **Lust** (voluptas) der **Augen**; ihren Verfüh- rungskünsten (seductiones) muß er besonders widerstehen (resistere), um die unsichtbaren Augen (invisibiles oculi) auf Gott richten zu kön- nen.(350) In der Seele wohnt jedoch auch noch eine andere Gier,

> "zwar nicht sinnlich zu genießen (oblectandi in carne), aber durch die Sinne des Leibes zu erspähen (experiendi), was zur Befriedigung eitlen Vorwitzes dient (vana et curiosa cupiditas)." (351)

> "Lust (voluptas) trachtet nach dem, was schön, klangvoll, wohl- riechend, wohlschmeckend und weich anzufühlen ist, Neugier (cu- riositas) aber befaßt sich vorwitzig auch mit dem Entgegenge- setzten (contraria), nicht um davon Beschwerde (molestia) zu ha- ben, sondern in der bloßen Sucht (libido), es zu erfahren und kennenzulernen."(352)

3.2.5.7. Beim **Durchschreiten** der Gefilde und weiten Hallen (lata prae- toria) des Gedächtnisses nimmt Augustin die Schätze unzähliger Bilder (thesauri innumerabilium imaginum) wahr.(353) Dazu gehören sowohl

---

346 Conf. X, 31; reclam 297f; Loeb 154.   347 Vgl. Conf. X, 31; rec- lam 301; Loeb 162.   348 Vgl. Conf. X, 32; reclam 301; Loeb 162.   349 Vgl. Conf. X, 33; reclam 302f; Loeb 164. 166. 350 Vgl. Conf. X, 34; reclam 305; Loeb 170. 172. 351 Conf. X, 35; reclam 306; Loeb 174. 352 AaO.; reclam 307; Loeb 176. Zum curiositas-Verdacht vgl. **Walter Ma- gaß, Die Paradigmatik einer Paränese am Beispiel von Röm 12, 3.** LingBibl 35. 1975, 1-26. 353 Conf. X, 8; reclam 270f; Loeb 92. 94.

die "realen" res ipsae, die jetzt imagines geworden sind, als auch die rein geistigen Dinge, die - wie z.B. die mathematischen Ideen - nicht durch die "Türen des Fleisches" hineingegangen sind.(354) Vor allem interessieren Augustin die Gefühle (affectiones), weil die "imaginäre" memoria vom realen Erleben im Körper verschieden ist:

"Auch die Empfindungen meiner Seele (affectiones animi mei) hält dies selbe Gedächtnis fest, freilich nicht so, wie sie in der Seele leben, wenn sie von ihnen bewegt wird (patitur)... Denn ich bin nicht froh (laetus), wenn ich daran denke, micht einst gefreut zu haben (laetatum), und nicht traurig (tristis), wenn ich meiner früheren Traurigkeiten (tristitia) mich entsinne..., und ohne Begierde (cupiditas) bin ich meiner ehemaligen Begierde eingedenk." Leib und Seele sind verschieden, und die memoria ist Geist (animus).(355)

Augustin liefert für diese Differenzkraft der memoria eine bezeichnende Erklärung:

"So ist.. das Gedächtnis gewissermaßen der Magen des Geistes (quasi venter est animi), und Freude und Traurigkeit wie süße und bittere Speise. Werden sie dem Gedächtnis überliefert, kommen sie gleichsam in den Magen, werden dort aufbewahrt, aber verlieren den Geschmack (sapere non possunt)."(356)

So ist die memoria die Vorstufe des seligen Lebens, dessen Freude auch nicht mit körperlichen Sinnen erlebt wird.(357) Für das Ziel der fruitio Dei gilt nämlich:

"Durch meine Seele hindurch will ich aufsteigen (ascendere) zu ihm."(358)

3.3. Die gradatio als Aufstieg des Herzens in das "Jenseits" der ersetzbaren Zeichen des Todes

3.3.1. Damit klingt das Thema der gradatio bereits an. Das begehrende Seufzen verlangt nach der Einkehr Gottes als der Kraft der Seele (virtus animae).(359) Die darauf vorbereitende "confessio" geschieht

"nicht mit hörbaren Worten und Lauten, sondern mit Worten der Seele und dem Ruf meiner Gedanken, den dein Ohr vernimmt". "Die Stimme schweigt, laut ruft das Herz"(360), also der Sitz der wahren Beredsamkeit.

Der geliebte Gott ist kein Körper der Schöpfung(361), aber auch kein Bild, kein Affekt, keine anima(362): Gott hat in der memoria keinen eigenen locus, weil er nicht wie alles andere "zerteilt" ist:

354 Vgl. Conf. X, 10; reclam 275; Loeb 102. 104. Zur Mathematik vgl. Conf. X, 12; reclam 297; Loeb 106. 108.   355 Vgl. Conf. X, 14; reclam 278; Loeb 110. 356 Ebda.; reclam 279; Loeb 112.   357 Vgl. Conf. X, 21; reclam 288; Loeb 132. 134.   358 Conf. X, 7; reclam 270; Loeb 92.
359 Vgl. Conf. X, 1; reclam 262; Loeb 74.
360 Conf. X, 2; reclam 263; Loeb 76: "tacet enim strepitu, clamat affectu."   361 Vgl. Conf. X, 61; reclam 269; Loeb 90: "non est deus tuus caelum et terra neque omne corpus."
362 Vgl. Conf. X, 25; reclam 293; Loeb 142.

"Aber was frag ich, an welchem Platze (locus) du dort wohnst, als ob es dort Plätze (loca) gäbe?"(363)

Denn nach Augustin muß man gerade umgekehrt sagen, die Seele habe ihren "Ort" in Gott. Nachdem Augustin die ganze memoria durchlaufen ist, heißt es:

"Doch finde ich in alldem, das dich fragend ich durcheile, keinen sichern Ort (locus) für meine Seele als nur in dir, in dem sich sammelt, was in mir zersplittert ist..."(364)

Weil also auch die memoria kein letztes Mittel der "Ganzheit" gegen die "Zersplitterung" und **"Spaltung"** ist, darum dient die rhetorische inventio in der memoria der Betonung der **Differenz Gottes** von allem bildlich Signifizierbaren: Die non-inventio Dei "zeigt" auf ein **"imaginäres Jenseits"**, in welches die Seele aufsteigen muß:

"Im Geist aufsteigend (ascendens per animum) zu dir, der du hoch über mir bleibst, will ich durchschreiten (transibo) auch diese meine Kraft (vis), die man Gedächtnis heißt, und von da aus, von wo allein es möglich ist (unde attingi potes), trachten, dich zu berühren (attingere) und dir anzuhangen (inhaerere)." (365)

3.3.2. Hiervon erzählt auch das berühmte mystische **Gespräch mit Augustins Mutter in Ostia** (Conf. IX, 10). An ihrem Todestage stand Augustin mit ihr am Fenster.

"Da führten wir miteinander Aug in Auge ein herzerquickendes Gespräch."(366)

Sie verließen angesichts der Wonnen (iucunditas) des jenseitigen Lebens die fleischliche Sinnenlust (carnalium sensuum delectatio):

"Wir durchwanderten von Stufe zu Stufe (**gradatim**) die ganze Körperwelt (corporalia)..., stiegen wir weiter empor und kamen in das Reich unserer Seelen (et venimus in mentes nostras). Auch dieses durchschritten wir und gelangten endlich zu dem Lande unerschöpflicher Fülle", in dem das Leben Weisheit (sapientia) ist(367).

"Und da wir von ihr sprachen und nach ihr seufzten (inhiamus), berührten wir (attingimus) sie mit vollem Schlage unseres Herzens ein kleines wenig (modice toto ictu cordis), atmeten tief auf (suspiravimus) und ließen dort angeheftet 'die Erstlinge unseres Geistes' (Röm 8, 23). Dann kehrten wir zurück zum tönenden **Laut** unserer Sprache (strepitum oris nostri), wo die Worte Anfang und Ende haben", also im Gegensatz zum **Schöpfungswort** stehen(368).

---

363 Ebda.; Loeb 144.   364 Conf. X, 40; reclam 316; Loeb 196: "invenio tutum locum animae meae nisi in te, quo colligantur sparsa mea nec a te quicquam recedat ex me."
365 Conf. X, 17; reclam 284; Loeb 122.   366 Conf. IX, 10; reclam 250; Loeb 46: "conloquebamur ergo soli valde dulciter."
367 AaO.; reclam 251; Loeb 48: "et transcendimus eas, ut attingeremus regionem ubertatis indeficientis."   368 AaO. Vgl. dazu oben S. 150.

Der Aufstieg der Seele bis zur "imaginären" **Berührung** Gottes jenseits des "zerstückelnden" Lauts des Mundes in einem transzendenten **Sprechen**, in welchem alles "in eins und ewig" gesprochen wird (Conf. XI, 7), ist das **Ziel des "Begehrens"**. Aber dieses Ziel kann mittels der "materiellen" **Zeichen** niemals erreicht werden, sondern nur im "transzendentalen **Imaginären**". Dieses ist freilich ebenfalls niemals eine positive Gegenbenheit, sondern **Produkt des "Begehrens"**, in der gradatio aus dem Körper "herauszutreten" und damit hinter die **Schöpfung des Leiblichen** "zurückzutreten"(369): Die semiotische Defektivität des menschlichen Körpers ist bei Augustin die **Quelle des désir**, der seinen "doketischen" Nebenton nicht verbergen kann. Denn ob man die ersetzbaren Zeichen des Todes dadurch überwinden kann, daß man sich unersetzbare Zeichen des Lebens, den Logos Gottes **vor** aller Schöpfung der Signifikanten, **wünscht**, die es jedoch innerhalb des menschlichen Leibes niemals geben kann, darf man – semiotisch belehrt – füglich fragen.

4. Der Lehrer, der an den Zeichen verzweifelt

Der Dialog "De **magistro**" ist ein einzigartiges Dokument für Augustins **Verzweiflung an den Zeichen**(370). Wir haben einerseits immer wieder gesehen, daß Augustin als Rhetor vom Vertrauen (fides) auf die pragmatische **Wirksamkeit der Zeichen** besessen ist, welche auf den motus des "Unbewußten" abzielt. Wir haben andererseits ebensooft gesehen, daß die **"Körperlichkeit" der Zeichen**, also ihr Signifikanten-Charakter, für Augustin das zentrale **theologische** Problem ist, weil sie den Menschen unentrinnbar in die "Ökonomie des Todes" verstrickt. Zeigt diese Dialektik nicht auch, daß die Rhetorik eine **"Technologie des Scheins"** insofern ist(371), als das "Gesetz der Signifikanten" gerade theologisch nicht überwunden werden kann? Muß sich der ehrliche Denker nicht eingestehen, daß sein Glaube an Zeichen, die gegenüber dem Tod wirksam sein könnten, letztlich eine **Illusion** ist? Sehen wir uns an, welche Antworten Augustin in "De magistro" auf diese Fragen zu geben hat.

369 Insofern realisiert Augustin hier Freuds "Todestrieb".
370 Ich zitiere nach **Aurelius Augustinus, Der Lehrer**. De magistro, übers. v. Carl Johann Perl. ³1974 sowie nach CCL 29. 1970, 157-203.
371 Vgl. dazu, allerdings mit anderer Akzentuierung, **Gonsalv K. Mainberger, Rhetorik oder die Technologie des Scheins**. Zeichenlesen mit Anleitung des Aristoteles. LingBibl 51. 1982, 7-22. Das Problem der "Körperlichkeit" wird behandelt in **ders., Der Leib der Rhetorik**. LingBibl 52. 1982, 71-86. Dort wird vor allem die zwischen Redner und Hörer **vermittelnde** "Leiblichkeit" der Rede betont, die sich im Enthymem zeigt.

4.1. De magistro - ein zwiespältiger Text

4.1.1. Zu unserem Text gibt es zwei diametral entgegengesetzte **Bewertungen**. Die eine findet den Text - trotz hohen Lobes - vor allem wegen seiner **Paralogismen** zu "sophistisch"(372). Besonders die Identifikation des "inneren" Lehrers mit **Christus** gilt ihr als völlig unbegreiflich(373). Die andere hält den Text für einen der bewundernswertesten, die man lesen kann(374), und stellt das nomen in den Zusammenhang der **"Anerkennung"**(375), die keine isolierte ist,

> "weil es für ihn (scil. Augustin), letzten Endes, nur eine Anerkennung gibt, die Christi"(376).

Diese Divergenz der Bewertungen zeigt bereits die Dialektik des Gedankengangs auf, dem es unentwegt um das **Aussprechen des Wahren** geht(377); aber dieses Sprechen

> "weiß nicht, daß es es ist, das die Wahrheit macht"(378).

Jacques Lacan verbindet Augustins **"Lehren"** mit Sigmund Freuds **"Übertragung"**(379). Obwohl das zunächst seltsam erscheinen mag, sollte man bedenken, daß letztere als "Übertragungsgedanken" im Traum als eine **Form der "Verschiebung"** erscheinen(380). Die "Übertragung"

> "ist die Besitzergreifung eines erscheinenden Diskurses durch einen maskierten Diskurs, den Diskurs des Unbewußten"(381).

Auf den Text von **"De magistro"** bezogen, würde dies bedeuten, daß die Dialektik des anfänglichen Urvertrauens auf die Wirksamkeit der Zeichen und der letztendlichen Verzweiflung genau daran deutlich den **Textprozeß der "Verschiebung"** beobachten läßt: Von der fides signorum "verschiebt" sich der Text zum **Wunsch des "Anderen"** nach "Unmittelbarkeit" und damit nach **"Ewigkeit der Nähe"**, welche nicht mehr vom "Gesetz der Signifikanten" bedroht ist(382). Diese "Verschiebung" ist

372 Vgl. Coseriu, Geschichte 118-122.
373 Vgl. ebda. 121f.   374 Vgl. Lacan, Seminar I, 311.
375 Vgl. ebda. 321 sowie oben S. 60.
376 Lacan, aaO. 322 (Antwort auf einen Einwand von P. Beirnaert).
377 Vgl. ebda. 314 (zur Intersubjektivität des Sprechens im Dialog): "Jede Frage ist wesentlich ein Einverständigungsversuch zweier Sprechakte, was impliziert, daß es zunächst ein Einverständnis der Sprachen gebe. Kein Austausch ist möglich, es sei denn vermittels der reziproken Identifikation zweier vollständiger Sprachuniversen. Deshalb ist jedes Sprechen schon als solches ein Lehren. Es ist kein Zeichenspiel, es siedelt sich nicht auf der Ebene der Information, sondern auf derjenigen der Wahrheit an."   378 Ebda. 325.
379 Vgl. dazu Laplanche-Pontalis, Vokabular 550-559, wo der Kontext der Lernpsychologie ebenfalls vorkommt.
380 Vgl. ebda. 551f sowie Freud, G.W. II/III, 568.
381 Lacan, aaO. 309. Zum Kontext von "Verneinung", "Verdichtung" und "Verdrängung" bei Augustin vgl. ebda. 326.
382 Die Umkehrung, das "Gesetz des Signifikats", erscheint ebda. 310 als Prinzip der Semantik, "daß jedes Semantem auf die Gesamtheit des semantischen Systems, auf die Polyvalenz seiner Verwendungen verweist".

geleitet von der **"Verneinung"**, daß solche "ewigen" Zeichen eben auch im Felde theologischen Sprechens nicht gegeben sind. Die Denkbewegung in "De magistro" würde damit genau die Bewegung in den **"Confessiones"** wiederholen, die über die Defektivität der Zeichen zur "gradatio" führt(383). Dies soll jetzt genauer untersucht werden.

4.1.2. Der im Jahre 389 in Thagaste verfaßte Dialog Augustins mit seinem unehelichen Sohn **Adeodatus**(384), der zu den "frühen Schriften" (386-393) gehört und erst nach dem Tode des Sohns publiziert wurde, weist eine klare **Gliederung** auf. Der erste, bereits mehrfach gegliederte Gedankengang (I, 1 - VI, 18) wird mit VII, 19f zusammengefaßt, um dann durch einen zweiten (VIII, 21 - X, 30) vertieft und in mancher Hinsicht korrigiert zu werden. In diesem ersten Teil überwiegt die **"sokratische Methode"**, durch welche Augustin Adeodatus zu dem Satz führt, ein Lehrer könne **nur durch Zeichen lehren**. Dieser geringfügige Satz (res tantilla) wurde durch manchen Umweg (circuitus) erreicht; aber sind die behaupteten Problemlösungen (ista inventa) dem Sohn so sicher,

"ut iam de his dubitare non possis"?(385)

Dieser würde ja gerne zur Gewißheit gelangen (ad certa pervenire), kann jedoch ein letztes Zögern (dubitatio) nicht überwinden (X, 31).

Damit bahnt sich die **Antithese**, durch Zeichen könne **gar nichts** gelehrt und gelernt werden, bereits an, die auch durch die Tatsache unterstrichen wird, daß mit X, 32 der letzte Beitrag Adeodats zum Dialog erfolgt: Augustin führt X, 32 - XIV, 46 im Grunde einen **Monolog**, dem Adeodat nur noch ein "Schlußwort" anhängt (XIV, 46).

4.1.3. Diese Gliederung zeigt einen merkwürdigen **Selbstwiderspruch** auf: Wenn der Schüler zwar selbst herausfindet, daß ein Lehrer **nur** durch Zeichen lehrt (1. Teil), warum wird er dann nicht auch beim Selbstfinden der Gegenthese vorgeführt, man könne durch Zeichen **gar nichts** lehren oder lernen, sondern nur durch **inventio im "Inneren"** (2. Teil)? Wenn der Lehrer wirklich eingestehen muß, daß er aus ontologischen oder erkenntnistheoretischen Gründen gar keiner sein **kann**, warum predigt er dann den Schüler-Sohn ohne die Möglichkeit einer Unterbrechung unentwegt an? Die Annahme, Adeodat sei nach der Niederschrift von X, 32 **verstorben** und Augustin habe den Rest "fin-

383 Vgl. dazu oben S. 161.
384 Zu den Entstehungsverhältnissen vgl. auch Perl, a(Anm. 370)aO. XIIf. Danach kann an 387 als Datum des mündlichen Dialogs gedacht werden.
385 De mag. X, 31; Perl 72f; CCL 190, Z. 61. Danach ist der Dialog ein Mittel der "inventio", durch welche der Redner "findet", was es zu sagen gibt. Vgl. dazu Lausberg, aaO. §§260-442, S. 146-240.

gieren" müssen, ist hier nicht nur eine Verlegenheitsauskunft, sondern führt auf den Kern des Umschwungs zur Antithese: Der **Tod Adeodats** hat wahrscheinlich Augustins Zweifel an der **Wirksamkeit der Zeichen** verstärkt, denn jedes Zeichen ist "zeitlich", Adeodat nunmehr aber "in der Ewigkeit". Daß Zeichen angesichts dieser Problematik versagen, haben wir oben immer wieder als Grundaussage Augustins zur Semiotik herausgestellt. Die **Zwiespältigkeit** unseres Textes ist dafür ein erneutes Indiz, da die beiden Thesen nicht gleichzeitig "wahr" sein können.

4.2. Ohne Zeichen kann man nichts lehren und lernen

4.2.1. Die **erste These** findet sich gleich zu Anfang des Dialogs. Auf die Frage, welchen **"Effekt"** (efficere) wir beim Sprechen erreichen wollen, wird mit dem **Ziel des Lehrens und Lernens** (aut docere aut discere) geantwortet: Jede locutio dient nur dem docere, da die spätere Antithese ("nos discere cum recordamur") vorläufig außer Betracht bleiben soll(386). Das Singen oder das Beten sind keine Gegeneinwände, da auch diese Tätigkeiten letztlich **Zeichenproduktionen** sind:

"Qui enim loquitur, suae voluntatis signum foras dat per articulatum sonum"(387).

Sprechen ist also ein "Zeichen-Geben" des "inneren" **Willens** nach "außen", das sich des "gegliederten" Lauts bedient; oder anders: der "innere" **désir** tritt "außen" als Zeichen der "Gliederung" des Laut-"Körpers" auf, weil eben das, wonach er "begehrt", "innen" **nicht präsent** ist. Das zeigt sich gerade im **Gebet**, auch wenn dieses nicht unbedingt mittels Lauten erfolgt. Ohne **"Mangel an Präsenz"** der "Objekte" des désir würde es der Zeichenproduktion gar nicht bedürfen.

4.2.2. Aber besteht dieser "Mangel" wirklich, da wir doch die **memoria** haben und uns erinnern (commemorare) können? Wenn wir denken,

"nos intus apud animum loqui",

so daß auch bei der locutio nichts anderes geschieht als **commemorare**,

"cum memoria, cui verba inhaerent, ea re volvendo facit venire in mentem res ipsas, quarum signa sunt verba"(388).

Das hört sich beinahe wie eine "magische" **Präsenz-Wirkung** der Zei-

386 De mag. I, 1; Perl 2f; CCL 157. Die spätere Antithese, Lernen geschehe nur durch Erinnerung, bleibt zwar nicht völlig außen vor, aber sie ist in ihrem Gewicht als **Antithese** zu Beginn noch nicht erkennbar. Augustin will jetzt nur nicht widersprechen (non resisto tibi), wenn Adeodat sich auf den Standpunkt stellt, "wir lernten nichts durch Erinnerung".
387 De mag. I, 2; Perl 4; CCL 158, Z. 45-47.
388 Da mag. I, 2; Perl 6; CCL 159; Perl 7: "das Gedächtnis stellt, indem es die Worte, die es bewahrt,wiederholt, in Gedanken die Dinge selbst wieder her, deren Zeichen ·die Worte sind".

chen auf die memoria an, obwohl damit indirekt zugestanden ist, daß das Gedächtnis die verba bereits früher einmal als mit bestimmten res **verbunden** gelernt haben muß. Über Recht, Grund und Wahrheitswert dieser Verbindung sagt Augustin nichts. Viel wichtiger ist jedoch die Frage, ob denn wirklich "die Dinge selbst" in den Geist kommen und dort "präsent" werden, wenn es sich bei ihnen nicht um "Bedeutungen", sondern um "körperliche" **Gegenstände** handeln soll. Kann etwa der Geist die **"körperliche Auferstehung"** vergangener res ipsae durch die bloße Anregung der signa bewirken oder ist nicht nur eine "geistige Gegenwärtigkeit" gemeint,- bei welcher die **"Körperlichkeit"** der res ipsa gerade außen vor gelassen wird? Dadurch, daß Augustin beim "Fingieren" des Dialogs unentwegt an seinen verstorbenen Sohn denkt, kann er diesen zwar **Zeichen** (oder Buchstaben) produzieren lassen; er kann "imaginieren", wie Adeodat nach wie vor spricht, aber er kann ihn als Körper nicht wieder aus dem Grab kommen lassen! Hier sehen wir genau, was **"Übertragung"** heißt: die eigenen Gedanken und Wünsche als Gedanken und Wünsche des "anderen" ausgeben und dabei in Wirklichkeit den eigenen **"Anderen"** sprechen lassen.

4.2.3. Worte (verba) sind also **Zeichen** (signa) und eigentlich kann ein signum **non** significans nicht "Zeichen" genannt werden (II, 3). Mit allem, was aus dem Munde des Sprechers hervorbricht (quae oro tuo erumpunt), gibt er dem Hörer ein Zeichen, damit dieser etwas verstehe (intellegere)(389). Das Zeichen kommt aus dem **Mund** des Sprechers heraus und **"schlägt"** (verberare) das Ohr des Hörers(390), so daß die beiden "Löcher des Körpers" zusammen agieren. Aber muß der Hörer, da es doch um seinen Geist (animus, mens) geht, nicht immer schon wissen, wie er die **inventio** der res ipsa in Gang setzen soll? (391)

> "Es finden demnach zwei Vorgänge statt, wenn wir mit gegliederter Stimme etwas hervorbringen"(392):

Einmal "schlägt" das artikulierte Wort das Ohr; aber das mit dem verbum produzierte **nomen** wendet sich an das **noscendum**(393). Es gibt also beim Sprechen keine magische **"Mundproduktion"**(394): Wenn ich das Wort "Löwe" ausspreche, kommt aus meinem Mund kein veritabler

389 De mag. II, 3; Perl 8; CCL 160, Z. 31.
390 Augustin leitet den Term "verbum" von "verberare" (schlagen) ab. Vgl. De mag. V, 12: "Omne, quod cum aliquo significatu articulata voce prorumpit, animadvertis... et aurem verberare, ut sentiri, et memoriae mandari, ut nosci possit". Perl 30; CCL 170, Z. 47-49.
391 De mag. II, 3: "Saltem illud invenis, quicquid significatur hoc verbo, ubinam sit?" Perl 8; CCL 160, Z. 16f.
392 De mag. V, 12; Perl 31; CCL 170, Z. 51f.
393 De mag. V, 12; Perl 32; CCL 170, Z. 55f. Damit wird "nomen" von "noscere" abgeleitet.

Löwe, also die res ipsa, heraus(395); mithin muß die Signifikation immer **defektiv** bleiben! So einsichtig das ist, so wenig ist damit die Frage beantwortet, wie der veritable Löwe denn in die **memoria** hineinkomme. Gibt es dort denn **"Körper"**?! Selbst die **Körperbewegung** (motus), mit der ich mittels **intentio digiti** etwas "zeige" (demonstrare),

"non ipsam rem futuram esse, sed signum"(396).

Adeodat will lediglich einräumen (concedere), daß der Zeigegestus des Fingers nur bei nomina funktioniert,

"die Körper bezeichnen, die obendrein gegenwärtig vorhanden sein müssen" (corpora praesentia)(397).

"Körper" sind dabei

"omnia corporalia..., id est omnia, quae in corporibus sentiuntur"(398).

Es gibt anscheinend nur eine **Ausnahme:** Die **Tätigkeit des Sprechens** kann ich durch sich selbst "zeigen" und so lehren(399), auch wenn dabei der Bezug der **Metasprache** auf das Sprechen eine Rolle spielt (400). So hält Augustin im 1. Teil trotz aller bereits sichtbarer Einwände die Grundthese durch, welche Adeodat recht früh zusammenfaßt:

"Nihil itaque video, quod sine signis ostendi queat."

"Für mich gibt es daher nichts, was ohne Zeichen veranschaulicht werden könnte."(401)

Das gilt auch für den **Dialog** selbst:

"adsentior enim tibi sermocinari nos omnino non posse, nisi auditis verbis ad ea feratur animus, quorum ista sunt signa"(402).

394 Ich benutze hier einen terminus technicus aus der Sprache der Magier; er bezeichnet das Erscheinenlassen von Gegenständen aus dem Munde, das z.B. bei Nadeln oder Rasierklingen beliebt ist. Vgl. dazu **Harlan Tarbell, The Tarbell Course in Magic IV**, ed. by Ralph W. Read. (1927), Nachdruck 1973, 103-111.
395 De mag. VIII, 23; Perl 56; CCL 182f. Augustin hält die gegenteilige Behauptung für die eines Witzbolds (iocans). Im übrigen ist auch die **theologische** Wendung des Satzes zu bedenken: Beim Sprechen von Gott kommt nicht "Gott selbst" aus unserem Munde heraus, sondern allenfalls unser désir nach "Gott selbst".
396 De mag. III, 6; Perl 14; CCL 163, Z. 42.
397 De mag. III, 5; Perl 13; CCL 162, Z. 12f.
398 De mag. III, 5; Perl 12; CCL 162, Z. 20f.
399 De mag. III, 6: "quicquid enim dixero, ut eum doceam, loquar necesse est"; Perl 16; CCL 164, Z. 80f.
400 Auf dieses Problem, das sich in z.T. abwegigen grammatiktheoretischen Thesen äußert, gehe ich hier nicht weiter ein.
401 De mag. III, 6; Perl 14f; CCL 163, Z. 51f. Ähnlich De mag. X, 29: "nihil adhuc invenio, quod sine signo valeat doceri, nisi (forte) locutionem"; Perl 70; CCL 188, Z. 5f.
402 De mag. VIII, 22; Perl 56; CCL 182, Z. 72-74. Im übrigen zeigt der Term "sermocinari" die **Fiktion** des Dialogs, weil sermocinatio dafür terminus technicus der Rhetorik ist. Vgl. Lausberg, aaO. §§ 820-825, S. 407 bis 411; §§ 1131-1132, S. 543.

4.3. Mittels Zeichen kann man gar nichts lehren und lernen

4.3.1. Die obige Skizze läßt bereits die Gründe für den Zweifel an der Richtigkeit der ersten These erkennen. Vor allem das Prinzip, die Zeichen seien weniger wert als die mit ihnen bezeichneten res ipsae, wird voll durchgehalten(403). So kommt die **Antithese** der radikalen **Defektivität der Zeichen** überhaupt nicht überraschend: Da das Zeichen durch die res cognita und nicht umgekehrt die res ipsa durch ein gegebenes Zeichen (signo dato) gelernt werden(404), kann man bei sorgfältigerer Betrachtung (diligentius considerare) zur **inventio** kommen,

"daß überhaupt nichts durch sein Zeichen gelehrt wird. Denn wenn mir ein Zeichen gegeben wird, und ich nicht weiß, welchem Ding dieses Zeichen gilt, kann es mich auch nichts lehren"(405).

Der **"Balken der Differänz"** zwischen Signifikant und Signifikat ist bei Augustin bereits voll da:

"sonum certe non per signum percipimus, sed eo ipso aure pulsata, significationem autem re, quae significatur, aspecta"(406).

Aber er wird noch nicht als dasjenige Prinzip erkannt, welche die "Bedeutsamkeit" gerade **stiftet**. Statt dessen wird in gut rhetorischer Tradition die **vis verbi** berufen,

"id est significationem quae latet in sono"(407).

Diese äußert sich beim Lernen auch in der Gewöhnung an die **Verbindung** eines unbekannten Wortes mit einer bekannten res; durch öftere **Wiederholung** dieser Verbindung erfaßte Augustin mit der Zeit, das Laut-Wort

"vocabulam esse rei, quae mihi iam erat videndo notissima"(408).

4.3.2. Abgesehen davon, daß Augustin hier die Signifikation als bloß **binäre** Beziehung zwischen signum und res ipsa definiert, also nicht zwischen Referenz und Referent oder extensionaler und intensionaler Semantik unterscheidet(409), gerät seine Position bereits in Schwierig-

403 Interessant ist das scheinbare Gegenargument De mag. IX, 25, das Wort "Kot" (caenum) sei nicht so gering wie der Kot selbst; die offensio des Hörers liege nicht am sonus, da man bei Änderung nur eines Buchstabens "caelum" (Himmel) daraus machen könne. Perl 62f; CCL 184f.
404 De mag. X, 33; Perl 78; CCL 192, Z. 132f.
405 De mag. X, 33; Perl 77; CCL 192, Z. 114-117.
406 De mag. X, 34; Perl 78; CCL 193, Z. 142-144.
407 De mag. X, 34; Perl 80; CCL 193, Z. 155f. Die vis verbi meint die affektivische Energiefülle des Redeprodukts. Vgl. Lausberg, aaO. § 811, S. 402 sowie das Zitat Quint., inst. or. X, 7, 15 oben S. 151.
408 De mag. X, 33; Perl 78; CCL 192, Z. 128f. Es wird hier nicht deutlich, ob die Verbindung einen Wahrheitsgrund hat oder auch behavoristisch-nominalistisch verstanden werden kann.
409 Vgl. dazu J. M. Bocheński, Formale Logik. (Orbis Academicus III, 2). ³1970, 418f; Bertrand Russell, The Principles of Mathematics. 1903, 69.

keiten, wenn es sich um "historische res" handelt, von denen es jetzt keine **Wahrnehmung** mehr geben kann. So kann Augustin bei den "sarabarae" von Dan 3, 94(410) letztlich nur raten, es handele sich um Kopfbedeckungen(411), die man, wenn man sie jetzt noch zeigen könnte, mit den **Augen** erkennen würde(412). Aber er muß zum dort Geschrieben (scripta) zugeben,

"credere me potius quam scire"(413).

Der **Wert** der Worte besteht also nur darin, daß sie uns zum "**Suchen**" der res ipsa ermahnen; aber sie bieten sie nicht dem **Wissen** dar(414). Da wir selbst bei gegenwärtig vorhandenen "Körpern" einer **Täuschung der Augen** unterliegen können(415), bleibt uns am Ende nur die Befragung (consulere) der intus in der mens regierenden (praesidens) "**inneren Wahrheit**",

"und Worte können uns höchstens zu dieser Befragung anleiten" (416).

4.3.3. So kommt es zu der von Derrida benannten "**Differenz**":

"Wir befragen unsere eigenen Sinne (sensus), deren sich der Geist als Vermittler (interpres) bedient, um diese Art von Dingen zu erkennen. Und über das, was wir geistig verstehen (intellegi) wollen, befragt unsere Vernunft (ratio) die innere Wahrheit (interior veritas). Bedarf es da noch eines Beweises, daß wir durch Worte nichts anderes erfahren (discere) als ihren Laut (sonus), der unsere Ohren trifft (percutere)? Alles und jedes, was immer wir erfahren, nehmen wir wahr (percipere) entweder durch den Körpersinn (sensus corporis) oder durch den Verstand (mens). Das eine nennen wir sinnlich (sensibilia), das andere übersinnlich (intelligibilia), oder in der Sprache unserer Autoren: fleischlich (carnalia) und geistig (spiritalia)"(417).

Angesichts der **Defektivität** der "körperlichen" Signifikanten vollzieht Augustin die Flucht in die "**innere Präsenz**", die freilich von der "Dinglichkeit" abstrahieren muß. Beim Sprechen reden wir über das,

"quae praesentia contuemur in illa interiore luce veritatis"(418),

und die Erkenntnis vollzieht sich nur durch ein verborgenes "Seelenauge"(419). Da niemand sicher sein kann, ob ein Lehrer das, was er sagt, auch **weiß**(420), kann der Schüler, der selbst die Wahrheit "in-

410 Zählung nach Itala und LXX; = Dan 3, 27 im masoretischen Text. Das aramäische **sarbāl** (Dan 3, 21. 27) ist extensional unklar. Nach **Ludwig Koehler - Walter Baumgartner, Lexicon in Veteris Testamenti libros.** 1953, 1104a kommen Hose oder Mantel in Frage. Augustin denkt wohl an "Hut", weil vorher die Haare erwähnt werden.
411 De mag. X, 33; Perl 76f; CCL 192, Z. 119.
412 De mag. X, 35; Perl 80f; CCL 193f.
413 De mag. XI, 37; Perl 82; CCL 195, Z. 33f.
414 De mag. XI, 36; Perl 80f; CCL 194, Z. 1-3.
415 De mag. XI, 38; Perl 84f; CCL 196, Z. 53f.
416 De mag. XI, 38; Perl 85; CCL 195f.
417 De mag. XII, 39; Perl 85. 87; CCL 196f.
418 De mag. XII, 40; Perl 86; CCL 197, Z. 31f.
419 De mag. XII, 40; Perl 86f; CCL 197, Z. 34.
420 De mag. XIII, 42; Perl 90f; CCL 199, Z. 14-16.

nen" sieht, nur "iudex ipsius locutionis" sein(421). Damit verteilt Augustin die genera deliberativa et demonstrativa des θεωρός nach "innen", das **genus iudiciale** des κριτής jedoch nach "außen"(422). Streng genommen, kann diese Position nur im philosophischen **"Solipsismus"** enden:

> "Ist es nun nicht einzig und allein das Geschäft der Lehrer, daß sie ihre eigenen Gedanken hören und aufnehmen lassen, nicht aber die Lehren selbst, die sie uns im Sprechen zu übermitteln glauben?"(423)

Wenn ein Lehrer überhaupt etwas Wahres sagt, dann lehrt allein der, "qui se intus habitare, cum foris loqueretur, admonuit"(424).

Jeder Theologe möge sich genau überlegen, ob er dieser gut stoischen **"Seelenverwandtschaft Christi"** mit der menschlichen Vernunft zustimmen kann; der **Semiotiker** kann nur urteilen, daß dieser Sprung vom "Unbewußten" ins Christologische ganz deutlich eine wunschgeleitete **"Übertragung"** ist: Da der Mensch an der **Kraft** seines Sprechens irre wird, wünscht er in sich einen "anderen", der an die menschliche **Defektivität** nicht mehr gebunden ist. In jedem Falle aber hat sich nochmals gezeigt, daß Theologie und Semiotik bei Augustin gerade in der **"Sache"** nicht zu trennen sind. Wie wir von hier aus zu einer modernen **Hermeneutik** kommen können, welche die semiotischen Probleme nicht mehr verdrängt, sollen die folgenden Kapitel zeigen.

---

421 De mag. XIII, 41; Perl 90; CCL 199, Z. 5.
422 Vgl. dazu Lausberg, aaO. §§ 59-65, S. 52-61.
423 De mag. XIV, 45; Perl 97; CCL 202, Z. 1-3.
424 De mag. XIV, 46; Perl 98; CCL 203, Z. 37f. Streng genommen, könnte dann auch der irdische Jesus kein Lehrer gewesen sein, da er ja auch Wort-"Körper" benutzen mußte; er müßte als Geist-Christus immer schon in der Seele gewohnt haben. Oder will Augustin sagen, wenn der irdische Jesus "außen" zur Sprache komme, wohne er gleichzeitig als Geist-Christus "innen"? Wozu braucht er dann das "äußere" Sprechen überhaupt noch?
425 Nach Abschluß der obigen Ausführungen lerne ich kennen: **Raffaele Simone, Die Semiotik Augustins**; in: **Rainer Volp (Hg.), Zeichen.** Semiotik in Theologie und Gottesdienst. 1982, 79-113. Ich finde dort insgesamt meine Position bestätigt und freue mich, daß endlich auch in der **Theologie** ein Neuaufbruch zu untraditionellem Denken möglich erscheint.

3. Kapitel
Friedrich Daniel Ernst Schleiermacher: Hermeneutik als strukturale
Linguistik (am Beispiel des Synoptikerproblems)

O. Neben Heinrich Eberhard Gottlob Paulus ist Friedrich Daniel Ernst
Schleiermacher (1768-1834) der Urheber der **Fragmenten-, Diegesen-
oder Memorabilienhypothese.** Aber Schleiermacher ist nicht nur Bibel-
exeget und Theologe, sondern vor allem auch Hermeneutiker, Sprach-
und Literaturtheoretiker, obwohl dies in einleitungswissenschaftlichen oder monographischen Darstellungen meist unberücksichtigt bleibt.
So soll hier Schleiermachers Hermeneutik in ihrer Verzahnung mit der
einleitungswissenschaftlichen Problematik der **Synoptikerfrage** dargestellt werden. Ich werde dabei beweisen, daß Schleiermachers Hermeneutik eine **strukturale Linguistik** ist, welche nicht nur auf dem linguistischen Wissen seiner Zeit beruht, sondern auch für die heutige
Diskussion eine erstaunliche Aktualität beweist.

1. Die Denkgeschichte als Textprozeß: "Verstehen" und Grammatik

1.1. Daß zwischen Schleiermachers Lösung der synoptischen Frage und
seinem übrigen Werk vielfältige sprach- und literaturtheoretische Zusammenhänge bestehen, zeigen seine Ausführungen in "Über die Religion, Reden an die Gebildeten unter ihren Verächtern" (1799, [2]1806,
[3]1821), "Monologen" (1800), "Vertraute Briefe über 'Lucinde'" (1800),
"Weihnachtsfeier" (1805), aber auch seine Wertschätzung der **Rhetorik,**
der Apologetik und Polemik(1), seine Definition des Status christlicher
Glaubenssätze in "Der christliche Glaube"(2), vor allem aber der Zusammenhang zwischen **Hermeneutik** (ab 1805), **Ästhetik** (ab 1819) und
Dialektik (1822). Aus diesen reichhaltigen Quellen zu Schleiermachers
Sprach- und Literaturtheorie(3) greife ich hier einige besonders zen-
trale heraus.

1.2. In der von Friedrich Lücke 1838 posthum herausgegebenen Sammlung hermeneutischer Schriften(4), welche die verschiedenen hermeneutischen Äußerungen Schleiermachers (1805, 1809, 1810/19, 1819/28,

---

1 Vgl. **Friedrich Schleiermacher, Kurze Darstellung des theologischen Studiums zum Behuf einleitender Vorlesungen,** hg. v. Heinrich Scholz. [3]1910,
18ff. 23ff; **Rudolf Odebrecht (Hg.), Friedrich Schleiermachers Ästhetik.**
(Das Literatur-Archiv 4). 1931, 257ff.   2 I. 1821; [2]1830; II. 1831,
[2]1831; vgl. vor allem I[2], §§ 15ff. 20. 27. 36.
3 Vgl. dazu **Manfred Frank, Das individuelle Allgemeine.** Textstrukturierung
und -interpretation nach Schleiermacher. 1977.
4 **Friedrich Schleiermacher, Hermeneutik und Kritik mit besonderer Beziehung auf das Neue Testament,** hg. v. Friedrich Lücke. 1838.

1820/29, 1832/33) kompiliert und deshalb mit einer kritischen Edition verglichen werden muß(5), finden sich außerordentlich modern und linguistisch anmutende Ausführungen, die hier, etwas sorgfältiger als in sonstigen "Einführungen" üblich, mit ihren Kernsätzen registriert und interpretiert werden sollen.

1.2.1. Unter Anknüpfung an Abhandlungen(6) der als Sprach- und Literaturwissenschaftler bekannten Vorgänger(7) Friedrich August Wolf und Friedrich Ast erklärt Schleiermacher Hermeneutik und Kritik für "philologische Disciplinen"(8), die mit der **Grammatik** eng zusammengehören:

> "Hermeneutik und Kritik sind nur mit Hülfe der Grammatik ausführbar und beruhen auf derselben. Aber die Grammatik ist wieder nur mittelst jener beiden aufzustellen..."(9),

so daß sich ein **Zirkel** ergibt. Dieser Zirkel hängt mit der **Untrennbarkeit von Reden und Denken**(10) zusammen:

> "Die Zusammengehörigkeit der Hermeneutik und Grammatik beruht darauf, daß jede Rede nur unter der Voraussetzung des Verständnisses der Sprache gefaßt wird. - Beide haben es mit der Sprache zu thun. Dieß führt auf die Einheit von Sprechen und Denken, die Sprache ist die Art und Weise des Gedankens wirklich zu sein. Denn es giebt keinen Gedanken ohne Rede."(11)

Reden ist "nur die äußere Seite des Denkens"(12) und setzt ein Verständnis der Sprache voraus, so daß dem Zirkel zwischen Grammatik und Hermeneutik ein **Zirkel zwischen Reden und Sprache** entspricht. In diesem Zirkel kündigt sich bereits die moderne Unterscheidung zwischen "langue" und "parole" an!

---

5 **Fr. D. E. Schleiermacher**, Hermeneutik. Nach den Handschriften neu hg. u. eingeleitet v. Heinz Kimmerle. (AAH, phil.-hist. Kl. 1959, 2). 1959; **Manfred Frank** (Hg.), F. D. E. Schleiermacher, Hermeneutik und Kritik. (stw 211). 1977.   6 Friedrich August **Wolf**, Darstellung der Altertumswissenschaft nach Begriff, Umfang und Zweck. (Museum der Altertumswissenschaft 1). 1807; Friedrich Ast, Grundlinien der Grammatik, Hermeneutik, und Kritik. 1808.   7 Friedrich August Wolf, Liber de Xenophane, Zenone, Gorgia, Aristoteli vulgo tributus, passim illustratur commentatione. Phil. Diss. Halle 1789; ders. (ed.), Homerus, opera omnia. 1794; ders., Prolegomena ad Homerum. 1795; ders., Briefe an Herrn Hofrath Heyne von Professor Wolf. Eine Beilage zu den neuesten Untersuchungen über den Homer. 1797; ders. (ed.), Marcus Tullius Cicero, orationes. 1801; ders., Vorlesung über die Encyclopädie der Alterthumswissensschaft, hg. v. Johann Daniel Gürtler. 1831; ders., Vorlesung über die Geschichte der griechischen Litteratur, hg. v. Johann Daniel Gürtler. 1831; ders., Vorlesung über die Geschichte der römischen Litteratur, hg. v. Johann Daniel Gürtler. 1832; ders., Vorlesung über die römischen Altertümer, hg. v. Johann Daniel Gürtler. 1835; ders., Vorlesung über die Antiquitäten von Griechenland, hg. v. Johann Daniel Gürtler. 1835; **Fridericus Astius**, Lexicon Platonicum sive vocum Platonicarum index I-III. 1835/38, Nachdruck 1956. 8 ed. Lücke. aaO. 3.   9 Ebda. 4.   10 Vgl. dazu Siegfried J. Schmidt, Sprache und Denken als sprachphilosophisches Problem von Locke bis Wittgenstein. 1968.   11 ed. Lücke, aaO. 10f.   12 Ebda. 9.

"Da nun die Hermeneutik zum Verstehen des Denkinhalts führen
soll, der Denkinhalt aber nur wirklich ist durch die Sprache,
so beruht die Hermeneutik auf der Grammatik, als der Kenntniß
der Sprache."(13)

"Das Reden ist die Vermittlung für die Gemeinschaftlichkeit des
Denkens, und hieraus erklärt sich die Zusammengehörigkeit von
Rhetorik und Hermeneutik und ihr gemeinsames Verhältniß zur
Dialektik."(14)

1.2.2. Nach diesen eindeutigen Aussagen ist die **Grammatiktheorie** als
die Theorie der "Sprache" (= langue) die **Basis** der hermeneutischen
Theorie vom "Verstehen" und denkenden Nachvollziehen der Denkinhalte
in der "Rede" (= parole), aber auch die Basis der **Dialektik** als der
Theorie des Gesprächs und der dialektischen "Durchdringung" des Individuellen (individuelles Reden und Denken) und des Allgemeinen
(Sprache)(15). Das hermeneutische "Verstehen" hat so bei Schleiermacher **zwei** Momente:

"die Rede zu verstehen als herausgenommen aus der Sprache, und
sie verstehen als Thatsache im Denkenden"(16).

Bei Schleiermacher gibt es also noch eine **Einheit von Linguistik** (in-
klusive Rhetorik), **Hermeneutik und Kommunikationstheorie**, die erst
durch die Verengung des "Verstehens" auf das zweite Moment bei Wilhelm Dilthey und seinen Nachfolgern(17) verlorengegangen zu sein
scheint. Die hermeneutische Kunst des "Verstehens" ist für Schleiermacher

"ein Ineinandersein dieser beiden Momente, (des grammatischen
und psychologischen)":

Die Sprache ist nicht nur ein **Mittel,** "wodurch der einzelne
Mensch seine Gedanken mittheilt." Bei dieser falschen Auffassung
degradiert die Grammatik und ihre Theorie zur bloßen "Hinwegräumung der vorläufigen Schwierigkeiten"(18).

Die Sprache ist vielmehr die **bedingende Basis** des Denkens aller Einzelnen; so versteht man

"den einzelnen Menschen.. nur als den Ort für die Sprache und
seine Rede nur als das, worin sich diese offenbart"(19).

13 Ebda. 11.   14 Ebda. 9f.   15 Vgl. dazu **Friedrich**
Kaulbach, Schleiermachers Theorie des Gesprächs. Die Sammlung 14. 1959,
123-132; Frank, a(Anm. 3)aO. 16 ed. Lücke, aaO. 11; ed. Kimmerle, aaO. 80.
17 Vgl. dazu Kimmerle, aaO. 5. 14.   18 ed. Lücke, aaO. 13.
19 Ebda. 14.

1.2.3. Erstaunlicherweise hat gerade die an Diltheys psychologischer Verengung des "Verstehens" anknüpfende **Hermeneutik Rudolf Bultmanns** trotz aller Betonung der "Sprachlichkeit" menschlicher Existenz die Grammatiktheorie (und damit die Linguistik) von der Hermeneutik **getrennt** und die Grammatik allenfalls als "Hinwegräumung der vorläufigen Schwierigkeiten" einbezogen, so daß die Hermeneutik im Gegensatz zu Schleiermachers Anordnung(20) zur gegenüber der Grammatik "höheren" Kunst wird. Mit dieser wissenschaftstheoretischen **Umstrukturierung** hat die "linguistische" Exegese und vor allem die "Generative Poetik" systematisch äufgeräumt. Sie fordert mit Schleiermacher, daß die Grammatik- und Redetheorie wieder zur **Basis** aller anderen hermeneutischen Faktoren wird, so daß wir der m.E. bei Bultmann und in der "hermeneutischen" Theologie drohenden **Lösung des Denkens** (oder der Existentiale) **vom Sprechen** (oder von der Textproduktion) (21) entgehen und die neutestamentliche Textproduktion und -rezeption wieder als **Ort** des Erscheinens texthaft gebundener **Denkinhalte** und somit die neutestamentliche Theologiegeschichte als **Denkgeschichte an Textprozessen** begreifen. Für Bultmann scheint mir nicht mehr sagbar, was für Schleiermacher noch sagbar war, daß nämlich die "Existentiale" **grammatisch fundiert** sind, daß man also von einer **Grammatik des Denkens** auszugehen hat. Für Schleiermacher bildet jedenfalls der linguistische ("philologische") Geist den Gegensatz zur lediglich erbaulichen Auslegung(22). Daraus folgt für das synoptische Problem, daß es nur mithilfe einer modernen Grammatik- oder **Texttheorie** gelöst werden kann. Eine solche entwickelt Schleiermacher vor allem in der "Dialektik" (1822).

---

20 Vgl. dazu ebda. 13f.   21 Vgl. dazu LingBibl 13/14. 1972,
16-18.   22 Vgl. Schleiermacher, Kurze Darstellung 58 (§ 148).

2. Der Textprozeß als dialogischer Produktions-und Rezeptionsprozeß: Ästhetik und Dialektik

2.1. Bevor ich die speziellen grammatiktheoretischen Ausführungen in der "Hermeneutik" und ihren expliziten Bezug zur **synoptischen** Frage näher darlege, ist noch ein kurzer Blick auf einige Grundthesen in der "Ästhetik" und in der "Dialektik" angebracht.(23)

2.2. Die **Ästhetik** hat es als "Theorie der Empfindung" und der **Logik** gegenübergestellte Disziplin(24) mit der "Empfindung des Schönen" (Rezeptivität) zu tun, die das "Hervorbringen des Schönen" (Spontaneität, Produktivität) bedingt(25). Sie hat deshalb die Beziehungen zwischen dem rezeptiven "Erregungsmoment" und der produktiven "Darstellung" zu entfalten.(26)

Schleiermachers Ästhetik ist also eine **Rezeptions- und Produktionstheorie.** Auch wenn wir heute die Einzelausführungen Schleiermachers zu dieser Theorie nicht mehr für ausreichend halten, so müssen uns doch die **Einheit** von Grammatiktheorie und Rezeptions- und Produktionstheorie sowie die darin enthaltenen Bemerkungen zum **"Spiel"** (27) zu einer modernen integrierten **Theoriebildung** veranlassen, welche die Rezeptions- und Produktionstheorie nicht nur für "ästhetische" Objekte, sondern für sprachlich-semiotische Objekte aller Art ausbildet.

Eine solche integrierte Theorie ist in der Geschichte der neutestamentlichen Wissenschaft seit Schleiermacher zum ersten Male mit der "Generativen Poetik" versucht worden, die allerdings auch das "Spiel" als **regelhafte Kreativität**(28) versteht. Auf diese Weise wird die "ästhetische" Kommunikation ein Sonderfall der allgemeinen kommunikativen Prozesse, die Schleiermacher in der **Dialektik** bedenkt(29).

2.3. Danach ist die Dialektik die

"Darlegung der Grundsätze für die kunstgemäßige Gesprächsführung im Gebiet des reinen Denkens"(30).

Dieses Gebiet ist von den Gebieten des "geschäftlichen" und "künstlerischen" Denkens so abgesetzt, daß es "um des Denkens selbst willen gesetzt" ist und

23 Vgl. dazu **Karl Pohl, Die Bedeutung der Sprache für den Erkenntnisakt in der "Dialektik" Friedrich Schleiermachers.** Kant-Studien 46. 1954/55, 302-332.   24 Schleiermacher, Ästhetik 1.   25 Ebda. 3f.
26 Ebda. 30-35.   27 Vgl. ebda. 81-83. 96f.
28 Vgl. dazu **L. Dieltjens, Rule-Governed Creativity.** Analysis of the concept in the work of N. Chomsky. (ITL Publications). 1970.
29 **Rudolf Odebrecht (Hg.), Friedrich Schleiermachers Dialektik.** 1942.
30 Ebda. 5, im Original kursiv.

176

"es sich nicht auf die momentane Aktion des Subjektes, nämlich des denkenden Einzelwesens, beschränkt, mithin auch sein Maß nicht hat an dem Wohlgefallen an dessen zeitlichem Erfülltsein." (31)

Das **reine Denken** also "weiß sich als Glied einer kontinuierlichen Entwicklung, sein Fortschreiten vollzieht sich in einem geschlossenen Erkenntniszusammenhang, der das einzelne Subjekt umgreift und mit anderen verbindet. Sein Ziel ist seine eigene Vollendung: das Denken als Wissen."(32)

2.4. Das Objekt von Schleiermachers "Dialektik" ist also die **Denkgeschichte** als Selbstentfaltung der Denkinhalte aus und durch Zweifel und Streit(33): Das streitfreie, zur Vollendung seiner selbst gelangte **reine** Denken entwickelt sich "nur aus dem Streit und durch denselben"(34).

Da Denken und Sprechen nur zwei Seiten des selben Sachverhalts sind, ist die dialektische Denkgeschichte zugleich eine **dialogische Sprechgeschichte**, d.h. die Selbstrealisation des streitfreien Denkens **mittels** des streitenden Dialogs.

Wenden wir diesen Gedanken einmal probeweise auf das **Synoptikerproblem** an, so kann man sagen: Der streitende, widersprüchliche Dialog der Synoptiker untereinander (a posteriori) ist ein **notwendiger** Weg der neutestamentlichen Theologie- und Denkgeschichte, weil der Mensch grundsätzlich nur durch den Streit hindurch zur "Reinheit" des Wissens gelangt.

2.5. Die Weisen des "geschäftlichen", "künstlerischen" und "reinen" Denkens haben nach Schleiermacher jedenfalls je eine ihnen entsprechende Weise der **Gesprächsführung**, d.h. eine kommunikative Gedankenerzeugung mittels Sprache(35). Die Gesprächsführung im Gebiet des "reinen" Denkens ist eine **Strategie**, die gegen die Hemmung des reinen Denkens angeht(36). Es handelt sich um ein "Problemdenken",

"das in Rede und Gegenrede sich vollzieht und laufend vom Ziel her gehemmt und ausgerichtet wird"(37).

Das Ziel, die innere Absicht der Dialektik ist

"die Kunst, durch die Führung eines Gesprächs Vorstellungen zu erregen, die nur auf Wahrheit gegründet sind und durch diese auch ihren gehörigen Erfolg haben werden"(38).

Dieser Erfolg ist die "Identität der Vorstellungen"(39).

31 Ebda. 6f.   32 Pohl, aaO. 303.   33 Dialektik 10.
34 Ebda. 41.   35 Ebda. 8.   36 Ebda. 9.
37 Pohl, aaO. 307.   38 Dialektik 48.   39 Ebda. 51.

2.6. Um durch Gespräch zu dieser **Identität der Denkinhalte** zu gelangen, muß zunächst einmal die **Identität der Sprache** bei den Dialogpartnern gegeben sein, d.h. die Dialektik

> "muß zunächst nur aufgestellt werden für einen bestimmten Sprachkreis"(40):

> Gesprächführen kommt "ursprünglich nur zwischen Sprachgenossen" vor(41), so daß die "Dialektik notwendig bedingt (wird) durch die Identität der Sprache"(42).

Die mit "Sprachkreis" bezeichnete **Basis der Denkgeschichte** mittels Dialog und Streitgespräch meint sowohl die einzelsprachlichen strukturellen Organisationen als auch die Zusammenfassung verschiedener Einzelsprachen zu einer Sprachgruppe(43). Weil vom "Sprachkreis" aus die dialogische **Entfaltung** der Denkinhalte entworfen werden muß, hat das reine Denken

> "in keinem denkenden Einzelwesen einen besonderen Anfang für sich, sondern es ist, ehe es zu einem gesonderten Dasein gelangt, in jedem einzelnen schon in und an dem anderen Denken vorhanden."(44)

Infolge der fundierenden Funktion des "Sprachkreises" besteht

> "eine strenge Korrelation von Denkform und Sprachform, Begriffsbildung und Sprachschöpfung."(45)

2.7. Die **Organisation der Begriffe** konzipiert Schleiermacher infolge seiner Anlehnung an die Philosophie der Dialoge Platos(46) als **logische Dialektik**:

> "Dialektisch denken heißt, die Gemeinschaft der Begriffe im Wort abbilden, die Ordnung der Begriffe im Gesprächführen nachvollziehen."

> Mit dem "Sophistes" (253 C/E) muß das Denken des Dialektikers "in Frage und Antwort sich auf das Zusammenstimmen und Sichausschließen, auf Verflechtung und Trennung der Begriffe richten, um das Eine und das Viele gegeneinander abgrenzen zu können." (47)

2.8. Schleiermacher widmet sich in der "Dialektik" also vor allem auch den **Strukturen der Vernunft**, die zugleich Strukturen des Erkennens und Ordnens sind(48):

> "Es gibt eine Ordnungsstruktur in der Vernunft, ein 'System von Gleich- und Entgegensetzungen', vermöge dessen in den Denkenden eine gleiche Begriffsproduktion hervorgebracht wird, die konkrete

---

40 Ebda. 13, im Original kursiv.   41 Ebda. 14.   42 Ebda. 50, im Original gesperrt.   43 Ebda. 16f.   44 Ebda. 24, im Original kursiv. 45 Pohl, aaO. 320.   46 Vgl. dazu ebda. 308ff.   47 Ebda. 312. 48 Vgl. dazu **Robert Blanché**, Structures intellectuelles. 1969.

Begriffsbildung in festen Bahnen verläuft, die Begriffe in einem Ordnungssystem ihren Platz haben."(49)

Dieses zugleich kategoriale Seinsstrukturen darstellende Ordnungssystem(50) ist als "carré logique" (oder "sémiotique") in der modernen strukturalen Semantik und Erzählforschung wieder zur Geltung gebracht worden(51). Es scheint mir unbestreitbar, daß Schleiermachers Ausführungen auf das logische Viereck oder Sechseck(52) hinauslaufen. Dies ist durchaus kein Anachronismus, da sich das logische Viereck in aller Ausführlichkeit bereits in der Kompilationsschrift zur aristotelischen Logik περὶ ἑρμηνείας (53) findet, die fälschlich Apuleius von Madaura (*125 n. Chr.) zugeschrieben wird.

2.9. Auch Schleiermacher spricht von einem Ordnungssystem des Gleich- und Entgegensetzens der Begriffe von "angeborenen Ideen"(54): Jedes Denken ist ein gemeinschaftliches Erzeugnis der menschlichen Vernunft und der menschlichen Organisation, d.h. des Organismus(55). Der "Inhalt" des Denkens wird durch die "Organisation", also durch die organisch-biologische Effizierung zum Denken mittels Affizierung menschlicher Wahrnehmungsorgane geschaffen(56); die "Form" des Denkens entspricht der Struktur der Vernunft(57). Die "Operation" des Gleich- und Entgegensetzens ist in diesem Sinne "das Resultat der intellektuellen Tätigkeit"(58): Die "intellektuelle" Funktion wirkt auf die "organische" ein durch den "Sinn"-gebenden Akt, obwohl dieser Akt seinerseits auf die "organische" Funktion angewiesen bleibt(59).

2.10. Schleiermachers "Dialektik" führt so letztlich zu einer Lehre vom "Sinn":

"Der Sinn als solcher ist..der Ort für das System aller allgemeinen Gestalten oder Bilder, wie die Vernunft der Ort für das System aller Begriffe und Urteile."(60)

"Die Zuordnung von Vernunft und Sinn, das Hineinbilden der allgemeinen Gestalten in den Sinn erfolgt durch ein allgemeines, dem Bewußtsein aller Menschen gemeinsames Bezeichnungssystem"(61), nämlich durch die Sprache(62).

Obwohl sich also in der Sprache die identische Konstruktion des Denkens manifestiert ("Sprachkreis" im engeren Sinn), zeigt die Differenz

---

49 Pohl, aaO. 313.   50 Vgl. Dialektik 236f; Pohl, aaO. 314.
51 Vgl. **Algirdas Julien Greimas, Du sens.** 1970, 135ff. 160f.
52 Vgl. dazu Blanché, aaO. 21ff.   53 L. Apuleius, Opera Omnia II, instruxit G. F. Hildebrand. (1842), Nachdr. 1968, 261-278, bes. 266f.
54 Dialektik 151.   55 Ebda. 139.   56 Ebda.   57 Ebda. 140.
58 Ebda. 151.   59 Vgl. Pohl, aaO. 322.
60 Dialektik 358, im Original gesperrt.   61 Pohl, aaO. 323.
62 Vgl. Dialektik 372-378.

der Einzelsprachen auch in ihrer Konstruktion ("Sprachkreis" im weiteren Sinn) die **Relativität** menschlichen Wissens.(63)

2.11. Alle diese hier nur grob angedeuteten Gedanken würde man eher bei einem modernen Semantiker vermuten als in der "Dialektik" Schleiermachers vor 160 Jahren. Aber daß man als Neutestamentler eine derartige, dem damaligen sprachtheoretischen Wissen entsprechende dialogisch-dialektische Semantik und Kommunikationstheorie nicht bei Schleiermacher vermutet, zeigt noch einmal, wie verarmt das "hermeneutische" Kategorienarsenal durch die historistische Engführung geworden ist: Die logisch-achronischen Strukturen der Lexeme nicht nur als Basis einer synchronischen Beschreibung eines **lexematischen** Systems, sondern auch als die die gesamte Diachronie der Denk- und Dialog(Text-)geschichte **erzeugende Kraft**, welche das **mündliche** Gespräch als Mittel der Selbstverwirklichung benutzt(64) und auch den **literarischen** Verkehr als "ein Gespräch zwischen Autor und Leser"(65), steuert, dieser Gedanke geht über den Fragekanon einer a-linguistischen "existentialen" Interpretation und Hermeneutik hinaus, oder besser: hinter die moderne Engführung der Hermeneutik **zurück** auf die linguistisch intendierte "Hermeneutik" Schleiermachers. "Linguistische" Theologie und Exegese sind die **Wiederaufnahme** einer seit 160 Jahren vergessenen integrierten Sprach- und Literaturtheorie, die natürlich durch neuere Erkenntnisse angereichert oder sogar entscheidend abgewandelt werden muß, um den modernen Erfordernissen zu genügen.

2.12. Jedenfalls scheint es mir möglich und notwendig, auch aus der "Dialektik" Schleiermachers **Konsequenzen für die synoptische Frage** zu ziehen. Die Betonung der Mündlichkeit des Gesprächs, des relativen, begrenzten Charakters jedes individuellen Denkinhalts und der Denkgeschichte als einer erst im streitfreien Denken zur Ruhe gelangenden **Kette** von gesprächsweisen Denkakten scheint mir einen bisher zu wenig beachteten inneren Zusammenhang mit Schleiermachers nachher noch zu behandelnder Theorie der **Logiensammlung** zu haben: Auch für die "Sinn"-gebenden Akte Jesu gilt eben das allgemein menschliche

63 Ebda. 374f.   64 Ebda. 52.   65 Ebda. 53.

Strukturgesetz einer dialogischen, aus der Begrenztheit und Endlichkeit jedes individuellen Aktes bedingte "Sinn"-Findung der Denkinhalte. Auch die ebenfalls noch darzustellende **Fragmententheorie** gehorcht
dem allgemeinen Strukturgesetz:

Die **Evangelien** ergeben sich als "Sinn"-Gestalt lesepsychologisch
aus einer Reihe von "Sinn"-Elementen; als "Sinn"-Systeme sind sie jedoch auch der **Ort,** d.h. die topologische **Relationsstruktur** aller
"Sinn"-Elemente, so daß von Schleiermachers "Dialektik" her der üblich
gewordene Term "Fragmenten-Hypothese" in der Tat auch **sachlich** der
Sprach- und "Sinn"-Theorie Schleiermachers entspricht(66).

Als "Sinn"-Systeme müßten die Evangelien auch nach Schleierma-
cher ein logisch-achronisches **Strukturgerüst** haben, bzw. die "Sinn"-
Setzungsakte in den Evangelien müßten den Gesetzen des logischen
Vierecks genügen.

Diese Erkenntnis wird vor allem für die genauere Erfassung der
Grammatik der Fiktionalität der Evangelien wesentlich werden. Alle
diese aufgewiesenen Konsequenzen werden selbstverständlich erst von
mir in dieser Form ausgezogen, obwohl m.E. gezeigt werden könnte,
daß sie implizit in Schleiermachers "Dialektik" angelegt sind, sobald
man die dort entfaltete kommunikative **Semantik des Gesprächs** auf die
synoptische Frage anwendet.

3. Sprache als System von Denkinhalten: Die Funktion der Textsyntax

3.1. Daß Schleiermacher die Anwendung seiner sprachtheoretischen Ausführungen auf die Evangelien und auf die synoptische Frage keineswegs fernlag, zeigen auch seine **grammatiktheoretischen** Überlegungen
zu den Schriften des Neuen Testaments innerhalb der "Hermeneutik",
zu denen wir jetzt zurückkehren. Diese Überlegungen pflegen in der
üblichen Schleiermacher-Rezeption bei den Exegeten entweder überlesen
oder aber für technische "Hinwegräumung der vorläufigen Schwierigkeiten" gehalten zu werden. Anders kann ich mir nicht erklären, daß
der von Schleiermacher **explizit** erwähnte Zusammenhang zwischen

---

66 **Hilger Weisweiler, Schleiermachers Arbeiten zum Neuen Testament.** Diss.
Bonn 1972, 67 hält den Term für sachlich unrichtig, "da es sich nach dieser Theorie bei den von den Evangelisten aufgenommenen Einzelerzählungen
ja eben nicht um Bruchstücke eines ursprünglichen Ganzen, sondern um ursprünglich selbständige Einheiten handelt". Diese Position ist eindeutig
falsch. Vgl. unten S. 191 Anm. 143; S. 197ff.

Grammatiktheorie und synoptischer Frage bisher nicht erkannt worden zu sein scheint. Im einzelnen will ich hier auf folgende für diese Frage wichtige linguistische Überlegungen Schleiermachers hinweisen.

3.2. Aus dem **Zusammenhang von Denken und Sprechen** ergibt für sich für Schleiermacher,

> "daß die Sprache das Fortschreiten des Einzelnen im Denken bedingt. Denn die Sprache ist nicht nur ein Complexus einzelner Vorstellungen, sondern auch ein System von der Verwandtschaft der Vorstellungen. Denn durch die Form der Wörter sind sie in Verbindung gebracht. Jedes zusammengesetzte Wort ist eine Verwandtschaft, wobei jede Vor- und Endsylbe eine eigenthümliche Bedeutung (Modification) hat."(67)

"Sprache" wird hier ausdrücklich nicht als ein Vorstellung**saggregat** verstanden, wie das der historistischen Engführung durch die relilionsgeschichtliche Schule vorbehalten blieb, sondern als **System von Denkinhalten**, welches sich in der Ausdrucksebene des Sprechens **syntaktischer** Mittel bedient, um so die textsemantische "Bedeutung" einzelner Wörter (Lexeme) performativ zu modifizieren und so den ständigen Dialog des "Sinns" in Gang zu halten.

Die mittels Syntax erreichte **semantische Modifikation der Denkinhalte** hat also sowohl mit dem Anwachsen der Erkenntnis in der Sprache zu tun(68) als auch vor allem einen Bezug zur **Hermeneutik des "Verstehens"**:

> "Zum vollkommenen Verstehen haben alle Sprachelemente gleichen Werth, die formellen, wie die materiellen. Jene drücken die Verbindungen aus. Lernt man die materiellen aus dem Lexikon, so die formellen aus der Grammatik, namentlich der Syntax."(69)

Von diesen redesyntaktischen Elementen gilt, daß ihr "Werth"(70), anders als bei dem logischen Viereck der Lexeme,

> "nicht durch Entgegensezung, sondern unter der Form des allmählichen Überganges zu erkennen" ist(71).

Textsemantisch leisten die syntaktischen Elemente also die **"Übergänge"**(72). Daß dies keine moderne textlinguistische Überinterpretation der Gedanken Schleiermachers ist, zeigen weitere Aussagen zur **Syntax des "Sinns"**:

> "Der Sinn eines jeden Wortes an einer gegebenen Stelle muß bestimmt werden nach seinem Zusammensein mit denen die es umgeben."(73)

---

67 Hermeneutik, ed. Lücke 12.   68 Ebda. 52.   69 Ebda. 54.
70 Zum "Wert"-Begriff vgl. unten S. 244ff.   71 ed. Lücke, aaO. 54.
72 Vgl. dazu **Harald Weinrich, Tempus.**[2] 1971, 164ff.   73 ed. Lücke, aaO. 69.

Die Syntax ist somit die Regulierung des semantischen Effekts des "Zusammenseins" von Lexemen, so daß der "Sinn""nicht in den einzelnen Elementen sondern nur in ihrem Zusammensein ist"(74).

Mit diesem beinahe klassischen Zitat sagt Schleiermacher ausdrücklich, daß der "Sinn" eine **textsyntaktische Funktion**, keine lexematische Funktion, ist. Auf die **synoptische Frage** angewendet heißt das folgendes.

Haben die Evangelien als Rede (oder Text) überhaupt einen "Sinn", der als Denkinhalt (oder semantische Leistung) die dialogische Repräsentationsform einer **Reihe von Reden** braucht, dann kann dieser "Sinn" nur im "Zusammensein" dieser Reden sein; er ist also ein textsyntaktisches Phänomen. Er ist keine Funktion der einzelnen Elemente, sondern eine Funktion ihres syntaktische geregelten "Zusammenseins" im Text.

In diesem Sinne muß der "Text" als **System von Elementen** verstanden werden, wobei die "materiellen" Elemente, also z.B. die "kleinen Einheiten" oder Perikopen, und die "formellen" Elemente, also z. B. die "redaktionellen Formeln", gleichen "Wert" haben: Die **"Form"** des Evangeliums und ihre als "Sinn" bezeichnete textsemantische Funktion sind ein **Derivat** des textsyntaktisch geregelten Zusammenseins formeller und materieller Elemente.

4. Die "Gattungen" des Neuen Testaments und die strukturale Syntax

4.1. Bei Schleiermacher finden sich erstaunliche Aussagen zu einer geradezu **strukturalen Syntax**. Weil die Hermeneutik "das Umgekehrte der Grammatik und noch mehr" ist(75), ist das **Konstruieren** die Erfüllung des "Verstehens":

> "ich verstehe nichts was ich nicht als nothwendig einsehe und construiren kann"(76) – ein Voranklang des "savoir pour construire(77)!

Deshalb ist auch das Nichtverstehen einzelner Elemente einer Rede eine strukturell falsche Konstruktion:

> "man construirt nur nicht die ganze schematische Anschauung des Wortgebiets, sondern begnügt sich nur mit irgendeiner Einzelheit."(78)

---

74 Ebda. 85.   75 ed. Kimmerle, aaO. 38.   76 Ebda. 31.
77 Anspielung auf eine Parole von Roland Barthes. Vgl. LingBibl 19.1972,2.
78 ed. Kimmerle, aaO. 31.

4.2. Weil der "Sinn" wesentlich eine **Funktion** der Textsyntax ist, müssen die verschiedenen "Sinn" repräsentierenden **Gattungen** der Rede auch verschiedene, als Kombinationscode verstandene Textsyntaktiken haben:

> "Die Einheit ist die Art der Combination, die also in verschiedenen Gattungen sich auch verschieden äußern muß."(79)

Eine Gattung wird also durch ihr spezifisches syntaktisches **Kombinationssystem** bestimmt:

> "Das Ganze wird ursprünglich verstanden als Gattung – auch neue Gattungen entwikkeln sich nur aus einer größeren Sphäre, zuletzt aus dem Leben."(80)

Weil der Kompositionscode einer Gattung die Ausdrucksform eines **Denkinhalts** ist, hat das hermeneutische Konstruieren die Aufgabe, die

> "Eigenthümlichkeit der Composition aus der Idee des Werkes zu finden"(81).

Diese Aufgabe löst man, indem man das Ganze, also die "Gattung", aus dem Einzelnen und das Einzelne aus dem Ganzen konstruiert und reproduziert(82) und anhand der Sprachwerte aller Elemente bestimmt,

> "welcher Theil dieses Sprachwerthes in die gegebene Stelle fällt und welche auszuschließen sind"(83).

4.3. Der "Sinn", die Einheit, das "Ganze" und die "Gattung" sind als Aspekte des "reinen" Denkens, d.h. der **Inhaltsform**, die sich eines spezifischen syntaktischen Kombinationscodes bedienenden **logisch** primären Faktoren vor den Elementen der **Ausdrucksform**, so

> "daß da im Compositionsentschluß die Form schon mit liegt sofern diese schon etwas bestehendes ist. Der Autor dann eben so Organ dieser Form als eines Theils im geistigen Gesamtleben ist, wie wir ihn in der grammatischen Interpretation als Organ der Sprache verstehen."(84)

Nicht im **Autor** hat also die "Form" ihren Ursprung, sondern in der **Grammatik**; der Autor ist lediglich der "Ort", an dem sich die Grammatik realisiert.

4.4. Damit ist jedem **historistischen** Mißverständnis der literarischen Produktion und des "Sinn" gewehrt: Der "Sinn" ist nicht das **Produkt** eines individuellen Autors, zumal niemand die teilbare Sprache **ganz**

---

79 Ebda. 45.   80 Ebda. 47.   81 Ebda. 70.
82 Ebda. 141f.   83 Ebda. 142.   84 Ebda. 164.

haben kann(85); er ist vielmehr die **Auswahl aus einem Ganzen**, das man heute in der modernen Linguistik "semantisches Universum"(86) oder "Rede-Universum"(87) nennt:

> "Ehe die grammatische Operation anfängt geht schon das Ausscheiden von Seiten des Ganzen an."(88)

"Sinn" als Auswahl und "Struktur" als Kombinationscode einer Gattung kommen so immer nur in der gegenseitigen **Beschränkung der Elemente** vor:

> "Die Structur giebt Anweisung auf die bestimmte Beschränkung" (89); "wenn Subject und Prädicat einander gegenseitig auf eine bestimmte Art beschränken, das ist eine Phrasis."(90)

4.5. Das hermeneutische "Verstehen" vollzieht sich so mittels Reproduktion der syntaktisch bedingten semantischen **Übergangsphänomene**(91), wobei die Nachahmung das Maximum dieser Reproduktion ist(92), so

> "daß wir den Verfasser besser verstehen als er selbst"(93),

indem wir den von ihm benutzten Kombinationscode bewußt und so die grammatische Basis des "Sinn" lernbar machen.

Wer Schleiermacher nur aus Kompendien oder überhaupt nicht kennt, der wird meine "strukturale" Interpretation seiner "Hermeneutik" zunächst für Eisegese halten. Die belegten Aussagen sind jedoch unbestreitbar und müssen von **jeder** Interpretation Schleiermachers verkraftet werden.

Schleiermacher überlegt sogar, ob

> "der Grundsaz der Einheit der Bedeutung auch für das formelle Element, die Structur gilt"(94)

ob also der **Einheit der Bedeutung** eine einheitliche syntaktische **Struktur** entsprechen muß. Er hält diese Annahme für unwahrscheinlich,

> "weil Gegensaz zwischen beiden stattfindet, und die Worte doch immer Objectives bezeichnen fixirtes, die Structur hingegen die bloße Beziehung des ewig Fließenden"(95).

Danach hat es die formale "Struktur" mit den syntaktischen **Relationen** der in der Rede ewig fließenden **Übergänge** zu tun – ein höchst aktueller Gedanke der modernen Linguistik!

---

85 Ebda. 57.　　　　　86 Vgl. dazu **Algirdas Julien Greimas, Strukturale Semantik.** 1971, 93ff.　　87 **Eugenio Coseriu**, in: **Wolf-Dieter Stempel (Hg.), Beiträge zur Textlinguistik.** (IBAL 1). 1971, 227.
88 ed. Kimmerle, aaO. 47.　　　　　89 Ebda. 65. Vgl. ebda. 43: "Die unmittelbare Structur als Begrenzungsmittel petere aliquem und ab aliquo."
90 Ebda.　　91 Vgl. ebda. 144.　　92 Ebda. 72f.　　93 ed. Lücke, aaO. 45.
94 ed. Kimmerle, aaO. 60.　　　　　95 Ebda.

Schleiermacher überlegt weiter, ob die Relation zwischen "Sprache" und "Rede" (Text) auf ein **mathematisches Kalkül** zurückgeführt werden kann. Das geht nach ihm nur, solange man die "Sprache" nicht als "aus den jedesmaligen Akten des Sprechens entstanden", d.h. "auf Individuelles zurückgehend" betrachtet, also den den einzelnen Sprechakten logisch vorgeordneten **Systemcharakter** der "Sprache" nicht beachtet(96).

Alle diese Aussagen kennzeichnen Schleiermachers "Hermeneutik" als **Linguistik.**

5. Die Lexikon-Theorie

5.1. Dieses Urteil gilt vor allem für den **Zusammenhang zwischen Linguistik und synoptischer Frage,** den Schleiermacher explizit herstellt. Seine Grammatiktheorie impliziert bereits die beiden auch heute noch entscheidenden Aspekte einer **Lexikon-Theorie** und einer **Syntax-Theorie.**

5.2. In der von ihm als "Theorie der Wörterbücher"(97) bezeichneten **Lexikon-Theorie** geht er von seiner früheren Meinung ab, jedes Wort habe nur éine Bedeutung(98):

> "Es giebt in der lebendigen Rede und Schrift kein Wort, von dem man sagen könnte, es könne als eine reine Einheit dargestellt werden."(99)

Zum jedem isolierten Wort müssen wir uns also "einen gewissen Cyclus von Gebrauchsweisen"(100) denken, die dann "in eine Reihe von Gegensäzen zu zerlegen" sind(101).

> "Die Aufgabe des Lexikographen ist die Einheit der Bedeutungen eines Wortes in seinem mannigfaltigen Vorkommen aufzufinden und gruppenweise Ähnliches und Unähnliches zusammenzustellen. Bei diesen Gruppirungen muß das Verfahren der Entgegensezung mit dem des Übergehns in einander verbunden werden...Die Entgegensezung der Bedeutungen gehört mehr der sprachlichen, das Nachweisen der Übergänge mehr der hermeneutischen Aufgabe an."(102)

Das "Verstehen" der semantischen Übergänge hat es m.a.W. mehr mit der Rede, das **semantische Oppositionsprinzip** mehr mit der **Lexematik**

96 ed. Lücke, aao. 14.   97 Ebda. 49.   98 ed. Kimmerle, aaO. 32.
99 ed. Lücke, aaO. 51.   100 Ebda. 41.   101 Ebda. 46.
102 Ebda. 49.

einer Lexikon-Theorie zu tun. Das Ziel dieser Lexematik ist die "wahre vollkommene Einheit des Wortes"; das Ziel der Syntagmatik der Rede ist die **Determination** des **Wortes** durch die "Umgebungen"(103):

> "Das einzelne Vorkommen des Wortes an einer gegebenen Stelle gehört freilich der unendlich unbestimmten Mannigfaltigkeit und zu dieser giebt es von(104) jener Einheit keinen andern Übergang als eine bestimmte Vielheit unter welcher sie befaßt ist, und eine solche muß nothwendig in Gegensäze aufgehn. Allein im einzelnen Vorkommen ist das Wort nicht isoliert; es geht in seiner Bestimmtheit nicht aus sich selbst hervor, sondern aus seinen Umgebungen..."(105)

5.3. Die semantische **Einheit des Wortes** (Lexems) ist m.a.W. die lexematische Einheit des "Sprachwerthes" eines Wortes(106); die syntagmatische "Umgebung" bestimmt den "Localwerth" jedes Wortes(107). Der Sprachwert ist durch das binäre Prinzip der Gegensätze (Opposition) bestimmt; für den Lokalwert müssen die Gegensätze

> "aufgehoben und das Wort in seiner Einheit als ein nach verschiedenen Seiten hin Wandelbares angesehen werden"(108).

Schleiermachers Lexikon-Theorie ist also ganz im Sinne einer modernen linguistischen Theoriebildung eine auf die semantischen Prozesse der Determination durch die "Umgebung" der Rede (des Textes) und der "Übergänge" hin ausgerichtete Theorie, welche die valeurs der Lexeme bereits nach dem durch die "Prager Schule" klassisch gewordenen **Oppositionsprinzip**(109) bestimmt, so daß

> "die Regeln der Grammatik..eben so wie die Bedeutungen beim Wörterbuch" stehen(110),

also das Lexikon bereits Eintragungen in bezug auf die **syntagmatische** Kombinierbarkeit und Verträglichkeit enthält.(111)

5.4. Schleiermachers Lexikon-Theorie hat einen direkten **Zusammenhang mit seiner "Hermeneutik":** Für die "hermeneutische Operation" sind die sprachlichen und logischen Verwandtschaftsverhältnisse überaus wichtig(112). Die "sprachlichen" Verwandtschaftsverhältnisse sind vor allem die etymologischen Sachverhalte(113).

> "Bei den logischen Verwandtschaften müssen wir zurückgehen auf den Gegensaz zwischen allgemeinen und besonderen Vorstellungen.

103 Ebda. 48. Vgl. **Eugenio Coseriu, Determinación y entorno.** Roman. Jb. 17. 1955/56, 29-54.   104 Verbessert aus: "zu".
105 ed. Lücke, aaO. 48.   106 Ebda. 51.   107 Ebda. 92.
108 Ebda. 51.   109 Vgl. dazu **Gerhard Helbig, Geschichte der neueren Sprachwissenschaft.** 1971, 57ff.   110 ed. Lücke, aaO. 53.
111 Vgl. dazu **Janos S. Petöfi, Transformationsgrammatiken und eine ko-textuelle Texttheorie.** (Linguistische Forschungen 3). 1971, 152ff.
112 ed. Lücke, aaO. 101.   113 Ebda. 101f.

Wörter die Begriffe bezeichnen, welche von demselben höheren Begriffe abgeleitet und einander coordinirt sind, sind verwandt.
Das sezt eine Bildungsform der Vorstellungen durch Entgegense-
zung aus einem Gemeinsamen voraus."(114)

Diese sich auch aus der "Dialektik" ergebende Aussage über die oppo-
sitionelle Generation von Lexemen und Hypolexemen aus einem **Archi-
lexem**(115) würde man ebenfalls kaum in Schleiermachers "Hermeneutik"
vermuten; sie zeigt jedoch, wie **linguistisch** diese "Hermeneutik" ist.
Welche Konsequenzen die Lexikon-Theorie Schleiermachers für die Lösung der synoptischen Frage hat, soll weiter unten entfaltet werden.

6. Die Syntax-Theorie

6.1. Diese Entfaltung erarbeiten wir uns über einige Aussagen Schleiermachers zur **Syntax-Theorie**. Da bereits das Lexikon syntaktische
Eintragungen über die **Kombinierbarkeit** von Lexemen in der Rede enthält, also auch die Determination des einzelnen Lexems durch die "Umgebung" beschreiben muß, ist auch der einzelne **Satz** als aus der Rede
durch Zerlegung isolierter Rede-Teil solange "etwas unbestimmtes"
(116), wie nicht das **Verhältnis der Sätze untereinander** und das davon zu unterscheidende **Verhältnis zur Einheit der Rede** bedacht wird
(117).

6.2. Schleiermacher unterscheidet innerhalb des "formellen" Elements
"das Säze verbindende und das die Elemente des Sazes verbindende"(118),
modern ausgedrückt: makro- und mikrosyntaktische Elemente. Seine
Syntax-Theorie hat eine deutliche Tendenz zu einer **transphrastischen**
Syntax. Sie ist m.a.W. eine **textsyntaktische** Theorie, wie sie ja auch
der "Dialektik" der Denkinhalte in "Reden" entspricht.

6.3. Da die Rede "ein Lebensmoment" ist, muß ich zwar
"den ganzen Zusammenhang aufsuchen und fragen, wie ist das
Individuum bewogen, die Rede aufzustellen (Anlaß), und auf welchen folgenden Moment ist die Rede gerichtet gewesen, (Zweck)"
(119).

---

114 Ebda. 102.   115 Vgl. dazu **Eugenio Coseriu, Einführung in die
strukturelle Betrachtung des Wortschatzes.** (TBL 13). 1970, bes. 112.
116 ed. Lücke, aaO. 42.   117 Ebda. 71.   118 Ebda.
119 Ebda. 26.

Aber dieses Verstehen der Rede "als Thatsache im Denkenden" ist nur **ein** Moment der hermeneutischen Bewegung; ihm korrespondiert das Verständnis der Rede "als herausgenommen aus der Sprache"(120), so daß die "Tatsache im Denkenden" nur als aus der jedem sprechenden Individuum logisch vorgeordneten "objektiven" Sprache **herausgenommener Teil grammatischer Möglichkeiten** sichtbar wird. Da so der individuelle Denkinhalt und die ihm korrespondierende Textproduktion immer eine **Selektion** aus den "Sinn"-Möglichkeiten der Grammatik sind, ist die grammatische Analyse die **Basis** der auf "Anlaß" und "Zweck" gerichteten historischen Analyse.

6.4. Diese grammatische Analyse fragt als Textsyntax vor allem nach den **Satz-Verbindungen**, bei denen man zwei Arten unterscheiden kann,

> "die organische und die mechanische, d.h. innere Verschmelzung und äußere Aneinanderreihung"(121).

> "Werden zwei Säze organisch verbunden so daß Ein Ganzes entsteht und man bei dem einen gleich das Bewußtsein bekommt, daß er nur ein Theil des Ganzen ist, so entsteht die Periode, deren Hauptform die von Vorder- und Nachsaz ist. Die aneinandergereihten Säze stehen im Verhältniß der Coordination. Wenn auch der eine Saz eine längere Periode ist und der andere ein einfacher Saz, sie sind doch nur coordinirte Theile eines Ganzen."(122)

Beide Arten der Satzverbindung haben eine **qualitativ** voneinander unterschiedene valeur:

> "Die bloß anreihende macht keine organische Einheit, aber die organischverbindende keine neue, sie macht nur etwas zum Theil eines andern"(123), z.B. durch einen positiven (z.B. Kausalverhältnis) oder negativen Zusammenhang (z.B. Oppositionsverhältnis)(124).

Die "organische" Verbindung vollzieht also eine Inklusion, Implikation oder auch "Erweiterung":

> "Wie überhaupt das Sprechen ein Verbreiten ist: so giebt es auch zum Behuf der Sprache ein Verwandeln eines intensiven in ein extensives."(125)

Zwischen "organischer" und "anreihender" Verbindung besteht trotz der verschiedenen **semantischen** Funktion kein Gegensatz:

> "Die organische Verbindung kann so lose sein, daß sie am Ende in die bloße Aneinanderreihung übergeht, in welchem Falle die Sprachelemente in der Anwendung verringerten Werth bekommen."
> (126)

---

120 Ebda. 11.   121 Ebda. 71.   122 Ebda. 116f.
123 Ebda. 118.   124 Ebda. 121.
126 ed. Lücke, aaO. 121.   125 ed. Kimmerle, aaO. 37.

So kann z.B. die Implikation eines Satzes Σ_1 in einen Satz Σ_2 , aber auch die zusammenhängende Gedankenreihe die Form unverbundener Sätze haben(127).

6.5. Schleiermachers Rede-Syntax ist also zugleich **Rede-Semantik**, die nicht nur die verschiedenen valeurs der Sätze "für den Totalzusammenhang"(128), die Differenzierung von "Gattungen" nach der Art der makrosyntaktischen "Komposition"(129) und die Differenzierung von Schriftstellern nach "Gattungen"(130) bedenkt, sondern auch explizit die mikrosyntaktischen **Gesetze** auf den "größeren Zusammenhang von Säzen"(131) überträgt: Die Makrosyntax Schleiermachers ist eine **Übertragung der Mikro-** (oder Wort-)**syntax auf die Ebene der "Rede"** (oder des "Textes"):

"Denn wie das Wort im Saz ein einzelnes ist und ein Theil, so auch der Saz im größeren Zusammenhang der Rede."(132)

7. Textsyntax des neutestamentlichen Briefs und des Evangeliums: Die beiden neutestamentlichen Hauptgattungen

7.1. In seiner Anwendung der Makrosyntax auf das Neue Testament unterscheidet Schleiermacher zwei "Hauptformen", nämlich die in den Briefen und in den mündlichen Reden Jesu und der Apostel vorhandene **"didaktische"** Form und die **"historische"** Form der Evangelien. Die Johannes-Apokalypse "liegt außer dieser Eintheilung und ist besonders zu betrachten"(133).

7.2. Zu den **Briefen** bemerkt er:

"Die briefliche Form gestattet die freiesten Combinationen und Übergänge von einem zum andern. Somit enthält sie keine so vollkommenen Gliederungen, wie andere Formen"(134), obwohl man verschiedene Arten der Komposition der Briefe im Neuen Testament unterscheiden kann(135).

Kommunikative und makrosyntaktische Strukturen bilden nach Schleiermacher eine Einheit:

127 Ebda. 74f.   128 Ebda. 120.   129 Ebda. 122.
130 ed. Kimmerle, aaO. 67: "Daher ein Schriftsteller als mehrere anzusehen ist wenn er in mehreren Gattungen geschrieben hat, ausgenommen in Beziehung auf seinen besonderen Sprachgebrauch."   131 Ebda. 143.
132 Ebda. 142.   133 ed. Lücke, aaO. 109.   134 Ebda.
135 Ebda. 109f.

"Bei den eigentlich didaktischen Schriften, den Briefen, ist zu unterscheiden, ob sie mehr oder weniger eigentliche Briefform haben und welche. Es ist ein anderes Briefe zu schreiben in Beziehung auf schon vorhandene und bestimmte Verhältnisse, und ein anderes, in Beziehung auf erst zu stiftende (der Brief an die Römer) oder an ein noch unbestimmtes Publicum (Brief an die Hebräer)."(136)

So gibt es nicht nur Unterschiede zwischen "organischer" und "anreihender Komposition" der Briefe. Es besteht vielmehr auch eine **Spannung** zwischen der Brief-Form und der "organischen Komposition":

"Wenn die Anwendung der allgemeinen Regeln über die Verbindung um so schwieriger ist, je weniger die Verbindung die eines organischen Ganzen ist, so ist die Auslegung der Briefe des N.T. in dieser Hinsicht immer schwierig, weil die Briefform an und für sich gar nicht zum Organischen neigt."(137)

7.3. In ähnlicher Weise wendet Schleiermacher seine makrosyntaktischen Überlegungen auch auf die **Evangelien** an und sieht einen **Zusammenhang zwischen den Problemen der Makrosyntax und der synoptischen Frage.**

Der Unterschied zwischen den "didaktischen" und "historischen" Kompositionsformen ist nach ihm nicht allzu scharf,

"denn es gibt keine historischen Bücher, in denen gar nichts didaktisches wäre"(138).

So stellt sich die Frage: Haben die "didaktischen" Elemente in den "historischen" Kompositionsformen die gleiche valeur wie in den "didaktischen" Kompositionsformen selbst?

"Der Unterschied kann nicht groß sein"(139), obwohl es sich um "ein kombinirtes Verfahren"(140) handelt, so daß die "didaktischen" Elemente in den "historischen" Kompositionsformen "offenbar anders zu behandeln sind" als in den nur "didaktischen" Kompositionsformen(141).

Diese differenzierenden Gedankengänge zeigen, wie nahe Schleiermacher an modern-strukturale Argumentationen herankommt.

136 Ebda. 125f.   137 Ebda. 126.   138 Ebda. 137.
139 Ebda. 111.   140 Ebda. 115.   141 Ebda. 124.

7.4. Die "historische" Kompositionsform, die makrosyntaktisch zu der "anreihenden" Kompositionsform gehört, bringt für die **Einheit des "Sinns"** und damit für die Textsemantik und für die diese beachtende Hermeneutik schwierige Probleme mit sich:

> "Von den historischen Schriften ist es gar sehr zweifelhaft, ob sie wirklich ein Ganzes sind und wahre Einheit haben. Sie sind größtentheils aus Schriften zusammengesetzt, welche früher Ganze gewesen."(142)

Schleiermachers textsemantisches Problem bei der synoptischen Frage ist also, **wie aus der Zusammensetzung von "Ganzheiten" eine "neue Ganzheit", "wahre Einheit"** entstehen kann. Weil es ihm nun wahrscheinlich ist, daß die Synoptiker

> "Zusammenstellungen von früher einzeln oder in andern Verbindungen vorhanden gewesenen Fragmenten seien"(143),

und im Unterschied zu dem "eine fortlaufende Erzählung" darstellenden Johannesevangelium

> "weit mehr Aggregate von einzelnen Erzählungen"(144) und somit "aggregirende Evangelien"(145) sind, ist "die Identität des Zusammenhanges so schwierig..zu bestimmen"(146).

8. Die Verschiebung des textstrukturalen Problems zum historischen Problem

8.1. Das synoptische Problem ist also für Schleiermacher keineswegs bloß das Problem des Verhältnisses der drei Synoptiker untereinander; diese Frage wäre ihm bloß die "historische" Frage nach "Anlaß" und "Zweck". Es ist ihm vor allem das aus der makrosyntaktischen "Anreihung" entstehende textsemantische **Problem der Einheit des "Sinns"**, das mit dem Problem der Einheit des "Sinns" in der "Reihe" der Synoptiker verwandt ist.

Dieses Problem rührt aus der der "historischen" Frage vorgeordneten Frage, wie ein konkreter Text, also z.B. die "anreihenden", "ag-

---

142 Ebda. 123.   143 Ebda. 110. Schleiermacher spricht also sehr wohl von "Fragmenten"!   144 Friedrich **Schleiermacher, Das Leben Jesu.** (1832), hg. v. K. A. Rütenik. 1864, 38.
145 Friedrich **Schleiermacher, Einleitung in das Neue Testament.** (Werke I/8), hg. v. Friedrich Lücke. 1845, 219/220.
146 Hermeneutik, ed. Lücke 110.

192

gregierenden" Synoptiker, als **Selegat** aus den "Sinn"-Möglichkeiten einer Sprache beschrieben werden kann.(147) Hier gibt es für Schleiermacher zwei Lösungsmöglichkeiten.

Entweder nehme ich die makrosyntaktische "Aneinanderreihung" ganz ernst und bestreite trotz der Konzession, daß

> "in einem zusammenhängenden Flusse der Rede nicht so verschiedene Gedanken zusammentreten können"(148),

letztlich die semantische Einheit des "Sinns" und damit die Evangelien-Komposition als "Sinn"-Phänomen; das ist offenbar Schleiermachers eigene Lösung;

oder ich nehme trotz der aneinanderreihenden Komposition vor allem bei den "didaktischen" Elementen der Synoptiker "eine verborgene organische Verknüpfung" an, so daß der jetzige Text nur "**Auszüge**" bringt:

> "Je nachdem man nun Auszüge annimmt oder Zusammenstellung ursprünglich nicht zusammengehöriger Theile, ist das hermeneutische Verfahren verschieden. Suche ich hier bloß nach dem Schlüssel zur bloßen Aneinanderreihung, so ist dort die Aufgabe, die Fugen der Zusammensezung, die Momente der ursprünglichen organischen Verbindung des Ganzen ausfindig zu machen."(149)

In beiden Fällen bewege ich mich in einem **hermeneutischen** Zirkel:

> "Man muß erst das Verhältniß des Einzelnen zum Ganzen vollständig erkannt, das Ganze analysirt, und alle materiellen Vorkommenheiten geprüft haben, ehe man zu einem sicheren Resultate gelangen kann."(150)

8.2. Schleiermacher befindet sich hier in einem aus seiner Grammatiktheorie entspringenden **Dilemma**: Einerseits interessiert ihn am "Aggregat"-Charakter der Synoptiker die textsemantische Frage, "nach welchen Maximen hat jeder die einzelnen Erzählungen zusammengestellt"; diese Frage kann auch klären, wo die Komposition einen "Ort" für Einschübe anweist(151). Bei dieser Seite der Alternative ist die "anreihende" Komposition der Evangelien als textstrukturale Frage nach der **kompositorischen** "Sinn"-Basis verstanden.

Andererseits interessiert ihn\die dieser Frage logisch nachgeordnete "historische" Frage. Aus dieser entsteht nämlich die Besorgnis,

> "daß zusammengehörige historische Momente getrennt sind an verschiedenen Stellen, und wiederum daß verschiedene Elemente zu-

147 Vgl. dazu oben S. 173f.   148 ed. Lücke, aaO. 124f.
149 Ebda. 125.   150 Ebda.   151 Leben Jesu 40.

sammengestellt sind. Da ist dann möglich, daß eine Stelle, die
wir zur Erklärung einer andern gebrauchen, gar nicht von demselben Referenten herrührt, also auch aus einem ganz andern
Sprachgebiete."

Dies führt Schleiermacher zu der hermeneutisch-textsemantischen Anweisung:

> "Stellen, die nicht erweislich demselben unmittelbaren Complexus,
> demselben historischen Fragment angehören, müssen vorsichtig
> als Stellen verwandter Schriftsteller, die denselben Gegenstand
> behandeln, betrachtet werden."(152)

Was ist mit dieser Anweisung geschehen? Schleiermacher hat m.E. die
textstrukturale Frage der "historischen" Frage geopfert, obwohl für
ihn selbst der individuelle Autor nur der "Ort" der "Sinn"-Selektion,
aber nicht der zureichende Grund des "Sinn"-Universums sein kann.
(153)

9. Die strukturale Alternative bei Schleiermacher selbst

9.1. Dabei hätten ihm seine eigenen textsyntaktischen Überlegungen
zum **Korpus des** neutestamentlichen **Kanons** durchaus eine andere, kon-
sistentere Lösungsmöglichkeit geboten! Dort stellt Schleiermacher nämlich die Frage,

> "wiefern in dieser Beziehung das N.T. Ein Ganzes ist und wie
> sich die verschiedenen Schriftsteller zu einander verhalten"(154),
> bzw. "wie sich die Einheit und die Differenz des N.T. zu einan-
> der verhalten"(155).

Schleiermacher antwortet:

> "Jede Sammlung, Verbindung mehrerer Schriften sezt Identisches
> voraus", und sei es auch nur die Identität des Verfassers, so
> daß die Zusammenstellung "nur eine äußerliche, und die herme-
> neutische Aufgabe bloß auf das Eigenthümliche des Sprachaus-
> drucks gerichtet" ist(156).

Aber selbst in Fällen,

> "wo Schriften von Verfassern entgegengesezter Meinung, die sich
> auf einander beziehen, also Streitschriften, zusammengestellt wer-
> den", "ist immer etwas Identisches, Gemeinsames. Man streitet
> sich nicht, wenn nicht Gemeinsames vorausgesetzt wird."(157)

> Obwohl "die christliche Sprachbildung..doch nur allmählich zu
> Stande kommen" konnte, müssen wir also bei der Frage nach der
> **semantischen Einheit** des Kanons davon ausgehen, "daß durch das
> ganze N.T. eine gewisse Identität der Lehren und Überzeugungen
> hindurchgeht. Das Christenthum wäre sonst kein mit sich selbst
> Übereinstimmendes."(158)

---

152 ed. Lücke, aaO. 111.   153 Vgl. dazu oben S. 173.
154 ed. Lücke, aaO.   155 Ebda. 112.   156 Ebda.
157 Ebda. 113.   158 Ebda. 115.

9.2. Trotz der Differenz der Autoren und der Differenz der makrosyntaktischen Kompositionsformen des Neuen Testaments unterstellt Schleiermacher also aufgrund der "Dialektik" eine **makrosemantische Einheit des Kanons**, so daß das makrosyntaktische Problem der Aneinanderreihung "historisch" differierender Einheiten dieses Korpus nicht ernsthaft gefährdet. Wieso ist dann aber die semantische Einheit der **Synoptiker** "gar sehr zweifelhaft"(159), weil die in den Evangelien **historisch** aneinandergereihten Einheiten "nicht erweislich demselben unmittelbaren Complexus" angehören?(160)

Schleiermacher hat offenbar **zwei** "Korpus"-Begriffe: Ähnlich wie der Term "Sprachkreis" zwei Aspekte hat(161), hat auch "Complexus" eine doppelte Bedeutung. Es bezeichnet einmal eine bestimmte makrosyntaktisch-semantische **Struktur**, also einen textgrammatischen Kompositions**typ**; es bezeichnet zum anderen bestimmte "historische" **Exempel** solcher Typen, z.B. den "Complexus der Lebensbeschreibung Christi (εὐαγγέλιον)(162).

Modern linguistisch gesagt: das erste bezieht sich auf die grammatische Kompetenz, das zweite auf die historische Performanz, die aus der Kompetenz "generiert" ist.

9.3. Schleiermacher wird also im wesentlichen durch die "historische" Frage nach dem Ereignis-Ort eines "Fragments" abgesehen von seinem **Text-"Ort"** daran gehindert, das synoptische Problem konsequent als **textstrukturales** zu lösen. Die grammatiktheoretische Frage nach der Sprachbasis von "Sinn", "Einheit" und "Rede" verschiebt sich zur "historischen" Frage, die gegen Schleiermachers "Hermeneutik" von dieser ersteren Frage **abgelöst** werden kann. Bei dieser Ablösung von der **linguistischen Basisfrage** ist die Exegese bis heute geblieben, obwohl sich die hermeneutische Frage nach dem "historischen" Jesus erneut stellte. Aus der grammatischen Fundierung der "Sinn"-Komposition einer Gattung ist der historische "Anlaß" und "Zweck" der Synoptiker-Struktur geworden, mit dem Effekt, daß sich die Synoptiker als Gattung mit einer semantischen **"Einheit"** auflösen: Der Term **"Fragment"** wird entgegen Schleiermachers "Dialektik" und "Hermeneutik" historistisch mißverstanden, so daß die textlinguistischen Überlegungen in diesem Zusammenhang ebenfalls abgeblendet werden können. Hat man bei sorgfältiger Lektüre jedoch einmal diese **Verschiebung** erkannt, dann ist man überrascht über die Modernität des Ansatzes.

159 Ebda. 123.   160 Ebda. 111.   161 Vgl. dazu oben S. 177.
162 Einleitung 216.

9.4. In dieser Verschiebung vom struktural-semantischen Interesse zum historischen Interesse ist auch begründet, daß sich Schleiermacher zu den **apokryphen Evangelien** schwer denken kann,

"wie es um den ketzerischen Inhalt solcher Bücher, wie der Evangelien, gestanden habe, da sie doch **historische** Bücher sind. In der Erzählung kann nicht leicht eine Ketzerei liegen, sondern nur im dem Urtheil, das sich der Schriftsteller über die Thatsachen erlaubt"(163).

"Wie man darin das Doketische erkannte, ist nicht ganz deutlich, da es als ein Evangelium doch kein zusammenhängendes Räsonnement enthalten konnte."(164)

Es ist darum doch gar nicht wahrscheinlich, "daß Bücher mit Erzählungen vom Leben Christi in häretischer Absicht von Häretikern untergeschoben sein sollten, indem sie die Lehre viel leichter in dogmatischen Schriften verbreiten konnten."(165)

Da die Kompositionsstruktur der "Erzählung" für Schleiermacher offenbar nur "historisch" fundiert sein kann, gibt er das seiner Theorie der Makrosyntax entsprechende Bemühen um die "Gattung der Composition" mit ihren eigenen Regeln auf(166), so daß der semantische "Sinn" der Synoptiker nur noch eine **Icon der "Historie"** wird. Bei dieser historistischen Engführung des textsyntaktisch-semantischen Problems ist es bis in die zeitgenössische Forschung hinein geblieben. Das Problem wird sich jedoch erst lösen lassen, wenn man es konsequent **textgrammatisch** angeht, wie dies der "Hermeneutik" Schleiermachers in ihren entscheidenden Aussagen entspricht.

10. Das apologetische Eingreifen der Christologie: Das Urbildliche als das Geschichtliche

10.1. Die innere Motivation für die aufgezeigte Verschiebung scheint mir ein apologetisches Problem zu sein, das sich aus den "historischen" **Widersprüchen** der Evangelien ergibt, welche nur als Frage der Christologie behandelt werden können.

Diese Christologie ist bei Schleiermacher eine das "Urbildliche" und das "Geschichtliche" vereinigende Zwei-Naturen-Christologie, welche die "Ursprünglichkeit" der "Selbsttätigkeit des neuen Gesamtlebens" im Erlöser bedenkt(167).

163 Ebda. 196.   164 Ebda. 197.   165 Ebda. 203.
166 Hermeneutik, ed. Lücke, aaO. 122.   167 Christl. Glaube^2 § 93, S. 31.

196

"Ist nun beides, Geschichtliches und Urbildliches, so im Erlöser
vereint, so muß das Urbildliche in der Form des Geschichtlichen
erscheinen, d.h. der Erlöser muß sich zeitlich entwickeln; aber
jeder geschichtliche Augenblick muß zugleich das Wesen des Ur-
bildlichen ausdrücken, also das zeitlich Unbedingte."(168)

Diese **Bedingungen** sind jedoch nur erfüllt, wenn die darstellende Erzählung "biographisch" ist wie bei Johannes, der darum ursprüngli-
cher sein muß als die zusammenhanglosen Synoptiker(169).

"Was den Einfluß der Apostel auf die aggregirenden Evangelien betrifft, so können wir uns keinen **amtlichen** denken."(170)

"Hieraus folgt also, daß die evangelistischen Materialien, welche
für die aggregirenden Evangelien sich angehäuft hatten, von sehr
verschiedener Beglaubigung gewesen sind."(171)

10.2. Die **Aggregat-Form** der Synoptiker hängt für Schleiermacher also
mit dem apologetischen Problem der "Glaubwürdigkeit" zusammen:

Diese Form gestattet uns nicht, "daß wir zu einer zusammenhan-
genden Darstellung des Lebens Jesu..gelangen können"(172).

Obwohl Schleiermacher die "Sprache" nicht als Aggregat, sondern nur
als **System** von "Sinn" verstehen kann(173), dem das makrosyntaktische Zusammensein von Elementen in der "Rede" entspricht(174), obwohl für ihn die "Form" ihren Ursprung in der **Grammatik** hat, aus
welcher jeder einzelne nur "Sinn" auswählen, aber niemals das Ganze
haben kann(175), obwohl es weiter zur Identität der Denkinhalte nur
durch das **Gespräch** und eine **Reihe** von "Reden" kommen kann(176),
und obwohl endlich Theologiegeschichte als Denkgeschichte **an** Textprozessen verstanden wird(177), gelingt es Schleiermacher nicht, die
"Sinn"-Frage der synoptischen Evangelien **konsequent** als textgrammati-
sche anzugehen, weil der "Sinn" als System-Funktion und als Produkt
der menschlichen Grammatik mit dem aus der "Historie" kommenden
"Sinn" kollidiert.

10.3. Obwohl Schleiermacher weiter die verschiedenen Arten der Textkonnexion als **qualitativ** unterschiedene versteht(178) und somit die
"anreihende" **Textkonnexion der Synoptiker** als Struktur-Spezifikum der
semantischen Denkinhalte hätte behandeln müssen, so daß die Komposi-

168 Ebda., 1. Aufl., § 115, S. 160.   169 Einleitung 219.
170 Ebda. 229.   171 Ebda. 230.   172 Leben Jesu 44, im Original gesperrt.   173 Vgl. oben S. 181.   174 Vgl. oben S. 182f.
175 Vgl. oben S. 183f.   176 Vgl. oben S. 176f.
177 Vgl. oben S. 171ff.   178 Vgl. oben S. 177ff.

tionsdifferenzen der Synoptiker als **semantische Differenzen** erscheinen, versteht Schleiermacher sie letztlich als **quantitative** Differenzen(179): Das Problem der "Sinn"-Differenz läßt sich leichter als "historisches" Problem verständlicher Differenzen bei erzählenden Referenten denn als Problem der semantischen **Einheit der christologischen Denkinhalte** trotz struktureller Kompositionsdifferenzen behandeln.

10.4. Übersehen wird auf diese Weise freilich, daß entweder Denkinhalte **immer** auf Strukturfunktionen basieren oder aber eine "Theologie" der Synoptiker aufgegeben werden muß. Hat jedoch die heutige neutestamentliche Wissenschaft die Frage nach dem "Leben Jesu" als für die Theologie der Synoptiker irrelevant aufgegeben, so kann diese "Theologie" der Synoptiker nur mit den Mitteln einer konsequent textstrukturalen Konstruktion erstellt werden, womit wir Schleiermachers **hermeneutische** Intentionen zum Zuge bringen. Die Frage nach der semantischen Einheit der Komposition der Synoptiker muß von der Frage nach dem "historischen Jesus" methodisch sorgfältig geschieden werden. An diese Konsequenz halten sich zwar die meisten Exegeten faktisch; aber sie stellen dabei zuwenig die **Prämissen der Textgrammatik** in Rechnung, welche Schleiermacher bereits erkannt hatte.

11. Die Details der "Fragmenten-Hypothese"

11.1. Nachdem so der sprach- und literaturtheoretische **Rahmen** der Äußerungen Schleiermachers zur synoptischen Frage bewußt ausführlich abgesteckt ist, um das **linguistische Gedankengut** in der "Hermeneutik" zum Bewußtsein zu bringen, kann ich mich bei der Darstellung der **Fragmenten-Hypothese** selbst sehr kurz fassen. Folgende Details sind in unserem Zusammenhang erwähnenswert.

11.2. Was zunächst den **Namen der Hypothese** anbelangt, so gilt Schleiermacher seit Heinrich Julius Holtzmann(180) als der eigentliche Urheber der "Diegesen-Hypothese", obwohl dieser den Term gar nicht verwendet. Der Term wäre auch sachlich insofern unzutreffend, als διήγησις in Lk 1, 1 eine **zusammenhängende Erzählung** meint(181).

---

179 Leben Jesu 39.   180 **Heinrich Julius Holtzmann, Die synoptischen Evangelien.** ihr Ursprung und geschichtlicher Charakter. 1863, 22.
181 Vgl. Weisweiler, aaO. 66; Lausberg, aaO. § 289, S. 164. Die Opposition dazu heißt ἐπιχείρημα ; vgl. ebda. § 357, S. 194f; § 371, S. 198f. Eine Verbform dieses Terms steht ebenfalls in Lk 1, 1.

Hilger Weisweiler hält auch den Term "Fragmenten-Hypothese" für

"sachlich unrichtig, da es sich nach dieser Theorie bei den von den Evangelisten aufgenommenen Einzelerzählungen ja eben nicht um Bruchstücke eines ursprünglichen Ganzen, sondern um ursprünglich selbständige Einheiten handelt"(182.

Er schlägt deshalb die Bezeichnung "Memorabilienhypothese" als geeignetste vor(183), da Heinrich Eberhard Gottlob Paulus sich auf die ἀπομνημονεύματα von Lk 1, 1 zurückbezieht(184) und Schleiermachers Schüler Gottfried Christian Friedrich Lücke in einer Rezension den Term "Memorabilien" verwendet(185).

Diese Argumentation übersieht jedoch zweierlei aus Schleiermachers durchaus klarer Argumentation.

Erstens kommt der Term **"Fragment"** sehr wohl bei Schleiermacher vor, wenn auch in "hermeneutischen" Schriften, aber mit ausdrücklichem Bezug zu den Synoptikern(186).

Zweitens sagt Schleiermacher genau das, was Weisweiler bestreitet, nämlich daß die "Fragmente" Bestandteile von früheren **Ganzen** gewesen seien(187). Die historische Aufarbeitung Schleiermachers leidet hier also unter einer Optik, welche aus der modernen Thesenfassung in der Formgeschichte abgeleitet, aber eben gerade nicht die Schleiermachers selbst ist.

Schleiermachers Überlegungen zu den "Fragmenten" und "Auszügen" werden also bei Weisweiler historistisch nivelliert, so daß vor allem die **linguistische** Frage nach der makrosemantisch begründeten **Einheit der Synoptiker** bei Weisweiler unter den Tisch fällt. Angesichts der linguistischen Überlegungen Schleiermachers wird es also bei dem Term **"Fragmenten-Hypothese"** bleiben müssen.

11.3. Bei der These von der **Aggregation der Synoptiker aus "Fragmenten"** wird man für die frühe Zeit zwar darauf verweisen dürfen, daß Schleiermacher speziell das Lukasevangelium

"als eine Sammlung von einzelnen selbständigen Einheiten..erweisen" will(188)

und sich ausdrücklich weitere Schlüsse von seiner zu Luk aufgestellten These auf **Matth** und **Mark** verbittet(189).

182 Ebda. 67.   183 Ebda.   184 **Heinrich Eberhard Gottlob Paulus,** Das Leben Jesu, als Grundlage einer reinen Geschichte des Urchristentums I. 1828, 68-70.   185 **Friedrich Lücke,** ThStKr 7. 1834, 767. 186 Vgl. oben S. 191.   187 Vgl. oben S. 191. 188 Weisweiler, aaO. 68.   189 **Friedrich Schleiermacher, Über die Schriften des Lukas** I. 1817, XII.

Dennoch scheint mir diese Warnung mehr den Analogieschluß von den
Details der Lukaskomposition aus vier "Massen" (C. 1f; 3, 1 - 9, 50;
9, 51 - 19, 48; 20, 1 - 24, 53) auf die Komposition der anderen Synoptiker zu betreffen als das Kompositions**prinzip**, nämlich die "Aggregation" aus Elementen, da Schleiermacher andernorts die Synoptiker
insgesamt und undifferenziert als "aggregierende" Evangelien dem Johannesevangelium gegenüberstellt(190).

Im folgenden nehme ich nur solche Details der Hypothese auf, die linguistisch und für das textstrukturale Problem der Synoptiker relevant
sind.

11.4. Nach Johann Gottfried Eichhorn(191) und ausgehend von den Aussagen des Papias über Matth (Euseb, h.e. III, 39, 16) und Mark
(Euseb, h.e. III, 39, 15) postuliert Schleiermacher die Existenz einer
"Sammlung von Aussprüchen Christi"(192). Schleiermacher postuliert
also eine vom Apostel Matthäus stammende **Redenquelle** in hebräischer
Sprache(193) und in verschiedenen Rezensionen(194), welche von anderen "so gut jeder konnte, erklärt, erläutert, angewendet" wurde
(195).

Dieser **Apostel Matthäus** kann nicht

> "späterhin nach dieser Sammlung von Reden noch unser Evange-
> lium geschrieben" haben(196).

Außerdem nimmt das Matthäusevangelium auch nicht die ganze Sammlung des Apostels auf(197). Lukas,

> "von dem wir nicht einmal wissen, ob er des Aramäischen kundig
> gewesen, hat die Redensammlung, wenn auch gekannt, doch
> augenscheinlich nicht gebraucht, auch nicht brauchen können,
> da er viele Aussprüche Christi, welche Matthäus gleich in seinem
> ersten Abschnitt von ihrem geschichtlichen Zusammenhang abgeris-
> sen mit ähnlichen vereinigt gab, in seinen Materialien in ihrem
> wirklichen Zusammenhange fand."(198)

Auch Markus hat nach Papias nichts mit dieser Redenquelle des Apostels Matthäus, wohl aber mit einer **Sammlung von Petrus-Reden** zu
tun(199), so daß nach Schleiermacher

> "solche Sammlungen von Reden und Sprüchen und Sammlungen von
> einzelnen Zügen und Thaten der zusammenhangenden Evangelien-
> schreibung nach Art unserer synoptischen natürlich vorangegan-
> sind."(200)

190 Vgl. oben S. 191.   191 Vgl. dazu Weisweiler, aaO. 63; **Werner Georg
Kümmel, Das Neue Testament.** (Orbis Academicus III, 3). 1958, 92.
192 **Friedrich Schleiermacher, Über die Zeugnisse des Papias von unsern
ersten Evangelien.** ThStKr 5/2. 1832, 735-768; Zitat ebd. 737.
193 Ebda. 742.   194 Ebda. 753.   195 Ebda. 742.
196 Ebda. 740.   197 Ebda. 752.   198 Ebda. 757f.
199 Vgl. ebda. 758ff.   200 Ebda. 762.

Wie man der **Stereotypie** der Reden-Schlußformel (Mt 7, 28; 11, 1; 13, 53; 19, 1; 26, 1) entnehmen kann, welche nach Schleiermacher "das Ende eines Abschnittes der apostolischen Sammlung" bezeichnet(201), gehören Mt 5-7; C. 10; Mt 13, 1-52; C. 18; C. 23; C. 24; C. 25; Mt 21, 23 - 22, 46; C. 15 (1. Hälfte), der Anfang von Mt 16 und vielleicht Mt 11 zu dieser Redensammlung des Apostels Matthäus(202).

11.5. Von dieser Hypothese von **zwei verschiedenen Redensammlungen** für Matth und Mark wird heute die Annahme von **Petrus-Reden** für Mark nur noch gelegentlich vertreten(203), während sich die mit dem Siglum Q bezeichnete **Logienquelle** zwar nicht absolut(204), aber doch **fast** allgemein durchgesetzt hat(205); allerdings in der schon von Eichhorn vertretenen Form einer für Matth und Luk **gemeinsamen** Quelle, während Schleiermacher den "Materialien" des Luk eine historisch ursprünglichere Anordnung zuschreibt. Damit sind sowohl die Annahme von für Matth und Luk unterschiedlichen Rezensionen Q **Mt** und Q **Lk** (206) als auch die Annahme der historischen Priorität von Q Lk(207) vorbereitet.

11.6. Da Schleiermacher die Relation zwischen Q und Matth ausdrücklich als Auswahl bestimmt, aber keinerlei Auswahlkriterien angibt, sollte beachtet werden, daß sich seine Hypothese nur auf das "Material", nicht aber auf die makrosyntaktischen Prinzipien der Selektion und Komposition der Synoptiker bezieht. Die für Schleiermacher wichtige Frage nach den textsemantischen Prinzipien der **Komposition** ist durch die Frage nach der Vorgeschichte des "Materials" überhaupt noch nicht gestellt. Das "Material" erhält seine semantische Funktionalität allererst durch die **Makrosyntax der Komposition**, weil der "Sinn" nur im "Zusammensein" der Elemente, aber nicht in diesen selbst liegt(208). Der im "Material" selbst steckende "Sinn" wird nur insofern durch die Strukturfunktionalität der Komposition rezipiert, als er Element des "Sinnes" dieser Komposition werden kann. Auch der "Sinn" der **Elemente** ist also nicht im "Material", sondern in der **Kom-**

201 Ebda. 749.   202 Vgl. ebda. 746ff.   203 Vgl. etwa Paul **Althaus, Der gegenwärtige Stand** der **Frage nach dem historischen Jesus.** (SAM, phil.-hist. Kl.
204 Ablehnend etwa die bei **Werner Georg Kümmel, Einleitung in das Neue Testament.** (Paul Feine-Johannes Behm, 17. Aufl.) 1973, 37 Anm. 48 Genannten.   205 Vgl. den umfassenden Überblick bei **Siegfried Schulz, Die Spruchquelle der Evangelisten.** 1972.
206 Vgl. dazu Kümmel, aaO. 42f.   207 Vgl. etwa Julius **Wellhausen, Einleitung in die drei ersten Evangelien.** ²1911, 58f.

position begründet. Die primäre Aufgabe der Kompositionsanalyse ist daher, die "Sinn"-Funktionalität der Komposition zu ergründen und das Zusammensein der Elemente, den "Text", als "Sinn" zu begreifen.

12. Das erneute Eingreifen der Apologetik

12.1. Ergibt sich bereits aus den Thesen Schleiermachers zur Redenquelle die historische Priorität von Sammlungen vor der zusammenhängenden Evangelienschreibung(209), so kann Schleiermacher die Synoptiker nur als sekundäre Phänomene begreifen, welche nur indirekt mit den "Augenzeugen" zusammenhängen. Das gilt auch und vor allem apologetisch, denn in bezug auf die direkte Inspiration des Evangelisten ist

> "auf jede Weise besser für ihn gesorgt, wenn er nur als Sammler und Ordner erscheint, nicht als Verfasser, und wenn wir die erste und größte Hälfte der außerordentlichen Thätigkeit nicht in ihm, sondern nur in denen suchen dürfen, welche in unmittelbarer Verbindung mit dem Erlöser standen."(210)

> "Und so scheint mir auf jede Weise das Ansehn unseres Schriftstellers nicht zu verlieren sondern zu gewinnen, wenn man sein Werk auf frühere Werke ursprünglicher und geistbegabter Augenzeugen des geschehenen zurückführt."(211)

Die These von den Evangelisten als Redaktoren von früheren Sammlungen und "Fragmenten" hat also bei Schleiermacher eine eindeutig apologetische Funktion, welche die Inspiration retten soll.

12.2. Nach Schleiermacher bezeichnet der Term εὐαγγελίσται keine "Schriftsteller"(212); man legte

> "ursprünglich bei solchen Schriften gar keinen besondern Werth auf den Verfasser...; und dies ist auch sehr natürlich, wenn wir uns ihren Ursprung aus dem Geschäft der Evangelisten erklären; denn da ist der Diaskeuast gar nicht der ursprüngliche Verfasser, sondern einen solchen giebt es gar nicht, weil mündlich forterzählt wurde; es giebt nur Quellen und Auctoritäten dafür." (213)

> "Unsere drei ersten Evangelien bestehn überwiegend aus eben solchen Elementen, wie wir sie als natürlichen Gegenstand der mündlichen Erzählung aufgestellt haben; so erscheinen sie auch als

208 Ich unterscheide hier mit Louis Hjelmslev mit der "Inhaltssubstanz" und der "Inhaltsform". Letztere gibt als grammatische Matrix ersteren den "Sinn". Vgl. dazu Güttgemanns, Offene Fragen 186–188.
209 Vgl. Schleiermacher, Einleitung 204ff.
210 Ders., Schriften des Lukas XV.   211 Ebda. XVI.
212 Vgl. ders., Einleitung 205.   213 Ebda. 217.

aus solchen einzelnen mündlichen Erzählungen entstanden", während bei Joh "das Element der Rede überwiegend, und das aus dem Dialog Entstandene, was für den Erzähler das Schwierigste war, am hervorragendsten" ist(214).

12.3. Der **kompositorische Charakter** der Synoptiker wird von Schleiermacher also aus dem Charakter der der "Rede" gegenübergestellten mündlichen Erzählung abgeleitet, so daß nach den Details dieses Charakters zu fragen ist. Nach ihm hat man das **Amt des Erzählens** der evangelischen Geschichte von der apostolischen Tätigkeit der Verkündigung und von der Tätigkeit der Ermahnung (adhortatoria oratio) zu unterscheiden:

> "Offenbar nun hat die erzählende Thätigkeit zu diesen beiden an verschiedenen Orten ein verschiedenes Verhältniß; in Palästina, wo Christus in allen Landestheilen sich aufgehalten hatte, und die Feste Leute aus allen Gegenden in Jerusalem vereinten, war für das κήρυγμα eine Erzählung seines Lebens nicht nothwendig; anders aber in den vom Schauplatze seines Lebens entfernten Orten, wo man erst mit demselben bekannt gemacht werden mußte." (215)

> "In Bezug auf das ermahnende Moment aber als Fundament und Beleg waren Aussprüche und Reden Christi nothwendig."(216)

> "Nun ergiebt sich auch ganz natürlich, wie in einigen Gegenden ein Zusammentreffen von verschiedenen Erzählungen über das Leben Christi, mündlich und schriftlich, stattfinden, in andern dagegen nur ein gewisser Cyclus bestehn mußte, je nachdem der geistige Verkehr größer oder geringer war."(217)

Da das **Schreiben** "auf den litterarischen Theil des Volkes beschränkt" gedacht werden muß und zu diesem Teil nur wenige Christen gehörten, handelt es sich bei den **schriflichen Erzählungen** um "Notizen, aber ohne Neigung zur schriftlichen Abfassung"(218).

12.4. Schleiermacher interessiert sich auch für den **Übergang vom Mündlichen zum Schriftlichen.** Dieser Übergang

> "läßt sich auf zwei sehr verschiedene Arten denken, entweder als eine Sache der Noth, oder als eine Sache der freien aber nur unter gewissen Umständen zu befriedigenden Neigung"(219).

Schleiermacher neigt zur letzteren These(220), obwohl er die Art und Weise des Übergangs für "ganz unbekannt" hält(221).

214 Ebda. 209.   215 Ebda. 206.   216 Ebda. 206f.
217 Ebda. 208.   218 Ebda. 221.   219 Ebda. 223.
220 Vgl. ebda. 223f.   221 Ebda. 236.

"Unvermeidlich ist, daß man zwischen dem fragmentarischen Mündlichen und dem zusammenhängenden Schriftlichen gewisse Mittelglieder denken muß, ausgenommen in dem Falle, wenn in einer Gegend der Kirche eine besondere Richtung auf die schriftliche Abfassung verbunden mit einer sehr günstigen Lage für das Zusammenfassen mehrerer Nachrichten und einer ruhigen Zeit anzunehmen ist."(222)

"Wenn wir uns dies weiter ausgebreitet denken, so haben sich bald solche Sammlungen von Erzählungen aus dem Leben Christi gebildet, die sich fortüberlieferten; und da konnten es an verschiedenen Orten verschieden sein, aber auch dieselben Elemente immer wieder vorkommen. Wegen der besondern Dignität der Leidens- und Auferstehungsgeschichte ist wahrscheinlich, daß die Elemente derselben überall vorzüglich identisch waren, während das Uebrige in größerer Verschiedenheit sich ausbreitete."(223)

13. Die Textgrammatik als Kern hermeneutischer Überlegungen

13.1. Schleiermachers Ausführungen zur Fragmentenhypothese zusammenfassend, läßt sich feststellen, daß diese Hypothese keineswegs bloß eine historische These zur Lösung eines literarischen Problems ist. Sie ist vielmehr untrennbar verbunden mit einer detaillierten Sprach- und Grammatiktheorie, in welcher sich erstaunliche Vorgriffe auf die moderne linguistische Textgrammatik finden: Für Schleiermacher ist das synoptische Problem vor allem ein textgrammatisches Problem. Die von ihm zur Lösung vorgeschlagene Fragmentenhypothese ist zunächst eine sprach- und texttheoretische These, deren enge Zusammenhänge mit Dialektik, Hermeneutik und Rhetorik nicht zu übersehen sind: "Fragmente" heißen die Kompositionseinheiten der Synoptiker nicht nur und zuerst, weil aus ihnen die Evangelien zusammengesetzt sind, sondern vor allem, weil es sich bei jeder "Rede" immer um ein Fragment, einen "Auszug", eine Selektion aus der "Sprache" handeln muß.

13.2. Es ist erstaunlich, daß die Schleiermacher-Rezeption der neutestamentlichen Einleitungswissenschaft, aber auch der Hermeneutik, an diesem eindeutigen Sachverhalt so lange vorübergegangen ist. Es spricht nicht für die Güte des historischen Bewußtseins der vorlinguistischen Exegese, daß derart schwerwiegende, klar und unmißverständlich für eine linguistische Lösung des synoptischen Problems sprechende Aussagen Schleiermachers so lange übersehen werden konnten und

222 Ebda. 232. Wieder taucht der "Fragmenten"-Begriff auf! Weisweiler hat also nachweislich Schleiermacher nie gründlich genug gelesen. Wer sein Buch für eine Quelle "historischen" Wissens hält, dem ist nicht zu helfen.
223 Ebda. 222.

weiterhin übersehen werden, obwohl die obigen Ergebnisse bereits seit 9 Jahren vorliegen(224). Mein mich selbst überraschender Befund hat mich noch mißtrauischer gegenüber der einleitungswissenschaftlichen und hermeneutischen **Schultradition** gemacht: Wo von kompetenteren Schleiermacher-Kennern als mir die eindeutig linguistische Grundlage der Hermeneutik Schleiermachers gerade auch im Falle des Synoptikerproblems übersehen wird, da ist der Verdacht nicht mehr von der Hand zu weisen, daß die historistischen Brillen der Schultradition gerade keine exakte, jeder Kontrolle standhaltende Darstellungen, sondern grobe Verzerrungen der neutestamentlichen Aufgabenstellung bedingen. Auch die Aufarbeitung der spezifischen **Semiotik** Schleiermachers würde zu einer ähnlichen Korrektur eines historistischen Zerrbildes führen(225); doch muß ich mir diese hier versagen, um den **Grundgedanken** der Kapitel 3 und 4 nicht weiter zu komplizieren.

224 Die obigen Ausführungen wurden im wesentlichen bereits in LingBibl 29/30. 1973, 8-25 publiziert. Es ist bezeichnend für die **ethische** Qualität der "Gründlichkeit" einer gewissen "Forschung", daß sie so gut wie nie zitiert oder widerlegt werden. Auch die neueste Publikation von **Walter Schmithals, Art. Evangelien, Synoptische**, TRE X/3-4. 1982, 570-626, bes. 578-580 übersieht sie konsequent.
225 Vgl. dazu **Rainer Volp, Die Semiotik Schleiermachers**; in: ders. (Hg.), **Zeichen.** Semiotik in Theologie und Gottesdienst. 1982, 114-145. Dort findet sich die erste mir bekannte Aufnahme der obigen Ausführungen.

4. Kapitel
Christian Gottlob Wilke: Neutestamentliche Rhetorik als Textpragmatik
Die linguistischen Implikationen der "Benutzungshypothese"

1. Der forschungsgeschichtliche Kontext Wilkes

In der einleitungswissenschaftlichen Diskussion des **Synoptikerproblems** wird auch die "Benutzungshypothese" als Lösungsvorschlag vorgebracht. Diese Hypothese findet sich schon bei Augustin und hat eine dreifache Gestaltung erfahren.

Während **Augustin** das Markusevangelium für eine Kürzung des Matthäusevangeliums erklärt und somit für das Abhängigkeitsverhältnis Matth – Mark – Luk eintritt(1), ist Johann Jakob Griesbach (1745 bis 1812)(2) der Urheber der sog. "Griesbachschen Hypothese", nach welcher Matth – Luk – Mark die historische Reihenfolge der **literarischen Abhängigkeit** darstellt.

Zwar gibt es gelegentlich bis heute noch Vertreter dieser beiden bisher genannten Hypothesen(3); bei der Mehrzahl der Forscher hat sich jedoch die These von der **Priorität des Markus** vor Matth und Luk durchgesetzt, so daß sowohl Matth als auch Luk das Markusevangelium literarisch "benutzt" haben.

Diese These findet sich schon bei J. B. Koppe und bei Gottlob Christian Storr(4); als ihre eigentlichen Begründer gelten jedoch mit Recht der Philologe Carl Lachmann(5), **Christian Gottlob Wilke** (1786 bis 1854)(6) und Christian Hermann Weiße (1801-1866)(7).

Vor allem die umfangreichen und ausführlichen Abhandlungen der beiden letzteren verdienen unsere Aufmerksamkeit, weil sich hier noch einmal zeigt, daß der **linguistische Aspekt** unaufgebbar zur einleitungswissenschaftlichen Tradition gehört und nur von einer einseitigen

---

1 Vgl. Augustin, De consensu evangelistarum I, 2.   2 **Johann Jakob Griesbach, Commentatio qua Marci evangelium totum e Matthaei et Lucae commentariis decerptum esse monstratur.** 1789.   3 Vgl. (Paul Feine – Johannes Behm, 12. Aufl.) **Werner Georg Kümmel, Einleitung in das Neue Testament.** 1963, 21f.   4 Vgl. ebda. 22.   5 Carolus Lachmann, **De ordine narrationum in evangeliis synopticis.** ThStKr 8. 1835, 570-590. 6 **Christian Gottlob Wilke, Der Urevangelist** oder exegetische kritische Untersuchung über das Verwandtschaftsverhältniss der drei ersten Evangelien. 1838.   7 **Christian Hermann Weisse, Die evangelische Geschichte kritisch und philosophisch bearbeitet I-II.** 1838.

historistischen Auffassung der Einleitungswissenschaft übersehen werden kann. Ist das sprachwissenschaftliche Interesse schon bei dem Philologen Lachmann deutlich, so ist es erst recht bei Wilke unübersehbar.

2. Die Grundlegung der Rhetorik als Textpragmatik

2.1. Die These vom "Urevangelisten" Markus ist bei Wilke eng mit spezifisch linguistischen Arbeiten verbunden, die einmal die **Lexikographie**(8) und zum anderen die **Textpragmatik**(9) betreffen. Linguistisch am interessantesten sind zweifellos Wilkes Ausführungen zur neutestamentlichen **Rhetorik.**

Wilke will versuchen,

> "von der Rede der neutestamentlichen Schriftsteller eine ihr entsprechende Charakteristik zu liefern".

Dazu fragt er:

> "was ist am Redevortrage eigentlich das Rhetorische?"(10)

Unter Rhetorik versteht er dabei nicht wie im üblichen Mißverständnis die Lehre von den "rhetorischen Figuren"; er verteidigt vielmehr die

> "Meinung, daß das Rhetorische in demjenigen befindlich sei, was sich für die Willensbildung und Willensrichtung des Lesers eigne".

Der Begriff des Rhetorischen ist

> "so gefaßt, daß Alles, was am Ausdruck als Willkür erscheint, darin begriffen werde. Was das Willkürliche sei, dies läßt sich bestimmen in Vergleichung mit dem Nothwendigen. Jeder Gedanke fordert zu seinem vollen Ausdruck gewisse Bestandtheile unbedingt."

Das **Willkürliche** fällt in den Bereich der "Redefreiheit"; das "Rhetorische" ist innerhalb dieser Redefreiheit das,

> "was auf Effect berechnet ist", wozu auch "gewisse Arten der grammatisch-syntaktischen Satzverknüpfung" gehören(11).

Das "Rhetorische" im engeren Sinn gehört

> "zur ästhetischen Form der Rede"(12).

---

8 Christian Gottlob Wilke, Clavis Novi Testamenti philologica. ²1868.
9 Ders., Die neutestamentliche Rhetorik, ein Seitenstück zur Grammatik des neutestamentlichen Sprachidioms. 1843.   10 Ebda. V.
11 Ebda. VI.   12 Ebda. IX.

2.2. Wilke will also, modern linguistisch gesprochen, eine neutestamentliche **Textpragmatik** liefern, die - der Bestimmung der Rhetorik
durch Aristoteles ganz gemäß - zunächst nach der pragmatischen **Be-
einflussung der Affekte und des Willens** durch bestimmte **grammatische
Operationen** fragt und das Stilistisch-Ästhetische dem pragmatischen
Zweck unterordnet(13).

Schlägt man Wilkes Buch auf, so ist man als moderner Linguist
und Rhetorikkenner sowohl über die Fülle der Thematik als auch über
die Adäquatheit der Behandlung der Probleme einer Textpragmatik(14)
überrascht. Um von dieser Fülle einen Eindruck zu geben, führe ich
hier einige auch für das **synoptische Problem** wesentliche Aspekte der
Darlegungen Wilkes auf.

3. Linguistische Implikationen der "Rhetorik" Wilkes

3.1. Formaler Überblick

Die neutestamentliche Rhetorik Wilkes behandelt den tropischen Aus-
druck(15), die Quantität des Ausdrucks(16), die Abweichungen von der
Strenge der Syntax(17), die logische Form der Rede(18), die ästhetische Form des Ausdrucks(19), die rhetorischen Figuren(20) sowie die
Redeweise der einzelnen neutestamentlichen Schriftsteller(21).

Alle diese Aspekte gehören auch heute noch zu einer adäquaten
neutestamentlichen **Textgrammatik**, wie sie Bestandteil der "Generativen
Poetik" des Neuen Testaments ist. Im einzelnen sind folgende Überlegungen Wilkes hervorzuheben.

3.2. Die Textsemantik der Determination durch den Kontext

Wilke leitet bei seiner rhetorisch-linguistischen Theoriebildung und
Analyse ein exegetisches Interesse:

> "der wesentliche Nutzen, den die Behandlung des hier behandel-
> ten Themas gewährt, liegt eigentlich doch in denjenigen Resulta-
> ten, auf welche die Exegese sich stützen kann, und in dem Ge-
> winn, der dieser durch die Darstellung bereitet wird."(22)

13 Dies entspricht der Rhetorik-Konzeption von Klaus Dockhorn. Vgl. dazu
**Reinhard Breymayer, Zur Bedeutung Klaus Dockhorns für die Rhetorikfor-
schung.** LingBibl 17/18. 1972, 76f.   14 Vgl. dazu **Dieter Wunderlich (Hg.), Linguistische Pragmatik.** (Schwerpunkte Linguistik u. Kom-
munikationswiss. 12). 1972.   15 Wilke, Rhetorik 11ff.
16 Ebda. 120ff.   17 Ebda. 199ff.   18 Ebda. 237ff.
19 Ebda. 327ff.   20 Ebda. 399ff.   21 Ebda. 435ff.
22 Ebda. XIV.

Wilke geht es keineswegs nur um das analytische Detail, sondern auch um die **theoretische Ausmittlung,**

> "wie nach grammatischer Möglichkeit und nach der aus dem Context sich ergebenden Nothwendigkeit die Bedeutung des Worts zu einem bestimmten Sinne determinirt werde, sich in das Bewußtsein des die Worte wählenden, combinirenden und construirenden Verfassers zurückversetzt, und also grammatisch, logisch und psychologisch bestimmt, was der Verfasser wirklich gemeint habe, und bei'm Gebrauch und der Combination **dieser** Worte nach psychologischen Gesetzen habe meinen müssen"(23).

Derartige Fragen werden heute von der **Textsemantik** der Determination durch den Kontext behandelt.(24) Es sollte also eigentlich selbstverständlich sein, daß derartige Fragestellungen unaufgebbar zur neutestamentlichen Wissenschaft und Texttheorie gehören.

Wilke hat jedenfalls die Überzeugung,

> "daß Beobachtungen über die rhetorische Manier der einzelnen neutestamentlichen Schriftsteller oft, wo nicht das einzige, doch das sicherste Hilfsmittel sind, an dunklen Stellen...ihren Sinn aufzuklären." "Gelänge es, den Redeapparat der neutestamentlichen Schriftsteller durchweg auf Analogien zurückzuführen und in solche die von einem jeden derselben gegebenen Darstellungen zu zergliedern, so müßte hierdurch auch die Textkritik einen sicheren Maßstab erhalten."(25)

3.3. Die ars persuadendi und die "Sinn"-Strukturen

Wilke definiert die Rhetorik als **ars persuadendi,** d.h. als Untersuchung der

> "Gedankendarstellung, welche die Ueberzeugung des Hörers zum Zwecke hat".

Das "Rhetorische" wird bezogen

> "auf das Verhältniß der ausgedrückten Gedanken theils zu einander, theils zu ihrem wörtlichen Ausdrucke"(26),

so daß die **grammatischen Relationen** die Rhetorik zu einem Teil oder "Seitenstück" der neutestamentlichen Grammatiktheorie machen.

Die neutestamentliche Rhetorik hat es nicht vorwiegend mit den rhetorischen Figuren zu tun, sondern mit den inneren Prinzipien der Texte, d.h. mit den **"Sinn"-Strukturen:**

> "Die Rhetorik der neutestamentlichen Schriftsteller und ihre zusammenhängende Darstellung kann nur insofern für uns Interesse haben, als wir durch sie die manchfaltigen Gestaltungen der Re-

---

23 Ebda.   24 Vgl. etwa **Eugenio Coseriu, Determinación y entorno.** Roman. Jb. 7. 1955/56, 29-54.   25 Wilke, aaO. 4.
26 Ebda. 2.

de aus inneren Principien - aus psychologischen und sprachlichen
Gesetzen - zu begreifen wünschen. Eindringen in den Geist des
Sprechenden, so weit es nur immer möglich wäre, daß wir mit
ihnen zugleich die Worte aus ihrem Innern heraus entwickeln
könnten, und an dem Baue ihrer Rede gleichsam mitarbeiten, das
ist es ungefähr, worein wir das Gelingen des auf den Gegenstand
zu verwendenden Studiums setzen."(27)

Es geht Wilke also genau um das, worum es auch der "Generativen
Poetik" geht: die Formationsstrukturen von Texten nicht als "äußere
Form" einer mechanischen Grammatik der Textoberfläche, sondern als
semantische Gestaltungsprinzipien sowohl der gedanklichen "Inhalte"
als auch ihrer Projektion in den "Ausdruck" zu begreifen.

Nach Wilke befaßt sich etwa Georg Benedikt Winers Grammatik des
neutestamentlichen Sprachidioms(28) mit der "äußeren Form" der neutestamentlichen Rede, während seine eigene neutestamentliche Rhetorik
sich mit der **"inneren Form" der Rede** befaßt. Damit sind deutlich
sprachwissenschaftliche Kategorien von Wilhelm von Humboldt aufgenommen.(29)

3.4. Redekomposition und Textrelationen

Wilke bemüht sich intensiv um eine angemessene textpragmatische
Theoriebildung, die vor allem das Verhältnis von Rhetorik und allgemeiner Grammatiktheorie bedenkt.

An jeder **Redekomposition** ist nach Wilke

"ein Doppeltes zu unterscheiden, - das in der Construction und
Abtheilung der Sätze nach Sprachnormen eingerichtete Verhältniß
der Worte zu einander, wodurch ihre Aufeinanderbeziehung möglich wird, und sodann das Verhältniß, das in den construirten
und abgetheilten Sätzen die ausgedrückten Gedanken theils zu
einander, theils zu ihrem wörtlichen Ausdrucke haben. Ersteres
ist an der Rede das Lexikalische und Grammatische, Letzteres das
Rhetorische."(30)

Modern linguistisch ausgedrückt: Die Grammatik hat mit den nach
Sprachnormen geregelten **Relationen der Satzelemente untereinander** so-
<u>wie mit Konstruktion</u> und Delimitation von Textoberflächen zu tun; die

27 Ebda. 7f.   28 **Georg Benedict Winer, Grammatik des neutesta-**
mentlichen Sprachidioms als sichere Grundlage der neutestamentlichen Exegese. (1822). 6. Aufl. 1855, 7. Aufl. 1877.
29 Vgl. dazu **Leo Weisgerber, Das Problem der inneren Sprachform und seine**
Bedeutung für die deutsche Sprache. GRM 14. 1926, 241-256; ders., Innere
Sprachform als Stil sprachlicher Anverwandlung der Welt. StudGen 7. 1954,
571-579.   30 Wilke, aaO. 1.

Rhetorik befaßt sich mit den **Relationen der** in der Textoberfläche ausgedrückten gedanklichen "Inhalte" untereinander sowie mit den **Rela-**
tionen der "Inhalte" zur Textoberfläche.

Was Wilke also mit seiner "Rhetorik" vorschwebt, ist - nach modernen linguistischen Maßstäben gemessen - nichts anderes als ein
Regelsystem für die Semantik des Tiefentextes und für dessen Projektion in die Textoberfläche.

Da man diesen Bereich heute als "Tiefengrammatik" bezeichnet,
ist Wilkes Abgrenzung der Rhetorik von der Grammatik nur bedingt
adäquat. Nach Wilke ist nämlich das erste Erfordernis zum Gedanken-
ausdruck,

> "daß etwas Verständliches, - etwas Sinnhaftes überhaupt - gesagt
> werde, und hierzu ist Bedingung, daß die einzelnen Worte, was
> ihre Bedeutung anlangt, nach dem Sprachgebrauche angewendet,
> und daß dann die zu verbindenden mehre Worte nach sprachlichen
> Regeln der Abwandelung, Stellung und Unterordnung mit einander
> verknüpft und zusammengefügt werden."(31)

Nach Wilke ist also, höchst modern, die **Grammatikalität** einer Rede
die **Bedingung für ihre Sinnhaftigkeit**, obwohl die Grammatik nach Wilke den "Sinn" nicht konstituiert:

> "Die Grammatik einer Sprache verfügt nicht über die Bedeutung
> der Worte (das Lexikalische), wohl aber über ihre Construction;
> sie giebt die Regeln der Satzbildung (das Syntaktische) und hat
> sonach auch an der Fortsetzung der Rede kein anderes Interesse,
> als daß die Worte mit einander im satzmäßigen Verhältnisse ste-
> hen, und die einander folgenden mehre Sätze richtig entweder von
> einander isolirt, oder mit einander verknüpft werden; mit einem
> Worte: sie giebt die Regeln, nach denen die **Correctheit** des Aus-
> drucks zu beurtheilen ist."(32)

Bezieht man diese Aussagen auf die Grammatik der Textoberfläche und
versteht man dazu noch die "Grammatik" als eine rein mechachische,
dann kann man für derartige Thesen auch in der heutigen Textlinguistik noch Analogien finden. Wilke schwebt eindeutig eine **Textlingui-**
stik des Neuen Testaments vor, denn er argumentiert mit der Voraussetzung,

> "daß durch Gründlichkeit der neutestamentlichen Lexikographie
> und durch wissenschaftliche Erörterung der, die neutestamentliche
> Rede zusammenhaltenden, grammatischen Syntax das Verständniß
> dieser Rede und das auf Erforschung ihres Sinnes sich richtende
> Studium gefördert werde."(33)

Für Wilke ist also die **Textsyntax eine Voraussetzung der Hermeneutik.**

31 Ebda.   32 Ebda.   33 Ebda. 3.

3.5. Die Logik der Rede

Daß es Wilke um eine **Semantik des Tiefentextes** geht, zeigen auch seine Überlegungen zur **Logik der Rede:**

> "Das logische Verhältniß der neutestamentlichen Rede verdiente... eine genauere Betrachtung. Denn für's Erste ist diese Rede doch in den Theilen, die bei der Beziehung auf den Gehalt oder Gesammtinhalt der neutestamentlichen Schriften sich als Haupttheile herausstellen, größtentheils didaktisch. Es würde also zuviel ausgeschieden werden müssen, wenn nur das Aesthetische an der Form, nur das, was unter der Leitung der Einbildungskraft und des Gefühls stand, und nicht auch das Logische, die Arten der Begriffsentwicklung, der Argumentation, des belehrenden und beweisenden Vortrags, in Erwägung gezogen werden sollten."

So ist das Ästhetische "auch gewissermaßen als Modifikation des Logischen zu betrachten"(34).

Textgrammatik, Ästhetik und Logik bilden für Wilke also eine Einheit. Es kommt ihm darauf an,

> "daß bei der Unterordnung der Redebestandtheile unter die logischen Beweis- und Schlußarten der Text entweder unverändert, so wie er sich giebt, genommen, oder nach seiner eigenen Abzweckung zum Ausdruck der logischen Form ausgeprägt würde."

Die **pragmatische Abzweckung** der rhetorischen Figuren und der logischen Strukturen ist also Kriterium einer adäquaten Textpragmatik, denn

> "jene Figuren und die logischen Urtheils- und Schlußformen können auch Redeproductionen mit einander gemein haben, die übrigens ganz verschiedenen Geistes sind."(35)

3.6. Die thematische Struktur

Nach Wilke hat die Logik der Rede einen engen Zusammenhang mit der **thematischen Struktur**; dies zeigt wiederum, daß es ihm um eine **Logik der "thematisch" strukturierten Tiefensemantik** geht.

Wilkes Begriff der Rhetorik umfaßt auch die "Redemanier"; bei dieser weiten Begriffsfassung

> "kann von der Rhetorik solcher Verfasser, welche ihren Wortvorrath, oder die, ihnen als Besitzthum eigene Ausdrucksweise auf die Erörterung einer Idee, oder die Ausführung eines Thema verwenden, nur dann ein treues Bild gegeben werden, wenn der Zusammenhang des Worts mit der Idee - in der weiteren Ausdehnung: der Zusammenhang des Vortrags auf Seiten des Ausdrucks mit dem Thema auf Seiten der Gedanken, - klar faßlich dargelegt wird."(36)

---

34 Ebda. X.   35 Ebda. XI.   36 Ebda. XII.

212

Wilke unterscheidet also klar **zwei Ebenen der neutestamentlichen Textproduktion:** einmal die Ausdrucksebene der "Rede" oder des "Vortrags" und zum anderen die ihr unterliegende **thematische Inhaltsebene.** Um letztere geht es bei seiner Analyse der logischen Form der Rede:

> "Die Rede der neutestamentlichen Schriften hat als eine solche, die nach ihren Hauptbestandtheilen **Lehrvortrag** (didaktisch) ist, eine logische Form, und grade diese Form ist's, was an ihr, wenn das innere Verhältniß der Gedanken der Beurtheilung unterworfen wird, zuerst in Betracht kommt."(37)

Die Logik der neutestamentlichen Rede (oder des Textes) hat also nach Wilke die **inneren Relationen der thematischen Inhalte** zu analysieren:

> "Ist die Rede ihrem Hauptzwecke, oder ihrem größten Theile nach didaktisch, so wird sie sich nach dem von ihr zu behandelnden Thema besonders gestalten."(38)

Der pragmatische Zweck eines Textes ist also zugleich auch **thematisches Strukturprinzip, das über die "Form" eines Textes prädisponiert,** so daß eine Klassifikation der "Formen" nach thematischen Aspekten zustandekommt. Dieser, die Geburtsstunde der Generativen Poetik im Jahre 1967 bezeichnende, Grundgedanke findet sich also bereits vor 140 Jahren bei Christian Gottlob Wilke. Nach Wilke gestaltet sich

> "die Redeform zum Theil auch nach dem Verhältniß der in der Rede zu entwickelnden Materie"; die Rede der Apostel ist ebenso wie Jesu eigene Rede "ein Sprechen für den Gegenstand, ein solches Sprechen, das sich bei einem, wie bei dem anderen bald eigentlich didaktisch, bald paränetisch, bald polemisch äußert." (39)

Wilke behandelt die logischen Prinzipien der **Denkinhalte** in allen Einzelheiten, von denen ich hier einige bezeichnende Zitate bringe.

> "Keine Rede kann construirt werden ohne Vollziehung aller wesentlichen Functionen des Denkens." Es sind "die drei Functionen des Setzens, Gegensetzens und Begründens. Das Setzen...ist nicht möglich ohne Gegensetzen... Beides geschieht mittels Subsumption."

> "Daß keine Rede construirt werden könne, die nicht im Einzelnen, wie im Ganzen, Ausdruck der logischen Thätigkeit und also jener dreifachen Denkfunction wäre, davon sind schon die in der Rede vorkommenden Arten von Sätzen der Beweis."(40)

---

37 Ebda. 237.   38 Ebda.   39 Ebda. 238.   40 Ebda. 241.

Mit diesen Aussagen strebt Wilke diejenigen **logischen Relationen der Denkoperationen** an, die im "logischen Viereck" ihr klassisches Modell gefunden haben(41). Es ist daher berechtigt, die logischen Relationen der Tiefensemantik nach diesem Modell zu systematisieren, auch wenn diese Systematisierung bei Wilke selbst nicht so klar ersichtlich ist.

3.7. Ästhetische Ausdrucksform und Textpragmatik

Obwohl Wilke die ästhetische Form des Ausdrucks einerseits als eine Modifikation der logischen Form der Rede auffaßt, stellt er andererseits einen direkten Zusammenhang zwischen Ästhetik und **Textpragmatik** her:

> "Was die ästhetische Form der Rede charakterisirt, das läßt sich zurückführen einerseits auf Sinnigkeit (Ingeniosität), Feinheit und Symmetrie, andererseits auf Lebendigkeit, Kraft, Nachdruck und Eindringlichkeit des Ausdrucks."(42)

Unter "Sinnigkeit" versteht Wilke diejenige Eigenschaft des Ausdrucks,

> "vermöge welcher er den Lesern und Hörern Anlaß giebt, Gedanken, Begriffe und Schlüsse, die er unentwickelt in sich schließt, oder in sich gleichsam versteckt hält, aus ihm zu entwickeln, und bei den Worten mehr zu denken, als durch sie **direkt** ausgesprochen ist"(43).

Unter der "Feinheit" des Ausdrucks versteht Wilke die

> "Kunst, den Worten den Schein zu geben, als ob durch sie **nicht** ausgedrückt wäre, was wirklich ausgedrückt ist, oder in der Kunst, das Urtheil des Lesers zu bestechen, den Ausdruck nach Zwecken zu formen, die bei dem Leser erreicht werden sollen, ohne daß der Sprecher nach seiner **ausdrücklichen** Rede sich anstellt, diese Zwecke zu verfolgen."

Unter der "Symmetrie" der Rede versteht Wilke die

> "Angemessenheit der Gliederung, wie sie entweder als Annehmlichkeit für das Gehör oder als ein Mittel, den Gedankenfortgang in Stetigkeit zu halten, zu betrachten ist."

Die Kategorien "Kraft, Nachdruck, Eindringlichkeit" verbindet Wilke mit der bereits in der antiken **Rhetorik** gegebenen δείνωσις -Funktion, durch welche der Hörer/Leser **pathetisch** "beeindruckt" wird(44).

Auf diesem Hintergrund ist völlig deutlich, daß das Ziel der neutestamentlichen Rhetorik Wilkes eine **funktionale Kategorisierung der Textausdrucksmittel** in bezug auf die Gefühls-, Willens- und Denksteuerung ist.

---

41 Vgl. dazu Güttgemanns, LingBibl 23/24. 1973, 31ff; ders., Einführung 95-106.　　　　42 Wilke, aaO. 327.　　　　43 Ebda.
44 Ebda. 328. Zur δείνωσις-Funktion vgl. Lausberg, aaO. § 438, S. 239.

3.8. Die Nicht-Linearität der Textprojektion

Wilke behandelt zuletzt auch das Problem der **Nicht-Linearität der Ausdrucksebene** gegenüber der semantischen Inhaltsebene(45), und zwar unter dem Aspekt der "Quantität des Ausdrucks":

> "An der Quantität des Ausdrucks stellt sich als Aeußerung der rednerischen Willkühr insbesondere dar die **Verkürzung** und die **Erweiterung** desselben."(46)

Da für Wilkes Ansatz die **Relationen** eine große Rolle spielen, muß auch die Frage entstehen, welche Relationen zwischen der inhaltlich-gedanklichen Tiefenebene und der Ausdrucksebene der Textoberfläche bestehen. Damit gerät Wilkes Textpragmatik in die Nähe einer **Transformationsgrammatik**.

> "Die Kürze des Ausdrucks macht sich bemerklich entweder a) **nach dem Verhältnisse zum Satze** und seiner Anlage, oder b) **nach dem Verhältnisse zum Gedanken**, als Einschränkung desselben auf ein geringeres Maß der Worte, während er vermöge seines Inhalts mit mehr Worten hätte ausgedrückt werden können (wenn auch nicht sollen)."(47)

> "Das Gegentheil der Kürze und Gedrängtheit des Ausdrucks ist die Erweiterung desselben. Sie wird bemerkt an der Fassung der Phrasen und Formeln und in der Quantificirung der Sätze, wo die Worte jener und die Bestandtheile dieser über das absolute Bedürfniß hinaus vermehrt und vervielfältigt sind, und ist daher entweder Fülle, oder Umständlichkeit (die mehr oder minder mit Ueberflüssigkeiten behaftet sein kann), oder (tautologische) Weitschweifigkeit, oder Breite und Gedehntheit, oder Ueberfülle und Schwerfälligkeit."(48)

Damit spricht Wilke das **Projektionsverhältnis zwischen Tiefentext und Oberflächentext** an, wie es sich ihm aus der **rhetorischen Tradition** ergab. Denn selbst von Linguisten wird oft übersehen, daß die **Transformationen** der modernen Textgrammatik bereits in der Rhetorik vorgebildet sind(49).

---

45 Vgl. dazu Güttgemanns, LingBibl 23/24. 1973, 24f.
46 Wilke, aaO. 120.   47 Ebda. 121.   48 Ebda. 145.
49 Vgl. dazu Lausberg, aaO. §§ 502-527, S. 268-274.

4. Die synoptische Frage als Problem der Textgrammatik des Evangeliums

4.1. Die Rhetorik der Evangelien

Bei einer derart ausführlich ausgearbeiteten Textpragmatik kann es nicht verwundern, daß Wilke auch die synoptische Frage unter textgrammatischen Gesichtspunkten behandelt. Er gibt der neutestamentlichen Wissenschaft damit ein Vorbild, wie dieses Problem heute mit moderneren Mitteln gelöst werden sollte. Als Linguist kann man sich allerdings nur wundern, daß unsere Disziplin Wilkes Ansatz in der Folgezeit so leichtfertig verschmäht hat, um auf diese Weise die **Frage nach der Texthaftigkeit der Evangelien** ebenfalls "zu den Akten zu legen".

Bei der "rhetorischen" **Charakteristik der Synoptiker** kommt es Wilke darauf an,

> "die Ganzheit des Marcusevangeliums in seiner Individualität und geistigen Verschiedenheit von den übrigen Evangelien darzuthun, und nebenbei die Behauptung noch mehr zu erhärten und noch fester zu begründen, daß die, immer noch zum Theil von hochachtungswürdigen Gelehrten für respectabel gehaltenen Meinungen, Marcus habe aus Matthäus und Lucas geschöpft, und: die Evangelien seien aus Einzelberichten über einzelne Vorfälle des Lebens Jesu entstanden, soviel Fürsprache sie auch für sich haben sollten, dennoch unrichtig und mit klaren Andeutungen der Synoptiker im Widerspruch seien."(50)

> Obwohl der "formelle Zweck" der synoptischen Evangelien...noch im Dunkeln" liegt, soll bei der "rhetorischen" Charakterisierung dieser Schriften "einem jeden unter ihnen sein **wirkliches Eigenthum** kritisch ausgemittelt werden"(51).

Wilke verfährt dabei nach dem Grundsatz,

> "daß die Rhetorik und der intellectuelle Zweck des Vortrags in Verbindung mit einander betrachtet werden müßten"(52).

Infolge dieses Grundsatzes hält er die These für unrichtig,

> "die Evangelien seien aus Einzelberichten über einzelne Vorfälle des Lebens Jesu entstanden"(53).

Methodisch ist es also völlige Willkür, wenn die nachfolgende Forschung zwar die These von der Markus-Priorität und damit die **"Benutzungs-Hypothese"** übernahm, aber die textgrammatischen Implikationen ihrer Begründung unterdrückte.

---

50 Wilke, aaO. XII.   51 Ebda. XIII.   52 Ebda.   53 Ebda. XII.

Das "rhetorisch" Eigentümliche der Synoptiker ist nach Wilke

> "theils in Demjenigen zu suchen, was consequente und auf Manier beruhende Abweichung vom Gemeinschaftlichen ist, theils in demjenigen, was jeder für sich allein darstellt"(54).

Wilke unterscheidet in seiner detaillierten "rhetorischen" **Charakteristik** der einzelnen Synoptiker die allen drei Synoptikern eigenen **Erzählungsabschnitte** von den hauptsächlich **didaktischen Stücken**, die nur Matth und Luk gemeinsam haben:

> "Erstere haben, in Vergleichung mit den letzteren, die eigenthümliche Weise a) die Reden Jesu und anderer Personen durch Vor- und Zwischenbemerkungen über die veranlassenden Umstände zu erläutern, und zwar so, daß die Worte der Vor- und Zwischenbemerkung in der darauf folgenden Anführung der Rede widertönen; b) die Weise, in den Erzählungen von Thatsachen Contrastirendes neben einander zu stellen; c) ist es bei der sie unterscheidenden Kürze ihr Zweck, Geschichtliches zu referiren, und von den Reden nur das beizubringen, was Geschichtsmomente bildet oder Geschichtsmomente aufklärt."(55)

Die "rhetorischen" **Mittel des Markusevangeliums** sind vor allem schildernde Partizipien, hyperbolische Ausdrücke(56) sowie das Streben,

> "den Ausdruck überhaupt möglichst significant, voll und bestimmt zu machen"(57).

Diese kurzen Bemerkungen lassen mit aller Deutlichkeit erkennen, daß für Wilke die synoptische Frage ein **Problem der Textpragmatik** ist, daß Wilkes Position also dort verfälscht wird, wo man von ihr nur die rein "technische" Frage der literarischen **Benutzung** beibehält.

4.2. Der "Urevangelist" Markus

Eine weitere Bestätigung meiner obigen These ergibt sich auch aus dem 694 Seiten umfassenden, exakten Nachweis, daß Markus der "**Urevangelist**" ist: Markus ist der erste Vertreter eines neuen **Gattungs-Typs**, so daß alle Vorstufen nicht dieses Genre selbst betreffen. Wer das Buch nur aus sekundären Berichten kennt(58), bei denen man oft den Eindruck hat, die Berichterstatter hätten das Buch vielleicht niemals selbst in der Hand gehabt, wer weiter nur von der Hauptthese gehört hat, aber nicht ihre **exakte Begründung** kennt, der ist erstaunt über die Anlage des Beweisgangs und die Detailliertheit des philologischen Vergleichs.

---

54 Ebda. 435.   55 Ebda. 436.   56 Ebda. 448.
57 Ebda. 449.   58 Vgl. etwa **Werner Georg Kümmel, Das Neue Testament.** Geschichte der Erforschung seiner Probleme. (Orbis Academicus III/3). ^{2}1970, 181-183.

4.2.1. Das synoptische Problem als Problem der Textrelationen

In einer Einleitung mit z.T. tabellenartigen Übersichten untersucht Wilke das **wechselseitige Verhältnis** der Synoptiker im allgemeinen(59).

"Die drei ersten Evangelien entwickeln ihren Geschichtsstoff nicht in fortlaufender Rede, sondern in einer Reihe einzelner kleiner Erzählungen, die durch eigene Anfänge und besondere Schlußformeln sich so von einander isoliren, als wären sie, wie kleine Particularganze, schon vor dieser Verknüpfung vorhanden gewesen, und von den Evangelienschreibern nur gesammelt und zusammengeordnet worden."(60)

Wilke bestreitet also anscheinend zunächst gar nicht Schleiermachers **Fragmentenhypothese**; er macht vielmehr auf die Einleitungs- und Schlußformeln der einzelnen kleinen Erzählungen aufmerksam, die das **Werk des Sammlers und Ordners** zu sein scheinen. Dieser verfährt nicht nach dem historischen Zusammenhang, sondern nach einer "thematischen" Sachordnung(61).

Aber dieser erste Eindruck von Wilkes Zustimmung zu Schleiermacher ist nur Schein, denn Wilkes Hauptakzent liegt auf einer **Texttheorie des Redaktors**, in welche seine "rhetorischen" Ergebnisse integriert sind, die ja vor allem auch die Frage nach der **Textlogik** beantworten.

"Kommt es nämlich darauf an, die parallelen Stücke selbst mit einander in Vergleichung zu stellen, um zu untersuchen, welche Darstellung das ursprüngliche Gepräge am reinsten ausdrücke, oder um fremdartige Beimischungen vom Ursprünglichen abzuschneiden; so wird in das **logische** Verhältniß der Sätze eines solchen Stücks zu einander eingegangen, und nach einem Theile des Inhalts der andere, nach dem wirklich Vorhandenen die Quantität des Nothwendigen, abgeschätzt werden müssen, wozu es besonderer Kriterien bedürfen wird."(62)

Die synoptische Frage ist für Wilke also keineswegs bloß eine literarhistorische, sondern eine **Frage nach der logischen Relation der synoptischen Texte untereinander**, welche zugleich die **Frage der Ursprünglichkeit** einer bestimmten Textfassung, also eines Oberflächentextes, mit "rhetorischen" Mitteln beantwortet. Wilkes **Hauptfrage** lautet daher:

"was setzt das Textverhältniß, wie es vorhanden ist, sei es auch durch noch so viele Läuterungsprocesse hindurchgegangen, - was setzt es, wie es vorliegt, nach kritischen und exegetischen Ergebnissen als **Bedingung** voraus?"(63)

59 Wilke, Urevangelist 3-25.   60 Ebda. 3.   61 Ebda. 17f.
62 Ebda. 24.   63 Ebda. 21.

Der Linguist kann seine Freude über die Präzision dieser Frage nicht verhehlen, ebensowenig jedoch auch seinen Kummer über die nach Wilke eingetretene Verflachung der Fragestellung.

4.2.2. Die "Einigungsnorm" als Bedingung der Gattung

Wilke unternimmt die Beantwortung dieser Hauptfrage in zwei großen Teilen. Der erste behandelt die Textdaten in bezug auf eine nichtschriftliche, also **orale**, Einigungsnorm der evangelischen Berichte(64); der zweite behandelt die Textdaten in bezug auf eine **schriftliche** Einigungsnorm dieser Berichte(65).

Diese Einteilung läßt auch Wilkes implizite Fragestellung bezüglich der synoptischen Textrelation erkennen: Die synoptische Textrelation setzt als Bedingung eine **Einigungsnorm der Gattung** voraus; von welcher Art war diese Einigungsnorm? Wilke formuliert:

"Die Harmonie unserer Evangelien setzt als ihren Entstehungsgrund entweder einen schriftlichen Typus, oder eine nichtschriftliche, irgendwie in mündlicher Rede den Verfassern vorgegeben gewesene Einigungsnorm voraus."(66)

Seinen Beweis, daß **Markus** diese Einigungsnorm für die Synoptiker war, tritt Wilke in "Sätzen" zu jedem Teil an. Der erste Teil zur Untersuchung der **mündlichen** Einigungsnorm umfaßt 5 Sätze und 9 Textdaten; der zweite Teil zur Untersuchung der **schriftlichen** Einigungsnorm umfaßt ebenfalls 5 Sätze und 22 Textdaten aus den "Reden", 17 Textdaten aus dem Reflexionsmäßigen sowie 7 Textdaten zu Mark als "Urevangelist".

Aus dieser Fülle von Sätzen und Textdaten wähle ich im folgenden nur die charakteristischsten aus. Der Duktus des Beweisgangs Wilkes läßt jedoch eine Art **Ausschlußverfahren** erkennen: Wenn die Einigungsnorm der Synoptiker weder ein mündliches "Urevangelium" noch ein schriftliches "Urevangelium" sein kann, dann bleibt als plausibelste Lösung der **"Urevangelist" Markus** als Einigungsnorm übrig.

64 Ebda. 21–161.   65 Ebda. 167–694.   66 Ebda. 26.

5. Textgrammatische Probleme der Einigungsnorm des Evangeliums

5.1. Die textgrammatische Unmöglichkeit einer oralen Einigungsnorm

Den Beweis der **Unmöglichkeit** einer **oralen Einigungsnorm**, etwa in Form eines mündlichen "Urevangeliums", führt Wilke im wesentlichen mit folgenden Argumenten.

> Die "Evangelien referiren theils gesprochene Reden, theils ge-
> schichtliche Thatsachen. Jene und diese müssen als ein verschie-
> denartiger Stoff unterschieden werden."(67)

Es leuchtet ein, "daß die erste Erzählung von einer gesprochenen Rede immer nur eine Wiedererzählung ist, aus dem Gedächtnisse und der Erinnerung reproducirt, während die ursprüngliche Be-schreibung von Begebenheiten nach der Zusammenfassung ihrer Momente und der Verknüpfung der Wahrnehmungen, aus welchen sich das Bild des Ganzen zusammensetzt, durch die Selbstthätig-keit des Erzählers hervorgebracht werden muß."(68)

Wilke unterscheidet also ganz klar zwischen zwei verschiedenen **Text-erzeugungsprinzipien** für die "Reden" und für die Erzählungen: Erstere können memorativ reproduziert werden, während letztere selbsttätig erzeugt werden. Nun stimmen jedoch die Synoptiker nicht

> "bloß in dem gedächtnismäßigen, sondern auch in dem reflexions-
> mäßigen Antheil ihrer Relationen...fast durchgängig, und bis auf
> Zufälligkeiten des Ausdrucks überein"(69).

Daraus folgt,

> "daß 1) wenn diese Gleichförmigkeit und Uebereinstimmung aus
> der mündlichen Tradition geflossen sein soll, diese Tradition den
> ganzen Apparat der übereinstimmig gegebenen Berichte in einzel-
> nen, mittels Reflexionsgebrauch vollendeten, Darstellungen umfaßt
> haben müsse, daß 2) wenn unsere Erzähler aus dieser Tradition
> unmittelbar geschöpft haben sollen, ohnedaß ein anderer Einfluß
> auf ihre Darstellungen überging, diese Tradition in der einen
> identischen Form vervielfältigt und verbreitet gewesen sein müsse,
> endlich 3) daß, wenn sie unter den ersten Bildnern nicht selbst
> durch ein schriftliches Medium ihre Gleichförmigkeit erlangt haben
> soll, sie unabsichtlich durch öftere Wiederholungen des Vortrags
> zu Stande gekommen sein müsse"(70).

Eine derartige mündliche Tradition kann

> "nur Zögling eines besonderen Instituts gewesen sein"(71), das
> wir "im Kreise der Apostel suchen" müßten(72).

Zwar tragen die evangelischen Nachrichten

> "die Spuren apostolischer Erinnerung an sich"(73); aber die
> **Gleichförmigkeit** der Tradition kann nicht aus diesem "Institut"
> erklärt werden, denn sie ist selbst "ein Resultat, hinsichts des-
> sen erst zu untersuchen ist, auf welche Art es zu Stande gekom-
> men"(74).

---

67 Ebda.   68 Ebda. 28.   69 Ebda. 30.
70 Ebda. 34.   71 Ebda. 35.   72 Ebda. 36.
73 Ebda. 38.   74 Ebda. 40.

Zwar läßt sich bei der vorausgesetzten ständigen Wiederholung der Reden Jesu denken,

> "wie sich Ein Typus unter den Aposteln in Tradition bilden und numerisch vervielfältigen, und wie er auch in der Vervielfältigung immer einer und derselbe bleiben konnte"(75).

Aber die **Form** des Evangeliums selbst kann nur als **Ergebnis kompositorischer Operationen** verstanden werden, die von dieser "Wiederholung" verschieden ist, da die textsemantische Dimension der **Komposition** gegenüber dem Traditionsmaterial als **Selektionsprinzip** wirkt:

> "Das Einzelne erhält erst Bedeutung im Ganzen, und dieses, indem es bis zu seinem Schlusse Alles einem Hauptgesichtspunkte unterordnet, um in den Lesern einen Totaleindruck zu hinterlassen, charakterisirt sich eben so durch seinen Zweck und Plan als die Mitteilung gewisser, für den Helden der Geschichte besonders interessirter, Personen."(76)

Ganz im Sinne moderner **Rezeptionsästhetik**(77) geht es Wilke also um den geistigen **"Aufbau" der Form im Leser,** welcher nur das Ergebnis eines individuellen Kompositions**plans** sein kann und auch den Eindruck des "Aufbaus" aus **Fragmenten** braucht:

> "Die Erzählungsweise also, die als Typus das Mitzutheilende in solche Form der Beziehentlichkeit stellte, gab sich selbst das Gesetz, auf Einzelnes und Specielles einzugehen."(78)

Ein solcher Formtyp kann unmöglich von Augenzeugen Jesu stammen(79), so daß die vorausgesetzte einheitliche, institutionell verankerte apostolische Tradition unhaltbar wird. Außerdem gibt es von verschiedenen übereinstimmenden Relationen anderswo **abweichende Exemplare**(80). Selbst die Leidensgeschichte Jesu, die eine "zusammenhängende Geschichte" bildet, läßt sich in keiner vorschriftlichen Form voraussetzen.(81)

Wilkes Hauptargument lautet also, **daß der Formtyp des Evangeliums unmöglich aus einem mündlichen "Urevangelium" erklärt werden kann.** Dieser Formtyp wird texttheoretisch nicht durch die mündliche Tradition, sondern durch die **Kompositionsoperationen der einzelnen Evangelisten** erklärt:

> "Der Select der gemeinschaftlichen... Stücke ist zugleich so verkettet, daß ein Ganzes sich abschließt, aus welchem Ganzen nicht nur überhaupt eine große Zahl von Partikularnachrichten, sondern darunter auch manche Merkwürdigkeiten ausgeschlossen werden, die in einem mündlichen Urevangelium kaum gefehlt haben können."(82)

75 Ebda. 41.   76 Ebda. 38f.   77 Vgl. dazu **Rainer Warning (Hg.), Rezeptionsästhetik.** Theorie und Praxis. (UTB 303). 1975; dort weitere Literatur.   78 Wilke, aaO. 44.   79 Ebda. 44f.
80 Ebda. 48.   81 Ebda. 70.   82 Ebda. 87f.

Auch Mischungen, Amalgamationen und größere Einschaltungen vor allem des Matth sind ein- oder angefügt

> "einem für sich abgeschlossenen Texte, und mit diesem nicht or-
> ganisch zusammenhängen, ungeachtet sie mit ihm ein Ganzes aus-
> machen sollen"(83).

> "Ist nun aber Faktum, daß die evangelischen Verfasser an dem
> überlieferten Stoffe geschriftstellert haben, daß sie nach ihren
> besonderen Zwecken hier weggelassen, dort erweitert, hier Worte
> gegen andere vertauscht, dort die gegebenen anders bezogen, hier
> Verbundenes getrennt, dort Getrenntes kombinirt und verbunden
> (84), so läßt sich schwerlich eine fixirte Tradition in dem Maas-
> se, daß das Zusammentreffen der Berichte selbst da, wo es in
> Kleinigkeiten und Nebendingen vorhanden ist, durch sie vorausbe-
> stimmt gedacht werden könnte, voraussetzen."(85)

Abgesehen davon, daß Luk in seinem Proömium (Lk 1, 1-4) ausdrück-

lich von einem schriftlichen **Anordnen** spricht(86) und auch die Reden

Jesu "das Gepräge schriftlicher Abfassung an sich" tragen(87), ist

der Formtyp des Evangeliums als **"Sinn-Aufbau"** in Lesern nur durch

einen selegierenden und kombinierenden **Schriftsteller** möglich.

Wilke geht es also bei der Erklärung des Formtyps des Evangeli-

ums um die **Rezeptionslogik des "Sinns"**:

> "Da der Schriftsteller dem Leser das zuerst **denkbar** machen muß,
> was dieser als Mitgetheiltes aufnehmen soll; so herrscht bei ihm
> die Neigung vor, nach den Gesetzen der Verständlichkeit und Re-
> flexion zu ordnen; die Regeln der logischen Zusammenknüpfung
> werden also in der Schrift, so weit das mitgetheilte Ganze der
> Rede reicht, sich durch dasselbe als ordnendes Princip hindurch
> erstrecken...(88)

> Der Schriftsteller muß, "um seine Beschreibung zusammenhangend
> und vollständig zu machen, zu dem Aufgenommenen aus seinem
> Gedankenvorrath hinzuthun, was nicht gegeben war; er muß in
> die zu referirende Rede vervollständigende Sätze hinzufügen"(89)
> und alle Textelemente als "Theile eines geschichtlich sich entwik-
> kelnden **Schriftganzen**, so wie es auf **Leser** berechnet ist", kompo-
> nieren(90).

Die **Form** der Geschichte kann nirgendwo als der mündlichen Tradition

entspringend bewiesen werden.(91)

> "Sowohl die Anordnung der Massen, als die Fassung des Einzel-
> nen, deutet auf schriftstellerischen Plan"(92),

so daß die **Gleichförmigkeit des Formtyps** der Synoptiker auf eine maß-

gebende, als **Einigungsnorm** dienende **Schrift** zurückgeht(93). Zu den

83 Ebda. 91.   84 Hier ist wieder auf die Solözismen angespielt.
Vgl. dazu oben Anm. 49.   85 Wilke, aaO. 106f.
86 Ebda. 108f.   87 Ebda. 120.   88 Ebda. 121f.
89 Ebda. 122.   90 Ebda. 129.   91 Ebda. 128.
92 Ebda. 130.   93 Ebda. 151.

Kompositionsmitteln des Schriftstellers gehören auch "besondere rhetorische und oratorische Kunstgriffe"(94) sowie der **gewollte** Eindruck des Fragmentarischen,

> "so daß sich fast die ganze Summe des Beigebrachten nach Fassung und Verknüpfung in Gegensatz gegen die Weise mündlicher Ueberlieferung stellen läßt"(95).

5.2. Die konstitutive Schriftlichkeit der Einigungsnorm

Obwohl dieses Ergebnis bereits als solches völlig überzeugend ist, beweist Wilke sodann in einem zweiten Gedankengang nochmals ausführlich, daß die Einigungsnorm der Synoptiker nur eine **schriftliche** sein kann.

> "War unsern Evangelien die Norm der Uebereinstimmung in Schrift gegeben; so läßt sich der Zusammenhang, in den sie miteinander getreten sind, nach drei möglichen Arten der Vermittlung vorstellen. Entweder er ist a) ein unmittelbarer, oder b) ein mittelbarer, oder c) ein theilweis mittelbarer und theilweis unmittelbarer."(96)

Für die erstere Relation spricht,

> "daß die Evangelisten nicht nur im Inhalte, sondern auch in der **Form** des Vortrags, nicht im Gedächtnismäßigen allein, sondern auch im Reflexionsmäßigen, übereinstimmen"(97).

Da Wilke die **unmittelbare** Relation des Matth und Luk zu Mark als "Urevangelisten" nachweisen will, sind seine an Detailliertheit nicht mehr zu überbietenden Einzelnachweise ganz von dieser These bestimmt. Da es zu weit führen würde, diese Einzelnachweise selbst vorzuführen, wähle ich hier nur diejenigen Passagen seines Beweisgangs aus, in denen Wilke **textlinguistische Überlegungen**, natürlich im Stile seiner Zeit, anklingen läßt.

Die **Form des Evangeliums**

> "ist, sowohl wie sie sich in der Anlage der Stücke überhaupt zeigt, als wie sie ihren **besonderen** Ausdruck in allgemeinen Formeln hat, Werk der Reflexion"(98).

Die **Sammlungen** des Evangelienstoffes sind etwas ganz anderes als eine **Urschrift**:

> "Machen wir... letztere zur Grundlage, dann haben wir noch etwas mehr, als ein Aeßeres überhaupt, nämlich wir haben überdies noch ein Ganzes, und dies, daß es ein Aeßeres ist, wird mit eingeschlossen."(99)

---

94 Ebda. 123. 95 Ebda. 129f. 96 Ebda. 162.
97 Ebda. 165. 98 Ebda. 174. 99 Ebda. 287.

Der Genre-Typ des "Evangeliums" schließt also als **schriftliches Ganzes** auch die Sammlung der Tradition mit ein, die für ihn nur ein "äußeres" Datum, aber kein textkompositorisches Prinzip ist.(100) Dieser Genre-Typ ist als Ganzes gegenüber der synoptischen "Variation" ein "Gegebenes"(101); er trägt auch **textlogisch** die Merkmale der Reflexion an sich:

> "Wenn wir nämlich als solche überhaupt zu betrachten haben alle allgemeinen Sätze, womit logische Funktionen vollzogen werden, sei es in der Einordnung des Konkreten in allgemeine Begriffe, oder in der Bildung von Urtheilen und Schlüssen, oder im Gebrauch vermittelnder Formeln, wodurch ein Vorhergehendes mit dem Nachfolgenden in Verbindung gesetzt, oder der Faden des Zusammenhangs, Behufs weiterer Entwickelung der Rede, wieder aufgenommen wird; so zeichnen sich in unsern evangelischen Nachrichten als Product der von den Erzählern vollzogenen Reflexion" eine ganze Reihe von Textdaten ab(102).

> "Wenn bei Formung solcher Erzählungen schon die Verbindung und Zusammenordnung der Momente und die teleologische Beziehung, welche die Nachricht haben soll, Werk der Reflexion ist, so sondert sich dabei öfters noch obendrein von dem Objektiven der Erzählung dasjenige ganz merkbar ab, was als bloßes Urtheil des Erzählers unterläuft, und also ganz unbezweifelt Product seiner Reflexion ist."(103)

Da Wilke nun in allen Details nachweist, daß Matth und Luk lediglich **"Variationen" des Typs des Mark** sind, ergibt sich als Schluß, **daß der Urheber des ganz durch Reflexion und logische Gesetze geprägten Genre-Typs Markus sein muß.**

Auch diese These wird von Wilke als These zur **Textrelation** formuliert:

> "In Markus Evangelium haben die einzelnen Perikopen ihrer Form und Fassung nach zu einander und ihrer Quantität nach zum Ganzen das angemessene Verhältniß, wie sie es haben müssen, wenn die Einzelheiten des Berichts von dem Schriftsteller sein sollen, der den ganzen angeordnet."(104)

> "Die Worte oder Sätze, welche in Markus Texte den Schein haben, Zusätze zu sein, gehören meistens zu den erklärenden Vor- und Zwischenbemerkungen der Erzählstücke."(105)

Wilke erklärt also den Eindruck der "Zusätze" zur Tradition für **Schein**, weil im Rahmen der **Komposition des Ganzen** textgliedernde Stücke ebenso zur "Komposition" wie das gesamte andere "Material".

---

100 Genau diese These habe ich ohne Kenntnis Wilkes begründet in Güttgemanns, Offene Fragen 184-188. 101 Wilke, Urevangelist 311.
102 Ebda. 472.   103 Ebda.   104 Ebda. 665.
105 Ebda. 671.

Aus dem ganzen Beweisgang Wilkes ergibt sich als **Fazit:**

"Markus ist der Urevangelist. Sein Werk ist's, das den beiden andern Evangelien des Matthäus und Lukas zum Grunde liegt. Dieses Werk ist nicht die Kopie eines mündlichen Urevangeliums, sondern es ist künstliche Komposition. Daß seine Zusammenstellung weniger durch geschichtlichen Zusammenhang, als durch vorausgedachte allgemeine Sätze bedingt sind, ungeachtet sie den Schein eines geschichtlichen Zusammenhanges angenommen haben, dies erklärt sich eben daraus, daß sein Urheber keiner der unmittelbaren Begleiter Jesu gewesen ist."(106)

Da Christian Hermann Weiße weder in der Anlage noch in der klaren Methodik Wilkes überlegen ist, muß Wilke als der methodische Begründer der Benutzungshypothese gelten. Die Benutzungshypothese ist zumindest im Beweisgang Wilkes in allen wesentlichen Details eine **textlinguistische Theorie.** Das habe ich bewußt in aller Ausführlichkeit dargestellt, um damit zugleich auch den Nachweis von unentdeckten linguistischen Faktoren der einleitungswissenschaftlichen Tradition zu führen. So gibt uns Wilkes Methodik ein konkretes exegetisches Beispiel davon, **wie man einen Text "hermeneutisch" als Text behandelt.** Es scheint mir bezeichnend, wie wenig davon in den angeblich "historischen" Darstellungen seiner Leistung sichtbar wird: Es wird einfach durch Verschweigen **geleugnet,** daß die **Linguistik** immer schon in verschiedener Gestalt an der **Exegese** beteiligt war; zugleich jedoch führt sich der **Historismus** ad absurdum, weil er "historisch" Nachweisbares abstreitet. Mir bleibt da nur die Frage: "Quid adhuc desideramus testes?!"

---

106 Ebda. 684.

5. Kapitel
Ferdinand de Saussure: Der redende Mensch als unbewußter Schachspieler*

1. Die Geburt einer Wissenschaft und der Text als Hervorzubringendes

1.1. Die Geburtsstunde der modernen Sprachwissenschaft, die sich selbst im Unterschied zur älteren Sprachwissenschaft "Linguistik" nennt, schlägt nach ihrer überwiegenden Selbstdeutung mit dem Genfer Forscher **Ferdinand de Saussure** (1857-1913).

Er kam 1906 als Nachfolger von Joseph Wertheimer an die Universität Genf und konnte so erst spät seine schon weitgehend gereiften Forschungen darlegen. In diesen 7 Jahren wurde die moderne Linguistik geboren.

Er hielt dreimal "Vorlesungen über allgemeine Sprachwissenschaft", nämlich 1906-1907, 1908-1909, 1910-1911 (1).

Es war ihm nicht mehr vergönnt, eine Publikation seiner Forschungen zu erleben; das 1916 erschienene epochale Buch als Geburtsort einer neuen Wissenschaft erschien vielmehr posthum, und dabei nicht einmal nach einem eigenhändigen Manuskript.

Die Schüler, die sich an die Aufgabe der Publikation machten, fanden in seinem Nachlaß fast gar nichts (2). Sie mußten daher auf mehr oder weniger vollständige Kolleghefte von Studenten zurückgreifen, diese in mehreren Kursjahrgängen miteinander vergleichen und so die Grundlage des Buches allererst **schaffen** (3).

Am Anfang einer neuen Wissenschaft stand also eine **"Wiederherstellung"**, ja sogar eine "Nachschaffung", eine "Synthese auf Grund der dritten Vorlesung unter Benutzung aller Materialien, die uns zur Verfügung standen, einschließlich der eigenen Notizen von F. de Saussure" (4). Das heute "berühmte" Buch ist also das Produkt einer "Aneignungs- und Wiederherstellungsarbeit" (5).

*Originalpublikation in LingBibl 47. 1980, 93-130; hier unverändert.
1 Vgl. **Ferdinand de Saussure, Grundlagen der allgemeinen Sprachwissenschaft**, hg. v. Charles Bally, Albert Sechehaye, Albert Riedlinger, übers. v. Hermann Lommel. (1931). ²1967, VII. Im übrigen besteht die Besonderheit des vorliegenden Kapitels darin, daß die Akzente der Saussure-Interpretation anders als üblich gesetzt werden. Die Begründung für diese Akzentverschiebung liefern die Ausführungen selbst.   2 Vgl. ebda. VIIf.
3 Vgl. ebda. VIIIf.   4 Ebda. IX.   5 Ebda. X.

1.2. Diese Umstände einer historischen Stunde sind zugleich ein gleichnishaftes **Symbol** für einige Grundgedanken einer heutigen Texttheorie "auf der Höhe ihrer Zeit". Solche Grundgedanken kann ich hier nur vorwegnehmend andeuten.

Texte sind niemals Gebilde, welche als "ehemals Hervorgebrachte" **vorliegen**; Texte sind niemals "vorfindliche" **Objekte,** denen gegenüber die Haltung eines sehenden Beobachtens angemessen wäre. Texte sind niemals etwas Statisches oder "Dinghaftes", sondern etwas **Dynamisches,** das uns auch immer "entzogen" bleibt (6). Texte sind niemals mit einer Batterie zu vergleichen, die als physikalisches "Objekt" aufgrund physikalisch-chemischer Strukturen eine elektrische Spannung in sich trägt, eine Spannung, welche nur darauf wartet, eines Tages bei Gebrauch abgezapft und "entnommen" zu werden. Texte sind keine Batteriekästen mit einem geheimnisvollen Inhalt namens "Sinn" oder "Bedeutung". Texten kann man "Sinn" und "Bedeutung" nicht wie die Spannung einer Batterie **"entnehmen".** Denn das würde ja auch bedeuten, daß Texte eines Tages genau wie eine Batterie "leer" werden könnten, wenn man ihnen allen aufgespeicherten "Sinn" entnommen hat. "Auslegung" kann also niemals "Entnahme" bedeuten (7).

Wie die damaligen Umstände zeigen, sind Texte überhaupt keine "ehemals hervorgebrachten Gebilde", sondern eher etwas "neu Hervorzubringendes", bei dem die **Arbeit der Synthese** die zentrale Rolle spielt. Texte haben mit der Arbeit synthetischen Denkens zu tun; sie sind niemals als "Produkt", sondern nur als produzierende Arbeit adäquat zu behandeln. Ihr Gleichnis ist nicht die Batterie, sondern eher die geheimnisvolle Leistung eines **Transformators:** Was man an der einen Seite in den Transformator hineinschickt, kommt an der anderen Seite als "Verwandeltes", als **Transformiertes,** heraus. Wer durch Texte hindurchgeht, kommt als Verwandelter wieder heraus; aber auch der Text selbst kommt nach der Lektüre aus dem Leser als verwandelter wieder heraus. Wie Hans Jørgen Lundager Jensen so glänzend sagt, gibt es keinen Text "wie er ist" (8). Texte haben als dynamische Transformatoren oder als **Arbeit der Sprache am Hörer/Leser** eine Eigenschaft, die man als Umformung oder Transformation des "Geistes" bezeichnen kann.

6 Vgl. zum ganzen Gedankengang **Wolfgang Iser, Der Akt des Lesens.** (UTB 636). 1976.   7 Zur Anwendung vgl. **Erhardt Güttgemanns, Zur Funktion der Erzählung im Judentum als Frage an das christliche Verständnis der Evangelien.** LingBibl 46. 1979, 5-61.   8 LingBibl 47. 1980, 40.

1.3. Denn auch der denkende und "verstehende Geist" ist ja nicht mit einem Batteriekasten zu vergleichen oder etwa mit einer Zigarrenkiste, in welche ein "Jemand" manchmal Zigarren, also "Gedanken", hineintut, manchmal aber auch Zigarren, also "Gedanken", herausnimmt. "Text" und "Geist" können grundsätzlich nicht quantitativ behandelt werden; es handelt sich vielmehr um **Qualitäten**. Aber Qualitäten von woher? Das ist die Frage, deren Beantwortung im Zentrum der Gedankengänge von Ferdinand de Saussure steht. Am Anfang steht also die Frage: Welche **Seinsqualitäten** haben Texte? (9)

2. Das Zeichen als Spielstein in einem unbewußten Sprachspiel: Grundgedanken der Semiologie

2.1. Der philosophiegeschichtliche Kontext der Semiologie

2.1.1. De Saussure ist nicht der erste, der von "Zeichen" redet; er erfindet auch nicht den Gedanken, jedes Zeichen sei "arbiträr", dh. willkürlich "gesetzt" und durch das mit dem Zeichen Bezeichnete nicht motiviert. Wir müssen vielmehr in die frühen Anfänge sowohl der griechischen als auch der neuzeitlichen **Philosophie** zurückgehen, um dort bereits klare Aussagen über Zeichen und die Möglichkeit einer **Wissenschaft von den Zeichen** zu finden(9a). Diese Aussagen münden sogar direkt in die Problemstellung einer christlichen **Hermeneutik** ein: Man kann die Theologie eines Augustinus, eines Origenes, eines Thomas von Aquin, eines Luther, eines Calvin oder Zwingli gar nicht darstellen, ohne auf Schritt und Tritt ausdrücklich zeichentheoretische Sätze zitieren zu müssen (10).

Wenn etwa **Augustin** von der "fruitio Dei" als dem Ziel der Erlösung spricht (11), so beruht dies auf der Unterscheidung von "Dingen" (res), die man "genießen" (frui) kann, und "Dingen", die man nur "benutzen" (uti) darf, um zum "Genießen" zu gelangen. Solche "benutzbaren Dinge" sind ihm auch die **Zeichen**, zu denen dann auch die litterae Scripturae Sanctae gehören. Nicht umsonst expliziert Augustin seine Hermeneutik als **Semiotik und Rhetorik**, was allerdings von Theologen meist nicht beachtet wird (12).

9 An dieser Frage geht die Polemik von **Philipp Vielhauer, Geschichte der urchristlichen Literatur.** 1975, 5 Anm. 7 völlig vorbei.
9a Vgl. **Klaus Oehler, Die Aktualität der antiken Semiotik.** Zeitschr. f. Semiotik 4/3. 1982, 215–219; dort weitere Lit.
10 Teilbelege bei **Erhardt Güttgemanns, Über Möglichkeit und Notwendigkeit der Verwendung von Comics als Medium christlicher Verkündigung;** in: **Jutta Wermke (Hg.), Kerygma in Comic-Form.** 1979, 68–92.
11 Augustinus, doctr. christ. I, 4, 4; Migne PL 34. 1887, 20f.
12 Vgl. etwa Peter Stuhlmacher, **Vom Verstehen des Neuen Testaments.** (Grundrisse zum NT 6). 1979, 44ff.

Oder wenn **Luther und Zwingli** sich 1529 in Marburg darüber streiten, ob die Elemente (Brot und Wein) des Abendmahls signifizierende Symbole ("hoc significat") oder Metonyme des Bezeichneten ("hoc est") seien (13), dann ist das im Kern ein zeichentheoretischer Streit über den **modus significandi** der Abendmahlselemente (14).

Wenn **Friedrich Schleiermacher** als Begründer der neueren theologischen Hermeneutik diese Wissenschaft ausdrücklich als Grammatikregeln des Spiels mit Zeichen entwirft (15), dann ist es beinahe schon ein Offenbarungseid für die heutige Theologie, wenn diese Tatsache erst durch Nichttheologen in Erinnerung gerufen werden muß (16).

---

13 Der theoretische Hintergrund der Rhetorik wird m.W. bei diesem Streit zu wenig beachtet. Wenn man ihn mit **Klaus Dockhorn, Luthers Glaubensbegriff und die Rhetorik.** LingBibl 21/22. 1973, 19–39 Luthers **fides**-Begriff als rhetorischen Term interpretiert, dann hat man auch daran zu denken, daß die rhetorische Kategorie des **aptum** "die Tugend der Teile (ist), sich zu einem Ganzen harmonisch zu fügen" (Lausberg, aaO. § 1055, S. 507). Da das **aptum** Vorschriften sowohl in bezug auf die Quantität als auch in bezug auf die Qualität enthält, und die letztere durch das Gebot des **modus** bestimmt sind (ebda. § 1058, S. 512), hat man an Cic., Or. 22, 73 zu denken: suus cuique rei modus est. Wer dagegen verstößt, begeht die **vitia** der Ellipse oder der Hyperbel (ebda. § 1064, S. 512). So besteht für Luther ein **aptum** zwischen den **verba**, dh. den "Einsetzungsworten", und der **res**, dh. dem auf Leib und Blut "verdichteten" Christus (vgl. ebda. § 1074, S. 516). Für Luther ist entscheidend, daß die **verba** in diesem Falle nicht "höher (aber auch nicht niedriger EGü.) hinauswollen, als es der ausgedrückten **res** oder der literarischen Gattung entspricht" (ebda. § 1076, S. 518), sondern daß eine genaue **Entsprechung** vorliegen muß, weil hier keine Spannung zwischen **verba** und **res** bestehen darf. Wer das nicht beachtet, begeht den Fehler des **"frigidum"** (ebda.): frigidum est amplificatio propriae elocutionis (vgl. Theophr., Dem. herm. 2, 114). Für Luther kann bei den Einsetzungsworten aus Sachgründen kein "figuraler, tropischer" Ausdruck vorliegen, weil das eine **transmutatio** wäre; es kann sich nur um einen **simplex dicendi modus** handeln (Lausberg, aaO. § 600, S. 308): Die Evangelienerzählung impliziert einen **modus tractandi**, gemäß Cic., inv. I, 19, 27: "narratio est rerum gestarum aut ut gestarum expositio" (ebda. § 289, S. 164). Dabei kommt Luther alles auf die Verneinung des **"ut"** an: Die Abendmahlserzählung darf nicht zur **fictio** werden, weil dann Christus der **fictio personae** unterläge (vgl. dazu ebda. § 826–829, S. 411–413). So verlangt Luther von Ökolampad den Beweis, daß in diesem Falle eine "figürliche Gleichnisrede" vorliege. Vgl. **Heinrich Fausel, D. Martin Luther.** 1955, 313 (deutsche Rekonstruktion des Marburger Gesprächs).
14 Vgl. dazu Thom. Aqu., Tract. cons. 7; deutsch bei **J. M. Bocheński, Formale Logik.** (Orbis Academicus III/2). ³1970, § 26.12, S. 181f.
15 Vgl. den Nachweis oben S. 171ff. Bei Stuhlmacher, Verstehen 136–139 fehlt dieser wesentliche Aspekt. Diese "Auslassung" des gedanklichen Zentrums ist kein Beweis für größere "Kirchlichkeit" dieser Hermeneutik.
16 Vgl. **Manfred Frank, Das individuelle Allgemeine.** Textstrukturierung und -interpretation nach Schleiermacher. 1977; ders., Was heißt "einen **Text verstehen"?** in: **Ulrich Nassen** (Hg.), **Texthermeneutik, Aktualität, Geschichte, Kritik.** (UTB 961). 1979, 58–77.

Wenn John Locke 1689 am Beginn der neuzeitlichen Philosophie in seinem "Essay concerning human understanding" sagt, es gebe neben den beiden Wissenschaften "Physik" (physica) und "Ethik" (practica) eine dritte Wissenschaft, eben die "Lehre von den Zeichen" oder die Σημειωτική und diese Semiotik sei wegen des Vorrangs der "Wörter" als Zeichen auch als "Lehre vom Logos", eben als "Logik", zu bezeichnen(17), dann kann man wohl kaum behaupten, das Interesse für Zeichen sei einerseits theologiefremd und andererseits erst jüngsten Datums.

Wenn nämlich Gottfried Wilhelm Leibniz 1765 (posthum) in seinen "Nouveaux Essais sur l'entendement humain" jenem "berühmten Engländer" in der Weise antwortet (18), daß er einen Dialogpartner "Philalethes" wörtlich John Locke zitieren läßt und ihm einen "Theophilus" als Pseudonym für sich selbst gegenüberstellt, dann knüpft er damit nicht nur formal an die Dialoge Platons an.

Inhaltlich diskutieren die beiden nämlich als erstes über die Frage, "ob es im menschlichen Geiste eingeborene Prinzipien (nämlich die platonischen 'Ideen', EGü.) gibt" (19), was Locke bestritten hatte (20). Leibniz vertritt die Position, "notwendige" Wahrheiten dürften nicht in der Weise auf "zufällige" Wahrheiten reduziert werden, indem man sich auf die Zufälligkeit der Zeichen berufe. Auch wenn man sich nicht auf die platonische Wiedererinnerung stütze, gebe es im Geiste eine "notwendige" Wahrheit auch dann, wenn dieser Geist an diese Wahrheit noch niemals gedacht habe (21). Daß Leibniz zum Beweis dafür auf seine Grundlegung moderner Mathematik als Berechnung unendlicher Annäherung ohne endliche Berührung (Infinitesimalrechnung) verweist, läßt bereits aufleuchten, daß Leibniz die Semiotik als mathematische Algebra entwirft (22). Doch können diese Hinweise nur ein Panorama beleuchten, in das jetzt einige konkrete Striche eingezeichnet werden müssen.

---

17 John Locke, Über den menschlichen Verstand II. (PhB 75/76). Nachdruck 1976, 438: "Das dritte Gebiet kann vielleicht als Σημειωτική oder als die Lehre von den Zeichen bezeichnet werden. Da nun die wichtigsten hiervon die Wörter darstellen, so wird dieses Wissensgebiet auch zutreffend λογική, Logik, genannt." Vgl. dazu Thomas A. Sebeok, Theorie und Geschichte der Semiotik, übers. v. Achim Eschbach. (rde 389). 1979, 19; Elisabeth Walther, Allgemeine Zeichenlehre. Einführung in die Grundlagen der Semiotik. ²1979, 21-23.
18 Gottfried Wilhelm Leibniz, Neue Abhandlungen über den menschlichen Verstand, übers. v. Ernst Cassirer. (PhB 69). Nachdruck 1971, 1. Zu Leibniz vgl. Walther, aaO. 23-25; Sebeok, aaO. 18f.
19 Leibniz, aaO. 32ff. 20 Locke, aaO. I, 29ff.
21 aaO. 55f. 22 Zu Leibnizens Logik vgl. Bocheński, aaO. 301ff.

2.1.2. Bereits in Platons Dialog **"Kratylos"** ("oder über die Richtigkeit der Namen (als Nennzeichen), logikós") treten drei Dialogpartner auf, ohne die nicht nur Leibnizens Verfahren, sondern auch Ferdinand de Saussures Grundgedanken zur Semiotik nicht zu verstehen
sind.

Nomina sind Zeichen, welche eine "res" benennen; diese Funktion nennt man auch **"Nennfunktion"**. Danach sind "Namen" als "Nennzeichen" zu verstehen.

Aber inwiefern ist diese Benennung "richtig", dh. Erkenntnis-
vermittelnd? Kann und darf man von den Nennzeichen auf das **"Wesen"** schließen? Ist also das Wissen von den Zeichen, die Semiotik,
die allererste erkenntnistheoretische **Grundlage von Wissen überhaupt?**

Genau um diese Frage Platons geht es heute immer noch, wenn
in Frankreich im Anschluß an de Saussure auch die Theologie sich
unter den Vorrang der Semiologie für die **Fundamentaltheologie** stellt:
Wie können wir Wissen von "Gottes Wesen" gewinnen, wenn wir immer
nur mit willkürlichen Zeichen zu tun bekommen? Gibt es denn Zeichen, die von Gott selbst kommen? Gibt es Zeichen, die nicht nur
auf Gott "zeigen", sondern die als "Elemente" des **Sakraments** die
leibhaftige Gestalt seiner Anwesenheit bei uns sind?

Das Marburger Gespräch von 1529 scheint sich damit auf einer
"anderen Szene", an einem "Anderswo", auf einem **Ab-ort** zu wiederholen (23). Denn am Ende des bei Plato begonnenen, über Luther und
Zwingli, über Locke und Leibniz verlaufenden Dialogs gipfelt die
psychoanalytische Semiotik provokant in "Latrinenparolen": "Phallus
'klebt allus'"(24), oder, im Einklang mit Arno Schmidt und "Zettels
Traum"(25) und zugleich in Korrektur des frühen Ludwig Wittgenstein
kann man auch sagen(26): Die Welt "ist" alles, was der Phall "ist".

Wer dieses Ende "zum Lachen" findet, der sollte lieber bei John
Locke verharren; der wird dann aber auch in Kauf nehmen müssen,

23 Anspielung auf Lacan, Schriften II, 23-25. Vgl. dazu **Samuel M. Weber,
Rückkehr zu Freud.** Jacques Lacans Ent-stellung der Psychoanalyse. (Ullstein-Buch 3437). 1978, 41: "Es ist nicht zufällig, daß dieser Ort in dem
zitierten Beispiel **ein Abort** ist. Und ebensowenig, daß dessen Türen zu
sind."   24 Vgl. ebda. 124: "Denn entweder: Phallus 'klebt
allus' (E. Jandl) oder nur das, was der Fall ist."
25 Vgl. **Arno Schmidt, Zettels Traum.** 1970. ³1977, Buch IV. "Die Geste des
Großen Pun" (gesprochen entweder engl. als "pan" oder franz. als "pen"
→ penis). Schmidt kann schreiben: Die Welt ist alles, was der PHALL ist.
26 Vgl. **Ludwig Wittgenstein, Tractatus logico-philosophicus.** 1918; in:
ders., Schriften. ²1963, § 1, S. 11: "Die Welt ist alles, was der Fall ist."

daß "Texte von Gott" nichts anderes als ein sinn-loses Glasperlen-spiel mit willkürlichen Zeichen ohne jeden Erkenntniswert bleiben müssen. Wer jedoch John Locke in der Theologie überwinden will, dem bleibt nichts anderes übrig, als sich - vielleicht nur aus Neugier - auf den semiotischen Dialog "auf dem Ab-ort" einzulassen.

2.2. Der nominalistische Verdacht des Hermogenes: Das Nennzeichen - ein Spielstein?

2.2.1. Beginnen wir noch einmal mit den drei Dialogpartnern von Platons Dialog **"Kratylos"**(27). Sie heißen Kratylos, Hermogenes und Sokrates. Diese drei Namen bezeichnen **drei** unterschiedliche philosophische **Grundpositionen** in bezug auf den Erkenntniswert von Zeichen.

Die **Ausgangsfrage** lautet für alle drei Positionen: Wenn die "Namen" oder Nennzeichen die kleinsten Einheiten der Rede sind(28), wie kommen dann die Nennzeichen zu ihrer Geltung ("Richtigkeit") in bezug auf die Erkenntnis? Oder anders: Wodurch gelangen Nennzeichen in Relation zur **Wahrheit** des Benannten?

2.2.1.1. Der Dialogpartner namens **"Kratylos"** vertritt in seiner Antwort auf diese Frage eine erkenntnistheoretische Position, welche man später als "objektiven **Idealismus**" bezeichnen wird. Er behauptet näm-lich,

> "es gebe für jedes Ding eine richtige, aus der **Natur** dieses Dings selbst hervorgegangene Bezeichnung, und nicht das sei als (wahrer) Name anzuerkennen, was einige nach Übereinkunft als Bezeichnung für das Ding anwenden, indem sie (willkür-lich) einen Brocken ihres eigenen Lautvorrates als Ausdruck für die Sache wählen, sondern es gebe eine natürliche Richtig-keit der Namen, die für jedermann, für Hellenen wie Barbaren, die gleiche sei"(29).

Diese These braucht als letzte **Voraussetzung** die Annahme, "daß es eine größere als menschliche Kraft gewesen, welche den Dingen die ersten Namen beigelegt, und daß sie eben deshalb notwendig rich-tig sind"(30). Kratylos hat also als erstes Axiom die Annahme einer ersten Benennung der Dinge durch Gott selbst; man kann auch sagen: Die Nennzeichen sind deshalb "richtig", weil sie der **Sprache Gottes** entlehnt sind.

27 Benutzte Ausgabe: **Martinus Wohlrab (Ed.), Platonis dialogi secundum Thrasylli Tetralogias dispositi.** Vol. I. 1908, 175-263.
28 Kratyl. 385 C.
29 Kratyl. 383 A; deutsch bei **Hans Arens, Sprachwissenschaft.** Der Gang ihrer Entwicklung von der Antike bis zur Gegenwart. (Orbis Academicus I/ 6). ²1969, 8.   30 Kratyl. 438 C; Arens, aaO. 11.

2.2.1.2. Das ist ein sehr früher Voranklang des "Magus des Nordens", Johann Georg Hamann (1730-1788), welcher in seiner "Aesthetica in nuce" (1762) schreiben kann: "Reden heißt übersetzen – aus einer Engelsprache in eine Menschensprache, das heißt, Gedanken in Worte, – Sachen in Namen, – Bilder in Zeichen."(31)

Hamann nennt sein Buch im Titel ausdrücklich "Eine Rhapsodie in Kabbalistischer Prose"(32). Wie auch noch Leibniz gewußt hat, ist die jüdische Qabbala eine "Zeichenkunst"(33). Hamann spielt auf die qabbalistische Tradition des Judentums an, wonach Hebräisch die Sprache Gottes und der Engel ist. Hamann sagt: "Sprache (-) die Mutter der Vernunft und der Offenbarung, ihr A und Ω", "Sprache, welche die Deipara unserer Vernunft ist"(34). Hamann schreibt in diesem Sinne an Johann Caspar Lavater, sein "ganzes Christentum" sei "ein Geschmack an Zeichen"(35), weil an den Zeichen "die Endlichkeit des menschlichen Bewußtseins sich selbst begreift"(36).

2.2.1.3. Der Dialogpartner namens "Hermogenes" (Sohn des Hippikos) vertritt gegenüber "Kratylos" die Position einer nominalistischen Konventionstheorie. Danach ist das Nennzeichen eine willkürliche, später zur Konvention gewordene "Setzung" des Wortschöpfers: "Das Benennen ist eine Tätigkeit"(37).

Er kann sich nicht davon abbringen lassen,

> "daß die Richtigkeit der Namen auf etwas anderem beruhe als auf Verabredung und Übereinkunft. Denn jeder Name, so scheint mir, den man einer Sache gibt, ist richtig; und wenn man ihn wieder mit einem anderen vertauscht und den bisherigen nicht mehr braucht, so ist der spätere nicht minder richtig als der frühere"(38). Daher gibt es auch verschiedene Sprachen mit verschiedenen Namen(39).

Die Korrelation zwischen Nennzeichen und "Sache" kommt also zustande "durch Vertrag und Übereinkunft, durch Gesetz (νόμῳ) und Gewohnheit"(40). Ein Nennzeichen ist nichts anderes als eine Spielmarke, ein ψῆφος (41).

31 Johann Georg Hamann, Sokratische Denkwürdigkeiten. Aesthetica in nuce. (reclam 926/26a), hg. v. Sven-Aage Jørgensen. 1968, 87.
32 Ebda. 77.   33 Ebda. 76 Anm. 5.
34 Zitiert nach Johann Gottfried Herder, Sprachphilosophische Schriften, hg. v. Erich Heintel. (PhB 248). ²1964, XX. Vgl. auch Johann Georg Hamann, Schriften zur Sprache, hg. v. Josef Simon. (Theorie 1). 1967, 114: "Das Buch der Schöpfung enthält Exempel allgemeiner Begriffe, die GOTT der Kreatur durch die Kreatur; die Bücher des Bundes enthalten Exempel geheimer Artickel, die GOTT durch Menschen dem Menschen hat offenbaren wollen. Die Einheit des Urhebers spiegelt sich bis in dem Dialecte seiner Werke; – in allen Ein Ton von unermäslicher Höhe und Tiefe!"
35 Zitiert nach ebda. 36.   36 Ebda.   37 Kratyl. 387 C.
38 Kratyl. 383f; Arens, aaO. 8.   39 Kratyl. 385 E.
40 Kratyl. 384 D.   41 Kratyl. 437 D.

Sokrates fragt Kratylos in bezug auf Hermogenes: "Ist es etwa so, daß wir die Nennzeichen wie Spielsteine **abzählen**, und soll etwa darin ihre Richtigkeit bestehen? Soll etwa die Wahrheit dort sein, wo sich die Mehrheit der Nennzeichen befindet?" Kann man mit anderen Worten die Wahrheit mathematisch "abzählen", weil Zeichen nur Spielmarken sind?

2.2.1.4. "Hermogenes" ist nichts anderes als ein **"antiker John Locke"**. Dieser fragt ja danach, "wie es dazu kam, daß gerade die **Wörter**, die ja von Natur diesem Zweck so vorzüglich angepaßt waren, von den Menschen als Zeichen für ihre Ideen verwendet wurden" (42). Locke gibt zur Antwort:

> "Es geschah nicht wegen eines natürlichen Zusammenhanges, der zwischen einzelnen artikulierten Lauten und gewissen Ideen bestünde, denn dann würde es in der ganzen Menschheit nur éine Sprache geben. Vielmehr geschah es vermittels einer willkürlichen Verknüpfung, durch die ein bestimmtes Wort jeweils beliebig zum Kennzeichen einer bestimmten Idee gemacht wurde. Der Zweck der Wörter besteht also darin, sinnlich wahrnehmbare Kennzeichen der Ideen zu sein; die Ideen, für die sie stehen, machen ihre eigentliche und unmittelbare Bedeutung aus" (43).

Daß zwischen Nennzeichen und den durch sie repräsentierten Ideen keine **naturhafte** und damit **notwendige** Korrelation besteht, wird für Locke auch an dem Umstand deutlich, "daß kein Mensch die Macht besitzt, andere zu veranlassen, dieselben Ideen im Sinne zu haben wie er, wenn sie dieselben Wörter benutzen wie er"(44).

Zudem bezeichnet ein Nennzeichen gar keine Einzelsache, sondern eine **Ideenklasse**. Wäre es anders, dann müßte es ebensoviele Nennzeichen wie Einzeldinge geben, nämlich unendlich viele: Kein Individuum ist mit dem anderen Individuum ganz identisch:

> "Erstens ist es unmöglich, daß jedes Einzelding seinen besonderen eigentümlichen Namen erhält." "Es übersteigt.. die Fassungskraft des menschlichen Geistes, von sämtlichen einzelnen Dingen, die ihm begegnen, gesonderte Ideen zu bilden und sich einzuprägen."(45)

---

42 Locke, aaO. II, 5. 43 Ebda. 44 Ebda. 9. 45 Ebda. 10.

234

Aber auch das **Prinzip der Ökonomie** spricht gegen eine 1:1-Zuord-
nung zwischen Nennzeichen und Dingen:

> "Zweitens, wenn dies auch möglich wäre, so würde es doch
> zwecklos sein, weil es dem Hauptzweck der Sprache nicht dien-
> lich wäre. Die Menschen würden vergeblich Namen für einzelne
> Dinge anhäufen, die ihnen zur Mitteilung ihrer Gedanken nicht
> dienen könnten."(46)

Nennzeichen haben also als "Namen" von Ideenklassen einen **Rationa-
lisierungseffekt,** ohne den es überhaupt keine Kommunikation gäbe:

> Drittens "würde doch ein besonderer Name für jedes einzelne
> Ding den Fortschritt der Erkenntnis gar nicht besonders för-
> dern."(47) Denn erst indem die Zeichen zur **Zusammenfassung**
> und Verallgemeinerung von Eigenschaften verwandter Einzel-
> dinge zwingen, kann ein Erkenntnisfortschritt zustandekommen.

Obwohl die Nennzeichen also willkürlich eingesetzte Spielsteine sind,
obwohl ihr Namenscharakter auf bloßer Gewohnheit beruht, sind sie
dennoch wegen ihrer Funktion der **Vereinfachung** ein zentrales Mittel
zum Fortschritt der Erkenntnis. Denn Erkenntnis bedeutet die Wahrnehmung der Übereinstimmung vs Nichtübereinstimmung zwischen zwei
Ideen.(48).

Die Verallgemeinerung der Einzeldinge zu Klassen mittels Nennzeichen hat also das **Allgemeine und Universale** zum Ergebnis. Dabei
muß nach Locke beachtet werden,

> "daß das Allgemeine und das Universale nicht zur realen Exi-
> stenz der Dinge gehören. Sie sind vielmehr nur Erfindungen
> und Schöpfungen des Verstandes, die dieser für seinen eigenen
> Gebrauch gebildet hat, und betreffen nur Zeichen, seien es Wör-
> ter oder Ideen."(49) Deshalb ist auch "ihre Bedeutung..nichts
> weiter als eine Beziehung, die der menschliche Geist ihnen bei-
> gelegt hat."(50)

Ideen sind also nach Locke und Hermogenes nicht quasi präexistent,
wie der Dialogpartner "Kratylos" behauptet hatte. Denn aus dem allen folgt,

> "daß die abstrakte Idee, die der Name vertritt (,) und das
> Wesen der Art ein und dasselbe sind"(51).

Das mit **"Wahrheit"** bezeichnete "Wesen" der Dinge kann so nach Locke
nur eine **nominale Wesenheit** sein(52); zu diesen durch Zeichen ent-
standenen Wesenheiten muß nur hinzugefügt werden, "daß sie allesamt

46 Ebda. 10f.   47 Ebda. 11.   48 Ebda. 167.   49 Ebda. 16.
50 Ebda. 17.   51 Ebda. 18.   52 Ebda. 21.

weder erzeugt noch zerstört werden können"(53), und dies im Gegensatz zu den Einzeldingen.

2.2.1.5. Dieser Alternative zwischen dem objektiven Idealismus des "Kratylos" und dem Nominalismus des "Hermogenes" (alias Locke) widerspricht der dritte Dialogpartner namens **"Sokrates"**, der später durch **Leibniz** wiederaufgenommen und modifiziert wird: Sprechen ist eine Praxis(54); daher gilt: Benennen ist ein Teil dieser Praxis(55). Das Nennzeichen ist kein Spielstein, sondern ein **Organon:**"Folglich ist auch der Name ein Organon."(56) Das Nennzeichen ist ein dynamisches **Mittel des Lehrens und Lernens:** Wie das Weberschiffchen das Gewebe zustandebringt, so bringt das Nennzeichen den "Sinn" zustande: "Also ist der Name ein gewisses Lehr- und Unterscheidungsmittel des Wesens."(57) Der Gesetzgeber der Sprache muß wissen, wie man die Laute zu einem Gewebe fügt.(58)

Zwar gibt es beim Nennzeichen so etwas wie ein "Übereinkommen"; aber dieses Übereinkommen trifft jeder mit sich selbst: "die Richtigkeit des Wortes beruht für dich eben auf Übereinkunft"(59). Aber das Benennen folgt nicht dem Willen.(60)

Viel wichtiger ist jedoch die **Dialektik zwischen Ähnlichkeit und Unähnlichkeit** des Nennzeichens mit der benannten "Sache".

ὅμοιον muß das Nennzeichen als μίμησις sein, damit es überhaupt etwas vom "Sein" des benannten Dings erkennen läßt. Das Nennzeichen gehört φύσει zum Ding(61).

ἀνόμοιον muß das Nennzeichen sein, weil seine "Nachahmung" der Sache nicht so weit gehen darf, daß auch das "Sein" selbst nachgeahmt und so **verdoppelt** wird:

> "Der durch die Namen auf Dinge ausgeübte Effekt wäre lächerlich, wenn die Namen den Sachen in jeder Hinsicht ähnlich wären. Denn alles würde verdoppelt werden, und niemand würde jemals sagen können, welches das wirkliche Ding und welches der Name wäre."(62)

---

53 Ebda. 23. 54 Kratyl. 387 B. 55 Kratyl. 387 C.
56 Kratyl. 388 A. 57 Kratyl. 388BC. 58 Kratyl. 389 D.
59 Kratyl. 435 A; Arens, aaO. 11. 60 Kratyl. 387 D.
61 Kratyl. 390 D. 62 Kratyl. 432 D.

Die "Richtigkeit" der Nennzeichen ist also von besonderer Art.(63)
Weil der absolute Vorrang der "Sache" vor den Nennzeichen zu beachten ist, muß man so die **depotenzierte "Realität"** der Zeichen betonen:

> "die Kundgebung geschieht nicht nur durch ähnliche, sondern
> auch durch unähnliche Buchstaben, deren Geltung eben auf Ge-
> wohnheit und Übereinkunft zurückzuführen ist"(64).

2.2.1.6. "Theophilus" (alias Leibniz) gibt seinem Dialogpartner "Philalethes" (alias Locke) ohne weiteres zu,

> "daß diese Bedeutungen nicht durch eine natürliche Notwendig-
> keit bestimmt sind; nichtsdestoweniger sind sie es bald durch
> natürliche Gründe, bei denen der Zufall mitwirkt, bald durch
> moralische Gründe, bei denen eine Wahl stattfindet"(65).

Aber Leibniz bestreitet gegen Locke,

> "daß das, was man **allgemein** und universell nennt, nicht zum
> Dasein der Dinge gehört, sondern ein Werk des Verstandes ist"
> (66). "Ich gestehe Ihnen, daß ich in wenigen Punkten die Gül-
> tigkeit Ihrer Folgerungen weniger eingesehen habe als hier,
> und das tut mir leid."(67)

Vor allem Lockes Unterscheidung zwischen "realer" und **"nominaler
Wesenheit"** erscheint Leibniz zweifelhaft:

> "Mir scheint, daß der Sprachgebrauch, den wir hier einführen,
> außerordentlich viele Neuerungen der Ausdrucksweise in sich
> schließt."(68)

Die Terme "real" und "nominal" sind bisher immer nur auf **Definitio-
nen** bezogen worden; man hat aber niemals

> "von anderen als realen Wesenheiten gesprochen; es sei denn,
> daß man unter nominalen Wesenheiten falsche und unmögliche
> verstanden habe, die Wesenheiten zu sein scheinen, es aber
> nicht sind."(69)

Den Term "Wesenheit" muß man daher nach Leibniz mit der **Modalität
der Möglichkeit** verbinden:

> "Die Wesenheit ist im Grunde nichts anderes als die Möglichkeit
> dessen, was man denkt. Was man als möglich voraussetzt, wird
> durch die Definition ausgedrückt, aber diese Definition ist nur
> nominal, wenn sie nicht zugleich die Möglichkeit des Gegen-
> stands zum Ausdruck bringt."(70)

63 Kratyl. 391 B.   64 Kratyl. 435 A; Arens, aaO. 11. Zur Interpretation des "Kratylos" vgl. J. Deuschle, Die platonische Sprachphilosophie.
1852; I. Abramczyk, Zum Problem der Sprachphilosophie in Platons Kratylos.
Diss. Breslau 1928; E.Haag, Platons Kratylos. (Tüb. Beitr. z. Altertums-
wiss. XIX). 1933; J. Derbolav, Der Dialog "Kratylos" im Rahmen der platonischen Sprach- und Erkenntnisphilosophie. 1953; A. Nehring, Plato and
the Theory of Language. Traditio III. 1945, 13ff. Zur Verdoppelungspro-
blematik vgl. Haag, aaO. 17f.42f.   65 Leibniz, aaO. 301.
66 Ebda. 320f.   67 Ebda. 321.   68 Ebda. 323.   69 Ebda.
70 Ebda.

Zwischen Nominal- und Realdefinition besteht derjenige Unterschied,

"der zugleich die Differenz zwischen der Wesenheit und der Eigenschaft ausmacht. Meiner Meinung nach besteht dieser Unterschied darin, daß die Realdefinition die Möglichkeit des Definierten anzeigt, was die Nominaldefinition nicht tut."(71)

Von daher ist auch die Defintion Lockes abzuweisen, wonach die **Wahrheit** "die Verbindung oder Trennung der Zeichen nach der Übereinstimmung oder Nichtübereinstimmung der Dinge untereinander ist." (72)

Zudem erfolgt diese Zeichen-Verbindung oder -trennung auch nicht im Satz (Urteil)(73). Leibniz sagt:

"Was mir..an Ihrer Definition der Wahrheit am wenigsten gefällt, ist, daß man dabei die Wahrheit in den Worten sucht. Also würde derselbe Sinn, in Latein, Deutsch, Englisch, Französisch ausgedrückt, nicht dieselbe Wahrheit sein, und man müßte mit **Hobbes** sagen, daß die Wahrheit vom menschlichen Belieben abhängt, was doch eine sehr seltsame Ausdrucksweise ist." (74)

"Man tut.. besser, die Wahrheiten in die Beziehung zwischen den Gegenständen der Ideen, vermöge deren die eine in der anderen enthalten oder nicht enthalten ist, zu setzen."(75) "Begnügen wir uns, die Wahrheit in der Übereinstimmung der Urteile unseres Geistes mit den Dingen, um die es sich handelt, zu suchen."(76)

2.2.1.7. Mit diesen Zitaten haben wir ein Stück weit hineingehört in den semiotischen **Dialog** der abendländischen Philosophie zwischen Plato und Leibniz. Dieser Dialog ermöglicht uns allererst das Verständnis der **Revolution**, die mit de Saussures **"Semiologie"** in diesen Dialog hineinkommt. Halten wir noch einmal thesenhaft den Gesprächsstand fest, an den de Saussure anknüpft, indem er ihn zugleich jedoch auf den Kopf stellt.

---

71 Ebda. 325.   72 Ebda. 467.   73 Ebda.   74 Ebda.
75 Ebda. 468.   76 Ebda. 469.

Menschen gehen mit Nennzeichen durchaus wie mit **Spielsteinen** um: Nennzeichen reduzieren die Unendlichkeit der Einzeldinge auf eine ökonomische Größenordnung von Bedeutungsklassen. Weil der Mensch in der unendlichen Individualität der Einzeldinge untergehen müßte, ermöglicht ihm das "Rechnen" mit Zeichen ein sinnvolles Leben.

Dieser **Effekt der "Ökonomie"** beruht darauf, daß zwischen Nennzeichen und Einzeldingen keine 1:1-Zuordnung besteht: Indem Nennzeichen Bedeutungsklassen schaffen, ordnen sie die Einzeldinge **Feldern** bedeutungsmäßiger Ähnlichkeit und Unähnlichkeit zu. Heute nennt die Linguistik solche "Felder" **Paradigmen.**

Indem Nennzeichen nicht auf Einzeldinge, sondern auf Paradigmen der Bedeutung "zeigen", kann man die Relation zwischen Nennzeichen und Bedeutungsfeldern auch als **Signifikation** bezeichnen.

Offen bleibt, ob und in welchem Sinne diese Signifikation mit der **Erkenntnis** zu tun hat. Diese Offenheit hängt damit zusammen, daß die Bedeutungsfelder entweder den Nennzeichen vorgegeben sind oder aber als **Ergebnis** des Benennungsaktes zustandekommen.

Daß die Bedeutungsfelder erst das Ergebnis der Nennzeichen sind, legt die Tatsache nahe, daß es **verschiedene Sprachen** gibt, die strukturell z.T. erheblich voneinander abweichen. Es kann daher keine "naturnotwendige" Einzelsprache geben; infolgedessen sind auch die Nennzeichen der Einzelsprachen ein **Kunstgebilde** der Menschen: sie sagen über das "Ist" der "Wirklichkeit" nichts aus, sondern stellen nur die **Gewohnheit** des Umgangs mit der Wirklichkeit vom Standpunkt einer Einzelsprache aus dar.

Nachdem die Menschen sich einmal an die nützliche Ökonomie der Spielsteine gewöhnt haben, übersehen sie allzu leicht die **Relativität** des Umgangs mit der "Wirklichkeit" in ihrer Einzelsprache: Mit "Wissen" hat diese Einzelsprache erst dann zu tun, wenn sie auf das **universale Allgemeine** reduziert wird, das allen Einzelsprachen gemeinsam ist.

3. Die Revolution der Semiologie: Sprache – das unbewußte Schachspiel mit Figuren der Differenz

3.1. Das Zeichen: eine Verbindung von Lautbild und Konzept

3.1.1. De Saussure kritisiert auf diesem philosophischen Hintergrund zunächst seine Vorgänger, für welche "die Sprache im Grunde eine Nomenklatur, d.h. eine Liste von Ausdrücken, (ist), die ebensovielen Sachen entsprechen"(77).

Diese naive Sprachauffassung leidet an **zwei Fehlern:**

> "Sie setzt fertige Vorstellungen voraus, die schon vor den Worten vorhanden waren."(78) Denken und Sprechen werden so auseinandergerissen.

Die falsche Sprachauffassung tut also so, als gebe es vor dem **Nennakt** fertige geistige Gebilde, welche mit den Nennzeichen nur wie mit Etiketten "beklebt" würden. Darin ist der zweite Fehler impliziert, denn diese Sprachauffassung läßt

> "die Annahme zu, daß die Verbindung, welche den Namen mit der Sache verknüpft, eine ganz einfache Operation sei, was nicht im entferntesten richtig ist."(79)

Schließlich hat der Streit um den nominalistischen Verdacht des "Hermogenes" gezeigt, daß genau die **Verknüpfung** zwischen lautlichem Zeichen und dem damit "Gemeinten" das semiotische Grundproblem ist. **Johann Georg Hamann** hatte ausdrücklich gefragt: "Was für ein unbegreifliches Band verknüpft eine Idee unserer Seele und einen Schall?" (80)

3.1.2. An den Anfang seiner wissenschaftlichen Semiologie setzt de Saussure daher eine **Gegenthese:** Das Zeichen ist eine "solidarische" Verbindung zwischen einem "psychischen" Lautbild, das in der Seele des Sprechenden und des Hörenden entsteht, und einem ebenso "psychischen", aber abstrakten **Konzept,** welches die ältere Psychologie (und leider auch noch die deutsche Übersetzung) "Vorstellung" nennt (81).

An der Gegenthese ist also entscheidend, daß das Zeichen **zwei** psychische "Seiten" hat, die in keiner Weise voneinander zu trennen

---

77 de Saussure, Grundfragen 76; Hervorhebung von mir. 78 Ebda. 79.
79 Ebda. 80 Zitiert nach Heintel (Hg.), Herder XXX.
81 de Saussure, aaO. 77.

sind. Sie dürfen auch nicht so voneinander getrennt werden, daß man statt vom psychischen Laut**bild** vom physikalischen Laut spricht und ihn als "Materielles" dem "Geistigen" gegenüberstellt:

"Die Sprache ist.. vergleichbar mit einem Blatt Papier: das Denken ist die Vorderseite und der Laut die Rückseite; man kann die Vorderseite nicht zerschneiden, ohne zugleich die Rückseite zu zerschneiden; ebenso könnte man in der Sprache weder den Laut vom Gedanken noch den Gedanken vom Laut trennen."(82)

Nochmals die **Gegenthese**:

"Das sprachliche Zeichen ist..etwas im Geist tatsächlich Vorhandenes, das zwei Seiten hat" und durch die graphische Figur der **Ellipse** dargestellt werden kann:

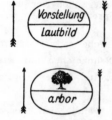

" Diese beiden Bestandteile sind eng miteinander verbunden und entsprechen einander"(83). Das "Zeigen" des Zeichens findet also **innerhalb** des Zei- statt.

2.3.1.3. Diese Gegenthese führt sofort zu der verblüffenden **Konsequenz**, daß erst diese solidarische Verbindung zweier pychischer Entitäten im Zeichen sowohl die Laute als auch das Denken aus dem **Chaos** herausreißt.

Wenn man den ersten Fehler der naiven Sprachauffassung wirklich vermeiden will, dann muß man konsequent behaupten:

"Die Sprache hat..dem Denken gegenüber nicht die Rolle, vermittelst der Laute ein materielles Mittel zum Ausdruck der Gedanken zu schaffen, sondern als Verbindungsglied zwischen dem Denken und dem Laut zu dienen."(84)

"Das Denken, das seiner Natur nach chaotisch ist, wird gezwungen, durch **Gliederung** sich zu präzisieren; es findet also weder eine Verstofflichung der Gedanken noch eine Vergeistigung der Laute statt, sondern es handelt sich um die einigermaßen mysteriöse Tatsache, daß der 'Laut-Gedanke' **Einteilungen** mit sich bringt, und die Sprache ihre Einheiten herausarbeitet, indem sie sich **zwischen** zwei gestaltlosen Massen bildet".(85)

Die "Sprache enthält weder Vorstellungen noch Laute, die gegenüber dem sprachlichen System präexistent wären, sondern nur begriffliche und lautliche **Verschiedenheiten**, die sich aus dem System ergeben" (86).

---

82 Ebda. 134.   83 Ebda. 78.   84 Ebda. 133.
85 Ebda. 134; Hervorhebungen von mir.   86 Ebda. 143f;Hervorhebung von mir.

Zu der Figur der Ellipse muß man also folgenden Graphen ergänzen:

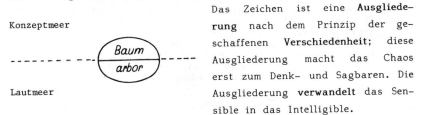

Konzeptmeer

Lautmeer

Das Zeichen ist eine **Ausgliede-rung** nach dem Prinzip der ge-schaffenen **Verschiedenheit**; diese Ausgliederung macht das Chaos erst zum Denk- und Sagbaren. Die Ausgliederung **verwandelt** das Sen-sible in das Intelligible.

3.2. Das Zeichen: die Artikulation einer Differenz

3.2.1. Diese letzte Antithese kann man in ihrem wahrhaft revolutionä-ren Charakter erst erkennen, wenn man sich noch einmal an die Vor-geschichte der Semiologie seit Plato erinnert.

Von Plato bis vor de Saussure war das Zeichen als **repräsentie-render Stellvertreter** verstanden worden, der auf eine gleichbleibende **Identität** der "Idee" verweist. Die klassische Formel für das Zeichen besagt, es sei ein materielles "aliquid", das für ein anderes, nicht-materielles "aliquid" stehe ("stat aliquid pro aliquo"). Das Zeichen ist der anwesende **Stellvertreter** für die abwesende "Sache selbst". Das aber bedeutet: diese "Sache selbst" ist bereits vor aller Bezeich-nung oder Symbolisierung in ihrer **Identität** konstituiert: Man geht von der identischen "Sache" aus und kommt zu den verschiedenen Zei-chen.

Schon Aristoteles hatte ja die Sprache "als **Repräsentation** be-griffen, und zwar im genauen Sinne eines **Stellvertreters**, dessen un-mittelbare Realität die Abwesenheit der von ihm bezeichneten Dinge ist, die ihrerseits in sich schon vor aller Symbolisierung als selbst identisch konstituiert seien"(87).

3.2.2. Diese **Dialektik** von der Anwesenheit des repräsentierenden Zei-chens und der Abwesenheit des durch das Zeichen "Dargestellten" ist ein Resultat der zum Dialog "Kratylos" angemerkten **Verdoppelungspro-blematik**: Von den repräsentierten "Dingen" oder "Ideen" und von den repräsentierenden Zeichen kann man nicht im gleichen Sinne sagen, sie "seien", weil dann ja das **Sein** mittels Sprache verdoppelt würde.

87 Weber, Rückkehr zu Freud 25; im Original zT. stärker hervorgehoben.

"Die Sprache selbst hat demnach keine eigentliche Identität, sie
ist kein Seiendes im Sinne Gorgias, denn sie **ist** nur als Signifikation, als die Abwesenheit dessen, was sie bezeichnet oder
repräsentiert. Die Sprache als Repräsentation wird also zum **Ort
der Differenz,** aber einer, die der Identität und Präsenz der
von ihr bezeichneten Dinge unterworfen ist. Die Sprache existiert also nur durch ihren **Sinn,** und dieser Sinn ist vorsprach-
lich", d.h. vor dem Nennakt mittels Nennzeichen(88).

3.2.3. Wir haben nun schon gesehen, daß de Saussure genau diese
These als allzu naive Sprachauffassung verwirft und ihr die Antithese vom Zeichen als **Prinzip der Aufgliederung** und der Verschiedenheit oder Differenz entgegenstellt. Das Zeichen ist daher nicht Repräsentation, sondern **Artikulation;** diese hat mit **Einteilung** zu tun:

"Im Lateinischen bedeutet articulus 'Glied, Teil, Unterabteilung
einer Folge von Dingen'; bei der menschlichen Rede kann die
Artikulation bezeichnen entweder die Einteilung der gesprochenen Reihe von Silben oder die Einteilung der Vorstellungsreihe
in Vorstellungseinheiten."(89)

Da de Saussure jedoch das Zeichen als **solidarische** Verbindung von
Lautbild und Konzept auffaßt, gilt auch dieses "Entweder-oder" nicht
mehr. Als Solidarität teilt ein Zeichen sowohl das Lautchaos als auch
das Ideenchaos ein: **Entitäten,** die sowohl "materiell" als auch "ide-
ell" sind, gibt es erst, nachdem die Einteilungs- oder **Artikulations-
kraft** des Zeichens in das Chaos eingegriffen hat. Die Sprache ist daher **"das Gebiet der Artikulation"**(90).

De Saussure wählt zur Verdeutlichung einen Vergleich:

"Man stelle sich etwa vor: die Luft in Berührung mit einer Was-
serfläche; wenn der atmosphärische Druck wechselt, dann löst
sich die Oberfläche des Wassers in eine Anzahl von Einteilungen, die Wellen, auf; diese Wellenbildung könnte einen Begriff
von der Verbindung des Denkens mit dem Stoff der Laute, von
der gegenseitigen Zuordnung beider, geben."(91)

Die endlose, amorphe Ideenwelt als unsichtbare Luft, ja als ein Luftmeer; der endlose, wellenlose Ozean als Bild für die Unfaßbarkeit un-
differenzierter Laute. Faßbar wird beides erst, wenn sich durch die
solidarische Berührung beider Einteilungen bilden, welche die Unendlichkeit zergliedern. Erst **an** dieser Zergliederung kann man erkennen, daß sich an er unendlichen Fläche zwischen Ozean und Luftmeer

88 Ebda.; Hervorhebungen im Original stärker.
89 de Saussure, aaO. 12.   90 Ebda. 134; Hervorhebung von mir.
91 Ebda.

zwei Entitäten berühren. Von daher versteht sich die zentrale These:
Das Zeichen ist die Artikulation einer **Differenz**.

Aber diese Differenz besteht nun nicht wie bei Aristoteles zwischen dem Lautbild als **Signifikanten** und dem Konzept als **Signifikat**.

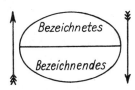

Vielmehr schafft die Artikulation als **Einteilung** sowohl der Konzeptwelt als auch der Lautwelt allererst diese **Unterschiede**:

Die Differenz wird "zum Prinzip, das Signifikant und Signifikat als solche überhaupt erst erzeugt. Was Saussure die 'zwei amorphen Massen' des Laut- und Gedankenmaterials nennt, kristallisiert sich als Signifikant und Signifikat erst durch die Unterschiedlichkeit der Elemente unter sich: ein Laut kann nur als Signifikant funktionieren, sofern er sich von anderen unterscheidet; und ein Gedanke wird zum Signifikat erst durch einen Gegensatz zu anderen Gedanken. Damit wird der Begriff der Signifikation nicht mehr als Repräsentation gedacht, sondern als **Artikulation**."(92)

3.2.4. Die semiotische berühmteste These de Saussures lautet daher:

"Alles Vorausgehende läuft darauf hinaus, daß es in der Sprache nur Verschiedenheiten gibt. Mehr noch: eine Verschiedenheit setzt im allgemeinen positive Einzelglieder voraus, zwischen denen sie besteht; in der Sprache aber gibt es nur Verschiedenheiten **ohne positive Einzelglieder**."(93)

Die Sprache ist also kein Identitäts-, sondern ein **Differenzphänomen**.

An diese These schließen sich eine Reihe von **Erläuterungsthesen** an. Obwohl Signifikant und Signifikat,

"jedes für sich genommen, lediglich differentiell und negativ sind, ist ihre Verbindung ein **positives** Faktum"(94).

"Ein sprachliches System ist eine Reihe von Verschiedenheiten des Lautlichen, die verbunden sind mit einer Reihe von Verschiedenheiten der Vorstellungen; aber dieses In-Beziehungsetzen einer gewissen Zahl von lautlichen Zeichen mit der entsprechenden Anzahl von Abschnitten in der Masse des Denkens erzeugt ein System von Werten. Nur dieses System stellt die im Innern jedes Zeichens zwischen den lautlichen und psychischen Elementen bestehende Verbindung her."(95)

Weil die Sprachwissenschaft als Zeichenwissenschaft oder **Semiologie** auf dem Gebiet der ausgegliederten Grenzfläche zwischen Ideenmeer

92 Weber, aaO. 28. 93 de Saussure, aaO. 143.
94 Ebda. 144; Hervorhebung von mir. 95 Ebda.

und Lautmeer arbeitet, weil sie also mit der **Verbindung** von Elementen von zweierlei Natur zu tun hat, darum muß man sagen:

"diese Verbindung schafft eine Form, keine Substanz"(96).

"Einheit und grammatische Erscheinung würden nicht zusammenfließen, wenn die sprachlichen Zeichen durch etwas anderes als durch Verschiedenheiten gebildet wären. Wie die Sprache nun aber einmal ist, kann es in ihr, von welcher Seite man auch an sie herantritt, nichts Einfaches geben; überall und immer dieses selbe beziehungsreiche Gleichgewicht von Gliedern, die sich gegenseitig bedingen. Mit anderen Worten: **die Sprache ist eine Form und nicht eine Substanz**"(97).

3.2.5. Man kann diese These auch an einem von mir geschaffenen **Vergleich** verdeutlichen.

Man stelle sich eine Torte vor, die noch nicht in verschiedene Tortenstücke geschnitten ist. So, wie die Torte ist, kann man sie nicht essen. Eine Eß-"Form" erhält die Torte erst, wenn man sie mit einem Messer in Stücke schneidet. Erst dieses einteilende Schneiden stellt also die "Form" her. Durch das Schneiden lassen sich verschiedene Stücke voneinander unterscheiden.

Um ein Tortenstück aus der amorphen Masse der Torte zu erhalten, muß man mindestens **zwei** Schnitte machen. Wenn man die Schnitte mit den Zeichen und die Torte mit der Sprache vergleicht, dann muß man sagen:

Jede Sprache muß aus mindestens zwei Zeichen bestehen, weil nur so der **Unterschied** des einen Zeichens zum anderen Zeichen zustandekommt. Eine Sprache, die aus nur éinem Zeichen besteht, ist nicht denkbar; kein Zeichen existiert in der Sprache für sich allein, sondern immer nur im Unterschied zu mindestens einem weiteren Zeichen.

3.3. Die Zeichen – Spielfiguren eines Differenz-Wertes in einem unbewußten Schachspiel, das sich ständig verwandelt

3.3.1. Von dem Gedanken der Artikulation als Schaffung von Differenz mittels Zeichen kommt de Saussure zu einem neuen **Vergleich** der Sprache mit einem **Schachspiel**. Dieser Vergleich hat in der Linguistik und in der Sprachphilosophie Schule gemacht und ist aus der Semio-

---

96 Ebda. 134; im Original gesperrt.   97 Ebda. 146.

logie nicht mehr wegzudenken.

"Unter allen Vergleichen, die sich ausdenken lassen, ist am schlagendsten der zwischen dem Zusammenspiel der sprachlichen Einzelheiten und einer Partie Schach. Hier sowohl als dort hat man vor sich ein System von Werten, und man ist bei ihren Modifikationen zugegen.Eine Partie Schach ist gleichsam die künstliche Verwirklichung dessen, was die Sprache in ihrer natürlichen Form darstellt"(98).

3.3.2. Dieser Vergleich der Sprache mit dem **Regelsystem** eines Schachspiels und der Vergleich der Zeichen mit den Spielfiguren eines Schachspiels hat vielfältige **Konsequenzen.** Knüpfen wir noch einmal daran an, daß ein Zeichen seine Seinsweise nur daher bezieht, daß es **im Unterschied** zu mindestens einem anderen Zeichen existiert.

Das Schachspiel besteht "formal" aus **zwei Elementen:** aus dem Schachbrett, das mit seinen schwarzen und weißen Feldern den Zugbereich der Figuren darstellt; und aus den Schachfiguren, die nur unterschiedliche Züge ausführen dürfen. Alle Züge aller Figuren éines Spiels nennt man "Partie"(99).

Was die einzelnen Schach**figuren,** also die Zeichen, voneinander unterscheidet, das sind die ihnen jeweils erlaubten **Züge:**
ein Bauer darf nur gerade nach vorne und nur schräg eine Gegnerfigur schlagen;
ein Läufer darf dagegen überhaupt nur schräge Züge ausführen, und zwar entweder nur auf weißen Feldern oder nur auf schwarzen Feldern;
davon unterscheidet sich wiederum der Springer, der gerade und schräge Züge kombinieren muß usw.

Diese den einzelnen Figuren möglichen Züge können wir die abstrakten **Figurenwerte** nennen, wobei es wertvollere, weil strategisch einsatzfähigere, und weniger wertvolle Figuren gibt.In diesen Unterschieden der Figurenwerte der Spielfiguren, also der Zeichen, besteht auch das **Sein** der Figuren. Für die Figuren kann man also beliebige Entitäten einsetzen, obwohl sich eine bestimmte äußere Gestaltgebung der Figuren eingebürgert hat. Diese Überlegung führt zu der These: Das "Material" der Spielfiguren ist bedeutungslos; "Bedeutung" kommt erst mit dem Unterschied der Figurenwerte hinein.

Von diesem Figurenwert ist der **Spielwert** zu unterscheiden, den eine bestimmte Figur bei einem bestimmten Stand der Partie besitzt.

98 Ebda. 104f.   99 Zu den spieltheoretischen Implikationen und Konsequenzen vgl. **Erhardt Güttgemanns, Einführung in die Linguistik für Textwissenschaftler 1.** (FThL 2). 1978, 18ff.

Die Raffinesse des Schachspiels besteht ja gerade darin, die Figurenwerte nicht beliebig und zufällig einzusetzen. Man muß sich vielmehr in einer Spiel**strategie** überlegen, mit welchem Zug man dem Gegner den größten Schaden zufügen kann. Bei verschiedenem Stand der Partie erhalten also die Spielfiguren einen jeweils unterschiedlichen Spielwert.

Wenn es sinnvoll ist, diesen Spielwert einzusetzen, dann wird der bisher nur virtuelle Figurenwert aktualisiert. Der Spielwert einer Figur ist also vom **Zeitfaktor** der Partie abhängig; er ist die Realisation des virtuellen Figurenwertes(100).

Man muß also folgendes unterscheiden:

- den potentiellen, virtuellen Figurenwert; er ergibt sich als Unterschiedswert aller am Spiel beteiligten Figuren. Alle virtuellen Figurenwerte zusammen ergeben sich aus dem System von Unterschieden, das "abstrakt" vor jedem konkreten Spiel, vor jeder Partie, besteht;

- den aktualen, realisierten Spielwert, der "konkret" aus dem System der noch vorhandenen Figurenwerte abgeleitet wird. Dieser "konkrete" Spielwert ist der einzige Wert, der "zeitlich" wandelbar ist und damit die Veränderungen des Spielablaufs berücksichtigen kann.

3.3.3. De Saussure leitet aus dem **Systemcharakter** des Schachspiels folgende Aussagen für das Sprachsystem ab. Es sind drei Grundaussagen.

"Zunächst entspricht ein Zustand beim Spiel sehr wohl einem Zustand der Sprache. Der Wert der einzelnen Figuren hängt von ihrer jeweiligen Stellung auf dem Schachbrett ab, ebenso wie in der Sprache jedes Glied seinen Wert durch sein Stellungsverhältnis zu den anderen Gliedern hat"(101).

Diese erste Grundaussage beweist, daß die geschichtliche **Entwicklung** einer Sprache bei de Saussure keineswegs ausgeschaltet ist. Aber auch die geschichtliche Entwicklung einer Sprache folgt **Regeln,** und diese Regeln sind seit Beginn des Schachspiels dieselben. Dies sagt der zweite Grundsatz ganz klar aus:

"Zweitens ist das System immer nur ein augenblickliches; es verändert sich von einer Stellung zur anderen. Allerdings hän-

---

100 Vgl. de Saussure, aaO. 131.   101 Ebda. 105.

gen die Werte auch und ganz besonders von einer unveränder-
lichen Übereinkunft ab: nämlich der Spielregel, welche vor Beginn der Partie besteht und nach jedem Zug bestehen bleibt."
(102)

"Endlich genügt für den Übergang von einem Gleichgewichtszustand zum andern... die Versetzung einer einzigen Figur; es
findet kein allgemeines Hinundherschieben statt."(103)

3.3.4. Vor allem diese letzte These ist wichtig. Sie sagt nämlich aus,
daß das Sprachspiel ein **Veränderung**sspiel mit Differenzen ist. Dabei
haben die "Veränderungen" mit einer **Verwandlung** der Spielsituation
zu tun. Diese Verwandlung nennen wir heute technisch **Transformation**, wo de Saussure noch von "Alternation" sprach (104), weil er den
grundsätzlichen Vorgang nur am Lautwechsel verdeutlichte(105), obwohl er erkannte, daß die Alternation nicht "lautlicher Natur" ist
(106).

Vielmehr wird hier wieder das Grundgesetz der **Opposition** wirksam, wonach nur von der Kraft der Differenz her die "Einheit" definiert werden kann:

"Der lautliche Vorgang hat nicht eine Einheit zerbrochen, er
hat nur durch das Auseinandertreten der Laute die Entgegenset-
zung gleichzeitiger Glieder noch stärker fühlbar gemacht."(107)
Danach kann man sagen: Das Sprachspiel ist ein Spiel mit Differenzen, dessen Spielablauf als Operationen der Transformation zu bezeichnen ist. Die Differenzen treten also zeitlich als Transformation
in Erscheinung: Das Zusammenspiel der Differenzwerte schafft den Zeitfaktor der "Verwandlung".

Zwar setzt jeder Schachzug "nur eine einzige Figur in Bewegung; ebenso beziehen sich in der Sprache die Veränderungen
nur auf isolierte Elemente. Gleichwohl wirkt sich der Zug auf
das ganze System aus; der Spieler kann die Tragweite dieser
Wirkung nicht im voraus genau überblicken."(108)

"Die Versetzung einer Figur ist ein Vorgang, und schon als solcher völlig verschieden von dem vorausgehenden und von dem
folgenden Gleichgewichtszustand. Die hervorgerufene Veränderung gehört keinem der beiden Zustände an: jedoch nur die Zustände sind von Wichtigkeit."(109)

Das gleiche ohne Bild gesagt: "Das Sprechen operiert immer nur
mit einem Sprachzustand, und die Veränderungen, die zwischen

102 Ebda. 105.   103 Ebda.   104 Vgl. ebda. 187-192.
105 Vgl. ebda. 187.   106 Ebda. 188f.   107 Ebda. 188.
108 Ebda. 105.   109 Ebda.

diesen Zuständen eintreten, haben an sich keine Geltung beim Sprechen."(110)

3.4. Die Differenzkraft des Zeichens und sein immaterieller "Wert"

3.4.1. Zwischen Schachspiel und Sprache gibt es jedoch einen entscheidenden **Unterschied**. Während der Spieler beim Schachspiel die Züge absichtlich und willentlich vornimmt, ist die Sprache ein unbewußtes **System:**

> "Wenn das Schachspiel in jeder Hinsicht dem Spiel der Sprache entsprechen sollte, müßte man einen Spieler ohne Bewußtsein... annehmen."(111)

Dennoch hat die Sprache ebenso wie das Schachspiel

> "den Charakter eines Systems, das durchaus auf der Gegenüberstellung seiner konkreten Einheiten beruht"(112).

Da Zeichen Differenzen schaffen, so daß jeweils zwischen zwei Zeichen eine **Opposition** besteht, ist dieses Oppositionsprinzip das tertium comparationis zwischen Schachspiel und Sprache.

> "In der Sprache wird, wie in jedem semeologischen System, ein Zeichen nur durch das gebildet, was es Unterscheidendes an sich hat. Nur die Besonderheit gibt das Merkmal ab, wie sie auch den Wert und die Einheit bildet."(113)

Ebensowenig wie das Zeichen auf eine physikalische Objektivität reduziert werden darf, ebensowenig darf es wie ein **Objekt** behandelt werden: Zeichen **sind** auch dadurch nicht "Objekte", daß sie als Stellvertreter für das bezeichnete Objekt stehen; dieses Denkmodell lehnt de Saussure dadurch ab, daß er die Repräsentation durch die Artikulation ersetzt.

3.4.2. Das Zeichen ist eher mit einem Messer oder mit einem **Einschnitt** zu vergleichen: Nur seine Kraft der Unterscheidung, nur sein Effekt, **Unterschiede** zu schaffen, ist an ihm wesentlich.

Auch ein **Sprachsystem** darf als System von Zeichen-Werten nicht wie ein Objekt behandelt werden. Das "System" ist vielmehr ein System von nicht-positiven, d.h. von "negativen" Verschiedenheiten.

> "Ob man Bezeichnetes oder Bezeichnendes nimmt, die Sprache enthält weder Vorstellungen noch Laute, die gegenüber dem sprachlichen System präexistent wären, sondern nur begriffliche

110 Ebda. 106.   111 Ebda.   112 Ebda. 127.   113 Ebda. 145.

und lautliche Verschiedenheiten, die sich aus dem System ergeben. Was ein Zeichen an Vorstellung oder Lautmaterial enthält,
ist weniger wichtig als das, was in Gestalt der anderen Zeichen um dieses herum gelagert ist."(114)

Auch die **Zuordnung** von Konzept und Lautbild in der Ellipse darf
hier nicht mehr aus einer φύσει-Zuordnung gedacht werden; sie muß
vielmehr vom System der Verschiedenheiten her gedacht werden:

> "Nur dieses System stellt die im Innern jedes Zeichens zwischen
> den lautlichen und psychischen Elementen bestehende Verbin-
> dung her. Obgleich Bezeichnetes und Bezeichnung, jedes für
> sich genommen, lediglich differentiell und negativ sind, ist ih-
> re Verbindung ein positives Faktum. Und zwar ist das sogar
> die einzige Art von Tatsachen, die in der Sprache möglich
> sind, weil gerade dies das besondere Wesen der Sprache ist,
> daß sie den Parallelismus zwischen diesen beiden Arten von Ver-
> schiedenheiten aufrecht erhält."(115)

3.4.3. Die Verschiedenheitskraft der Zeichen ist also aus einem **Gegenüber** heraus zu denken, und d.h. eben als Opposition zu begreifen.

> "Nicht daß eines anders ist als das andere, ist wesentlich, son-
> dern daß es neben allen andern und ihnen gegenüber steht."
> (116)

"Grammatische Tatsachen" sind aus diesem Gegenüber zu definieren:
eine grammatische Einheit wird nur im Gegenüber zu dem gebildet,
was sie **nicht** ist.

> "Was man im allgemeinen eine 'grammatische Tatsache' nennt,
> entspricht... der Definition der Einheit, denn es drückt immer
> eine Gegenüberstellung von Gliedern aus."(117)

Diese Gegenüberstellung von Gegliedertem (Artikuliertem) stellt keine
"einfachen", sondern "komplexe" Glieder gegenüber, weil

> "jedes derselben durch ein Ineinander von Beziehungen ent-
> steht. Die Sprache ist sozusagen eine **Algebra**, die nur **komple-
> xe** Termini enthält."(118)

3.4.5. De Saussure behandelt aus all diesen Gründen ein Zeichen
nicht wie ein "Objekt", sondern wie einen **"Wert"**. Beim Schachspiel
"ist" ein Spielstein nichts "Bedeutungstragendes" in sich,

> "weil er als Gegenstand schlechthin, außerhalb des Feldes und
> ohne die sonstigen Bedingungen des Spiels nichts darstellt, son-
> dern erst dann ein wirklicher und konkreter Bestandteil des
> Spiels wird, wenn er mit einer Geltung ausgestaltet ist und die-
> sen Wert verköpert."(119)

---

114 Ebda. 143f.   115 Ebda. 144.   116 Ebda. 145.
117 Ebda.   118 Ebda. 146; Hervorhebung von mir.
119 Ebda. 131.

Weil es **vor** dem konkreten Zusammenspiel von Spielsteinen kein Spiel gibt, gibt es vor der konkreten Gegenüberstellung von Nennzeichen und damit vor der **Wertverleihung** an alle Zeichen im System auch keine Zeichen:

Zeichen haben ihr "Sein" nur in dieser konkreten Gegenüberstellung, und dieses "Sein" ist ein **"Wert-Sein"** im Gegenüber. Nur in diesem Wert-Sein wird auch ihre **Identität** gestiftet, ebenso wie ihre "konkrete Gegebenheit" oder ihre "Realität":

> "Man sieht also, daß in semeologischen Systemen wie der Sprache, wo die Elemente sich nach bestimmten Regeln gegenseitig im Gleichgewicht halten, der Begriff der Gleichheit mit dem der Geltung oder des Wertes zusammenfließt und umgekehrt. Deshalb umfaßt der Begriff des Wertes letzten Endes den der Einheit, der konkreten Tatsache und der Realität."(120)

Die Sprache ist also ein **System,**

> "dessen Glieder sich alle gegenseitig bedingen und in dem Geltung und Wert des einen nur aus dem gleichzeitigen Vorhandensein des andern sich ergeben"(121).

Daher muß man den Graphen der **Ellipse** erweitern(122):

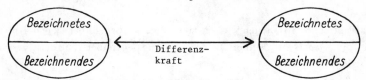

3.4.6. Wenn man das **Mißverständnis** einer natürlichen Zuordnung der Repräsentation zu Zeichen vermeiden will, dann sind bei diesem Graphen nicht die Ellipsen selbst das Wichtigste, sondern die **Differenzkräfte** zwischen den Ellipsen.

Werte werden immer gebildet

> "1. durch etwas **Unähnliches,** das **ausgewechselt** werden kann gegen dasjenige, dessen Wert zu bestimmen ist;
> 2. durch **ähnliche** Dinge, die man **vergleichen** kann mit demjenigen, dessen Wert in Rede steht."(123)

De Saussure macht dies an dem Beispiel von einem DM 5,--Stück deutlich:

> "So muß man zur Feststellung des Wertes von einem Fünfmarkstück wissen: 1. daß man es auswechseln kann gegen eine bestimmte Menge einer andern Sache, z.B. Brot; 2. daß man es

120 Ebda. 131.   121 Ebda. 136f.   122 Vgl. ebda. 137.
123 Ebda. 123.

vergleichen kann mit einem ähnlichen Wert des gleichen Systems, z.B. einem Einmarkstück, oder mit einer Münze eines anderen Systems, z.B. einem Franc. Ebenso kann ein Wort ausgewechselt werden gegen etwas Unähnliches: eine Vorstellung; ausserdem kann es verglichen werden mit einer Sache gleicher Natur: einem anderen Wort. Sein Wert ist also nicht bestimmt, wenn man nur feststellt, daß es ausgewechselt werden kann gegen diese oder jene Vorstellung, d.h. daß es diese oder jene Bedeutung hat; man muß es auch noch vergleichen mit ähnlichen Werten, mit andern Wörtern, die man daneben setzen kann; sein Inhalt ist richtig bestimmt nur durch die Mitwirkung dessen, was außerhalb seiner vorhanden ist. Da es Teil eines Systems ist, hat es nicht nur eine Bedeutung, sondern zugleich und hauptsächlich   einen Wert, und das ist etwas ganz anderes."(124)

Um es ganz präzise zu formulieren, muß man sich sogar so ausdrükken:

Ein Wort **hat** keine Bedeutung und "Bedeutung" **ist** nicht ein Etwas, das **vor** und außerhalb des Wortes "vorhanden" wäre. Da ein Wort kein "Objekt", sondern eine **Differenzkraft** "ist", schneidet es die "Bedeutung", das Konzept, aus dem Meer des Bedeutbaren heraus: Das Wort **konstituiert** als Solidarität von Konzept und Lautbild die "Bedeutung" gleichzeitig damit, daß es sich als Lautgebilde aus dem Meer des Lautbaren konstituiert.

3.4.7. De Saussure macht ganz klar, daß die "Bedeutung" das **Pro**dukt der Differenzkraft der Zeichen ist: Das Konzept

"ist, wohlverstanden, nichts Primäres, sondern nur ein Wert, der durch seine Verhältnisse zu andern ähnlichen Werten bestimmt ist, und ohne diese Verhältnisse würde die Bedeutung nicht existieren."(125)

Man muß daher den Graphen der Ellipsen nochmals verändern:

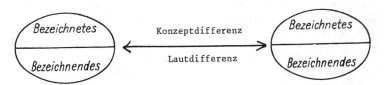

In diesem Graphen ist eine materiell-psychisch wahrnehmbare Lautdifferenz der Auslöser einer Bedeutungsdifferenz. Zu beiden Differenzen braucht man mindestens **zwei** Lautbilder, denen sich mindestens zwei

124 Ebda. 137f.   125 Ebda. 140.

"Bedeutungen" zuordnen lassen. Da der **"Wert"** allein **an** der Differenz erscheint, sind nicht eigentlich die Zeichen selbst, sondern die **Diffe-renz zwischen den Zeichen** der "Träger der Bedeutung". De Saussure sagt:

> "Was bei einem Wert in Betracht kommt, das ist nicht der Laut selbst, sondern die lautlichen Verschiedenheiten, welche dieses Wort von allen andern zu unterscheiden gestattet, denn diese Verschiedenheiten sind die Träger der Bedeutung."(126)

3.4.8. Am Wortzeichen ist also nicht seine Laut**substanz** an sich we-sentlich, sondern eine abstrakte Eigenschaft dieser Lautsubstanz (127): Im System von Lautdifferenzen liegt ein "Stoff" vor, **an** dem die Sprache ihre Kraft des "verschieden-Machens" ausbildet. De Saus-sure sagt wieder ganz klar:

> "Übrigens ist es unmöglich, daß der Laut an sich, der nur ein materielles Element ist, der Sprache angehören könnte. Er ist für sie nur etwas Sekundäres, ein Stoff, mit dem sie umgeht. Die konventionellen Werte haben es alle an sich, daß sie nicht zusammenfallen mit dem greifbaren Gegenstand, der ihnen als Stütze dient. So ist es nicht das Metall eines Geldstücks, das seinen Wert bestimmt; es ist mehr oder weniger wert in der oder jener Prägung, mehr oder weniger diesseits oder jenseits einer politischen Grenze, und das gilt erst recht von dem be-zeichnenden Element in der Sprache; seinem Wesen nach ist es keineswegs lautlich, es ist unkörperlich, es ist gebildet nicht durch seine stoffliche Substanz, sondern einzig durch die Ver-schiedenheiten, welche sein Lautbild von allen andern trennen." (128)

In diesem Satz ist der **Grundsatz** durchgehalten: "die Sprache ist ei-ne Form und nicht eine Substanz"(129).

3.4.9. Dort, wo man die physikalische Empirie des Lautes, das Wort als Etikett für präexistente "Ideen", das Zeichen als repräsentative und **statische** "Darstellung" für eine geistige "Sache" behandelt, wo man Zeichen und Ideen als **Identitäten** mißversteht, da hat man de Saussures revolutionäre Konzeption überhaupt noch nicht verstanden: Sprache ist nach de Saussure gerade eine **"Welt der Differenz"**, der Nicht-Identität, der Negativität. Sprache **"ist"** auch nicht in gleicher Weise, wie ein "Objekt" ist. Sprache **wirkt** vielmehr wie eine Bezie-hung der Differenz, durch welche allererst **geschaffen** wird, was **nach** dem "Schneiden" der Zeichen "ist". Zeichen sind keine Bedeu-tungsträger; an ihnen ist im Gegenüber zum anderen Zeichen eine Dif-

---

126 Ebda. 140.   127 Man nennt das die "abstraktive Relevanz des Zeichens". Vgl. **Karl Bühler, Sprachtheorie.** ^{2}1965, 43f.
128 de Saussure, aaO. 141f.   129 Ebda. 146; im Original gesperrt.

ferenzkraft wirksam, so daß sie eher als **Sinnpotential** bezeichnet werden müssen. Die Zeichen wirken nicht als "Substanz" bedeutungsstif-
tend; weil Zeichen vielmehr Einschnitte in die Substanz markieren,
nistet die Bedeutung **an** den formalen Rändern dieser Substanz. Nicht
die Substanz selbst, sondern ihre formalen Ränder sind der wesentliche Faktor der Konstitution von "Sinn" und "Bedeutung". Ein "Sinn"
wird durch ein Zeichen nicht repräsentiert; er hat auch keine gleichbleibende Identität. Er west als das **"Zwischen"** zwischen zwei Zeichen.

4. Die hermeneutische Konsequenz der Semiologie: Die Theorie konstituiert ihr Objekt

4.1. De Saussures Position hat entscheidende Konsequenzen nicht nur
in der Erkenntnistheorie, sondern auch in der Hermeneutik.

Die von der Semiologie noch nicht tangierte Hermeneutik geht
meist davon aus, daß es **vor** aller Methode ein **"Objekt"** gebe, dem
die Methode jeweils gerecht werden müsse. Hier gilt also der Grundsatz: Das Objekt determiniert die ihm zugehörige Methode.

Nun besteht eine Methode bei einem sprachlichen "Objekt" wiederum aus einer **Sprache**: Die Problematik der Hermeneutik besteht
darin, daß hier die Sprache mittels einer Sprache behandelt werden
muß. In den letzten Jahren wurde von der Forschung oft betont, die
Wissenschaftlichkeit der Behandlung einer Sprache fange damit an,
daß man zweierlei Sprachen unterscheide:

Die **"Objektsprache"** ist diejenige Sprache, die einer anderen
als "Objekt" dient; sie ist die Ausgangssprache, über die man in der
anderen Sprache Aussagen zu machen hat.

Die **"Metasprache"** ist diejenige Sprache, mittels deren man die
Objektsprache behandelt; sie ist die Zielsprache, in die man die
Ausgangssprache (só) zu übersetzen hat (, daß eine Sachadäquatheit
erreicht wird).

4.2. In der Tat ist die **Unterscheidung** zwischen Objektsprache und
Metasprache grundlegend. Aber seit de Saussure ist diese Unterscheidung auch mit der Schwierigkeit belastet, daß die Metasprache keine
Sprache sein kann, in welcher **"Ist-Aussagen"** über die Objektsprache
möglich sind.

Man kann zwar auch heute noch sagen: Die Metasprache ist eine **Ana-lysesprache** in bezug auf die Objektsprache. Aber die Frage dabei ist gerade, was hier "Analyse" heißt. "Analyse" kann nämlich nach de Saussure nicht mehr heißen: Feststellung dessen, was in der Objektsprache der Fall "ist". De Saussure bestreitet ja gerade, daß es **vor** der Zergliederung durch Zeichen überhaupt ein "Objekt" gibt. Vielmehr wird das "Objekt" allererst durch das Einschneiden der Zeichen konstituiert; und dabei ist das "Objekt" im Falle der Sprache gerade wie ein **"Nicht-Objekt"** zu behandeln! Danach kann es auch keine Metasprache geben, **vor** welcher eine Objektsprache als "Objekt" existiert. Die Behandlung der Objektsprache durch die Metasprache kann daher auch keine **Analyse"** in dem Sinn sein, daß hier festgestellt würde, was **vor** der Analyse in der Objektsprache der Fall "ist".

Daraus folgt als **Lehrsatz:**

"Was Sprache 'wirklich', 'eigentlich' usw., dh. unter Absehung von sprachlichen Kategorien in der Metasprache, ist, weiß niemand. Über Sprache als 'Ding an sich' kann man nichts **sagen.**"(130)

4.3. Wenn de Saussure recht hat, daß das Einschneiden der Zeichen keine Repräsentation, sondern **Artikulation** und Konstitution des "Objekts" ist, dann ist zweierlei zu betonen.

Vor dem Einschneiden der Zeichen gibt es kein "Objekt", dessen "Ist-Zustand" man (zeichenlos) "feststellen" könnte; vielmehr "stellen" Zeichen ein "Objekt" erst "fest", indem sie es ausgliedernd fixieren.

Es kann keine zeichenlose Sprache geben, die hinter ihr Einschneiden mittels Zeichen zurückkönnte. Das Zeichensystem "Metasprache" fixiert also auch ihr "Objekt" namens Objektsprache.

Mit beiden Thesen kehrt sich die übliche hermeneutische Verhältnisbestimmung um: Nach dem Eindringen der Semiologie de Saussures ist es unmöglich geworden, von "Objekten" zu sprechen, denen Methoden als Metasprachen im Sinne der **Sachadäquatheit** gerecht zu werden hätten. Vielmehr gilt: Wenn immer ein Zeichensystem sein Objekt "setzt", dann konstituiert die **Methode** auch das ihr zugehörige "Objekt".

---

130 Güttgemanns, Einführung 4, § IV.

5. Semiologie als Ideologie und als Ideologiekritik

5.1. Als weitere Konsequenz ergibt sich, daß es eine **neutrale Positi-**on in der Hermeneutik nicht geben kann: Es gibt in der Hermeneutik keine ideologisch "unschuldige" Position, weil es kein "unschuldiges" Einschneiden durch Zeichen geben kann.(131) Damit ist auch jede hermeneutische oder linguistisch-semiotische Position unmöglich geworden, die sich als angeblich ideologielose anderen Positionen gegenüber als **Ideologiekritik** aufspielt.

Mit anderen Worten: Die hermeneutische Auseinandersetzung ist immer auch eine **ideologische,** weil es keine ideologiefreie oder **vor-aussetzungslose** Position geben kann. Gestritten wird immer um die Voraussetzungen, und ein "rein" **analytischer** Nachweis des Rechts oder des Unrechts einer Position ist eine pure Fiktion.

5.2. Die neue semiologische Frage nach der Ideologie ist verursacht durch de Saussures Definition der alten, repräsentierten "Bedeutung" als artikulierten **"Wert".** Wenn **jedes** Zeichengebilde ein System von "Werten" ist, und wenn es weiter keine zeichenlose Gebilde gibt, dann gibt es auch **kein "wertfreies" Gebilde.**

Dieser Syllogismus destruiert eine These bei **Max Weber** (1864 bis 1920).

"Weber wollte aus der Sozialwissenschaft alle Werturteile verban-nen."
"Es ist demnach für Max Weber ein sinnloser Gedanke, daß es das Ziel der Kulturwissenschaften sein könnte, 'ein geschlosse-nes System von Begriffen zu bilden, in dem die Wirklichkeit in einer in irgendeinem Sinne endgültigen **Gliederung** zusammen-gefaßt' werden könnte."(132)

131 **Hans Martin Schenke - Karl Martin Fischer, Einleitung in die Schriften des Neuen Testaments II.** 1979, 43 meinen, meine Konzeption "mit ihren dog-matischen Implikationen führt uns, wohin wir nicht wollen." Welche Impli-kationen **semiotischer** Art haben eigentlich die Autoren selbst? Daß sie jedenfalls semiotisch nicht **voraussetzungslos** sein können, dürfte deutlich sein. Mir scheint, sie teilen, unausgesprochen, die marxistische Wider-spiegelungstheorie, die ich nun meinerseits nicht "will". Kritisieren muß ich diese Passage, weil dem Leser vorgespielt wird, die Autoren seien semiotisch "unschuldig", eben "undogmatisch", weil sie bloß "analysieren". Zur Widerspiegelungsproblematik vgl. **Georg Klaus, Semiotik und Erkenntnis-theorie.** ²1969; **Lasar Ossipowitsch Resnikow, Zeichen, Sprache, Abbild,** übers. v. Holger u. Hannelore Siegel, hg. v. Achim Eschbach. 1977; **Vladi-mir Karbusicky, Widerspiegelungstheorie und Strukturalismus.** (Krit. In-formation 3). 1973.
132 **Helmut Schoeck, Soziologie.** Geschichte ihrer Probleme. (Orbis Academi-cus I/3). 1952, 261; Hervorhebung von mir.

"Die Objektivität des Geschichtswissens beruht nach Weber erstens auf der Ablehnung der Werturteile durch den Wissenschaftler ('Wertfreiheit') und zweitens auf der Anwendung der kausa-
len Erklärung."(133)

Weber wendet sich ausdrücklich gegen die **Vermischung** von "objekti-
ver" Erkenntnis mit Wertungen aus der "privaten" Weltanschauung:

"Gegen diese Vermischung, nicht etwa gegen das Eintreten für
die eigenen Ideale richten sich die vorstehenden Ausführungen."
(134)

Daher muß jede "objektive" Form der Erkenntnis frei von Wertungen
des Erkennenden sein.

5.3. Max Weber hat mit diesem Ideal der Wissenschaftssprache als ob-
jektivistischer **Beschreibung** Schule gemacht; aber er muß scheitern,
wenn er mit de Saussure gefragt wird, ob sich die Strukturen der Be-
schreibungssprache, die ja nicht einfach "vorliegen", sondern mit
dem "Schneiden" der Zeichen dieser Sprache erst konstituiert werden,
nicht ihren eigenen Artikulationsrahmen und damit auch ihre Signifikanz vorgeben, die per definitionem mit den Artikulationsstrukturen
der "beschriebenen" Sprache **nicht identisch** sein können. Das gilt in
besonderer Weise für die Frage, ob eine bloß "deskriptive" Sprache
für "Objektsprachen" der **Präskription** strukturäquivalent sein könne. Diese Frage stellt sich verschärft für den Sprachsektor der
Ethik, an welchem Weber herumlaboriert.

"Jede sinnvolle **Wertung** fremden **Wollens** kann nur Kritik aus
einer eigenen 'Weltanschauung' heraus, Bekämpfung des **fremden** Ideals vom Boden eines **eigenen** Ideals aus sein."(135)

In bezug auf die **Imperative** der Ethik ist sicher,

"daß aus ihnen, als aus Normen für das konkret bedingte Handeln des **Einzelnen**, nicht **Kulturinhalte** als gesollt eindeutig de-
duzierbar sind, und zwar um so weniger, je umfassender die
Inhalte sind, um die es sich handelt."(136)

Damit ist die Ethik als eine Wissenschaft klar abgelehnt; sie gehört
für Max Weber offenbar in den Bereich persönlichen **Glaubens**.

"Nur unter der Voraussetzung des Glaubens an Werte.. hat der
Versuch Sinn, Werturteile nach außen zu vertreten. Aber: die
Geltung solcher Werte zu **beurteilen**, ist Sache des **Glaubens**, da-
neben vielleicht eine Aufgabe spekulativer Betrachtung und Deu-

133 I. S. Kon, Der Positivismus in der Soziologie. Geschichtlicher Abriß.
1968, 134. 134 **Max Weber, Die "Objektivität" sozialwissen-
schaftlicher und sozialpolitischer Erkenntnis.** (1904); in: ders., Aufsätze
zur Wissenschaftslehre. 1922, 146-214; Zitat ebda. 157; im Original zT.
gesperrt. 135 Ebda. 136 Ebda. 154.

tung des Lebens und der Welt auf ihren Sinn hin, sicherlich
aber nicht Gegenstand einer Erfahrungswissenschaft..."(137)

5.4. Diese Selbstkonstitution der Empirie hat nicht nur eine **Reduktion** zur Folge, sie spaltet den Menschen nicht nur in einen "öffentlichen" Wissenschaftler und einen "privaten" Glaubenden. Sie hat auch zwei paradoxe Konsequenzen:

Eine **Wissenschaft** vom "Sein-Sollenden", also die **Deontik**, kann es nicht geben. Damit wird das Gebiet der **Logik** entscheidend eingeschränkt.

Daher kann es aber auch keine Wissenschaft von der **Grammatik** geben. Denn die Grammatik ist, zumindest zu einem Teil, die Lehre davon, was im Bereich der Sprache "sein **soll**".

Das alles hat weiter zur Folge, daß es auch keine **Kulturwissenschaft** geben kann, da nach de Saussure Linguistik und Semiotik die Grundlage einer "Kultursemiotik" bilden können. Max Weber sieht in dieser Hinsicht ganz klar:

Es gibt eine Beziehung der Kultur**erscheinungen** auf "Wertideen":

> "Der Begriff der Kultur ·ist ein **Wertbegriff**. Die empirische Wirklichkeit **ist** für uns 'Kultur', weil und sofern wir sie mit Wertideen in Beziehung setzen, sie umfaßt diejenigen Bestandteile der Wirklichkeit, welche durch jene Beziehung für uns **bedeutsam** werden, und **nur** diese."(138)

"Kultur" ist also immer auch ein **"Bedeutsamkeitsrahmen"**, ein Relevanzraster. Wenn es dazu keine Wissenschaft gibt, dann ist die Frage nach "Sinn" und "Bedeutsamkeit" grundsätzlich keine Frage der Wissenschaft, sondern der persönlichen **Entscheidung**, die dann allerdings auch nicht mehr **kommuniziert** werden kann. Weber sagt:

> "Eine empirische Wissenschaft vermag niemanden zu lehren, was er **soll**, sondern nur was er **kann** und - unter Umständen - was er **will**."(139)
> "Die Wissenschaft kann ihm zu dem Bewußtsein verhelfen, daß **alles** Handeln, und natürlich auch, je nach dem Umständen, das Nicht-Handeln, in seinen Konsequenzen eine **Parteinahme** zugunsten bestimmter Werte bedeutet, und damit... regelmäßig gegen andere. Die Wahl zu treffen ist seine Sache."(140)
> "Ob sich das urteilende Subjekt zu diesen letzten Maßstäben be-

137 Ebda. 157; im Original stärker gesperrt.   138 Ebda. 175.
139 Ebda. 151.   140 Ebda. 150; im Original stärker gesperrt.

kennen **soll**, ist seine persönliche Angelegenheit und eine Frage seines Wollens und Gewissens, nicht des Erfahrungswissens." (140a)

5.5. Das Wollen und das Gewissen wird hier von einem wichtigen Kulturfaktor abgeschnitten, der zumindest einen "empirischen" Anknüpfungspunkt hat: die **Sprache**: Wie **kann** ein Mensch etwas Bestimmtes, eben einen "Wert" **wollen**, wenn ihm nicht seine Sprache vorgibt, was **"wollenswert"** ist? Daß jede Einzelsprache mindestens zum Teil eine **Deutung von Welt** unter dem Gesichtspunkt des "Bedeutsamen", der **Relevanz**, ist, kann hier nicht einmal eine "empirische" Tatsache sein. Weber denkt sich wohl einen Menschen, der ohne Vermittlung von Sprache und Kultur sowohl "kann" als auch "will". Was aber, wenn das **Können-Können**(141) des Menschen davon abhängt, daß seine sprachliche Sozialisation seine Könnens-Fähigkeit allererst **bildet**, wenn also auch sein Wollen sich immer auf **"Werte"** richtet, die seine Sprache für **möglich** hält und so der Einzelentscheidung **vorgibt**? Nur das um sich selbst kreisende "sprachlose" Subjekt, also der **Narziß**, kann der Mensch sein, von dem Weber redet.

5.6. Wenn es also im Bereich der Sprache **keine "Wertfreiheit"** gibt, wenn **jede** semiotische Konzeption als Metasprache eine Wertung und damit eine **Ideologie** impliziert, welcher Weg ist dann zu beschreiten? **Julia Kristeva** fällt das Verdienst zu, hier einen Weg zur Klarheit gewiesen zu haben.

Wenn man einmal die prinzipielle Problematik erkannt hat, daß die **Metasprache** keine ideologiefreie "Ist-Sprache" sein kann, dann drängt sich als erste Frage "die Frage nach der Beschaffenheit des wissenschaftlichen Diskurses selber" auf(142). Mit dieser Frage muß jede Hermeneutik beginnen.

Wie also muß die Metasprache, der **wissenschaftliche Diskurs**, aussehen, wenn auch von seinen Zeichen gilt, daß sie ihre "Objekte" allererst schaffen?

Wer so fragt, der ist sich bewußt, daß der wissenschaftliche Diskurs **konstruiert** werden muß. Der wissenschaftliche Diskurs liegt

---

140a Ebda. 151.   141 Damit wird auf die Modalitätentheorie angespielt, die weiter unten S. 331ff dargestellt wird.
142 **Julia Kristeva, Semiologie als Ideologiewissenschaft**; in: **Peter V. Zima** (HG.), **Textsemiotik als Ideologiekritik**. (es 796). 1977, 65-76; Zitat ebda. 65.

also nicht einfach als "Gegebenheit" vor, sondern er konstruiert **sich selbst.** Und indem er sich selbst konstruiert, konstruiert er **zugleich** auch die Objektsprache, auf welche er sich bezieht.

Wer so nach dem **"Wie"** der **Konstruktion** des wissenschaftlichen Diskurses fragt, wer dabei weiter bedenkt, daß **jede** Konstruktion die Messerschneide der Zeichen schärft, welche dann entsprechend einschneiden und artikulieren wird, der wird zunächst darauf bestehen, daß sein Konstruieren eine kritische und zugleich selbstkritische Konstruktion erreicht.(143)

5.7. Auf dem Hintergrund dieser Überlegungen gibt Julia Kristeva dem semiologischen Diskurs oder der Semiologie eine **zweifache Funktion:**

> "Sie könnte zu einer **empirischen Wissenschaft** werden, die eine **Modellierung** signifikanter Praktiken.. anstrebt und sich dabei logischer, mathematischer oder linguistischer Formeln bedient."
> (144)

Aus den damit verbundenen Beschränkungen "geht ein technischer Diskurs hervor; der semiologische Diskurs wird zum **technischen** Diskurs über Bedeutungssysteme. Man kann diesen Diskurs **Semiotik** nennen. (145)

> "Sie könnte auch zum Ausgangspunkt eines neuen Diskurses werden, der aus einem wissenschaftlichen Vorsatz heraus die Wissenschaftlichkeit verkündet, indem er seine eigene Theorie in Frage stellt. Insofern er ein zugleich kritischer und selbstkritischer Diskurs ist, der seine eigene Wissenschaftlichkeit wissenschaftlich betrachtet, mündet er in Ideologie: Er stellt die Ideologie seiner 'Gegenstände' und die seines eigenen Zeichenmusters in Frage und denkt sich selbst als Ideologie. Wir wollen diesen Diskurstyp vorläufig, um ihn von dem andern zu unterscheiden, als **Semiologie** bezeichnen."(146)

Dieser zweite Typ eines wissenschaftlichen Diskurses wird eher ein "antitechnischer" Diskurs sein, also etwa der Sprachgebärde des im engeren Sinne "Poetischen" ähneln. Die "Wahrheit" liegt weder in der "technischen" Begriffssprache der Semiotik noch in der "offeneren"

143 Vgl. ebda. 65.   144 Ebda.   145 Ebda.
146 Ebda. 66. Vgl. auch **dies.**, **Semiologie – kritische Wissenschaft und / oder Wissenschaftskritik**; in: ebda. 35-53.

Sprache der Semiologie; unter Umständen liegt sie im Sinne de Saussures genau in der **Relation** zwischen beiden Diskurstypen: Die "Wahrheit" ist metasprachlich ein **"Zwischen"** zwischen zwei Diskurstypen.

5.8. Algirdas Julien Greimas hat die sich hier ergebende Problematik mit aller Klarheit formuliert.(147)

Die Semiotik hat die doppelte Eigenschaft, "zugleich als Subjekt und Objekt der Reflexion über den wissenschaftlichen Diskurs" zu fungieren.(148) Das "Subjekt" des Diskurses "ist, semiotisch gesprochen, nichts anderes als eine virtuelle Instanz, d.h. eine im Rahmen der linguistischen Theorie **konstruierte** Instanz", die "in der Form eines syntaktischen Subjekts", eines syntaktischen **"Aktanten"**(149), auftritt (150). Das "Subjekt" des Sprechens, der "Produzent" des Diskurses, der semiotische Aktant **"Donator"** einer Rede, tritt morphologisch als syntaktischer Aktant, als "grammatisches Subjekt", in Erscheinung. Philosophisch gesehen, ist das "Subjekt" ein **Ort**(151), "wo das Sein der Sprache (langage) sich in eine linguistisches Tun verwandelt." (152) Das Sprachsystem wird im Diskurs "aktualisiert"; da aber der Diskurs nur **am** "Subjekt" vorkommt und da dieses "Subjekt" selbst nur "virtuell" ist, ist das "Subjekt" zugleich der Ort der "Virtualisierung des Diskurses"(153).

Wenn man sich diese "Verwandlung" **statisch** denkt, dann treibt der Diskurs "ein statisches, erstarrtes Bild der Wissenschaft" hervor; diesem "vulgären" Bild der Wissenschaft entspricht als Ziel der Wissenschaft,

> "daß sie den wissenschaftlichen Diskurs als Programmierung eines fertigen, zu vermittelnden Wissens darstellt und ihn auf diese Weise dem didaktischen Diskurs gleichsetzt."(154)

Hier existiert ein "Wissen", das nach de Saussure nur als Ergebnis des "Schneidens" der Zeichen möglich ist, bereits **vor** dem "Schneiden" der Zeichen des wissenschaftlichen Diskurses.

---

147 **Algirdas Julien Greimas, Der wissenschaftliche Diskurs in den Sozialwissenschaften**; in: ebda. 77-113.
148 Ebda. 78.   149 Vgl. dazu **Lucien Tesnière, Esquisse de syntaxe structurale. 1953; ders., Eléments de syntaxe structurale. 1959.** In verschiedenen Publikationen habe ich betont, daß zwischen syntaktischen und semiotischen Aktanten sowie dem "Tiefenkasus" Relationen bestehen müssen.
150 Greimas, aaO. 79.
151 Ich assoziiere hier die "Wo-Frage" bei **Ernst Fuchs, Zum hermeneutischen Problem in der Theologie.** (Ges. Aufs. I). 1959, 43 Anm. 9; 245. Zur Diskussion vgl. **Erhardt Güttgemanns, Der leidende Apostel und sein Herr.** (FRLANT 90). 1966, 48-52.
152 Greimas, aaO. 79.   153 Vgl. ebda.   154 Ebda. 81.

"Indem sie ein Problem als gelöst postuliert, das häufig noch nicht einmal aufgeworfen worden ist, verzögert diese Neutralisierung der 'Semantik' den Zeitpunkt einer Untersuchung von Natur und Status der semiotischen Objekte, die als Gegenstände gelten, welche die Diskurse der Human- und Sozialwissenschaften manipulieren.(155)

Dieser Diskurstyp verkennt also, daß "Gegenstände" das **Ergebnis** einer "Geltungs-Setzung" sind: Indem das "Subjekt" spricht, **konstruiert** es auch den "Gegenstand" seines Sprechens.(156) Diese grundlegende Konsequenz der de Saussureschen Revolution kann nicht mehr zurückgenommen werden.

5.9. Eine letzte, erst in einem weiteren Gedankengang zur **Psychosemiotik**, zur Lehre vom Sprechen des "Unbewußten", darzulegende Dimension kündigt sich damit an: Wenn der Mensch durch Sprechen "Objekte" oder "Körper" aus seinem leiblichen Körper "auswirft" und wenn er dabei mit de Saussure "unbewußt Schach-spielt", so ist das "Subjekt" dabei auf der **Suche nach dem "letzten Objekt"**(157), nach dem "letzten Körper", der dem Tod seines leiblichen Körpers widersteht. Die Suche nach "Sinn" kommt von einem **Sinnverlust** her, der mit dem **Verlust der "Identität"** durch das "Schneiden" der Zeichen zusammenhängen muß. Also ist das Ziel des Sprechens das **Paradoxon**, durch zur-Geltung-Bringen des "Schneidens" der Zeichen das so verlorengegangene "Objekt" wiederzufinden, welches "Subjekt" und "Objekt" versöhnend **"vermittelt"**. Die "Identität" des "Subjekts" ist dann ein **"Jenseits"** des Sprechens, bei dem das "Subjekt" in ein "grammatisches" und ein "semiotisches" **zerfällt**. Greimas sagt zum sprechenden "Subjekt":

"Es sucht auf diese Weise die grundlegende Ebene seines Diskurses zu finden: nicht mit Hilfe einer Objektsprache, sondern mit Hilfe einer 'Sprache der Objekte', von der aus es die Objekte gebrauchen kann."(158)

Das "Subjekt" muß wissen,

"daß die Organisation des von ihm erforschten semantischen Universums keineswegs eine Gegebenheit, sondern im Gegenteil das

---

155 Ebda. 82.　　　　156 Vgl. ebda. 83.
157 Vgl. Greimas-Courtés, Sémiotique 305: Der Term "Suche" (quête) ist ein figurativer Term, der zugleich die Spannung zwischen dem "Subjekt" und dem "Wert-Objekt" wie auch die Ortsveränderung des "Subjekts" in Richtung auf das "Objekt" ausdrückt; in der räumlichen Darstellung erscheint die "Suche" unter der Form der "Bewegung". Zur Anwendung vgl. **Hans Jørgen Lundager Jensen, Diesseits und Jenseits des Raumes eines Textes**. LingBibl 47. 1980, 39-60.
158 Greimas, aaO. 83.

wissenschaftliche Vorhaben dieses Tuns...ist"(159)

Die "Wahrheit" existiert eben nicht **vor** dem Diskurs, sondern nur **im** Diskurs.(160) Das "Subjekt" spielt "hier in Wirklichkeit nur eine Vermittlerrolle"(161), weil sein "Wissen" immer nur vom **Akt** der Begründung des "Subjekts" im Sprechen herkommen kann. Daß das "Subjekt" nur als sprechendes **existiert** und nicht "objektiviert" werden darf, das ist, hier semiotisch gewendet, das Erbe der existentialen Hermeneutik, welche mit de Saussures Semiologie eine neue und überraschende Dimension erhalten hat(162).

---

159 Ebda.; im Original zT. kursiv.   160 Vgl. ebda. 88.
161 Ebda. 91.   162 Daß diese Dimension in der aktuellen hermeneutischen Diskussion immer noch nicht zur Kenntnis genommen wird, zeigt der Dialog zwischen **Erich Gräßer, Offene Fragen im Umkreis einer Biblischen Theologie**. ZThK 77. 1980, 200-221 und **Peter Stuhlmacher, "...in verrosteten Angeln"**. Ebda. 222-238. Wenn Stuhlmacher mit Recht zur Beseitigung von "verrosteten Angeln" und zur kritischen Reflexion der "historischen Methode" aufruft (ebda. 223), dann sollte bei seinen eigenen "verrosteten Angeln" beginnen und die **semiotisch-linguistische** Diskussion um die "Wahrheit" des "Historischen" endlich zur Kenntnis nehmen. Wer wir Gräßer, ebda. 202 schreibt: "Im Blick auf eine wissenschaftliche Bibelinterpretation... sehe ich nicht, welche andere als die **historische** Methode dazu verhelfen könnte", der teilt offensichtlich die widerlegte erkenntnisphilosophische Voraussetzung, die Seinsweise seiner "Text-Objekte" sei eine **"historische"**; der verleugnet allerdings auch die Voraussetzung Bultmanns, nach welcher das "Historische" im Sprachlichen der "Begegnung" **begründet** ist. Ich gestehe, daß ich das Gespräch mit beiden Kontrahenten unter diesen Umständen als wenig verheißungsvoll ansehe: Mein Weg geht "zwischen" beiden hindurch und beruft sich dafür auf eine lange Tradition, welche die Theologie im Gefolge des hermeneutischen **Historismus** vergessen hat. Jedenfalls müßte ich beiden bestreiten, daß sie überhaupt wissen, was "Sinn" und "Bedeutung" sind.

6. Kapitel
Sigmund Freud: "Authentisches" Sprechen im Feld von Verdrängung, Verschiebung, Verdichtung und Verneinung – Die psycho-semiotische Anfrage an die Identitäts-Anthropologie

1. Gottes authentisches Sprechen – Heil für den "gespaltenen Menschen"?

1.1. Kein Theologe, der sich mit **Hermeneutik** beschäftigt, kann heute an zwei Männern vorbeigehen, die zu den ganz Großen unseres Jahrhunderts gehören: **Sigmund Freud** und sein Interpret **Jacques Lacan**. Er kann das umso weniger, wenn er beansprucht, die Glaubensverkündigung sei das einzige Heil für den "gespaltenen Menschen". Was man nämlich seit der Psychoanalyse den **"gespaltenen Menschen"** nennt, das bezeichnet die Theologie mit dem Begriff "Sünde". Psychoanalyse und Theologie gehen also von dem Axiom aus, daß der Mensch, mit dem man **sprechen** muß, keine "authentische" Einheit und Ganzheit (mehr) ist. Beide, Psychoanalyse und Glaubensverkündigung, beanspruchen, diese "authentische" Einheit und Ganzheit des Menschen durch das **Wort** wiederherstellen zu können. Vor allem Jacques Lacan betont immer wieder, das Wesen der Psychoanalyse sei das **"authentische Sprechen"**(1). Dieses "authentische" Sprechen bezeichnet man in der Theologie mit dem Begriff **"Offenbarung"**. Wir stehen also vor der Tatsache, daß es **zwei Wissenschaften** vom "authentischen" **Sprechen** gibt: die Psychoanalyse und die Theologie.

1.2. Leonhard Fendt sucht ganz bewußt die **Konfrontation** zwischen Psychologie und Lehre von der Seelsorge:

> "Trotzdem es immer wieder den Hohn der Experimentatoren erregt, bleibt es für die christlich-kirchliche Seelsorge dabei: Der Status der Gemeinde und des Einzelnen ist zuvörderst und grundlegend aus der Bibel (und deswegen aus den Bekenntnisschriften) zu erheben; denn die Bibel ist für die Kirche nicht eine Abhandlung über Menschen und Dinge, sondern Offenbarung Gottes über Menschen und Gott."(2)

Nach Fendt geht es in der Seelsorge

> "um das Ewigkeitsschicksal, das Reichsgottesschicksal der Gemeinde und des Einzelnen – wie könnte da ein Seelsorger ein-

---

1 Lacan, Seminar I, 68: Authentisches Sprechen ist "volles Sprechen, sofern es die Wahrheit des Subjekts realisiert." Ebda. 140f: "Das volle Sprechen ist dasjenige, das die Wahrheit so visiert..., wie sie sich in der Anerkennung des einen durch den anderen herstellt. Das volle Sprechen ist Sprechen, das bewirkt. Eines der Subjekte befindet sich, nachher, anders als es vorher war."

fach auf Grund der Massenpsychologie und der Einzelpsychologie vorgehen?"(3)

"Der Seelsorger erhält von der Reformation und den Bekenntnisschriften her die Aufklärung über die Abgründe, gegen welche er mit Wort und Sakrament seelsorgerlich angehen muß."(4)

Fendt behandelt hier die Bibel auch in Dingen der Kunde von der menschlichen Seele als "inhaltliche Offenbarung", welche dem Wissen und Forschen der Psychologie entgegensteht. Dies nenne ich eine Theologie der Offenbarungs-Ideologie. Sie gerät in die Absurdität, wenn man Fendt fragen würde, warum er nicht wie noch Luther die wissenschaftlichen Erkenntnisse von Astronomie und Physik als "widergöttlich" verachte. Die übliche Ausrede lautet: Diese sind bezüglich der Offenbarung "Nebensachen", die man ruhig fahrenlassen kann; aber die Offenbarung müsse beanspruchen, uns Gottes Wahrheit über den Menschen zu sagen.

1.3. Auch wo man mit Hans-Joachim Thilo der Psychologie und auch der Psychoanalyse offener gegenübersteht, beansprucht man für die Verkündigung, sie allein stelle den "ungespaltenen Menschen" her. Thilo geht es beim "Verkündigen" weniger um das "Anpredigen" als um das **Gespräch**:

"Das Gespräch..ist eine Möglichkeit, die im wirklichen Sinne des Wortes nur dem Menschen gegeben ist. Zwar können die Dinge zu uns reden, aber sie können sich nicht mit uns unterhalten."(5)

"Es gehört zur Würde des Menschen, ein Gespräch führen zu können. Nur solange der Mensch die Möglichkeiten der Beziehungsaufnahme zum Mitmenschen aus seiner Stellung im Gesamtbereich der Schöpfung versteht, wird es zu einem wirklichen Gespräch kommen können."(6)

Das wichtigste Gespräch ist für Thilo das **Gespräch mit Gott**:

"Alle Lebensäußerungen des Menschen, also auch die seiner Sprache, sind nichts anderes als Antwort auf die nie aufhörenden Fragen Gottes an den Menschen"(7), wobei der Mensch sich allerdings ständig hinter einer **Maske** versteckt.

"Aufgabe des Seelsorgers ist es nun, sein Seelsorgekind dazu zu bringen, daß es bereit wird, von sich aus diese Maske mehr und mehr abzulegen."(8)

Das Gespräch endet in der "Befreiung", vor allem in der **Beichte**, in der Gottes endgültige Vergebung zugesagt wird, welche den Menschen

---

2 **Leonhard Fendt, Grundriss der Praktischen Theologie**...III. ²1949, 17.
3 Ebda.   4 Ebda. 19.   5 **Hans-Joachim Thilo, Der ungespaltene Mensch.** 1957, 73.   6 Ebda. 74.   7 Ebda. 75.   8 Ebda.

"heil", d.h. ungespalten macht(9).

1.4. Das sind alles sehr hohe Worte! Aber was hat der Theologe eigentlich zu antworten, wenn Sigmund Freud ihm entgegenhält, das Gespräch mit Gott sei die typische **"Illusion"** der Religion?(10) Was will der Theologe antworten, wenn Freud ihm nachweist, manche Religionsübungen seien durchaus neurotischen **Zwangshandlungen** ähnlich?(11) Was wird der Theologe, der so oft von Gott als dem "ganz Anderen" spricht, antworten, wenn Jacques Lacan ihm nachweist, es gebe im menschlichen Subjekt selbst eine abgespaltene Instanz, die man den **"großen Anderen"** nennen könne?(12) Dieser "große Andere" rede unentwegt gegen das Reden des "Ich" an, und man nenne dieses Reden des "größeren Anderen" seit Freud das **"Unbewußte"**?(13) Wenn in jedem Menschen ein "großer Anderer" als Reden des Unbewußten spricht, wenn weiter jeder Mensch seine **körperliche Einheit** nur aus dem Spiegelbild eines "Ich" gewinnen kann(14), das ihm als "großer Anderer" oder "Ideal-Ich" der Zukunft begegnet und ihn in die **Sprache** einführt, wenn weiter diese Sprache als Zeichensystem mit Ferdinand de Saussure gerade die **Abwesenheit und Nicht-Identität** des "Gezeigten" demonstriert(15), kann dann der Theologe immer noch selbstbewußt antworten, hier könne nur Gott helfen und überdies gehe es im Zeichensystem der "Offenbarung Gottes" um die **Anwesenheit** des "ungespaltenen Menschen"? Wenn nach Lacan gerade die Sprache den Menschen **spaltet**, wie kann sie ihn da heilen wollen und können? Mit ihrem hohen Anspruch wird sich die Theologie wohl oder übel sowohl mit Sigmund Freud als auch mit Jacques Lacan auseinandersetzen müssen. Sie darf es sich dabei keineswegs zu leicht machen, sondern sie muß zeigen können, in welchem Sinne auch sie von einem "authentischen" Sprechen reden darf.

---

9 Vgl. ebda. 76.   10 **Sigmund Freud, Die Zukunft einer Illusion.**1927; Fischer-TB 6054. 13. Aufl. 1979, 83-135.   11 **Ders.**, **Zwangshandlungen und Religionsübungen.** 1907; Fischer-TB 6300. 1975, 7-14.
12 Lacan schreibt "l'Autre", gesprochen: "le grand Autre". Leider unterscheidet die Übersetzung nicht immer streng zwischen diesem und dem "petit autre", dem "kleinen anderen", auch "objet petit a" genannt.
13 Lacan, aaO. 113: "das Unbewußte ist der Diskurs des Andren" (im Original kursiv und falsch mit kleinem a).   14 Ebda. 105: "der bloße Anblick der vollständigen Form des menschlichen Körpers verschafft dem Subjekt eine imaginäre Beherrschung seines Körpers, die gegenüber der realen Beherrschung verfrüht ist."
15 Vgl. dazu LingBibl 47. 1980, 93-130.

2. Die Entdeckung des gespaltenen "Subjekts" und des "bezwingenden Sprechens"

2.1. Freud wurde als **Sigismund Schlomo Freud** am 6. Mai 1856 in Freiberg in Mähren (heute: Příbor) geboren. Seine jüdischen Eltern waren der damals 41-jährige Jacob Freud (1815-1896) und seine erst 21-jährige zweite Frau Amalie Nathanson (1835-1930). Diese zweite Ehe bestand erst seit einem Jahr; doch Vater Freud hatte bereits aus erster Ehe zwei Söhne, Emanuel und Philipp. Letzterer hatte schon selbst ein Kind, das éin Jahr vor Sigmund Freud geboren wurde. Sigmund Freud war also das erste Kind aus zweiter Ehe und Amalies Lieblingssohn von zusammen acht Kindern. Vater Freud war ein sehr erfolgreicher Stoffkaufmann; seine Familienlegende wollte die Heimat der Freuds in Köln wissen, aber das ist völlig ungesichert. Erst mit 22 Jahren, also schon nach den ersten wissenschaftlichen Versuchen, änderte Freud seinen Vornamen in **Sigmund**; seinen jüdischen "Synagogennamen" Schlomo konnte man ohne weiteres hinter dem abgekürzten S. verstecken, doch hat Freud selbst nie Wert auf solche Feinheiten gelegt.

2.2. Im Jahre 1860 zog die Familie Freud nach **Wien**, wo Freuds Heimat bis 1938 sein wird. Der Bürgermeister von Wien, Karl Lueger, machte den Antisemitismus auch politisch gesellschaftsfähig; ungefähr gleichzeitig wirkte in Wien auch **Theodor Herzl** (1860-1904), der von 1887-1891 Feuilleton-Redakteur der "Wiener Allgemeinen Zeitung" war und 1896 mit seiner Schrift "Der Judenstaat" dem künftigen Staat Israel die zionistische Grundlage gab. Etwas später lungerte in Wien ein junger Maler namens **Adolf Hitler** herum, der dort angesichts eines Juden im Kaftan seinen Antisemitismus verstärkte. So war Wien in diesen Jahren der Mischtopf einer dekadent werdenden Kultur; doch Sigmund Freud hat sein Judentum niemals hervorgekehrt: er war areligiös und erwies sich später als skeptischer **Atheist**.(16)

---

16 Vgl. dazu **Marthe Robert, Sigmund Freud zwischen Moses und Ödipus**. Die jüdischen Wurzeln der Psychoanalyse. (Ullstein-Buch 3393). 1977.

2.3. 1873 bestand Freud die Matura mit Auszeichnung ("summa cum laude") und wurde vor allem wegen seines guten deutschen Stils gelobt. Im gleichen Jahre begann Freud an der Universität Wien zu studieren. Nachdem er zunächst mit Jura geliebäugelt hatte, entschied er sich unter dem Einfluß der angeblichen Goethe-Schrift "Über die Natur" zum **Medizinstudium.** Dabei kann die Frage offen bleiben, ob Freud **Natur**wissenschaftler sein wollte; er stand später eher im Übergang zu den **Geisteswissenschaften.** Im Blick auf die **Semiotik** könnte man heute sagen: Ebenso wie nach de Saussure das Zeichen sowohl "sensibel" wie auch "intelligibel" ist, verhält es sich auch mit der "Seele", die Freud erst entdeckte. Freud urteilt in seiner "Selbstdarstellung"(1925):

> "Eine besondere Vorliebe für die Stellung und Tätigkeit des Arztes habe ich in jenen Jugendjahren nicht verspürt, übrigens auch später nicht. Eher bewegte mich eine Art von Wißbegierde, die sich aber mehr auf menschliche Verhältnisse als auf natürliche Objekte bezog und auch den Wert der Beobachtung als eines Hauptmittels zu ihrer Befriedigung nicht erkannt hatte." (17)

Freuds "unbewußtes Ziel" war also nach seiner eigenen Aussage von der **Struktur des "Begehrens"** geprägt; was es heißt, daß das "Beobachten" die "Befriedigung" gibt, kann man erst verstehen, wenn man Freuds Hintergedanken aus dem **Narzißmus** zur Kenntnis genommen hat.

2.4. Freuds Lebenswerk sollte darin bestehen, den **Materialismus** in der Psychologie durch die Entdeckung der Funktion des "heilenden" **Sprechens** zu überwinden. Diese Überwindung begann durchaus so, daß er zunächst von der materialistischen Ideologie fasziniert war: Er widmete sich der Histologie, der Lehre von den organischen Geweben, sowie der Neurophysiologie.

Der führende Vertreter des Materialismus war **Hermann Helmholtz** (1821-1894). Dieser interessierte sich eher für die Geschwindigkeit von Nervenströmen als für das, was Freud später ausarbeiten sollte. Der bedeutende Physiologe **Ernst Brücke** (1819-1892) wurde zum väterlichen Freund Freuds; er erklärte die sog. "Lebensfunktionen" als einen Energieaustausch belebter und unbelebter Materie. Auch **Charles Darwin** (1809-1882) zog Freud mächtig an.

---

17 **Sigmund Freud,** **"Selbstdarstellung".** 1925. Fischer-TB 6096. 5. Aufl. 1978, 40.

Dennoch kann man füglich bezweifeln, ob Freud ein Arzt im üblichen Sinne war; nach seiner eigenen Einschätzung war er es jedenfalls nicht. Am 29.8.1888 schrieb Freud an seinen langjährigen
Freund, den Berliner Hals-Nasen-Ohren-Arzt **Wilhelm Fließ** (1858-1925),
mit dem er zwischen 1887 und 1902 eine rege Korrespondenz führte:

> "Arzt sein anstatt Spezialist, mit allen Untersuchungsmitteln ar-
> beiten und sich des Kranken ganz bemächtigen, das ist gewiß
> die einzige Methode, die eigene Befriedigung und materielle Er-
> folge verspricht, aber für mich ist es damit vorbei. Ich habe
> nicht genug gelernt, um Mediziner zu sein, in meiner medizini-
> schen Entwicklung gibt es einen Riß, der später mühsam ge-
> knüpft worden ist. Ich konnte gerade noch so viel lernen, daß
> ich Neuropathologe wurde."(18)

2.5. In den Jahren 1876-1881, noch vor dem verspäteten medizinischen
Examen, arbeitete Freud im Laboratorium von Brücke über die noch
unbekannten Geschlechtsdrüsen der Aale (1876), über das Nervensystem
einer Neunaugenlarve (1877) und kam dabei beinahe zur Entdeckung
des **Neurons** (1878). Ein Neuron ist die zentrale Einheit des Nervensystems; sie besteht aus einer Nervenzelle und ihren zweierlei Fortsät-
zen (Dendriten und Neuriten), über welche die Nervenströme geschal-
tet werden. Jedes Neuron hat zwischen 100 und 1000 Synapsen zum
Nachbarneuron. Nicht nur diese große Zahl, sondern auch die damals noch nicht so entwickelte histologische Färbemethode verhinder-
ten bis vor Freud, diese Grundlagen des Nervensystems zu entdecken.

Aber Freuds "Forscherpech" ist gerade, daß er mindestens zwei-
mal nahe an einer großen Entdeckung war, die dann jedoch aufgrund
einer Unaufmerksamkeit Freuds mit dem Namen eines anderen verbunden wurde. Im Falle des Neurons kam 1891 Waldeyer zur entscheidenden Namensgebung. Das zweite "Pech" ereignete sich 1884, als Freud
die schmerzlindernden Eigenschaften des **Kokain** entdeckte, aber nicht
weiter beachtete; so fiel der Ruhm Carl Koller zu.

2.6. Nach dem medizinischen Examen gab ihm Brücke den Rat, auf
eine **Universitätslaufbahn** zu verzichten; es gebe zu wenig Stellen,
und außerdem sei Freud Jude. Ein dritter Grund dafür, sich als Arzt
selbständig zu machen, war die entstehende Liebe zu **Martha Bernays**

---

18 **Ders.**, Aus den Anfängen der Psychoanalyse. (1950). 1962, 56.

(1861–1951): Freud wollte heiraten und brauchte dafür eine wirtschaftliche Grundlage. So ist dieses Jahr **1882** ein für Freuds Entwicklung ganz entscheidendes Jahr.

2.7. In diesem Jahre erzählte ihm sein älterer Freund, der angesehene Wiener Arzt **Josef Breuer** (1842–1925), zum ersten Male einen interessanten Fall von **Hysterie**. Dieser Fall wird aber erst 1895 als **"Fräulein Anna O."** in den "Studien über Hysterie" die Geburtsstunde der Psychoanalyse werden(19). In diesen 13 Jahren zwischen 1882 und 1895 mußte Freud erst andere Stadien durchlaufen, um sich ganz vom Materialismus abwenden und sich dem **Reden der Seele** zuwenden zu können. Dennoch befand sich Freud schon damals in einem inneren **Umbruch**.

2.8. Freud erhielt 1885/86 ein kleines Stipendium der Universität, nachdem er überraschend Privatdozent in Wien geworden war. Freud entschloß sich, den weltberühmten Neurologen und Direktor der Pariser Irrenanstalt "Salpêtrière", **Jean–Martin Charcot** (1825–1893), für 19 Wochen zu besuchen. Charcot vertrat völlig unorthodoxe Ansichten über die **Hysterie** und bediente sich zudem noch der **Hypnose**, die nach den Urteilen der Fachgelehrten eher in den Zirkus als in eine Klinik gehörte. Hier in Paris kam Freud seinem späteren Lebenswerk einen entscheidenden Schritt näher.

Freud schrieb nach Abschluß seiner Studienreise in einem Bericht an die Medizinische Fakultät (1886):

> "Charcot pflegte zu sagen, die Anatomie habe im großen und ganzen ihr Werk vollendet und die Lehre von den organischen Erkrankungen des Nervensystems sei sozusagen fertig; es kommt nun die Reihe an die Neurosen."(20)

Eine dieser Neurosen war die **Hysterie**. Es war damals Dogma, daß es so etwas nur bei Frauen geben könne, denn ὑστέρα bedeute "Eierstock". Außerdem seien diese Dinge niemals ernstzunehmen, denn es handele sich um "Simulation".

19 Am 18.12.1892 teilte Freud seine Publikationspläne mit: "es hat Kämpfe mit dem Herrn Kompagnon genug gekostet." Ebda. 60. Zum "Fall" vgl. **Sigmund Freud – Josef Breuer, Studien über Hysterie.** Fischer-TB 6001. 7.Aufl. 1979, 20–40.   20 Fischer-TB 6096, 134.

Freud war sehr mutig, als er in seinem Bericht an die Fakultät beide
Dogmen unter Berufung auf Charcot bestritt. Freud lobte sogar die
bessere Kenntnis des Mittelalters:

> "In anderer Hinsicht war eher ein Rückschritt in der Kenntnis
> der Hysterie eingetreten. Das Mittelalter kannte genau die 'Stig-
> mata', die somatischen Kennzeichen der Hysterie, welche es in
> seiner Weise deutete und verwertete."(21)

Freud gestand der Fakultät auch, daß er die Hypnose gelernt habe:

> "Ich versäumte auch nicht, mir eigene Erfahrungen über die so
> wunderbaren und wenig geglaubten Phänomene des Hypnotismus
> ...zu erwerben. Zu meinem Erstaunen fand ich, daß es sich
> hierbei um grob sinnfällige, in keiner Weise anzuzweifelnde Din-
> ge handelt."(22)

Später führte Freud in seiner "Selbstdarstellung" (1925) aus:

> "Von allem, was ich bei Charcot sah, machten mir den größten
> Eindruck seine letzten Untersuchungen über die Hysterie, die
> zum Teil noch unter meinen Augen ausgeführt wurden. Also der
> Nachweis der Echtheit und Gesetzmäßigkeit der hysterischen Phä-
> nomene..., des häufigen Vorkommens der Hysterie bei Männern,
> die Erzeugung hysterischer Lähmungen und Kontrakturen durch
> hypnotische Suggestion, das Ergebnis, daß diese Kunstprodukte
> dieselben Charaktere bis ins einzelnste zeigen wie die spontanen
> oft durch Trauma hervorgerufenen Zufälle. Manche von Charcots
> Demonstrationen hatten bei mir wie bei anderen Gästen zunächst
> Befremden und Neigung zum Widerspruch erzeugt, den wir durch
> Berufung auf eine der herrschenden Theorien zu stützen versuch-
> ten. Er erledigte solche Bedenken immer freundlich und gedul-
> dig, aber auch sehr bestimmt; in einer dieser Diskussionen fiel
> das Wort: Ça n'empêche pas d'exister, das sich mir unvergeß-
> lich eingeprägt hat."(23)

2.9. Mit diesen Gedanken hatte Freud sich schon ganz vom Materialismus abgewendet. So war es konsequent, daß er 1891 eine Abhandlung
"Zur Auffassung der Aphasien" schrieb und in ihr kritisierte, daß
die Gehirnphysiologie und -anatomie die **"Sprachlosigkeit"** von Menschen durch die Annahme von speziellen Gehirn-Lokalisationen erklären wollte: Denken, Vorstellungen und Bilder seien eben nicht "von
streng lokalisierten neurologischen Grundlagen abhängig"(24). Denn
Freud hatte mit dem **"bezwingenden Sprechen"** der Hypnose entdeckt,
<u>daß seelische</u> Krankheiten die Anatomie ignorieren.

---

21 Ebda. 135. Man beachte die semiotischen Begriffe!   22 Ebda. 136f.
23 Ebda. 44f.   24 J. **Laplanche** - J.B. **Pontalis**, **Das Vokabular
der Psychoanalyse.** (stw 7). ³1977, 504.

2.10. Fassen wir das Ergebnis dieser ersten Periode Freuds in **semio-tischen Thesen** zusammen, so können wir folgendes sagen.

Jeder Mensch hat **zwei Sprachen**: die Sprache der verbalen Zei-chen und die Sprache der Körperzeichen (z.B. der "hysterischen" Symptome).

Die Sprache der verbalen Zeichen ist die Sprache des "bewuß-ten" **Subjekts**; sie ist durch den **Willen** des Subjekts zu beeinflussen.

Die Sprache der Körperzeichen wird von einer anderen Instanz als dem "bewußten" Subjekt gesprochen, da sie weder durch den Wil-len des eigenen Subjekts noch durch die Anatomie des Körpers deter-miniert wird.

Durch jeden Menschen hindurch geht also eine **doppelte Spal-tung**: Sein Bewußtsein und sein Wille sind einerseits abgespalten von einer Instanz, welche nicht dem Bewußtsein und dem Willen unterliegt, welche sich vielmehr **an** seinem Körper "selbständig" macht.

Andererseits ist diese am Körper erscheinende Instanz des **"An-deren"** zwar nur an Körperzeichen greifbar, aber sie ist nicht selbst körperlich-materiellen Ursprungs. Vielmehr ist der Körper (und damit auch die Körperzeichen) abgespalten vom Subjekt des Bewußtseins, weil er sich in der **Hysterie** "selbständig" macht.

Daß der Mensch einen Körper hat, ist folglich kein Indiz für die **Identität** des Subjekts, weil in der Hysterie der Körper mit seiner Sprache von der Sprache des Subjekts abgespalten ist.

So ist der Mensch nicht vom Subjekt und seiner Identität her zu denken, sondern von der Spaltung und der **Nicht-Identität** mit dem Körper her.

Es gibt eine Art des Sprechens, nämlich das hypnotisch **"bezwin-gende Sprechen"**, welches Zugang zu der Instanz des "Anderen" hat und die äußerliche Einheit zwischen Subjekt und Körper wiederherstel-len kann: Durch hypnotisch "bezwingendes Sprechen" kann nicht nur die "hysterische" Abspaltung des Körpers vom Subjekt aufgehoben wer-den; vielmehr können die Symptome der Hysterie auch durch Hypnose

erzeugt werden.

Damit ist bewiesen, daß die Spaltung des Menschen mit dem **Vorgang des Sprechens** zu tun haben muß.

Bedenkt man mit Ferdinand de Saussure, daß das Sprechen als **Zeichenproduktion** die Zeichen als **Differenzwerte** einsetzt, dann kann man auch die Spitzenthese formulieren: Die "Spaltung" des Menschen ist der **Ergebnis des "Einschneidens"** der Zeichen(25).

Natürlich sind alle diese Formulierungen erst "nachträglich", d.h. auf dem Hintergrund der Denkwelt de Saussures und Jacques Lacans möglich; aber meine Ausführungen sollten belegen, daß sie den **Kern** der Entdeckungen Freuds erfassen, der häufig rein "biologistisch" mißverstanden wird. Wer im "Sexuellen" in rein biologischem Sinne Freuds Schwerpunkt vermutet, der verkennt wahrhaftig die hermeneutische Brisanz seines Ansatzes.

3. Von der "talking cure" zum "Königsweg der Seele"

3.1. Grundlinien der Periode der "ersten Topik"

3.1.1. Ab 1892 arbeitete Freud mit Josef Breuer zusammen an der Vertiefung der **"Studien zur Hysterie"**, welche 1895 publiziert wurden. Jetzt erst entdeckte Freud, daß der frühe Fall von "Fräulein Anna O." von 1882 eine grundlegende Bedeutung für die Kenntnis von dem doppelten Sprechen des Menschen hat. Weitere Behandlungsfälle sind u.a. "Katharina" und "Fräulein Elisabeth v. R."(26). 1897 hatte Freud, kurz nach dem Tode seines Vaters Jacob Freud im Oktober 1896, einen bezeichnenden **Traum**, der ihn neben der Hysterie den Traum als **"Schrift"** der Körperzeichen entdecken ließ.

Im Oktober 1897, also genau ein Jahr nach dem Tode seines Vaters, fand Freud heraus, daß sein Traum mit dem **Wunsch** nach dem Tode des Vaters zusammenhing: Der **"Ödipuskomplex"**(27) wurde geboren. Bereits zwei Jahre früher, 1895, war Freud durch den Traum "von **Irmas Injektion"**(28) auf die "schriftliche" Art der Körperzeichen

25 Zur Interpretation vgl. LingBibl 47. 1980, 110–112.
26 Fundorte: Fischer-TB 6001, 100–108 (Katharina). 108–148 (Frl. Elisabeth v. R.). 27 Der Term stammt von Carl Gustav Jung. Vgl. Lacan, aaO. 87.
28 Fundort: **Sigmund Freud, Die Traumdeutung.** (Fischer Bücherei 428/9). 1961, 98–109. 121f.

aufmerksam geworden. Alle diese Eindrücke verarbeitete er 1898 zu seinem ihn endgültig berühmt machenden Buch **"Traumdeutung"**, das bereits 1899 erschien, obwohl es vom Herausgeber auf das Jahr 1900 datiert wurde. 1901 erschien dann die "Psychologie des Alltagslebens", 1905 "Der Witz und seine Beziehung zum Unbewußten".

3.1.2. Durch die Einbeziehung des Traumes, der später sog. "Freudschen Fehlleistungen" und des Witzes ist Freud endgültig zum **Erforscher des "unbewußten" Sprechens** geworden. Freud machte in diesen drei Werken deutlich, daß die Spaltung des Menschen nicht nur bei "Kranken" auftritt, sondern grundsätzlich auch bei den sog. "Gesunden".

Aufsehen und Ablehnung erregte Freud mit seiner These, die Spaltung zwischen Körper und Subjekt habe meist **sexuelle** Ursachen, das sog. "Ich" sei sogar wesentlich eine durch Verdrängung entstandene Abspaltung der Sexualität. Der Aufruhr dieser Thesen war groß; erste Schüler und Freunde fielen von Freud ab, weil ihnen dieser Angriff auf die Einheit des Subjekts und auf die moralische Verantwortlichkeit zu weit ging und sie sich lieber einen Menschen wünschten, der durch den Strudel von moralisch "niederen" Leidenschaften nicht so stark angegriffen wird. Denn wo blieb in dieser "Spaltung" eigentlich noch die Verantwortlichkeit des freien Willens, wenn der Mensch das tun **mußte**, was ein "Anderer" in ihm selbst ihm aufzwang, was "er selbst" jedoch gar nicht wollte?

Die meisten dieser Abtrünnigen haben wohl auch gar nicht verstanden, daß es Freud um die **Problematik des "Sprechens in drei Welten"** ging(29). Freud hat jedenfalls trotz aller Selbstzweifel seine Position bis etwa 1920 beibehalten. Wir nennen diese Periode zwischen 1895 und 1920 die **"Periode der ersten Topik"**. Alfred Adler trennte sich 1911 von Freud; 1913 kam es zum Bruch mit Carl (Gustav) Jung. Freud mußte darauf bestehen, daß sein Interesse an der Psychoanalyse nicht durch beide verfälscht wurde. Mit diesem hier nur kurz skizzierten Panorama haben wir uns nun im einzelnen zu beschäftigen.

29 Lacan, aaO. 97 nennt sie das "Symbolische" (Sprachliche), das "Imaginäre" (Bildhafte) und das "Reale" (Körperliche).

3.2. Die "talking cure" an Bertha Papenheim: das "kathartische Verfahren"

3.2.1. Bereits 1893 machte Freud zusammen mit Breuer in einer vorläufigen Mitteilung "Über den psychischen Mechanismus hysterischer Phänomene" deutlich, daß der wesentliche Vorgang bei ihrer Heilmethode das **Sprechen** war: "Psychoanalyse", wie die Methode erst später (1896) heißen wird, besteht darin, daß das leidende Subjekt seine Geschichte durch **Sprechen** rekonstruiert und sich so von seinem **Trauma** befreit.

Vorweggreifend kann man thesenhaft formulieren:

Durch den Akt des Sprechens konstituiert das Subjekt sein "Ich" als seine **Geschichte**(30). Zugleich spaltet das Subjekt den "Fluch" seiner Geschichte so von seinem Bewußtsein ab, daß der Körper "befreit" wird.

Psychoanalyse ist eine Therapie der Körperzeichen mittels verbaler Zeichen: Die verbalen Zeichen des Sprechens spalten den Körper von der Vergangenheit der Geschichte seiner Seele ab, sofern diese "traumatisch" war. Zugleich eröffnen die verbalen Zeichen ihre künftige **Einheit** mit den Körperzeichen.

Da jedoch durch Sprechen auch ein sensibler "Körper", eine Zeichen**substanz neben** dem leiblichen Körper, erzeugt wird, könnte man auch formulieren: Die "Heilung" erfolgt so, daß der leibliche Körper den "Körper" der Zeichen aus sich ausscheidet und sich damit von den unheilbringenden Körperzeichen loslöst.(31)

3.2.2. Freud und Breuer bedienten sich damals des "bezwingenden Sprechens" der **Hypnose**. Sie führen dazu aus:

> "Meistens ist es nötig, die Kranken zu hypnotisieren und in der Hypnose die Erinnerungen jener Zeit, wo das Symptom zum ersten Male auftrat, wachzurufen; dann gelingt es, jenen Zusammenhang(32) aufs deutlichste und überzeugendste darzulegen."
> (33)

Beide Forscher fanden durch die Praxis heraus,

> "daß die einzelnen hysterischen Symptome sogleich und ohne Wiederkehr verschwanden, wenn es gelungen war, die Erinnerung

30 Vgl. ebda. 20: "Der Restitutionsprozeß der Geschichte des Subjekts nimmt die Form einer Suche nach der Restitution der Vergangenheit an." Ebda. 50: "Das Gravitationszentrum des Subjekts ist diese gegenwärtige Synthese der Vergangenheit, die man Geschichte nennt." Ebda. 237: "Freud hat uns gezeigt, daß das Sprechen in der Geschichte des Subjekts selbst verkörpert sein muß."
31 Zum "Körper" als Zeichen, das "schneidet", vgl. oben S. 244.
32 Scil. zwischen dem veranlassenden Vorgang und dem pathologischen Phänomen. 33 Fischer-TB 6001, 7.

an den veranlassenden Vorgang zu voller Helligkeit zu erwekken, damit auch den begleitenden Affekt wachzurufen, und wenn dann der Kranke den Vorgang in möglichst ausführlicher Weise schilderte und dem Affekt Worte gab."(34)

Freud macht ganz deutlich, daß der **Akt des Aussprechens** der entscheidende Vorgang ist, nicht die Hypnose; Freud wird dann auch bald darauf auf die Hypnose verzichten:

> "Der Verdacht liegt nahe, es handle sich dabei um eine unbeabsichtigte Suggestion; der Kranke erwarte, durch die Prozedur von seinem Leiden befreit zu werden, und diese Erwartung, nicht das Aussprechen selbst, sei der wirkende Faktor. Allein dem ist nicht so..."(35)

Die Psychotherapie

> "hebt die Wirksamkeit der ursprünglich nicht abreagierten Vorstellung dadurch auf, daß sie dem eingeklemmten Affekte derselben den Ablauf durch die Rede gestattet."(36)

Die **"kathartische" Wirkung** besteht also darin, daß das Sprechen des Leidenden eine im Trauma nicht abreagierte "Vorstellung" und ein damals eingeklemmtes Gefühl befreit. Das gestattet die Formulierung folgender beider Thesen:

Mittels Aussprechen seiner leidvollen Vergangenheit kann der Mensch eine sein Denken und Fühlen "fesselnde" **Tat** wiederholen.

Da diese Wiederholung durch Wortzeichen geschieht, wird die Unheil bringende Tat durch die Zeichen des Sprechens **ersetzt**, so daß der Mensch "frei" werden kann.

Jeder Theologe wird dabei sofort an die **Beichte** denken, und Freud sagt ausdrücklich, daß auch für ihn die Beichte das Analogiemodell des psychotherapeutischen Redens ist:

> In der Sprache "findet der Mensch ein Surrogat für die Tat, mit dessen Hilfe der Affekt nahezu ebenso 'abreagiert' werden kann. In anderen Fällen ist das Reden eben selbst der adäquate Reflex, als Klage und als Aussprache für die Pein eines Geheimnisses (Beichte!)."(37)

3.2.3. Nicht nur Breuer und Freud, sondern auch die Patienten erkannten durchaus, daß alles auf das **Aussprechen** ankam. Die erste Patientin Breuers, die später als bedeutende Sozialarbeiterin und Feministin bekannt gewordene **Bertha Pappenheim** (1859–1936), wird im

---

34 Ebda. 10, im Original gesperrt.　　35 Ebda.
36 Ebda. 18, im Original gesperrt.　　37 Ebda. 11.

Bericht Breuers "Frl. Anna O." genannt. Als ihr Vater im Jahre 1880 schwer krank wurde und sie ihn Tag und Nacht betreuen mußte, entstanden bei ihr starke **hysterische Symptome**: ein nervöses Husten, ein tickhaftes Blinzeln,Sehstörungen, eine Lähmung des rechten Armes und des Nackens. Sie schien manchmal in zwei völlig getrennten Bewußtseinszuständen zu existieren: mit einem bestimmten Teil war sie völlig abwesend ("Absenz").

Am auffälligsten war jedoch eine **Sprachstörung**, welche mehrere Phasen durchlief:

> Zunächst blieb sie "mitten im Sprechen stecken, wiederholte die letzten Worte, um nach kurzer Zeit fortzufahren"(38). Dann geriet ihr Sprechen völlig aus den Fugen: "Zuerst beobachtete man, daß ihr Worte fehlten, allmählich nahm das zu. Dann verlor ihr Sprechen alle Grammatik, jede Syntax, die ganze Konjugation des Verbums, sie gebrauchte schließlich nur falsch, meist aus einem schwachen Particip-praeteriti gebildete Infinitive, keinen Artikel. In weiterer Entwicklung fehlten ihr auch die Worte fast ganz, sie suchte dieselben mühsam aus 4 oder 5 Sprachen zusammen und war dabei kaum mehr verständlich." Zeitweilig blieb sie völlig stumm (Mutismus). Endlich sprach sie nur **Englisch**, "doch anscheinend, ohne es zu wissen". "Nur in Momenten großer Angst versagte die Sprache vollständig oder sie mischte die verschiedensten Idiome durcheinander."(39)

Als sich diese vollständige Auflösung des Sprechens (**Aphasie**) später etwas besserte, war sie

> "auch in der Hypnose...nicht immer leicht zum Aussprechen zu bewegen, für welche Prozedur sie den guten, ernsthaften Namen 'talking cure' (Redekur) und den humoristischen 'chimney sweeping' (Kaminfegen) erfunden hatte."(40)

Mit diesen beiden Bezeichnungen hatte Bertha Pappenheim das entscheidende Moment der neuen Methode erkannt:

Die Psychoanalyse ist eine **"talking cure"**, durch welche der "Kamin" zwischen dem Bewußtsein des Subjekts und seiner unbewußten Vergangenheit "gefegt" wird.

Durch die Psychoanalyse werden die Hindernisse in diesem "Kamin" durch Aussprechen beseitigt, so daß das in der Vergangenheit "Aufgestaute" und unangenehm Verletzende "nach oben" kommen und dort spurlos "verschwinden" kann.

Kurz: durch die Produktion von verbalen Zeichen kommen die Körperzeichen wieder in Ordnung.

---

38 Ebda. 22.   39 Ebda. 23.   40 Ebda. 27.

3.2.4. Das alles waren damals verblüffende Erkenntnisse, welche auch heute noch als **Revolution in der Medizin** gelten können. Aber damit war Bertha Pappenheim noch längst nicht geheilt! Als ihr Vater im April 1881 starb, wurden ihre Halluzinationen immer schlimmer; sie murmelte Wörter vor sich hin, rief immer wieder "Quälen,quälen"(41). Dann konnte sie plötzlich keinen Tropfen Wasser mehr trinken, weil sie sich davor ekelte (Hydrophobie). Es mußte, so lautete die Vermutung der Analytiker, in ihrer Vergangenheit ein **Erlebnis** am Krankenbett ihres Vaters gegeben haben, welches ihr die **"Sprache verschlagen"** hatte und damit auch die Körpersprache durcheinanderbrachte. Wenn man dieses **Trauma** fand und durch die Patientin in Hypnose **aussprechen** ließ, dann mußten die hysterischen Symptome verschwinden. Diese Hypothese bewährte sich dann auch in der Therapie, und damit war bewiesen, daß die Annahme über die "heilende" Wirkung des Sprechens richtig war.

3.2.5. Folgendes stellte sich als traumatisches Erleben der Vergangenheit heraus.

Im Zimmer ihrer **englischen** Gesellschafterin hatte Bertha Pappenheim ein abscheuliches Erlebnis gehabt: Sie sah, wie deren kleiner Hund, "das ekelhafte Tier, aus einem Glase getrunken habe"(42). Daraufhin konnte sie nicht mehr aus Gläsern Wasser trinken. Kaum hatte jedoch die Patientin dieses Erlebnis **erzählt**, da war diese Störung auch schon "wegerzählt"(43). Während des Erzählens trat das Symptom zwar "mit erhöhter Intensität auf", aber es wurde zugleich "abgesprochen"(44).

Daß sie in Halluzinationen z.B. ihren Vater mit einem Totenkopf sah, klärte sich ähnlich auf: Bei einem Verwandtenbesuch hatte sie

> "beim Eintritte in dem der Tür gegenüberliegenden **Spiegel** ihr bleiches Gesicht erblickt, aber nicht sich, sondern ihren Vater mit einem Totenkopfe gesehen"(45).

Die Lähmung des rechten Armes war auf ein Erlebnis am Bett ihres Vaters zurückzuführen:

> "Sie geriet in einen Zustand von Wachträumen und sah, wie von der Wand her eine schwarze Schlange sich dem Kranken näherte, um ihn zu beißen... Sie wollte das Tier abwehren, war aber wie gelähmt; der rechte Arm, über die Stuhllehne hängend, war

---

41 Ebda. 26. 42 Ebda. 30. 43 Ebda. 31.
44 Ebda. 32. 45 Ebda. 33.

'eingeschlafen'..., und als sie ihn betrachtete, verwandelten sich die Finger in kleine Schlangen mit Totenköpfen (Nägel)." (46)

Danach "wollte sie in ihrer Angst beten, aber jede Sprache versagte, sie konnte in keiner sprechen, bis sie endlich einen **eng**-**lischen** Kindervers fand und nun auch in dieser Sprache fortdenken und beten konnte"(47).

Ihr Blinzeln hing mit der Unterdrückung von Tränen zusammen,

"damit sie der Kranke nicht sehe"(48).

Das Sprachversagen erklärte sich aus Angst, Unterdrückung einer Äußerung, infolge ungerechter Schelte(49). Alle diese Symptome verschwanden spurlos durch **Aussprechen**.

3.2.6. Breuer und Freud nannten ihr Vorgehen das **"kathartische Verfahren"**. Freud schreibt dazu in seiner"Selbstdarstellung" (1925):

"Breuer nannte unser Verfahren das **kathartische**; als deren therapeutische Absicht wurde angegeben, den zur Erhaltung des Symptoms verwendeten Affektbetrag, der auf falsche Bahnen geraten und dort gleichsam eingeklemmt war, auf die normalen Wege zu leiten, wo er zur Abfuhr gelangen konnte (**abreagieren**)." (50)

In seiner Schrift "Kurzer Abriß der Psychoanalyse" (1924/28) führt Freud näher aus, schon ein Schüler Charcots, P. Janet, habe erkannt,

"daß die Krankheitsäußerungen der Hysterie in fester Abhängigkeit von gewissen unbewußten Gedanken (**idées fixes**) stehen". (51)

Nach Freud sind die Symptome darin **Zeichen**, d.h. Stellvertreter und **Abwesenheit**,

"daß sie in Situationen entstanden waren, welche den Impuls zu einer Handlung enthielten, der aber dann nicht ausgeführt, sondern infolge anderer Motive unterdrückt worden war. An Stelle dieser unterbliebenen Aktionen waren eben die Symptome aufgetreten."(52)

3.2.7. Halten wir das Ergebnis des Falles "Fräulein Anna O." in **semiotischen Thesen** fest, dann sind folgende Formulierungen möglich.

Der Mensch hat als das Wesen, das durch das "Gesetz des Sprechens" entsteht(53), **zweierlei Gedanken**, nämlich die bewußten Gedan-

46 Ebda. 33f.   47 Ebda. 34.   48 Ebda. 35.
49 Vgl. ebda.   50 Fischer-TB 6096, 53.   51 Ebda. 205.
52 Ebda.   53 Vgl. Lacan, aaO. 115: Eine fundamentale Struktur, "die, im Gesetz des Sprechens, den Menschen zum Menschen macht."

ken des "Subjekts" und die unbewußten Gedanken einer anderen Instanz, welche mit dem "Subjekt" nicht **identisch** ist.

Das sprechende "Subjekt" ist also das **lügende** "Subjekt":

> "Das sprechende Subjekt, wir müssen es zwangsläufig als Sub-
> jekt anerkennen. Und warum? Aus einem einfachen Grund, und
> zwar, weil es fähig ist zu lügen. Das heißt, daß es von dem
> **verschieden** ist, was es sagt. Nun, die Dimension des sprechen-
> den Subjekts, des sprechenden Subjekts als eines täuschenden,
> ist das, was uns Freud im Unbewußten entdeckt."(54)

Das Sprechen des Menschen ist immer ein **zweideutiges Sprechen:** es
kann sowohl die Lüge wie auch die "authentische" Wahrheit in die
"Wirklichkeit" einführen:

> "Es ist das Sprechen, das in der Realität die Lüge aufrichtet.
> Und eben, weil es das einführt, was **nicht ist,** kann es auch
> das einführen, was **ist.** Vor dem Sprechen ist weder nichts, noch
> ist nicht nichts. Alles ist schon da, zweifellos, aber allein mit
> dem Sprechen gibt es Dinge, die **sind** - die wahr oder falsch
> sind, das heißt, die **sind** - und Dinge, die **nicht sind.** Mit der
> Dimension des Sprechens gräbt sich ins Reale die Wahrheit. Es
> gibt weder wahr noch falsch vor dem Sprechen. Mit ihm führt
> sich die Wahrheit ein, und auch die Lüge, und noch andere Re-
> gister... Das Sprechen ist wesentlich zweideutig."(55)

Die **unbewußten Gedanken** der Instanz des "Anderen" werden angesichts
von traumatischen Erlebnissen der Vergangenheit wirksam; sie sind
jedoch dem bewußten Denken so **unangenehm,** daß sie "unterdrückt"
werden.

Diese Unterdrückung des Aussprechens und Ausdenkens durch das verbal sprechende "Subjekt" führt zu hysterischen **Körperzeichen,** welche
neben den verbalen Zeichen "selbständig" handeln und nicht durch
das "Subjekt" unterdrückt werden können.

Die Körperzeichen sind also Symptome für eine **Denegation**(56): Sie sind
Stellvertreter für die **Unterlassung** von Gedanken (Handlungen) mittels verbaler Zeichen.

Sobald die traumatische Situation der Unterlassung mittels verbaler
Zeichen **erzählend** "ausgesprochen", also das Unterlassene "nachgeholt" wird, wird die Denegation aufgehoben.

---

54 Ebda. 248.   55 Ebda. 289.   56 Freuds "Verneinung"
(vgl. dazu unten S. 42ff) ist sowohl grammatisch/logisch (Negation) als
auch "existentiell" zu verstehen ("Verleugnung"); daher der romanisierende
Term.

3.2.8. Lösen wir uns noch stärker von den historischen Zufälligkeiten und auch Irrtümern Freuds(57), dann können wir auf dieser Basis sogar **semiotische Spitzenthesen** formulieren.

Verbale Zeichen sind Zeichen, welche das "Subjekt" **wollen** kann.

Körperzeichen sind Zeichen, welche der Körper nach einer "Unterdrükkung" produzieren **muß**.

Die Unterdrückung besteht in dem Versuch des "Subjekts", die Gedanken von den verbalen Zeichen zu **trennen.**

Da Zeichen jedoch immer **notwendig** sind, treten im Falle der "Unterdrückung" von verbalen Zeichen die Körperzeichen **an deren Stelle.**

Die Körperzeichen sind also Stellvertreter, d.h. Zeichen **für fehlende Zeichen.**

Der leidende Körper zeigt an seinen Symptomen die **Geschichte** der verdrängten verbalen Zeichen.

Die Symptome des Körpers sind Zeichen dafür, daß "unangenehme" Gedanken nicht durch **Nicht-Sprechen** "abwesend" gemacht werden können(58): Die Körperzeichen sind Zeichen für die **Anwesenheit wider Willen** von Gedanken, die der Mensch durch **"Verneinung"** "abwesend" zu machen versucht hat.

Da nur das verbale Sprechen "abwesend" macht, weil es die "unangenehmen" Vorgänge (Gedanken und Erlebnisse) durch Zeichen **ersetzt,** werden beim psychoanalytischen **Aussprechen** die ehemals unterdrückten verbalen Zeichen "nachgeholt", so daß die Körperzeichen **überflüssig** werden.

57 Vgl. dazu unten S. 292 sowie Lacan, aaO. 34f.
58 Zur Dialektik von Anwesenheit vs Abwesenheit vgl. ebda. 221f.

3.3. Der Mensch im Spaltungsfeld zwischen Lust und Widerstand: Zur Funktion der Sexualität in Freuds Psychoanalyse

3.3.1. Freud erkannte schon bald, daß Breuers Analyse nicht weit genug gegangen war. Warum sollte eigentlich die Beobachtung eines Hundes beim **Trinken** aus einem Wasserglase so schwerwiegende Krankheitsfolgen haben?(59) Wie kam die damals noch nicht so kranke Patientin dazu, in einem **Spiegel** nicht "sich selbst", sondern ihren **Vater** als Totenschädel zu sehen? Was bedeutete eigentlich die schwarze **Schlange**, die sie nicht abwehren konnte, als sie am Bett ihre Vaters saß? Denn "objektiv" war ja gar keine Schlange vorhanden gewesen, sondern diese war durch die **Phantasie** der Patientin erzeugt worden. Welches waren die Gesetze dieser Phantasie? Welches war die Funktion des **"Imaginären"**, d.h. der im Spiegel erzeugten "imago"?

Freud wurde durch zahlreiche Indizien davon überzeugt, daß Trinken, Spiegel, toter Vater und Schlange **Symbole** des "sexuellen" **Wunsches nach "Lust"** sind. Groß war die Empörung der Wissenschaftler und auch von Josef Breuer, als Freud den "sexuellen" Wunsch nach "Lust" bis in die frühe **Kindheit** verfolgte, welche bis dahin als "unschuldig" gegolten hatte(60). In der Folge ging auch die Freundschaft zwischen Freud und Breuer in die Brüche.

3.3.2. Äußere **Veränderungen der Methode** kamen hinzu: Freud verzichtete auf die Hypnose und ersetzte sie (1892–1896) durch die **"Drucktechnik"**. Bereits **Hippolyte Marie Bernheim** (1837–1919) hatte behauptet, der Patient erinnere sich sehr wohl noch an die Vorfälle während der Hypnose, hier sei die Aufgabe des Therapeuten,

> "und wenn er sie aufforderte, sich zu erinnern, wenn er beteuerte, sie wisse alles, sie solle es doch nur sagen, und ihr dabei noch die Hand auf die Stirne legte, so kamen die vergessenen Erinnerungen wirklich wieder, zuerst zögernd und dann im Strome und in voller Klarheit. Ich beschloß, es ebenso zu machen. Meine Patienten mußten ja auch all das 'wissen', was ihnen sonst erst die Hypnose zugänglich machte, und mein Versichern und Antreiben, etwa unterstützt durch Handauflegen, sollte die Macht haben, die vergessenen Tatsachen und Zusammenhänge ins Bewußtsein zu drängen... Ich gab also die Hypnose auf und behielt von ihr nur die Lagerung des Patienten auf einem Ruhebett bei, hinter dem ich saß, so daß ich ihn sah,

---

59 "Trinken" ist ein Sexualsymbol. Vgl. schon **Artemidor von Daldis** (2. Jh. n. Chr.), **Das Traumbuch.** (dtv 6111). 1979, 79: "daß Trinkgefäße diejenigen Personen bezeichnen, die mit unseren Lippen in Berührung kommen". Ebda. 222: "Trinkt man aus einem Becken, wird man sich in eine Sklavin verlieben." Freud, G.W. VIII, 89 vergleicht den Liebenden mit einem Trinker.   60 Vgl. **Sigmund Freud, Drei Abhandlungen zur Sexualtheorie.** (Fischer-TB 6044). Nachdruck 1979.

aber nicht selbst gesehen wurde."(61)

Die Drucktechnik ersetzte also die verbalen Zeichen des "bezwingenden Sprechens" durch die **Körperzeichen des "bezwingenden Anfassens"**;
aber immer noch ging es um das "Bezwingen" des Patienten durch den
Analysator. Dieser Umstand bewies, daß das "Subjekt" dem Aussprechen einen **Widerstand** entgegensetzt. "Bezwingendes Sprechen" (Hypnose) und "bezwingendes Anfassen" (Drucktechnik) sind Mittel des Ana-
lysators, den Widerstand des Patienten zu umgehen und in das Unbewußte einzudringen, ohne daß der Patient "selbst" das will. Nun sollte aber der Patient "selbst" zu seiner Wahrheit kommen, sie sich nicht
"bezwingend" aufreden lassen; nur so konnte er ja auch "authentisch"
werden. Daher mußte Freud in diesem Zusammenhang zwei Aspekte berücksichtigen.

Der "Sinn" seiner Geschichte muß vom "Subjekt selbst" ausgesprochen werden; er wird jedoch im **Widerstand** abgelehnt. Dazu sagt
Jacques Lacan:

> "Es ist die Ablehnung dieses Sinns durch das Subjekt, die für
> es ein Problem darstellt. Dieser Sinn darf ihm nicht enthüllt
> werden, er muß von ihm aufgenommen werden. Darin ist die
> Psychoanalyse eine Technik, die die menschliche Person respek-
> tiert... Es wäre also paradox, in vorderster Linie die Vorstel-
> lung zu setzen, daß die analytische Technik zum Ziel hat, den
> Widerstand des Subjekts zu bezwingen. Was nicht heißen soll,
> daß sich das Problem überhaupt nicht stellt."(62)

Zudem ist das psychoanalytische Aussprechen ein Sprechen in der **Anerkennung**: Das "Subjekt" soll die Wahrheit anerkennen, daß "es
selbst" ein **"Anderer"** ist. Wie kann es sich diese Selbstanerkennung
anders geben, als indem der fremde "andere", der Analysator, sowohl
für "sich selbst" als auch für den Patienten diese Fremdheit anerkennt, also gelten läßt und nicht "bezwingt"?!

Jacques Lacan sagt zu diesem spiegelbildlichen Zusammenhang der
analytischen **Sprechsituation**:

> "Das Grunzen des Schweins wird ein Sprechen erst dann, wenn
> jemand sich die Frage stellt, was es glauben machen will. Ein
> Sprechen ist Sprechen nur in genau dem Maße, wie jemand dar-
> an glaubt. Und was wollen, grunzend, die in Schweine verwan-
> delten Gefährten des Odysseus glauben machen? - daß sie noch
> etwas Menschliches sind. In diesem Fall das Heimweh des Odys-

---

61 Fischer-TB 6096, 58f.   62 Lacan, aaO. 41f.

seus ausdrücken, heißt fordern, sie selbst, die Schweine, als
die Gefährten des Odysseus anerkennen. In dieser Dimension vor
allem siedelt sich ein Sprechen an. Das Sprechen ist wesentlich
das Mittel, anerkannt zu werden. Es ist da, **vor** allem, was es
dahinter gibt. Und, dadurch, ist es ambivalent, und absolut
unerforschlich. Was es sagt, ist das wahr? Ist das nicht wahr?
Es ist ein Trugbild. Es ist jenes erste Trugbild, das Ihnen ver-
sichert, daß Sie im Bereich des Sprechens sind. Ohne diese Dimension ist eine Mitteilung nur etwas, das übermittelt, ungefähr
von derselben Ordnung wie eine mechanische Bewegung... Aber
sobald es glauben machen will und Anerkennung fordert, existiert das Sprechen."(63)

3.3.3. Wir hatten schon gesagt, das Unbewußte sei die Instanz des
"Anderen", welche vom Bewußtsein des "Subjekts" abgespalten sei. Auf
dem Hintergrund der obigen Überlegungen zur **Spiegelsituation** des
psychoanalytischen Sprechens muß man jedoch auch bedenken, daß
auch der Analysator für den Patienten ein fremder "anderer" ist.
Warum eigentlich soll der Patient auf der Couch diesen fremden "anderen" nicht **sehen**? Das hängt nicht nur mit der Aufgabe des "bezwingenden Sehens" in der Hypnose zusammen!

Freud ahnte vielmehr bereits hier, was er erst sehr viel später,
etwa ab 1920, richtig erkennen sollte: Das Ansehen des eigenen Körpers im **Spiegel** und das Ansehen eines fremden "anderen" beim Sprechen sind zwei Seiten éines Vorgangs, den man als **Narzißmus** bezeichnet. Soweit war der "mittlere" Freud zwar noch nicht; aber er erkannte, daß der "sexuelle" Wunsch nach "Lust" sich **an** dem fremden
"anderen", also an dem Analysator, aktualisieren kann.

Diesen Vorgang nennt Freud **"Übertragung"**: Bei der Übertragung überträgt das unbewußte **"Andere"** (A) im "Subjekt" den "sexuellen"
Wunsch nach Lust auf einen bestimmten konkreten **"anderen"** (a), z.B.
auf den Analysator. Später (1914) warf Freud Breuer vor, er habe
bei Bertha Pappenheim zu unrecht angegeben,

"das sexuelle Element sei bei ihr erstaunlich unentwickelt gewesen und habe niemals einen Beitrag zu ihrem reichen Krank-
heitsbilde geliefert"(64).

"Wer die Breuersche Krankengeschichte im Lichte der in den
letzten zwanzig Jahren gewonnenen Erfahrung von neuem durch-
liest, wird die Symbolik der Schlangen, des Starrwerdens, der
Armlähmung nicht mißverstehen und durch Einrechnung der Situation am Krankenbette des Vaters die wirkliche Deutung je-

63 Ebda. 301.   64 Fischer-TB 6096, 148.

ner Symptombildung leicht erraten... Breuer stand zur Herstellung der Kranken der intensivste suggestive Rapport zu Gebote, der uns gerade als Vorbild dessen, was wir 'Übertragung' heissen, dienen kann. Ich habe nun starke Gründe zu vermuten, daß Breuer nach der Beseitigung aller Symptome die sexuelle Motivierung dieser Übertragung an neuen Anzeichen entdecken mußte, daß ihm aber die allgemeine Natur dieses unerwarteten Phänomens entging, so daß er hier, wie von einem **'untoward event'** betroffen, die Forschung abbrach."(65)

Auch der Analysator setzt also dem Aussprechen der "Sexualität" des Wunsches nach "Lust" einen **Widerstand** entgegen, weil ihm die **Spiegelsituation** der Analyse unangenehm ist:

Einerseits muß der Analysator erkennen, daß der "sexuelle" Wunsch nach Lust des "Anderen" sich an ihm als dem **"anderen"** aktualisiert.

Andererseits muß er erkennen, daß auch in ihm selbst ein **"Anderer"** steckt, der sich am konkreten "anderen", nämlich dem Patienten, befriedigen will.

Diese "Spiegelsituation" des analytischen Aussprechens ist sowohl dem Analysator wie auch dem Patienten so unangenehm, daß beider Bewußtsein dieser Erkenntnis einen **Widerstand** entgegensetzt.

Was Freud also in Wirklichkeit erkannt hat, läßt sich, kurz zusammensammengedrängt, so formulieren: Das Sprechen, auch und gerade das "volle", "authentische" und "erzählende" (narrative) Sprechen, läßt die **Struktur des Begehrens** erscheinen(66), weshalb mein "Subjekt" das Sprechen zum "Grunzen der Schweine", zum "mechanischen Mitteilen", also zum vorgeblichen interesselosen "Plappern" ent-stellt. Roland Barthes nennt solches "unauthentisches" Sprechen den **"Sprachschaum"**(67). Wer sich fragt, warum mein "Subjekt" überhaupt **Interesse** an einem "klärenden Gespräch" mit dem fremden "anderen" hat, was er "sich" davon überhaupt verspricht(68), der muß mit Freud und Lacan **anerkennen**, daß mein Sprechen **begehrt, am "anderen"** meiner **"selbst"** als **"Anderen"** gewiß zu werden, so daß ich "mich selbst" annehmen kann. Wer diese zentrale Funktion des "Sexuellen" in Freuds Methode nicht erkennt, der hat wahrlich wenig genug verstanden! Wer sich als Theologe der **hermeneutischen** und maieutischen Funktion dieser verdichteten Thesen Freuds nicht bewußt ist, der hofft vergeblich, daß Texte ihm helfen und ihn "heilen" können.

65 Ebda.   66 Vgl. Lacan, aaO. 229: "Das Sprechen ist das Mühlrad, durch das sich das menschliche Begehren unablässig vermittelt, indem es ins System der Sprache zurückkehrt." Ebda. 234: "Das Sprechen ist diejenige Dimension, durch die das Begehren des Subjekts auf der symbolischen Ebene authentisch integriert wird." Ebda. 189: "das Begehren des Menschen ist das Begehren des Anderen" (im Original falsch mit klein a).

3.3.4. 1896 war Freud endlich soweit, den Widerstand nicht mehr durch **"Bezwingendes"** umgehen zu wollen: Wenn der Widerstand sich im Analysator den konkreten "anderen" sucht, um ja nicht zugeben zu müssen, daß sein "Subjekt" vom Lustwunsch des "Anderen" getragen wird (Übertragung), dann darf man diesen Widerstand nicht **umgehen**: Das "Subjekt" selbst muß gerade durch den Widerstand hindurch **bekennen**, daß es den Lustwunsch des "Anderen" braucht, um sich selbst als "Abgespaltenes" aufrechterhalten zu können.

"Bekennen" hat aber mit **Sprechen** zu tun, so daß die Sprache des Bewußtseins in ihrer Tiefe eine **Sprache des "Anderen"** spricht. Der Analytiker muß also bei seinem analytischen Sprechen berücksichtigen, daß das Sprechen des Patienten in Wahrheit nicht die Sprache des Bewußtseins, sondern die Sprache des "Anderen" ist, der auch in ihm selber steckt (Gegenübertragung). Wenn ihm dies gelungen ist, dann muß das "Subjekt" **anerkennen**, daß nicht es selbst **Herr der Sprache** ist, daß vielmehr die Sprache des "Anderen" **Herr des Bewußtseins** ist. In dieser Anerkennung besteht das **"authentische Sprechen"**.

3.4. Thesen zur Relation zwischen Sprache und "Sexualität" bei Freud

3.4.0. Auf diesem Hintergrund können wir in moderner semiotischer Terminologie folgende Thesen formulieren.

3.4.1. Die Sprache des Redenden spricht nicht eigentlich die Sprache des Bewußtseins, sondern die **Sprache des "Anderen"**.

3.4.2. Die **Grammatik** dieser Sprache verrät, daß der "Andere" als der Herr das Bewußtsein zum **"Ich"** gemacht hat, weil das bewußte "Ich" aus dem **Widerstand** des Sprechens mittels verbaler Zeichen gegen das Sprechen des "Anderen" mittels symbolischer Zeichen gebildet wird.

3.4.3. Die Sprache des "Anderen" spricht mittels symbolischer Zeichen am Körper von dem **Wunsch** (désir) des Unbewußten nach **Lust**: Die symbolischen Körperzeichen "zeigen" einen libidinösen Wunsch des "Anderen".

3.4.4. Die **Befriedigung** der Libido ist nicht mit der Befriedigung eines "biologischen" **Bedürfnisses** zu verwechseln, da zwischen Quelle, Objekt und Ziel des Wunsches (Triebes) zu unterscheiden ist(69).

67 Vgl. oben S. 15.   68 Die Anführungszeichen heben die Reflexivität (den Spiegel!) hervor. Vgl. Lacan, aaO. 169: "sich selbst, das heißt sein Bild".   69 Vgl. dazu unten S. 286ff.

3.4.5. Das Wesen der von Freud entdeckten **Sexualität** wird daher ver-
fehlt, wenn man sie von einem "biologischen" Bedürfnis des Körpers
her interpretiert: Freuds Sexualtheorie wird durch eine"biologistische"
Interpretation **materialistisch** entstellt, da es Freud gerade auf die
imaginäre Phantasie des **"Anderen"** mittels **symbolischer Zeichen** an-
kommt(70), für welche der Körper nur die Quelle und der Erschei-
nungsort, aber nicht das **Ziel** ist.

3.4.6. Die Sexualität bei Freud, vor allem die **Erregung** der Libido,
ist(71) eine psychische **Energie**, "die sich deutlich von der somatischen sexuellen Erregung unterscheidet"(72):

Die quantitativ meßbaren Körperzeichen (Nervenströme!) der somatischen Erregung "zeigen" zwar auf die **Quelle** der Libido; auf deren **Ziel** "zeigen" jedoch bestimmte psychische Zeichen, welche durch
den **Wunsch** des "Anderen" in bestimmter Weise zu einer **Phantasie**
"angeordnet" werden (Grammatik der Phantasie!).

3.4.7. Freuds Leistung besteht nicht in biologischen Erkenntnissen,
die früher oder später ohnehin aufgekommen wären, sondern eben in
dieser **semiotischen Sprachtheorie** vom imaginär-phantastischen Sprechen des "Anderen" **am** Sprechen des Körpers in der **"Sprache der
Lust"**(73).

3.5. Der Körper als "Quelle", das Bild als "Ziel"

Diese Thesen sollen nunmehr durch einzelne Gedanken und Zitate **kommentiert** werden.

3.5.1. Bereits in seinem "Entwurf einer Psychologie" (1895) führt
Freud zum **Befriedigungserlebnis** aus, die körperliche Reizaufhebung
sei nur durch einen Eingriff von außen möglich:

> "Der menschliche Organismus ist zunächst unfähig, die spezifi-
> sche Aktion herbeizuführen (scil. Nahrungszufuhr, Nähe des Se-
> xualobjekts). Sie erfolgt durch **fremde Hilfe**, indem durch die

---

70 Vgl. Lacan, aaO. 157: "Freud stellt von Anfang an klar, daß seine eigene Konstruktion nicht die Absicht hat, eine biologische Theorie zu sein."
Zur obigen These vgl. ebda. 97ff. 118f. 158: "Der Libido-Trieb ist auf
die Funktion des Imaginären zentriert." 181: Das Imaginäre hängt vom Symbolischen ab.   71 Bereits 1896 in seinen ersten Schriften über
die Angstneurose.   72 Laplanche-Pontalis, aaO. 285.
73 Vgl. dazu oben S. 13ff.

Abfuhr auf dem Wege der inneren Veränderung ein erfahrenes Individuum auf den Zustand des Kindes aufmerksam gemacht wird. Diese Abfuhrbahn gewinnt so die höchst wichtige Sekundärfunktion der **Verständigung** und die anfängliche Hilflosigkeit des Menschen ist die **Urquelle** aller **moralischen Motive.**"(74) Ein körperliches Bedürfnis ist also wohl die **Quelle** des Befriedigungserlebnisses; aber das Entscheidende an diesem Vorgang ist, daß das körperliche Bedürfnis sich in eine **sprachliche** Verständigung mit einem fremden "anderen" verwandeln muß. "Verständigung" heißt hier nicht nur, daß der fremde "andere"von dem Bedürfnis **informiert** wird; "Verständigung" hießt vielmehr vor allem, daß die werdende Psyche durch das erste Befriedigungserlebnis eine bleibende **Prägung** durch **Zeichen der Erinnerung** empfängt.

Spezifisch semiotisch kann man auch so formulieren: Die somatische "Quelle" macht das "Subjekt" wesentlich **köderbar** für ein Begehren, das sich der Zeichen bedient(75).

3.5.2. Zu diesem semiotischen Zusammenhang führt Freud in seiner "Traumdeutung" (1899/1900) aus:

"Ein wesentlicher Bestandteil dieses Erlebnisses ist das Erscheinen einer gewissen Wahrnehmung (der Nahrung im Beispiel), deren **Erinnerungsbild** von jetzt an mit der **Gedächtnisspur** der Bedürfniserregung **assoziiert** bleibt. Sobald dies Bedürfnis ein nächstesmal auftritt, wird sich, dank der hergestellten **Verknüpfung**, eine psychische Regung ergeben, welche das **Erinnerungsbild** jener Wahrnehmung wieder **besetzen** und die Wahrnehmung selbst wieder hervorrufen, also eigentlich die Situation der ersten Befriedigung **wiederherstellen** will. Eine solche Regung ist das, was wir einen **Wunsch** heißen; das **Wiedererscheinen** der Wahrnehmung ist die von Wunscherfüllung, und die volle **Besetzung** der Wahrnehmung von der Bedürfniserregung her der kürzeste Weg zur Wunscherfüllung."(76)

3.5.3. Formulieren wir diesen Tatbestand spezifisch semiotisch in folgenden Thesen.

Aus dem körperlichen Bedürfnis ist durch die "Besetzung" der ersten Befriedigung mit dem "Erinnerungs**bild**" eine psychische "Gedächtnisspur" des **Wunsches** geworden, der nicht nur nach Materiell-Körperlichem verlangt, sondern eine mit symbolischen Zeichen der Befriedigung "besetzte" **innere** "Wahrnehmung" herbeiwünscht.

---

74 Freud, Aus den Anfängen 326.   75 Vgl. Lacan, aaO. 159f: "Die sexuellen Verhaltensweisen sind insbesondere köderbar."
76 G.W. II/III, 571 = Fischer-TB 428/9, 460f; Hervorhebungen von mir.

288

In den Kategorien de Saussures ausgedrückt(77), kann man auch sagen: Die Substanzen des "Körpers" sind zwar die notwendige "Stütze" des Begehrens, aber nicht die hinreichende, denn sie werden durch die semantische "Besetzung" zu einer valeur, zu einem Wunsch-"Wert" verwandelt, der dann als Zeichen auch das "Suchen" leitet. Der "Körper" ist so von einer Substanz zu einer **Form** geworden, welche die Psyche strukturiert. Kurz: Der "Körper" wird durch diesen **"Primärvorgang"**(78) in ein **Zeichen** verwandelt, das Somatisch-Substanzhaftes und Psychisch-Formhaftes in gleicher Weise **gliedert** (artikuliert).

Der "Wunsch ist unlösbar mit 'Erinnerungsspuren' verknüpft und findet seine **Erfüllung** in der halluzinatorischen Reproduktion von Wahrnehmungen, die zum **Zeichen** ('Erinnerungsbild') dieser Wahrnehmung geworden sind"(79).

Der Wunsch des "Anderen" strebt also so nach Erfüllung, "indem er...die an die ersten Befriedigungserlebnisse **geknüpften Zeichen** wieder herstellen will"(80). "Besetzung" meint ja genau diese **Verknüpfung** des Zeichens mit der "Bedeutung", welche in diesem Falle eine "Befriedigungs-Bedeutung" ist.

Das Entscheidende an der sprachlichen "Verständigung", dem Sekundärvorgang, ist also gerade die **Verknüpfung des Körpers mit Zeichen.**

3.5.4. Wie sehr Freud damit vom rein biologischen Denken abrückt, macht auch die **Dialektik** zwischen den sog. "Partialobjekten" als **zufälligen** Mitteln der Wunscherfüllung und der **prägenden** Kraft des befriedigenden Objekts für die Wunsch**bildung** deutlich. Diese Dialektik kann man in folgende Thesen fassen.

Das Triebobjekt wird einerseits "als zufälliges Mittel der Befriedigung definiert"(81): Das Sexual**objekt** ist nicht identisch mit dem Sexual**ziel**, da letzteres nicht "verbraucht" werden kann(82).

Andererseits erhält das durch symbolische Zeichen "besetzte" imaginäre **Bild** des befriedigenden Objekts

"einen elektiven Wert in der Wunschbildung des Subjekts. Es kann in Abwesenheit des realen Objekts wieder besetzt werden

77 Vgl. dazu oben S. 244ff.   78 Dieser ist für das System "Unbewußt" typisch. Vgl. Laplanche-Pontalis, aaO. 396-399.   79 Ebda. 635.
80 Ebda. 634f; im Original fett.   81 Ebda. 336.   82 Vgl. ebda. 338.

(halluzinatorische Wunschbefriedigung). Es lenkt unaufhörlich die spätere Suche nach dem befriedigenden Objekt."(83)

Die spätere **Wahrnehmungsidentität**, welcher eine Denkidentität entspricht(84), wird geprägt durch die "Besetzung" und **Ersetzung** von realen Objekten durch **imaginäre Objekte**, welche als symbolische Zeichen fungieren, weshalb auch zwischen "realen" und "phantasierten" Körperteilen(85) nicht mehr unterschieden werden kann.

3.5.5. Freuds Schüler **Karl Abraham** sowie dessen Schülerin **Melanie Klein** sprechen später von **"Partialobjekten"**:

> "Es handelt sich hauptsächlich um reale oder phantasierte Körperteile (Brust, Fäces, Penis) und ihre symbolischen Äquivalente."(86)

Es sind dies "symbolische" Objekte (also Zeichen!),

> "in der Phantasie mit Eigenschaften begabt, die denen einer Person ähnlich sind"(87).

Aufgrund derartiger Rekonstruktionen kann man folgende Thesen formulieren.

Von der Phantasie mit imaginären Eigenschaften ausgestattete "Partialobjekte" stehen untereinander in der Relation einer **symbolischen Äquivalenz**: jedes "Objekt" kann durch ein anderes "Objekt" **ersetzt** werden.

Da jedoch die Ersetzung ein wesentliches Merkmal des **Zeichens** ist, ist damit bewiesen, daß die Phantasie des "Anderen" Körperteile wie Zeichen behandelt.

Gleichwohl kann ein Subjekt durch ein ihm zuerst begegnendes Partialobjekt "geprägt" werden:

> "Das Objekt kann in der Geschichte des Subjekts einen spezifischen Platz einnehmen, so daß nur ein bestimmtes Objekt oder sein Ersatz, in dem sich die elektiven Eigenschaften des Originals wiederfinden, geeignet sind, die Befriedigung zu verschaffen."(88)

---

83 Ebda. 86, im Original fett.　　84 Vgl. ebda. 87.
85 Z.B. beim imaginären Penis der Mutter.
86 Ebda. 371, im Original fett.　　87 Ebda. 372.　　　88 Ebda. 342.

Der bewußte, vorbewußte und unbewußte **Gedankenablauf** ist infolge dieser "Prägung" und als **Suche nach dem** "verlorenen Objekt" durch eine in der Phantasie geschaffene imaginäre "Zielvorstellung" **determiniert.**

Durch diese Determination gibt es in jedem Gedankenablauf

"eine **Finalität,** die eine Verkettung zwischen den Gedanken sichert"(89):

Das Denken produziert die einzelnen Gedanken und deren Verkettung zu einem Gedanken**text** in der Weise, daß es als Wunsch oder als Suche nach dem (verlorenen) Objekt vom **Finden** eines zeichenhaften Objekts her "geleitet" wird.

Da das Finden des mit symbolischen Zeichen "besetzten" Objekts als **Ziel** der Libido "einen bestimmten Typus von Befriedigung" erreicht(90), entspricht ihm als "Quelle" der Libido ein bestimmter **Mangel** an Befriedigung: Jedes Suchen nach "Erfüllung", auch die **Suche nach "Sinn" in Texten,** steht in der dialektischen Spannung zwischen einem **Mangel am Körper** und dem imaginären Bild vom **Finden eines symbolischen Zeichen-Objekts.**

Ganz kurz kann man auch sagen: Wer nach dem "Sinn" sucht, der kommt immer schon vom **Verlust von "Sinn"** her.

3.5.6. Am Anfang der (phylogenetischen) Geschichte des "Subjekts" steht also ein Vorgang, der als Verlust von "Sinn" seine bleibende Dynamik in der **Geschichte des "Suchens"** entwickelt. Mythologisch oder metaphorisch wird dieser Vorgang durch die Phantasie der Bilder von der **Tötung des "Vaters"** und von der Bedrohung der **"Kastration"** in die Welt des Imaginären eingeführt. Beides sind imaginäre Bilder, welche die Geschichte des "Suchens" zugleich antreiben und beängstigen: Wer immer schon vom Verlust des "Sinnes" herkommt, wenn sich ihm einmal die "Erinnerungsspur" des drohenden Verlustes eines **imaginären** Organs (Phallus) eingegraben hat, in welchem der ganze Körper metonymisch "verdichtet" ist, der muß fürchten, "verdammt in alle Ewigkeit" zu sein, die unzerstückelte **Einheit seines Körpers** niemals finden zu können. Dem bleibt vielleicht nur das trotzige "und dennoch...", das ihn nach dem "letzten", d.h. nicht mehr bedrohba-

89 Ebda. 642, im Original fett.   90 Ebda. 335.

ren oder ersetzbaren Zeichen-Objekt suchen läßt. Kurz: Wer nach dem "Sinn" sucht, der sucht, psychosemiotisch betrachtet, nach der verlorenen Einheit seines Körpers oder nach dem "letzten" **"Körper der Unsterblichkeit"**.

3.5.7. Freud wird diese These später auf das Suchen nach "Sinn" in der **Religion** ausdehnen(91). Deshalb dürfen wir auch in seinem Sinne als Thesen einer **semiotischen Hermeneutik** formulieren:

Auch das Suchen nach "Sinn" und "Offenbarung" in der Hl. Schrift ist geleitet von dem wunschhaften **Phantasma** eines urtümlichen Befriedigungserlebnisses, welches den Mangel am Körper durch das Finden von "endgültigen", nicht mehr "überholbaren" symbolischen Zeichen-Objekten aufheben wird.

Die "religiöse" Suche nach der **Endgültigkeit** des "Findens" hängt mit einem ontologischen **Mangel an den Zeichen** zusammen: Jedes reale Zeichen-Objekt ist nur ein "Partialobjekt" und bleibt hinter der "Fülle" des imaginären Phantasmas zurück, worauf auch die ständige **"Ersetzung"** von Partialobjekten in der "symbolischen Äquivalenz" verweist. Wer diesen Gedanken neu findet, der hat wohl schon den **Hebräerbrief** nicht sorgfältig genug gelesen, in dem diese These eine Spitzenthese der Hohepriesterchristologie ist(92).

Der Mensch im **Spaltungsfeld** zwischen "Lust" und "Widerstand" leidet also letztlich darunter, daß einerseits das Denken des "Anderen" nur so funktionieren kann, daß die Bildung von Zeichen für das Ziel der Libido **notwendig** sind, daß die Zeichen aber andererseits immer nur ein "Ersatz" sein können, welcher seinerseits "ersetzt" werden kann.

Pointiert: Freuds **Sexualtheorie** ist eine semiotische Sprachtheorie über die **Unvollkommenheit von Zeichen** und in diesem Sinne eine Theorie der "Kastration".

---

91 Vgl. oben Anm. 10 und 11 sowie **Sigmund Freud, Der Mann Moses und die monotheistische Religion**. Fischer-TB 6300. 1975.
92 Vgl. die Opposition zwischen der unendlichen Kette der ersetzbaren Opfer des AT und des einmaligen Opfers Christi in Hebr 9, 6-28.

3.6. Freuds Entdeckung der "freien Assoziation": Die Verkettung von Gedanken als syntaktisches Zeichen für den unbewußten Wunsch

3.6.1. Mit diesen Thesen ist Freuds Leistung zweifellos so dargestellt, wie sie nicht nur auf der Folie seiner eigenen späteren Entwicklung erscheint, sondern wie wir sie heute auf dem Hintergrund einer wesentlich präziseren Semiotik sehen müssen. Dabei hat uns vor allem die nicht-biologistische Freud-Interpretation von **Jacques Lacan** als Lesehilfe gedient: Lacan beharrt mit Recht darauf, daß Freuds Leistung erst dann aus der Dimension der medizinischen Symptomatik in die Dimension der allgemeinen Semiotik gehoben wird, wenn wir von den zeitbedingten Irrtümern und Naivitäten Freuds bei seiner Anlehnung an die zeitgenössische Linguistik absehen und die Folie Ferdinand de Saussures als **kritisches Korrektiv** heranziehen(93).

3.6.2. Zu diesen linguistischen Irrtümern schreibt Octave Mannoni:

"Das Problem, das Freud entdeckt hat, und das noch nicht gelöst ist, enthält Unklarheiten, für die nicht er verantwortlich ist, sondern die Linguistik seiner Zeit. Freud vertraute leicht den Schlüssen der Spezialisten. Er hat linguistische Konzeptionen akzeptiert, die zu seiner Zeit geläufig waren (und die bald aufgegeben werden sollten)".

Aber "Freud hatte anderes im Sinn, als die Konzeptionen aufrecht zu erhalten, die inzwischen aufgegeben worden sind. Wenn die Linguisten behaupteten, daß Worte sensorische Bilder eines bestimmten Typs seien..., die an andere sensorische Bilder angehängt sind, Bilder von 'Dingen', die als Zeichen funktionieren, konnte Freud ihnen damals glauben. Aber er ließ sich von ihnen nicht von seinem Ziel abbringen. Er brauchte nur einen Dualismus, für ihn mußte es neben der manifesten Sprache noch eine andere geben. Er hat niemals, wie die Linguisten seiner Zeit, gedacht, daß die Bilder das seien, wovon die Sprache spricht, da diese auf ihre Weise selbst Wörter sind. Die Fragen, die er implicite den Linguisten seiner Zeit stellte, sind heute noch nicht beantwortet."(94)

Nach Mannoni geht es also um **Fragen Freuds an die Linguistik**, die noch heute einer Beantwortung bedürfen. Als Linguist und Semiotiker habe ich Freud mit obigen Thesen so zu antworten versucht, daß ich Freuds eigene Lösungsansätze **konsequent semiotisch** zu Ende geführt habe.

---

93 Vgl. dazu oben Kap. 5.   94 Octave **Mannoni**, Sigmund Freud, in Selbstzeugnissen und Bilddokumenten dargestellt. (rm 178). 1971, 61.

3.6.3. Erinnern wir uns erneut daran, daß Freud sowohl durch das Phänomen des Widerstands als auch durch das Phänomen der Übertragung dazu geführt wurde, von Breuers Methode des "bezwingenden Sprechens" abzurücken. Freud entdeckte bald, "daß es zur Aufhebung der Verdrängung nicht genügt, den Patienten den Sinn ihrer Symptome mitzuteilen"(95). Mit dieser Mitteilung wiederholte ja nur der Analytiker, also ein fremder "anderer", die Rede des unbewußten "Anderen" in der Hypnose. Bei dieser **Wiederholung** konnte zweierlei nicht ausbleiben.

Einmal war auch das "wiederholende" Reden des Analytikers möglicherweise geleitet vom **Wunsch** seines eigenen Unbewußten, so daß also das Wiederholen eine **Gegenübertragung** des Analytikers auf den Patienten sein konnte.

Zum anderen ist der Widerstand ein "Abstoßen",

> "das von dem Verdrängten als solchem herrührt, von seiner Schwierigkeit, zum Bewußtsein zu gelangen und besonders vom Subjekt akzeptiert zu werden"(96).

Die Konsequenz dieser Erkenntnisse konnte nur éine sein:

Alles "Bezwingende" durch einen fremden "anderen" (z.B. Hypnose, Drucktechnik) mußte aufgegeben werden, weil nicht ein fremder "anderer", sondern das **Subjekt** diejenige Rede "wiederholen" muß, welche der unbewußte "Andere" **vorgesprochen** hatte.

Nur wenn das Subjekt "selbst" mittels verbaler Zeichen die Rede des unbewußten "Anderen" mittels symbolischer Zeichen wiederholt, kann die **Spaltung** zwischen "Subjekt" und "Anderem" aufgehoben werden.

Denn diese Spaltung war ja auch eine **zeitliche**: Daß die vergangene Geschichte des "Subjekts" vor allem eine durch den "Anderen" geprägte Geschichte war, das konnte nur das **Erzählen** des "Subjekts selbst" in die **Gegenwart des Sprechens** heben.

Da jedoch einerseits das Sprechen des unbewußten "Anderen" von unbewußten **Wünschen** "geleitet" wird, und da andererseits die unbewußten Wünsche **an** bestimmten Objekten (also auch am fremden "anderen") aktualisiert werden, bleibt der Analysator das fremde **Gegenüber**, dem gegenüber das Bewußtsein das Sprechen des unbewußten "Anderen" wiederholen muß.

---

95 Laplanche-Pontalis, aaO. 623.   96 Ebda. 624.

3.6.4. Mit dieser analytischen **Sprechsituation im "Gegenüber"** und des Vergegenwärtigen durch Erzählen hatte Freud entdeckt,

> "daß der Übertragungsmechanismus gegenüber der Person des Arztes in dem Augenblick ausgelöst wird, in dem besonders wichtige verdrängte Inhalte enthüllt zu werden drohen. In diesem Sinne erscheint die Übertragung als eine Form des Widerstandes."(97)

Diese **Dialektik** zwischen Widerstand und Übertragung hängt für Freud entscheidend damit zusammen, daß die **Beziehung** zwischen Analytiker und Patient eine Relation **"kommunikativen"** Sprechens ist. "Kommunikation" ist hier nicht im Sinne einer bloßen informativen "Mitteilung" zu verstehen; "Kommunikation" ist vielmehr der Versuch des unbewußten "Anderen", einem fremden "anderen" teilzugeben, ihn teilhaben zu lassen, indem er am "anderen" teil-nimmt. Kurz: "Kommunikation" ist eher **communio** als communicatio(98):

> "Ganz wie das 'Handeln' ist das Sagen des Patienten ein Beziehungsmodus, dessen Ziel es zum Beispiel sein kann, dem Analytiker zu gefallen, ihn in Distanz zu halten etc.; ganz wie das Sagen ist das Handeln ein Modus, eine Kommunikiation zu übermitteln..."(99)

Allgemein semiotisch kann man auch formulieren:

Sagen und Handeln sind als vom Wünschen des unbewußten "Anderen" getragene Aktionen **Zeichenproduktionen,** welche dem fremden "anderen" deshalb teilzugeben wünschen, weil sich **am** fremden "anderen" die **Suche nach dem** (verlorenen) **Objekt** aktualisiert.

3.6.5. Nun haben die Wünsche als Ziel bestimmte **"Bilder".** Wenn wir uns einmal daran erinnern, daß Ferdinand de Saussure die Lautbilder **"Signifikanten"** nennt(100), dann kann man mit Jacques Lacan(101) auch formulieren:

Das Ziel der unbewußten Wünsche des "Anderen" ist geprägt von bestimmten **Signifikanten,** welche sich bei den ersten Befriedigungserlebnissen sowohl mit dem eigenen als auch mit dem fremden **Körper** "verknüpft" haben.

---

97 Ebda. 554.　　　98 Vgl. **Alan Tate, The Man of Letters in the Modern World.** 1955, 14: "We use communication; we **participate** in communion."
99 Laplanche-Pontalis, aaO. 557.　　　100 Vgl. oben S. 239ff.
101 Vgl. **Jacques Lacan, Schriften II,** hg. v. Norbert Haas. 1975, 19ff.

Insofern der Analytiker oder jedes andere "Gegenüber" in einer Sprechsituation ein solcher fremder Körper sind, tritt im Phänomen des Sprechens der fremde **Körper als Signifikant** in Erscheinung.

Da nun aber das Sprechen des "Subjekts" nicht körperlos geschieht, sondern "Auswürfe" aus dem Körper produziert(102), ist das durch Sprechen entstehende **Nebeneinander** des somatischen Körpers und des "Körpers" der Sprach-Signifikanten die konkrete Erscheinung des **"Gesetzes"** jeder Produktion von Signifikanten: Der somatische Körper des Sprechenden als Signifikant stellt einen "Körper" oder Signifikanten der Sprache **neben** sich, "spaltet" ihn also von seinem somatischen Signifikanten **ab.**

So besteht das "Gesetz" des Signifikanten darin, daß der Signifikant stets so **"abspalten"** muß, daß er **neue** Signifikanten erzeugt, ohne dem ersten und "endgültigen" Signifikanten näher zu kommen. "Abspalten" **muß** er, weil das Sprechen des "Subjekts" von der Struktur des suchenden Begehrens des "Anderen" getragen ist, in einem fremden, "anderen" Körper **außerhalb** des eigenen Körpers endlich den ersten, "prägenden" Signifikanten wiederzufinden, welcher **innerhalb** des eigenen Körpers die Einheit des **Signifikats** finden läßt.

Kurz: Sich mit einem fremden "anderen" verständigen wollen, heißt also, vom **Wunsch nach der Wiederkehr von Signifikanten** "geprägt" zu sein(103).

3.6.6. Freud ersetzte 1896 das Element des "Bezwingens" durch die **Methode der freien Assoziation** des Patienten und nannte von da an seine Position konsequent "Psychoanalyse". Freud beschreibt in seiner "Selbstdarstellung" (1925), wie er den inneren Zusammenhang zwischen Widerstand, Verdrängung und latenter Zeichen-Assoziation durch das unbewußte Wünschen entdeckte.

> "All das Vergessene war irgendwie peinlich gewesen, entweder schreckhaft oder schmerzlich oder beschämend für die Ansprüche der Persönlichkeit. Es drängte sich von selbst der Gedanke auf: gerade darum sei es vergessen worden, d.h. nicht bewußtgeblieben."(104)

102 Vgl. oben S. 30ff. 103 Vgl. Laplanche-Pontalis, aaO. 558.
104 Fischer-TB 6096, 59.

Zugleich mußte sich jedoch der Arzt "anstrengen":

> "Die vom Arzt erforderte Anstrengung war verschieden groß für verschiedene Fälle, sie wuchs im geraden Verhältnis zur Schwere des zu Erinnernden. Der Kraftaufwand des Arztes war offenbar das Maß für einen **Widerstand** des Kranken. Man brauchte jetzt nur in Worte zu übersetzen, was man selbst verspürt hatte, und man war im Besitz der Theorie der **Verdrängung**."(105)

Dieser Akt der Verdrängung durch das Bewußtsein (oder durch das "Ich")

> "war eine Neuheit, nichts ihm Ähnliches war je im Seelenleben erkannt worden. Er war offenbar ein primärer Abwehrmechanismus, einem Fluchtversuch vergleichbar, erst ein Vorläufer der späteren normalen Urteilserledigung"(106).

Die Verdrängung ist also eine frühe **Schutzfunktion des "Ich"**, durch welche es das dem Sprechen mittels verbaler Zeichen "Unangenehme" zu "erledigen" versucht, obwohl das "Ich" auf die "Erledigung" des Problems durch **sprachliche Urteile** angelegt ist. Aber diese verdrängten verbalen Zeichen suchen sich einen **Ersatz**:

> "An den ersten Akt der Verdrängung knüpften weitere Folgen an. Erstens mußte sich das Ich gegen den immer bereiten Andrang der verdrängten Regung durch einen permanenten Aufwand, eine **Gegenbesetzung**, schützen und verarmte dabei, andererseits konnte sich das Verdrängte, das nun **unbewußt** war, Abfuhr und Ersatzbefriedigung auf Umwegen schaffen und solcherart die Absicht der Verdrängung zum Scheitern bringen. Bei der Konversionshysterie führte dieser Umweg in die Körperinnervation, die verdrängte Regung brach an irgendeiner Stelle durch und schuf sich die **Symptome**, die also Kompromißergebnisse waren, zwar Ersatzbefriedigungen, aber doch entstellt und von ihrem Ziele abgelenkt durch den Widerstand des Ich."(107)

Widerstand und Verdrängung sind also "schützende" Akte des "Ich", welche sich auf die **Produktion** von verbalen Zeichen beziehen; aber damit ist nicht die Zeichenproduktion insgesamt "erledigt", weil als **Ersatzzeichen** die körperlichen Symptome durchbrechen: Das "Ich" kann die Zeichenproduktion wohl **"entstellen"**, aber nicht ganz unterdrücken.

3.6.7. Das Sprechen des Patienten in der psychoanalytischen Situation muß daher gerade an dieser "Entstellung" sowohl den Kampf des "Ich" gegen die unangenehmen verbalen Zeichen, aber auch den unbewußten

---

105 Ebda.   106 Ebda. 60. Zur "Urteilserledigung" vgl. unten S. 305ff.
107 Fischer-TB 6096, 60.

Wunsch des "Anderen" offenbaren, so daß der Patient durch den Analytiker gar nicht **"gezwungen"** zu werden braucht. Freud schreibt:

> "Die zuerst geübte Überwindung des Widerstandes durch Drängen und Versichern war unentbehrlich gewesen, um dem Arzt die ersten Orientierungen in dem, was er zu erwarten hatte, zu verschaffen. Auf die Dauer war sie aber für beide Teile zu anstrengend und schien nicht frei von gewissen naheliegenden Bedenken. Sie wurde also von einer anderen Methode abgelöst, welche in gewissem Sinne ihr Gegensatz war. Anstatt den Patienten anzutreiben, etwas zu einem bestimmten Thema zu sagen, forderte man ihn jetzt auf, sich der **freien Assoziation** zu überlassen, d.h. zu sagen, was immer ihm in den Sinn kam, wenn er sich jeder bewußten Zielvorstellung enthielt."(108)

Versucht man, die dabei zugrundeliegende semiotische Hypothese zu formulieren, kann man folgendes sagen:

Wenn beim Sprechen die Zielvorstellungen des bewußten "Ich" und auch die **thematischen Vorgaben** des "anderen" ausgeschaltet werden, dann bricht die **latente Zielvorstellung** des unbewußten "Anderen" durch, welche Auskunft über die unbewußten **Phantasien** gibt(109).

Die sog. **"freie Assoziation"** ist

> "nicht wirklich frei.. Der Patient bleibt unter dem Einfluß der analytischen Situation, auch wenn er seine Denkfähigkeit nicht auf ein bestimmtes Thema richtet"(110).

Bei der "Freiheit" sind also zwei Aspekte hervorzuheben.

Erstens bezieht sich beim Sprechen des Patienten in der "freien Assoziation" alles auf die **analytische Sprechsituation** im "Gegenüber" zum Analytiker, so daß auch beim "freien" Sprechen die unbewußte Übertragungsproblematik zum Zuge kommen muß.

Zum anderen gibt es eben deshalb neben dem bewußten "Thema" des bewußten Sprechens ein unbewußtes "Thema" des "Anderen", das sich in der **"Syntax der Assoziation"** offenbaren muß: Wenn das Sprechen des "Anderen" vom Wunsch nach dem "endgültigen" Signifikanten geleitet ist, dann muß sich in den syntaktischen **Signifikanten** der vorgeblich "freien" Rede auch dieser unbewußte Wunsch bemerkbar machen.

Freuds Logik ist in diesem Punkte absolut konsequent; sie beweist, daß Freud auch bei dieser neuerlichen Wendung seiner Methode bei dem inneren **Zusammenhang zwischen Linguistik und Semiotik** geblieben ist.

---

108 Ebda. 68f.   109 Vgl. Laplanche-Pontalis, aaO. 643.
110 Freud, aaO. 69.

3.6.8. Freud macht ausdrücklich darauf aufmerksam, daß die analytische Sprechsituation nur aufgrund eines **Vertrages** zwischen Patient und Analytiker möglich ist:

> "Nur mußte er sich dazu verpflichten, auch wirklich alles mitzuteilen, was ihm seine Selbstwahrnehmung ergab, und den kritischen Einwendungen nicht nachzugeben, die einzelne Einfälle mit den Motivierungen beseitigen wollten, sie seien nicht wichtig genug, gehörten nicht dazu oder seien überhaupt ganz unsinnig. Die Forderung nach Aufrichtigkeit in der Mitteilung brauchte man nicht ausdrücklich zu wiederholen, sie war ja die Voraussetzung der analytischen Kur."(111)

Dem Linguisten wird bei dieser Aussage sofort auffallen, daß Freud hier Kriterien nennt, die heute in der Sprechakttheorie als **"sincerity rule"** oder als **"happiness conditions"** bekannt sind(112). Nochmals allgemein gesagt:

Weil sich die analytische Sprechsituation auf einen Vertrag zum aufrichtigen und nicht mehr kritisch entstellten **Sprechen** gründet, hat man nach Freud das Recht zu der Annahme,

> "daß ihm (scil. dem Patienten) nichts anderes einfallen wird, als was zu dieser Situation in Beziehung steht"(113).

An diesem Grundtatbestand kann auch der **Widerstand** nichts ändern. Da nämlich der Widerstand des "Ich" die Zeichen entstellt, wird er durch **zwei Indizien** verraten, welche unbewußten Wünsche des "Anderen" von ihm abgewehrt werden.

Einmal wird der Widerstand

> "es durchsetzen, daß dem Analysierten niemals das Verdrängte selbst einfällt, sondern nur etwas, was diesem nach Art einer Anspielung nahekommt"(114).

Als These kann man daraufhin formulieren: Da einerseits das Phänomen der "Anspielung" auf dem Prinzip der **Ähnlichkeit** (Analogie) beruht, und da andererseits **Metapher und Metonymie** die Grundfiguren einer solchen "verschiebenden" Analogie sind, besteht der Kompromiß zwischen "Ich" und "Anderem" darin, daß die Zeichen des unbewußten Sprechens zu Metaphern und Metonymien "entstellt" werden, so daß sich die innere Relation zwischen "Ich" und "Anderen" an eben diesen linguistischen Phänomenen am deutlichsten verrät.

Zum anderen wird der Widerstand den Wunsch nach Genesung in den **Wunsch nach dem Arzt** verwandeln, also die Form der **Übertragung** an-

---

111 Ebda. Vgl. auch Lacan, Seminar I, 231.
112 Vgl. dazu Güttgemanns, Einführung 113f.   113 Freud, aaO. 69.
114 Ebda.

nehmen(115). Diese Übertragung beim Sprechen gibt es nicht nur beim "Kranken", sondern bei jedem Menschen:

> "eine Analyse ohne Übertragung ist eine Unmöglichkeit. Man darf nicht glauben, daß die Analyse die Übertragung schafft und daß diese nur bei ihr vorkommt. Die Übertragung wird von der Analyse nur aufgedeckt und isoliert. Sie ist ein allgemein menschliches Phänomen, entscheidet über den Erfolg bei jeder ärztlichen Beeinflussung, ja sie beherrscht überhaupt die Beziehungen einer Person zu ihrer menschlichen Umwelt."(116)

3.6.9. Überträgt man diese Erkenntnisse auf die **Hermeneutik**, dann kann und muß man folgende Thesen wagen.

Jeder sprechende Umgang mit einem fremden "anderen", also auch der interpretierende **Umgang mit der Hl.** Schrift, ist geleitet von einem geheimen **Wunsch**: Der unbewußte "Andere" **überträgt** bei seiner "Suche nach dem (verlorenen) Objekt" das gewünschte **Phantasma** auf den fremden "anderen".

Jede Exegese ist als wunschgeleitetes Sprechen mit einem fremden "anderen" von dieser übertragenden **"Einlegung"** nicht zu trennen.

Das gilt erst recht, wenn beim "Auslegen" allein der "Körper" des **Buchstabens** das konkrete "Gegenüber" ist, dem das "Subjekt" die phantasmatischen Eigenschaften des verlorenen "Körpers" **überträgt**: Das unbewußte Suchen nach dem "Sinn" des Buchstabens ist trotz allen "Auslegens" immer ein übertragendes "Einlegen". Wer den "Körper" des Buchstabens nicht als **"Körper der Lust"** anerkennt(117), der verkennt, daß sein Interesse am Buchstaben eine Erscheinung der geheimen **"Liebe"** ist(118), welche ohne ein gutes Stück **Narzißmus** nicht gedeihen kann.

Kurz: Wer die "Objektivität der Auslegung" der "Subjektivität der Einlegung" ohne weiteres gegenüberstellt, der leugnet die Motivation des "Suchens" in einem **Mangel an Sein**, den nur die Liebe "heilen" kann. Oder noch einmal anders:

> Wer die Dialektik von "Auslegung" und "Einlegung" leugnet und damit die **Verschiebung** der Zeichen zu Metapher und Metonymie bestreitet, beweist gerade damit den **Widerstand** des Bewußtseins gegen das wunschgeleitete Sprechen des unbewußten "Anderen".

---

115 Vgl. ebda. 70.   116 Ebda. 71.   117 Vgl. dazu oben S. 13ff.
118 Zur Ordnung der Liebe vgl. Lacan, aaO. 225ff. 257ff.

Jedes auslegende Suchen nach dem "Sinn" ist der konkrete Ort der "verschiebenden Übertragung", auf welche sich Bewußtsein und Unbewußtes **kompromißhaft** geeinigt haben.

3.7. Verdrängung, Verschiebung, Verdichtung und Verneinung als linguistisches Zentrum der Psychoanalyse

3.7.1. Am Anfang eines neuen Gedankenschrittes wollen wir zunächst mit Laplanche-Pontalis noch einmal folgendes festhalten:

> "Auf der einen Seite ist es vor allem die psychische Realität, die übertragen wird, das heißt im Grunde der unbewußte Wunsch und die damit verknüpften Phantasien. Auf der anderen Seite sind die Übertragungsäußerungen nicht buchstabengetreue Wiederholungen, sondern symbolische Äquivalente dessen, was übertragen wird."(119)

Auf diesem Hintergrund insistiert **Jacques Lacan** mit Recht darauf, daß sich die Dialektik von Verdrängung und Übertragung in den drei **linguistischen Operationen** namens "Verschiebung", "Verdichtung" und "Verneinung" zeigt. In diesen drei Operationen liegt nach Lacan das Zentrum von Freuds Psychoanalyse(120), wenn sie als semiotische Sprachlehre aufgefaßt wird. Denn es läßt sich nicht verkennen, daß Freuds in dieser Hinsicht zu nennendes Hauptwerk "Die Traumdeutung" in der Traum**arbeit** ihr Zentrum hat: Die **"Arbeit"** des Traums besteht gerade darin, die Zeichen (Signifikanten) zu Metaphern zu "verschieben" und zu Metonymen zu "verdichten".(121) Wegen der zentralen Wichtigkeit dieses Punktes auch für die biblische **Hermeneutik** müssen wir unsere obigen Ausführungen deshalb noch etwas vertiefen.

3.7.2. Wir gehen nochmals davon aus, daß die **Verdrängung** zu definieren ist als eine

> "Operation, wodurch das Subjekt versucht, mit einem Trieb zusammenhängende Vorstellungen (Gedanken, Bilder, Erinnerungen) in das Unbewußte zurückzustoßen oder dort festzuhalten", die Triebbefriedigung "im Hinblick auf andere Forderungen Gefahr läuft, Unlust hervorzurufen"(122).

---

119 Laplanche-Pontalis, aaO. 556.   120 Vgl. Lacan, aaO. 70-82.
121 Vgl. Freud, G.W. II/III, 283ff = Fischer Bücherei 428/9, 234ff.
122 Laplanche-Pontalis, aaO. 582, im Original fett.

In seiner Arbeit "Die Verdrängung" (1915) definiert Freud das Phänomen am ausführlichsten; aus dieser Arbeit geht auch hervor, daß nicht der Trieb selbst, sondern die Zeichen des Triebes verdrängt werden. Freud betont dort weiter, daß die Verdrängung beim Sprechen mittels verbaler Zeichen zutage tritt. Im einzelnen führt Freud aus:

> "Im Falle des Triebes kann die Flucht nichts nützen, denn das Ich kann sich nicht selbst entfliehen. Später einmal wird in der Urteilsverwerfung (Verurteilung) ein gutes Mittel gegen die Triebregung gefunden werden. Eine Vorstufe der Verurteilung, ein Mittelding zwischen Flucht und Verurteilung ist die Verdrängung."(123)

Aus diesem Zitat wird vollends deutlich, daß für Freud die Verdrängung genau in der Mitte zwischen der Produktion von negativen körperlichen Zeichen (Flucht) und der Produktion von verneinenden verbalen Zeichen (Verurteilung) steht. Daraufhin kann man als These formulieren: "Verdrängung" hat mit der Produktion von "negativen" Zeichen zu tun. Was ist darunter zu verstehen?

3.7.3. Für die Möglichkeit der Verdrängung muß die Bedingung erfüllt sein,

> "daß die Erreichung des Triebzieles Unlust an Stelle von Lust bereitet. Aber dieser Fall ist nicht gut denkbar. Solche Triebe gibt es nicht, eine Triebbefriedigung ist immer lustvoll. Es müßten besondere Verhältnisse anzunehmen sein, irgend ein Vorgang, durch den die Befriedigungslust in Unlust verwandelt wird."(124)

Der Schmerz des Körpers kommt für diese "besonderen Verhältnisse" nicht in Frage, denn "direkte Lust kann aus dem Aufhören des Schmerzes nicht gewonnen werden"(125). Auch das Unbefriedigtbleiben des Triebes scheidet aus, denn es erzeugt "eine ständige Bedürfnisspannung", aber keine Verdrängung.(126)

Die "Unlust" muß also aus der Unvereinbarkeit der Befriedigungslust "mit anderen Ansprüchen und Vorsätzen" herrühren(127). Wir müssen daher unterscheiden zwischen der biologisch-körperlichen Bedürfnislust als Quelle des Triebes und der psychischen Befriedigungslust, welche sich nicht auf einen körperlichen Trieb, sondern auf die psychischen Zeichen des Triebes bezieht. Freud führt in dieser Hinsicht ganz klar aus:

123 Fischer-TB 6394, 61.   124 Ebda.   125 Ebda.   126 Ebda. 62.
127 Ebda.

"Wir haben also Grund, eine **Urverdrängung** anzunehmen, eine erste Verdrängung, die darin besteht, daß der psychischen (Vor-
stellungs-)Repräsentanz des Triebes die Übernahme ins Bewußte
versagt wird."(128)

Nicht der Trieb selbst, sondern die **Triebrepräsentanz** wird also verdrängt, und darunter wird von Freud verstanden

"eine Vorstellung oder Vorstellungsgruppe, welche vom Trieb her
mit einem bestimmten Betrag von psychischer Energie (Libido,
Interesse) besetzt ist"(129).

"Repräsentanz" übersetzen wir heute, d.h. nach de Saussure, mit dem
präziseren Term **"Signifikant"** und "Vorstellung" übersetzen wir mit
dem Term **"Signifikat"**. Freud meint also einen **linguistisch-semioti-
schen** Vorgang im "Subjekt", aber ihm fehlen die präzisen Begriffe.
Führen wir diese jedoch ein, dann können wir, durchaus in Freuds
Sinne, formulieren:

Verdrängung ist der Versuch des Bewußtseins, sich die Übernahme von psychischen **Signifikaten** (Bedeutungen, Sinngebilden, inneren
Zeichen) so zu versagen, daß "libidinöse" **Signifikanten** (äußere Zeichen, Objekte mit "Lust"-Wert) "verneint" oder "verleugnet" werden.
Weil jedoch zwischen Signifikat und Signifikant ein "solidari-
scher" Zusammenhang, eine "Verknüpfung" besteht, kann das Bewußtsein wohl versuchen, diese Verknüpfung zu leugnen, indem es sich
den verbalen Signifikanten, d.h. das Aussprechen der "Lust des Anderen" versagt; aber damit wird der Signifikant nur **verschoben**, denn
er kommt als (hysterisches) Körperzeichen erneut zur Geltung, weil
der Körper Signifikant, d.h. äußeres **Zeichen**, der Psyche ist.

3.7.4. Aber nun haben es die Zeichen so an sich, daß sie einerseits
als "Ersatz" durch weiteren "Ersatz" **ersetzt** werden können, und daß
sie sich andererseits mit weiteren Zeichen **verbinden** können. Weil dieser Prozeß des Ersetzens und Verbindens niemals aufhört, muß vom
Bewußtsein ständig **"nachgedrängt"** werden. Freud schreibt:

"Die zweite Stufe der Verdrängung, die **eigentliche Verdrängung**,
betrifft psychische Abkömmlinge der verdrängten Repräsentanz,
oder solche Gedankenzüge, die, anderswoher stammend, in asso-
ziative Beziehung zu ihr geraten sind. Wegen dieser Beziehung
erfahren diese Vorstellungen dasselbe Schicksal wie das Urver-
drängte. Die eigentliche Verdrängung ist also ein Nachdrängen."
(130)

___

128 Ebda.   129 Ebda. 66.   130 Ebda. 63.

Dieses "Nachdrängen" des Bewußtseins muß ständig anhalten, denn die Verdrängung kann die Triebrepräsentanz nicht daran hindern,

> "im Unbewußten fortzubestehen, sich weiter zu organisieren, Abkömmlinge zu bilden und Verbindungen anzuknüpfen"(131).

Modern semiotisch formuliert muß man daraufhin sagen: Durch die Verdrängung wird der **Prozeß der unbewußten Zeichenproduktion** (Semiose) erst richtig in Gang gebracht, weil sich nach der Ablehnung des "Ich" ein **"Anderer"** dieser abgelehnten Zeichen bemächtigt.

3.7.5. Halten wir einen Augenblick inne und fragen wir danach, was Freud unter **"Besetzung"** versteht, wenn er sagt, eine Vorstellung (ein inneres Zeichen) sei mit einem bestimmten Quantum an psychischer Energie "besetzt" worden, z.B. mit einem libidinösen Interesse. Der Term "Besetzung" meint bei Freud die

> "Tatsache, daß eine bestimmte psychische Energie an eine Vorstellung oder Vorstellungsgruppe, einen Teil des Körpers, ein Objekt etc. gebunden ist"(132).

Erinnern wir noch einmal an den Vorgang, bei dem Bertha Pappenheim einen Hund aus einem Wasserglas trinken sah. Dieses **Bild** eines trinkenden Hundes ist eine "Vorstellung", von der Freud nicht einsehen konnte, wieso sie eine so grandiose Krankheit (Hydrophobie) hervorbringen sollte. Also hatte Bertha Pappenheim das Bild **mit einem bestimmten "Affektquantum"** besetzt, d.h. alle Gefühle und Wertungen des Abscheus und des Ekels auf das Bild gesetzt. Auf diese Weise war aus dem realen Vorgang etwas **Imaginäres** geworden, so daß ihr Abscheu weniger dem Realen als dem Imaginären galt. Dieses Imaginäre war aber das **Produkt** ihrer psychischen "Besetzung", also nichts "objektiv Gegebenes".

"Besetzung" meint also bei Freud **semantische Wertungen** eines Bildes durch die Einstellungen des "Subjekts". Diese Wertungen können so stark werden, daß sie selbst die **Wahrnehmung** beeinflussen, wie gerade das Beispiel der Bertha Pappenheim zeigt:

> "Tatsächlich erhalten die Objekte und die Vorstellungen in der persönlichen Welt des Subjekts bestimmte **Werte**, die das Feld der Wahrnehmung und des Verhaltens ordnen."(133)

---

131 Ebda. 132 Laplanche-Pontalis, aaO. 92, im Original fett.
133 Ebda. 95.

"Besetzung" meint also eine von unbewußten Gefühlen getragene **semantische Wertung** von (inneren und äußeren) Zeichen, durch welche sich eine **"imaginäre Welt"** ergibt, d.h. eine Welt, die durch Wertung zum **Bild** geworden ist.

Die **Unlust** entsteht daher an dem **Widerspruch** zwischen einer positiv-libidinösen "Besetzung" von Zeichen in einer "imaginären Welt" der unbewußten **Phantasie** und einer negativen "Besetzung" von Zeichen in einer (symbolischen) Welt der verbalen Zeichen.(134)

3.7.6. Daß Freud in der analytischen Sprechsituation zwischen Verdrängung und Aussprechen von "negativen" Zeichen oder von **Zeichen der Negation** her denkt, wird mit wünschenswerter Klarheit aus seiner kurzen Abhandlung "Die Verneinung" (1925) deutlich(135). In diesen späten Ausführungen verwendet Freud auch wesentlich präzisere **semiotische** Begriffe.

Freud geht von bestimmten Sätzen der Patienten aus, mit denen die Patienten mögliche Gedanken des Analytikers **abwehren** wollen, indem sie die Richtigkeit dieser Gedanken ausdrücklich **verneinen**. Sie sagen etwa:

"Sie werden jetzt denken, ich will etwas Beleidigendes sagen, aber ich habe wirklich nicht diese Absicht."

"Oder 'Sie fragen, wer diese Person im Traum sein kann. Die Mutter ist es **nicht**.'"(136)

Die Patienten sagen:

"Das habe ich nicht gedacht, oder: Daran habe ich nicht (nie) gedacht."(137)

Mit solchen Sätzen der Verneinung **übertragen** die Patienten ihre unbewußten Wünsche auf den Analytiker: Das "Ich" drängt diese unbewußten Wünsche des "Anderen" zurück, indem es leugnet, es seien die Erwägungen seines eigenen "Anderen"; vielmehr werden diese Wünsche vom eigenen "Anderen" auf den fremden "anderen", eben das analytische Gesprächs-Gegenüber, **projiziert**:

"Wir verstehen, das ist die Abweisung eines eben auftauchenden Einfalles durch Projektion."(138)

---

134 Zur "Besetzung" vgl. unten S. 308.
135 **Sigmund Freud, Die Verneinung.** 1925; G.W. XIV. (1948). 5. Aufl. 1972, 11-15. Vgl. dazu Lacan, aaO. 73-82.
137 Ebda. 15, im Original gesperrt.
136 Freud, aaO. 11.
138 Ebda. 11.

Deshalb nehmen wir uns auch als Analytiker

> "die Freiheit, bei der Deutung von der Verneinung abzusehen und den reinen Inhalt des Einfalles herauszunehmen"(139).

Weil der Analytiker also die **Projektionsmechanismen des Denkens und Sprechens** durchschaut, kann er den Patienten fragen:

> "Was halten Sie wohl für das Allerunwahrscheinlichste in jener Situation? Was, meinen Sie, ist Ihnen damals am fernsten gelegen? Geht der Patient in die Falle und nennt das, woran er am wenigsten glauben kann, so hat er damit fast immer das Richtige zugestanden."(140)

3.7.7. Damit hat Freud erkannt, daß die unbewußten Gedanken des "Anderen" in der Form der **Denegation**(141) zu bewußten Gedanken des "Ich" werden können:

> "Ein verdrängter Vorstellungs- oder Gedankeninhalt kann also zum Bewußtsein durchdringen, unter der Bedingung, daß er sich **verneinen** läßt. Die Verneinung ist die Art, das Verdrängte zur Kenntnis zu nehmen, eigentlich schon eine Aufhebung der Verdrängung, aber freilich keine Annahme des Verdrängten." (142)

Freud definiert dieses Phänomen ausdrücklich linguistisch, natürlich mittels der damals üblichen linguistischen Kategorien:

> Die Denegation (grammatische und semantische Verneinung) ist "eine Art von intellektueller Annahme des Verdrängten bei Fortbestand des Wesentlichen an der Verdrängung."

> "Etwas im Urteil verneinen, heißt im Grunde: das ist etwas, was ich am liebsten verdrängen möchte."(143)

Diese Thesen Freuds ergeben sich logisch aus seinem System: Da es in jedem Menschen ein **doppeltes Sprechen** gibt, ein Sprechen des bewußten "Ich" und ein Sprechen des unbewußten "Anderen", und da beide einander **widersprechen**, kann als Kompromiß zwischen "Spruch" und "Widerspruch" nur die Denegation weiterhelfen:

> "Die Verurteilung ist der intellektuelle Ersatz der Verdrängung, ihr Nein ein **Merkzeichen** derselben, ein Ursprungszertifikat etwa wie das 'made in Germany'. Vermittels des Verneinungssymbols macht sich das Denken von den Einschränkungen der Verdrängung frei und bereichert sich um Inhalte, deren es für seine Leistung nicht entbehren kann."(144)

Die **Zeichen** der Denegation beweisen, daß die Spaltung jedes Menschen im Ringen um eine **doppelte Wahrheit** in ihm selbst über einen Kompro-

---

139 Ebda.   140 Ebda.   141 Vgl. dazu Laplanche-Pontalis, aaO. 598-600.
142 Freud, aaO. 12.   143 Ebda.   144 Ebda. 12f.

miß zu einem "authentischen" Sprechen führen kann, in welchem die Wahrheit des "Anderen" als die Wahrheit des "Subjekts" ausgesprochen wird.

"Authentisches" Sprechen heißt, beim Sprechen mit dem fremden "Gegenüber" die Denegation zu verneinen und "sich selbst" (reflexiv!) als einen "Anderen" im Gegenüber zum fremden "anderen" anzuerkennen.

Auch bei dieser Formulierung wird dem Theologen erneut die Beichte einfallen. Es ist daher nicht zu verkennen, daß unsere Beschäftigung mit Freud zumindest implizit ein wesentlicher Beitrag zur theologischen Sprachlehre ist.

3.7.8. Freud macht mit außergewöhnlicher Klarheit deutlich, daß für ihn an der "Urteilsfunktion" ein Aspekt der wesentliche ist, welchen die heutige Linguistik mit dem Term Sprechakt bezeichnet:

> "Die Urteilsfunktion hat im wesentlichen zwei Entscheidungen zu treffen. Sie soll einem Ding eine Eigenschaft zu- oder absprechen, und sie soll einer Vorstellung die Existenz in der Realität zugestehen oder bestreiten."(145)

Die Urteilsfunktion bezieht sich also einerseits auf "Dinge", die wir seit de Saussure Signifikanten nennen, und andererseits auf "Vorstellungen", die wir seitdem Signifikate nennen. Das Urteilen spricht den Signifikanten "Eigenschaften" zu oder ab; den Signifikaten spricht es die "Existenz" zu oder ab.

Beide Aspekte des Urteilens haben nach Freud mit dem psychischen Unterschied zwischen "Innen" und "Außen" zu tun, aber in eigentümlich inverser Weise.

Wenn den Signifikanten eine Eigenschaft zu- oder abgesprochen wird, dann bedeutet das in

> "der Sprache der ältesten, oralen Triebregungen ausgedrückt: das will ich essen oder will es ausspucken, und in weitergehender Übertragung: das will ich in mich einführen und das aus mir ausschließen. Also: es soll in mir oder außer mir sein." (146)

Wenn das "Ich" also einem Signifikanten eine Eigenschaft zu- oder abspricht, dann spricht eigentlich das "Ich" "sich selbst" eben diesen Signifikanten zu oder ab. Oder anders: Wenn ein sprechendes "Sub-

145 Ebda. 13.   146 Ebda.

jekt" einem Signifikanten eine Eigenschaft zu- oder abspricht, dann spricht es eben diesen Signifikanten seinem "Ich" zu oder ab.

Bei **Existenzurteilen** kehrt sich diese sprachliche Operation um, denn bei Existenzurteilen geht es um die Frage,

> "ob etwas im Ich als Vorstellung Vorhandenes auch in der Wahrnehmung (Realität) wiedergefunden werden kann. Es ist, wie man sieht, wieder eine Frage des **Außen und Innen.** Das Nichtreale, bloß Vorgestellte, Subjektive ist nur innen; das andere, Reale, auch **im Draußen** vorhanden."(147)

Nach Freud sind alle "Vorstellungen" Wiederholungen von Wahrnehmungen. Das Denken besitzt die Fähigkeit,

> "etwas einmal Wahrgenommenes durch Reproduktion in der Vorstellung wieder gegenwärtig zu machen, während das Objekt draußen nicht mehr vorhanden zu sein braucht."(148)

Mit diesem Satz, der auch eine Neudefinition der Relation zwischen "historischer" Vergangenheit und Imagination gestattet, erkennt Freud, daß die zentrale semiotische Dialektik die von "Anwesenheit" und "Abwesenheit" ist: "Objekte", die sich ehemals als Signifikanten mit Signifikaten "besetzten", können "abwesend" werden und durch "anwesend" machende Zeichen (Signifikanten) **ersetzt** werden. M.a.W.: "Innere" Zeichen ersetzen "äußere" Zeichen. Existenzurteile prüfen daher in Freuds Sinne nach, ob den "inneren" Zeichen (noch) "äußere" Zeichen entsprechen. Freud formuliert:

> "Der erste und nächste Zweck der Realitätsprüfung ist also nicht, ein dem Vorgestellten entsprechendes Objekt in der realen Wahrnehmung zu finden, sondern es **wiederzufinden,** sich zu überzeugen, daß es noch vorhanden ist."(149)

Dieses Zitat beweist mit wünschenswerter Klarheit die These, wir seien vom Wunsch nach der **Wiederkehr von Signifikanten** "geprägt".

3.7.9. Nun steht eine solche "Wiederkehr" immer auch unter dem Gesetz der denegierenden **Verdrängung:** Bestimmte unangenehme Signifikanten sollen ja gar nicht als die selben wiederkehren; daher werden sie **"entstellt".** Freud sagt:

> "Die Reproduktion der Wahrnehmung in der Vorstellung ist nicht immer deren getreue Wiederholung; sie kann durch Weglassungen modifiziert, durch Verschmelzungen verschiedener Elemente verändert sein. Die Realitätsprüfung hat dann zu kontrollieren, wie

---

147 Ebda.   148 Ebda. 14.   149 Ebda.

weit diese Entstellungen reichen. Man erkennt aber als Bedingung für die Einsetzung der Realitätsprüfung, daß Objekte verloren gegangen sind, die einst reale Befriedigung gebracht hatten."(150)

Freud ist keineswegs, wie man vielleicht meinen könnte, ein Sensua-
list, dem alles auf die Sinneswahrnehmung ankäme. Auch die Wahrnehmung steht unter dem Gesetz der **Suche nach einem "verlorenen"** Ob-
jekt, wie Freud ausdrücklich sagt. Wahrnehmung ist also ein Vorgang
der semantischen **"Besetzung"**, denn sie ist

"kein rein passiver Vorgang, sondern das Ich schickt periodisch
kleine Besetzungsmengen in das Wahrnehmungssystem, mittels
deren es die äußeren Reize vorkostet, um sich nach jedem solchen tastenden Vorstoß wieder zurückzuziehen."(151)

Das "Ich" geht also bei der Wahrnehmung nicht einfach mit der **materiellen** Realität um, sondern mit einer Realität, welche durch semantische "Besetzung" bereits in eine **"imaginäre"** Welt verwandelt wurde
und die man im Sinne des Augustin **genießen** (frui) kann(152).

Zieht man das semiotische Fazit aus diesen Überlegungen, so kommt
man zu folgenden Thesen.

Die dem "Ich" abgesprochenen (denegierten) Signifikanten verwandeln sich infolge der "Besetzung" in **"imaginäre"** Signifikate, welche "entstellt" werden.

Die so bei der "Besetzung" verlorengehenden Signifikanten sind
das **Ziel des "Wunsches"**: Der Wunsch nach verlorenen Signifikanten
ist die treibende Kraft nicht nur für das "Innere" des Menschen, sondern auch für seine "äußere" Wahrnehmung: Jeder Mensch sieht die
"materielle Außenwelt" durch den Blick eines unbewußten Vergleiches
mit der **imaginären "Innenwelt"**. -

Was mir "außen" als materieller Signifikant begegnen kann,
dient dem Wunsch des "inneren", imaginären Signifikats, so daß die
"Welt" von ihrem **Bild** her entworfen ist.

150 Ebda.   151 Ebda. 15.   152 Vgl. dazu oben S. 106. 138 Anm. 241.

3.7.10. Blenden wir wieder zur analytischen Gesprächssituation zurück, so fordert der Arzt den Patienten ständig dazu auf,

"solche Abkömmlinge des Verdrängten zu produzieren, die infolge ihrer Entfernung oder Entstellung die Zensur des Bewußten passieren können", "aus denen wir eine bewußte Übersetzung der der verdrängten Repräsentanz wiederherstellen"(153).

Beachten wir genau, daß Freud hier von einer **"Übersetzung"** verdrängter Zeichen ("Repräsentanz") spricht, welche durch **Aussprechen,** also durch Produktion äußerer Zeichen, geleistet wird und als **"Wiederherstellung"** der verdrängten Zeichen gelten kann. Freud sagt ausdrücklich:

"Es sind besondere Techniken ausgebildet worden, deren Absicht dahin geht, solche Veränderungen des psychischen Kräftespiels herbeizuführen, daß das selbe, was sonst Unlust erzeugt, auch einmal lustbringend wird, und so oft solch ein technisches Mittel in Aktion tritt, wird die Verdrängung für eine sonst abgewiesene Triebrepräsentanz aufgehoben: Diese Techniken sind bisher für den **Witz** genauer verfolgt worden. In der Regel ist die Aufhebung der Verdrängung nur eine vorübergehende; sie wird alsbald wiederhergestellt."(154)

Ein solches Aussprechen ist, semiotisch betrachtet, möglich, weil die Verdrängung nur den Signifikanten, aber nicht das Signifikat voll erfaßt. Das "unangenehme" Signifikat wird vielmehr durch **Ersatzbildungen** "entstellt", ist aber gerade so, eben im "Ersatz", noch anzutreffen. Aber auch die Signifikanten können nicht völlig unterdrückt werden, da sich in den **Symptomen** Körperzeichen einfinden. Diese Symptome sind nach Freud "Anzeichen einer **Wiederkehr des Verdrängten**"(155).

3.8. Die "Entstellung": Metonymie als "Verdichtung", Metapher als "Verschiebung"

3.8.1. Es gibt **zwei Arten von** "Entstellungen" oder Ersatzbildungen, die "Verdichtung" und die "Verschiebung". In seiner "Traumdeutung", dem "Königsweg der Seele", hat Freud die **Arbeit** des "Verdichtens" und "Verschiebens" im einzelnen an den "schriftlichen" Körperzeichen verfolgt.(156) Diesem Höhepunkt seiner psychoanalytischen Theorie

153 Freud, Fischer-TB 6394, 64.   154 Ebda. 65.   155 Ebda. 67.
156 Vgl. Freud, G.W. II/III, 283ff = Fischer Bücherei 428/9, 234ff.

wenden wir uns nunmehr, am Ende dieses Überblicks über die semiotischen Implikationen dieser Theorie, zu. Wir halten dabei, konsequent,
unseren Gesichtspunkt bei, auf solche Aussagen zu achten, die sich
dem bisher dargestellten theoretischen Rahmen einfügen. Die Details
der "Traumdeutung", des "Ödipuskomplexes" sowie des später auftauchenden Narzißmus-Problems behalte ich einer gesonderten Abhandlung
vor.

3.8.2. Die **"Verdichtung"** läßt eine einzige Vorstellung (Signifikat) für
sich allein mehrere Assoziationsketten vertreten, "an deren Kreuzungs-
punkten sie sich befindet"(157). Sie kann vor allem im **Traum** beobachtet werden:

> "Sie äußert sich dort durch die Tatsache, daß die manifeste Er-
> zählung im Vergleich mit dem latenten Inhalt lakonisch ist: sie
> stellt eine abgekürzte Übersetzung von ihm dar."(158)

Die "Verdichtung" zeigt sich aber auch bei der **Konversionshysterie**:

> "Der Vorstellungsinhalt der Triebrepräsentanz ist dem Bewußtsein
> gründlich entzogen; als Ersatzbildung – und gleichzeitig als
> Symptom – findet sich eine überstarke – in den vorbildlichen
> Fällen somatische – Innervation, bald sensorischer, bald motori-
> scher Natur, entweder als Erregung oder als Hemmung. Die über-
> innervierte Stelle erweist sich bei näherer Betrachtung als ein
> Stück der verdrängten Triebrepräsentanz selbst, welches wie
> durch **Verdichtung** die gesamte Besetzung auf sich gezogen hat."
> (159)

Konkret heißt das folgendes: Ein bestimmtes Körperorgan, z.B. ein
Arm, ist "symptomatisch" gelähmt, wo sich an sich der **ganze** Körper
verweigert. Der gelähmte Arm steht **pars pro toto** für den gelähmten
Körper. Wenn ein Zeichen als "Teil" für einen ganzen Zeichenkomplex
steht, so nennen wir das mit der Rhetorik **Metonymie**(160). Da sich
im Metonym und seiner "Verdichtung" die benachbarten Zeichen "berühren" und wir diese Berührung **"Kontiguität"** nennen, werden im Metonym die "benachbarten" Zeichen durch Kontiguität **miteinander verbunden**.

Anders als bei der Konversionshysterie verhält es sich bei der
Zwangsneurose:

> "Ersatz- und Symptombildung fallen hier auseinander", denn als
> "Ersatzbildung findet sich eine Ichveränderung"(161).

---

157 Laplanche-Pontalis, aaO. 580, im Original fett.
158 Ebda., im Original fett.   159 Freud, Fischer-TB 6394, 69.
160 Vgl. Lausberg, Handbuch § 565-571, S. 292-295.
161 Freud, aaO. 70.

Genauer ist von der Einstellung des "Ich" einem fremden "anderen" gegenüber zu reden. Diese Einstellung ist sowohl "libidinös" als auch "feindselig". Aber die "feindselige" Einstellung wird unterdrückt(162). Nun aber schlägt diese "feindselige" Einstellung vom fremden "anderen" auf den eigenen "Anderen" um: Der eigene "Andere" bedroht das "Ich" mit dem **Gewissen**, das sich über dem "Ich" als "Über-Ich" bildet. Freud schreibt:

> "Der verschwundene Affekt kommt in der Verwandlung zur sozialen Angst, Gewissensangst, Vorwurf ohne Ersparnis wieder, die abgewiesene Vorstellung ersetzt sich durch **Verschiebungsersatz**, oft durch Verschiebung auf Kleinstes, Indifferentes."(163)

3.8.3. Was Freud **"Verschiebung"** nennt, das heißt in der Rhetorik **Metapher**(164). Bei der Metapher wird eine Bedeutung (Signifikat) mit einem ungewöhnlichen Zeichen (Signifikant) verbunden, welches dem gewöhnlich mit diesem Signifikat verbundenen Zeichen **ähnlich** ist: Der eigene "Andere" ist dem fremden "anderen" darin ähnlich, daß er im "Gegenüber" zum "Ich" existiert. Daher können die negativen Gefühle gegen einen fremden "anderen" auf den eigenen "Anderen" **metaphorisch übertragen** werden, so daß es sich um eine **"Gegenübertragung"** handelt, während sonst immer vom eigenen "Anderen" auf den fremden "anderen" übertragen wird.

Bei der "Verschiebung" werden also die Zeichen durch das Prinzip der **Ähnlichkeit** miteinander verknüpft.

3.8.4. Allgemein semiotisch kann man aus diesen Überlegungen folgende Thesen herauskonstruieren.

Die Verdrängung als sprachliche **Verneinung** zeigt sich in bezug auf die **Zeichen** in zwei Formen: als "Verschiebung" und als "Verdichtung".

Bei der **"Verschiebung"** verneint das sprechende Subjekt die Verbindung zwischen einem "normalen" Zeichen (Signifikant) mit einer bestimmten Bedeutung (Signifikat) in der Weise, daß es die Bedeutung mit einem ähnlichen (metaphorischen) Zeichen verbindet.

---

162 Vgl. ebda. 69.   163 Ebda. 70.
164 Vgl. dazu Lausberg, aaO. § 558-564, S. 285-291.

Bei der "Verdichtung" verneint das sprechende Subjekt die Verbindung zwischen einem bestimmten "Sinn" (Signifikat) und einem bestimmten Zeichenkomplex (Signifikantenkomplex = "Text") in der Weise, daß es den "Sinn" mit nur einem einzigen benachbarten (metonymen) Zeichen verbindet: Nicht mehr die Relationen zwischen den Zeichen konstituieren den "Sinn", sondern der "Sinn" wird auf die "Bedeutung" des Metonyms verdichtet.

3.8.5. Es bleibt noch eine letzte Frage. Andernorts habe ich gegen die sprachlichen "Bilderstürmer" Metaphern und Metonymien als Mittel des sensus plenior verteidigt(165). In diesem Zusammenhang habe ich behauptet, die Lüge sei als Einengung des "Sinns", als falsche Determination des "Sinn"-Spielraums zu definieren. Bei dieser These ergibt sich nun auf dem Hintergrund des soeben Ausgeführten ein eigenartiger Widerspruch:

Wenn einerseits Metaphern und Metonymien den Spielraum des "Sinns" offen halten, und wenn andererseits Metaphern und Metonymien Erscheinungen einer "Verneinung" sind, mit welchem das "Ich" gegen den eigenen "Anderen" anlügt, wieso kann dann beides wahr sein?

Ich antworte: Die sprachliche Verneinung mittels "Verschiebung" (Metapher) und "Verdichtung" (Metonymie) ist als Kompromiß zwischen dem Sprechen des "Ich" und dem Sprechen des eigenen "Anderen" ein Hinweiszeichen (Index) auf das Ziel eines "authentischen" Sprechens, in welchem das sprechende Subjekt sich (reflexiv!) die Lüge seines Sprechens im Angesicht des "Anderen" eingesteht.

Das Lügen des Menschen rührt also nicht aus seiner Produktion "übertragender" Rede an sich; vielmehr ist diese "übertragende" Rede ein Mittel der "verneinenden" Verdrängung des Sprechens des "Anderen", durch welche sich das "Ich" sein eigenes Sprechen sichern will.

Lügen heißt, sein "Ich" gegenüber dem "Anderen" als autonom behaupten wollen; "authentisches" Sprechen heißt, sich selbst (reflexiv) als "Anderen" anzuerkennen und die Lüge des "Ich" aufzugeben.

Freuds semiotische Sprachtheorie in der nicht-biologistischen Interpretation Lacans ist die große Anfrage an die Identitäts-Anthropologie der christlichen Hermeneutik.

---

165 Vgl. Erhardt Güttgemanns, sensus historisticus und sensus plenior oder Über "historische" und "linguistische" Methode. LingBibl 43. 1978, 75–112.

7. Kapitel
Elementare semiotische Texttheorie*

1. Womit wir in den Textwissenschaften konkret umgehen, das ist nicht der Autor oder seine subjektive Meinung, sondern der **Text**, den er uns hinterlassen hat.

2. Jeder Text hat in bezug auf den Umgang mit ihm **zwei** grundlegende Aspekte: er ist ein "sensibile" und ein "intelligibile".

2.1. Das, was wir **wahrnehmen** können beim Zuhören oder Lesen, nennen wir den **"Körper"** des Textes oder auch seine "Materie". Unter diesem Aspekt ist ein Text ein **"sensibles Objekt"**.

2.1.1. Jeder Text hat eine **materielle** Seite: Er muß durch einen aufnehmenden Körper eines hörenden oder lesenden Menschen **wahrgenommen** werden können oder "sensibel" sein. Als aus Papier und Tinte (oder Druckerschwärze) bestehender "Körper" kann man einen geschriebenen Text z.B. **anfassen** oder **sehen**.

2.1.2. Ein solcher "Körper" unterscheidet sich zunächst durch **Nichts** von anderen "Körpern", die man anfassen oder sehen kann: Als "Körper" gehören Texte zur Menge der "Objekte", mit denen man "arbeiten" kann (Operation) oder die an uns eine "Arbeit" ausführen (Manipulation).

2.1.3. Dieses "Arbeiten" heißt noch bei Friedrich Schleiermacher, dem Begründer einer theologischen Textwissenschaft (Hermeneutik), **"Operation"**: Ein "Subjekt", zB. ein Leser, nimmt an einem "Objekt", zB. an einem Evangelium, bestimmte "Operationen" vor. Er kann den "Körper" (Wortlaut) eines Evangeliums zB. in Quellen **sezieren**, also eine Art von **"Autopsie"** vornehmen – nur Leichen darf man sezieren! Manchmal kann es sich dabei sogar um eine **Exhumierung** handeln, welche nicht einer "Archäologie des Wissens", sondern der **Nekrophilie** ähnelt. Er kann den "Körper" eines Evangeliums aber auch zB. **transformieren** (transponieren), indem er den "Körper" aus Lauten oder Buchstaben in die Materie der **Bilder** (Fotographie, Film) umsetzt.

*Durch Anmerkungen und leichte Umformulierung überarbeitete Fassung einer Originalpublikation in LingBibl 49. 1981, 85-112, die hiermit ersetzt wird. Es handelte sich um Thesen für akademische Lehrveranstaltungen im Sommer-Semester 1981.

2.2. Das, was wir an einem Text als "Nicht-Körper" empfinden, nennen wir den "Sinn" oder die "Bedeutung" eines Textes. Sie ist nicht direkt wahrnehmbar, sondern ein "intelligibile".

2.2.1. Jeder Text hat auch eine **immaterielle** Seite, die als solche zwar nicht wahrgenommen werden, aber intelligibel sein kann. Den "Sinn" eines Textes kann man **nicht anfassen oder "sehen"**; man kann mit ihm nur **"umgehen"**, ihn zB. als intelligibel behandeln.

2.2.2. Die Materie oder der "Körper" eines Textes nennen wir "**Signifikant**". Er muß zum Körper seines Urhebers, aber auch zu unserem hörenden oder lesenden Körper in einer "**körperlichen**" (sensiblen) **Beziehung** stehen.

2.2.3. Den "Sinn" eines Textes nennen wir "**Signifikat**". Es muß zu unserem Umgang mit ihm in einer "**unkörperlichen**" (intelligiblen) **Beziehung** stehen.

2.2.4. Der "Sinn" eines Textes darf als "Nicht-Körper" niemals wie ein "**vorliegendes Objekt**" behandelt werden. Man kann ihn nicht einfach "ablesen", "auslegen", "herausnehmen" usw., weil dies alles **Operationen an einem "Objekt"** sind. Das **Verobjektivierungsverbot**, das **Rudolf Bultmann** auf das Reden von Gott bezog(1), gilt grundsätzlich von **jedem** Text als Signifikat: "Verobjektivierung" würde hier **Vorwegnahme des Eschatons** bedeuten.

3. Der "Körper" oder der Signifikant eines Textes steht zu anderen Körpern (Menschen) oder Signifikanten (Texten) in einer "**materiellen**" Beziehung; diese anderen "Körper" werden damit ebenfalls zu **Signifikanten**. Man nennt diese "materielle" Beziehung "**Signifikanten-Relation**".

3.1. Die Signifikanten-Relation hat **zwei Aspekte**. Ein Text-"Körper" steht einmal sowohl zu menschlichen Körpern als auch zu anderen Text-"Körpern" in Beziehung. Die erste Beziehung ist eine "körperliche" Funktion des "Ausscheidens" und des "Aufnehmens, Einführens" (Verdauungs- und Speisemetaphern); die zweite Beziehung ist die einer "materiellen Verarbeitung".

1 Vgl. Rudolf Bultmann, Welchen Sinn hat es, von Gott zu reden? in: ders., Glauben und Verstehen I. ²1954, 26-37.

3.2. Beide Beziehungen können unter dem Oberbegriff der "**Arbeit**" zusammengefaßt werden.

4. Zu der **Signifikanten–Relation** ist folgendes weiter auszuführen.

4.1. Als "Körper" wird ein Text von einem sprechenden oder schreibenden Körper eines Menschen "**ausgeschieden**" ("er hat etwas von sich gegeben"), also metaphorisch zum "**Exkrement**", das **neben** dem sprechenden oder schreibenden Körper besteht. Im Falle des schreibenden "Ausscheidens" besteht ein Text meist sogar dann noch als Signifikant, wenn der Schreiber längst **gestorben** ist. Aber auch beim sprechenden "Ausscheiden" gibt es seit einiger Zeit die Möglichkeit, das Gesprochene **neben** dem sprechenden Körper zu behandeln, zB. durch **Umsetzung** (Transformation, Transposition) in eine "schreibende Furche" (Schallplattenrille) oder in eine Magnet-**Schrift** (Tonband, Kassette).

4.2. Als "ausgeschiedener Körper" **neben** dem "ausscheidenden" Körper ist ein Text als Signifikant grundsätzlich **unabhängig** vom "ausscheidenden" Körper"; allenfalls kann der "ausscheidende" Körper durch einen anderen "ausscheidenden" Körper **ersetzt** werden.

4.3. Dieses Phänomen der Ersetzung nennen wir das "**Gesetz der Signifikanten**": Grundsätzlich kann jeder Signifikant durch einen anderen Signifikanten **ersetzt** werden, weil ein Signifikant ein "ersetzender Körper" ist. Das "Gesetz der Signifikanten" kann also auch "**Gesetz der Ersetzung**" genannt werden. Dieses Gesetz gilt mindestens in zweierlei Hinsicht.

4.3.1. Ein sprechender (Mund) oder schreibender (Hand, Fuß, Mund) Körper kann durch einen anderen sprechenden oder schreibenden Körper (Schallplatte, Band, Graphik-Computer) ersetzt werden. Diese Art von "Ersetzung" verweist auf die **Sterblichkeit** des "ausscheidenden" Körpers oder auf seine **Zeitlichkeit**, mithin auf die "**Ökonomie des Todes**".

4.3.2. Jedes gesprochene oder geschriebene Wort kann als **Zeichen**-"**Körper**" durch andere Wörter **ersetzt** werden, und zwar nicht nur bei der **Übersetzung**. Wenn zB. nach der "Bedeutung" eines Wortes gefragt wird, dann kann die Antwort grundsätzlich nur aus **weiteren**, anderen Wörtern, also aus weiteren "**ersetzenden Körpern**", bestehen.

4.3.3. Ein **Signifikant** ist also immer auch ein "ersetzender Körper": Als "Körper" **ersetzt** er etwas, was gerade ein **"Nicht-Körper"**, nämlich eine "Bedeutung" ist.

4.3.4. Da man bei jedem **weiteren** Wort **erneut** nachfragen kann, was es denn "bedeute", so muß man die "Bedeutung" des Ausgangswortes schon durch das ganze Lexikon einer Sprache jagen, um sie am Ende doch nicht "rein", dh. **ohne** "Körper", zu erhalten.

4.3.5. Diese Art von "Ersetzung" verweist auf die **Nicht-Endgültigkeit** jedes "ausgeschiedenen Körpers": Die Nicht-Zeitlichkeit der **Wahrheit** kann in der "Ersetzung" niemals erreicht werden.

4.3.6. Behandelt man die **Hl. Schrift** als Text wie einen "ausgeschiedenen Körper", dann kann auch sie grundsätzlich **kein "endgültiger Körper"**, sondern allenfalls sein **Versprechen** sein. Sie hat vielmehr an der Zeitlichkeit und "Ersetzung" und damit am "Gesetz der Signifikanten" teil, das erst im **Eschaton** aufgehoben wird.

4.4. Auch zum Körper des Hörenden oder Lesenden steht der Text als Signifikant in einer **"materiellen Beziehung"**: Durch die Ohren oder Augen als Körperorgane gelangt grundsätzlich nur ein **"Körper"** in den Körper hinein. Wir nennen dieses Phänomen **"Aufnehmen"** oder **"Einführen"**.

4.5. Das "Aufnehmen" unterliegt bereits dem **"Gesetz der Signifikanten"**, zumal es nicht dem **Willen** des "Aufnehmenden" unterworfen ist. Auch hier gilt das Gesetz in zweifacher Hinsicht.

4.5.1. Solange Ohren und Augen physiologisch "in Ordnung" sind (nämlich in der "Ordnung" der Signifikanten), **müssen** sie "aufnehmen", dh. sie müssen den Strom der auf sie eindringenden Laute und "Blicke" **aushalten**. Als Körper sind sie niemals **"Subjekt"** des "Aufnehmens", sondern ein **Mittel**, das etwas **"erdulden"** muß.

4.5.2. Beim "Aufnehmen" des Zeichen-"Körpers" wird also das "Subjekt" durch ein Mittel **ersetzt**: Das "Subjekt" findet sich gerade beim körperlichen Hören oder Sehen in einer **"Nachträglichkeit"** vor. Da es nie mit der **"reinen"** Bedeutung, sondern nur mit ihrem **"Ersatz"** zu tun bekommt, jagt es immer hinter dem **"Nicht-Ersatz"** her, ohne ihn je zu erlangen: Das "Aus-sein-auf" ist der désir nach dem "Nicht-Ersatz" des Eschatons; insofern hat jede Signifikation eine eschatologische Dimension.

4.6. Als "verarbeitender" Körper ist der Hörer oder Leser gegenüber seinem Text grundsätzlich "nachträglich", da er den "Sinn" oder die "Bedeutung" niemals als "Nicht-Körper" erlangen kann, sondern vom Eschaton erhoffen muß.

5. Da der menschliche Körper beim "Aufnehmen" nach etwas verlangt, was ihm nie als "Nicht-Körper" gegeben wird, ist die erwähnte Signifikanten-Relation sowohl ein Zeichen eines "Mangels an Sein" als auch ein Zeichen für das "Begehren".

5.1. Die Signifikanten-Relation ist keine neutrale, sondern eine "gerichtete": In seiner "Nachträglichkeit" begehrt das "Subjekt" danach, etwas in seinen Körper "einzuführen", was ihm fehlt. Es handelt sich dabei um eine Relation des Interesses, die sich als Hoffnung auf das Eschaton konkretisiert(2).

5.2. Insofern ist jede Beziehung zwischen einem hörenden oder lesenden Körper und einem Text-"Körper" sowohl "libidinös" als auch defektiv: Die libido des Eschatons treibt diese Beziehung an zur ewigen "Suche".

5.3. Der hörende oder lesende Körper eines Menschen ist aus auf den "Körper der Lust", den er bisher noch nicht gefunden hat.

5.4. Die Hörens- oder Lesensbeziehung hat die Struktur der "Suche nach dem verlorenen Körper" (oder "Objekt").

5.4.1. "Verloren" hat der menschliche Körper nicht nur eines seiner Organe, nämlich die Plazenta, sondern auch den "Körper der Unsterblichkeit", der nicht mehr durch andere "Körper" ersetzt werden kann.

5.4.2. Ein solcher "Körper der Unsterblichkeit" ist ein Text, bei dem Signifikant und Signifikat so übereinstimmen, daß der Signifikant

---

2 Anspielung auf **Jürgen Habermas, Erkenntnis und Interesse.** 1968; **Jürgen Moltmann, Theologie der Hoffnung.** Untersuchungen zur Begründung und zu den Konsequenzen einer christlichen Eschatologie. (BEvTh 38). 1966.

nicht mehr dem "Gesetz der Zeit", dh. dem **Tod,** unterworfen ist. Insofern steht in einer semiotischen Hermeneutik die **"Ökonomie des Todes"**
im elementaren Zentrum aller Überlegungen.

5.4.3. Ein solcher Text müßte **die Wahrheit endgültig und "authentisch" aussagen,** wozu bisher kein menschlicher Text fähig war.

5.4.4. Mit dieser Suche nach der endgültigen und "authentischen"
Wahrheit beweist die Signifikanten-Relation, daß niemals das menschliche "Subjekt" **Autor** oder **Urheber** der Wahrheit sein kann: Was ich
im **"Draußen"** oder **"Jenseits"** in einem anderen "Körper" suche, darüber kann ich nicht **"innen"** Herr sein. Insofern ist der **historistische
Umgang mit Texten** eine anti-eschatologische **Häresie:** er sucht das
Zentrum der Wahrheit in der **Vergangenheit des Todes,** ohne die **Körper**
der "Autoren" **auferwecken** zu können.

6. Die Beziehung des hörenden oder lesenden Körpers auf den "Körper"
eines Textes ist also mit Sigmund Freud eine **Beziehung des "Innen"
zum "Außen"**(3): Der "aufnehmende" Körper **begehrt,** einen "Körper"
"innen" zu haben, der nur im "Außen" als "Körper" vorkommt.

6.1. Bezeichnet man das "Innen" als **"Zentrum",** so ist das "Außen"
das **"Exzentrische".**

6.2. Indem das "Subjekt" nach dem "Exzentrischen" **begehrt,** stellt es
seinen "Mangel an Sein" als **"Mangel am Zentrum"** dar: Das menschliche "Subjekt" ist **"exzentrisch",** also gerade nicht das Zentrum des
Umgangs mit Texten(4). Dies verkannt zu haben, ist der größte Mangel bisheriger Methodenlehre und Hermeneutik.

6.3. Insofern auch der menschliche Körper ein **Signifikant** ist, der
nach dem endgültigen und "authentischen" Signifikanten **begehrt,** beweist er damit, daß sich **kein Signifikat im "Innen" des Signifikanten**
befindet: Der menschliche Körper **hat** keinen "Sinn", sodern er **begehrt**
ihn.

7. Kein Signifikant **hat** oder trägt sein Signifikat in seinem "Innen"
mit sich herum, weil er **als** Signifikant nach dem **"Außen"** und damit

---

3 Vgl. dazu oben S. 307.   4 Vgl. Lacan, Schriften I, 212; ders.,
Seminar II, 16. 60. 192.

sowohl nach anderen Signifikanten als auch nach dem Signifikat begehrt.

7.1. Der "Sinn" eines Text-"Körpers" ist darum als "immaterielles Etwas" immer ein **"Außerhalb"** des Text-"Körpers": Kein Text **hat** als
"Körper" einen "Sinn" in sich selbst.

7.2. Was man als "Sinn" aus einem Text **heraus**hört oder **heraus**liest,
muß wegen des "Gesetzes der Signifikanten" immer ebenfalls als Text-
"Körper" erscheinen: Wenn wir auslegen, bestätigen wir das "Gesetz
der Signifikanten", daß es im "Draußen" eines Textes nur einen **weiteren** Text geben kann. Dies ist die **Elementarerkenntnis** jeder semiotischen Hermeneutik.

7.2.1. Meine **Auslegung** braucht, um aus meinem Körper als Gesagtes
oder Geschriebenes "ausgeschieden" werden zu können, notwendig einen
Text-**"Körper"**, der dann in einen anderen Körper "eingeführt" werden
kann. Meine Auslegung ist also ein **weiterer** Text **neben** dem ausgelegten Text. "Auslegung" erarbeitet dem "ausgelegten" Text eine "körperliche" **Konkurrenz**, insofern sie ihm ein **"Außen"** ist.

7.2.2. Da offenbar dem Gesagten oder Geschriebenen eines Textes etwas
fehlt, das ihm meine Auslegung als Text **hinzufügen** möchte, ist jede
Auslegung ein Versuch, einen **"Mangel am Text"** zu beheben, das Gesagte oder Geschriebene zu **übertreffen**, um so dem Endgültigen und
"Authentischen" näher zu kommen: Die unendliche Kette der Text-"Körper" wird durch ein **Begehren nach Überbietung** angetrieben, das etwas **"nachtragen"** will. Bereits darin zeigt sich der **désir nach dem
Eschaton**.

8. Jede "Auslegung" ist mithin unabdingbar ein **Akt des Begehrens**;
sie kann nicht aus einer voraussetzungslosen Neutralität abgeleitet
werden.

8.1. "Voraussetzungslose" Exegese ist also nicht nur **formal** unmöglich,
wie **Rudolf Bultmann** meinte(5): Das formale "Aus-sein-auf" ist vielmehr
auch ein **inhaltliches** Ziel des Begehrens, obwohl es diesen "Inhalt"
des Begehrens niemals ohne "Körper" gegeben hat noch je geben wird.

5 Vgl. Rudolf Bultmann, Ist voraussetzungslose Exegese möglich? (1957);
in: ders., Glauben und Verstehen III. 1960, 142-150.

8.2. Mit **Martin Heidegger** und **Rudolf Bultmann** kann man den Akt des des Begehrens auch als "Sorge" bezeichnen(6). Aber gegen beide ist diese nicht als "Besorgen" abzulehnen, sondern zu **bejahen**; ihre Negation ist gerade "existentiell" undurchführbar.

8.3. Wenn beide die "Sorge" ablehnen und die Existenz des Menschen auf die "Nicht-Sorge" stellen wollen, so ist dies ein Phänomen der **"Verdrängung"**.

9. Die Verdrängung hat **zwei Erscheinungsweisen:** einmal als "Gesetz der Signifikanten", zum anderen als die "Spaltung" des Menschen in der Neurose.

9.1. Da nach dem **"Gesetz der Signifikanten"** bei der Frage (Suche) nach der "Bedeutung" eines bestimmten Signifikanten stets **neue** Signifikanten produziert werden müssen, löst die Suche nach dem Signifikat ein unaufhaltsames **"Nachdrängen" der Signifikanten** aus. Auf diese Weise wird das gesuchte Signifikat immer stärker durch Signifikanten **"verdrängt"**.

9.2. Jedes Sprechen und Schreiben, gerade auch das "erläuternde", ist unausweichlich ein Akt der **"Verdrängung der Bedeutung"**: Als "defektive Körper" sind die Signifikanten gerade keine **Einholung** der Wahrheit, sondern ihr **"Nachtrag"**; den Signifikanten wird das endgültige und "authentische" Signifikat **verweigert**. Es handelt sich also um eine **"Verneinung"** des Signifikats, das im Eschaton verbleibt.

9.3. In der von Sigmund Freud (und Aurelius Augustinus) entdeckten psychischen Verdrängung wird **umgekehrt** einem Signifikat ein **Signifikant verweigert**: Wenn ein Mensch sich weigert, einen Gedanken **auszusprechen**, dann verweigert er einem Gedanken (Signifikat) den "Körper" (Signifikant), der dann ohne und gegen seinen Willen von seinem leiblichen Körper "nachgeholt" wird (Neurose). Die psychische Verdrängung ist somit eine **"Verneinung"** des Signifikanten.

9.4. Indem Heidegger und Bultmann die "Sorge" als Signifikat verneinen und Menschen dazu auffordern, der "Sorge" das Sprechen zu verweigern, machen sie Menschen **neurotisch**, weil von ihnen der "Verlust

6 Vgl. Heidegger, Sein u. Zeit 180ff., bes. 191-200; **Rudolf Bultmann, Theologie des Neuen Testaments.** ³1958, 226f. 242.

des Signifikats" als Strebens-Ziel der Existenz dargestellt wird, obwohl doch die "Ek-sistenz" auf einen "Gewinn" aus ist. Letztlich wird somit von beiden die **eschatologische Dimension des Semiotischen** verneint.

9.5. Vor allem bei Bultmann handelt es sich um eine **Anthropologie der "Entsagung"** durch einen fiktiven freien Willen oder durch Verführung, die allerdings überhaupt keine körperlichen Folgen am **Leibe** des Menschen hat wie etwa im Judentum bei der Beschneidung als symbolischer **"Kastration"**.

10. Unter "Kastration" verstehen wir die wahrnehmbaren (sensiblen) **Folgen des "Urverlustes"**: Der sich in der Signifikanten-Relation auch "körperlich" repräsentierende **"Mangel an Sein"** beim Menschen und der **"Mangel am Text"** zeigen sich an beiden "Körpern" (Signifikanten) unter dem **Metonym** eines "Körper-Mangels", den wir der Kürze halber mit Sigmund Freud als **"Kastration"** bezeichnen.

10.1. Wie bereits Freuds **"Traumdeutung"** (1899) bewiesen hat, gibt es die **Verdrängung als Textfigur** in zwei Formen.

10.1.1. Wenn einem bestimmten Signifikanten sein Signifikat "versagt", dafür jedoch einem anderen Signifikanten zugesprochen wird, dann nennen wir diese Operation **"Verschiebung"**. Das Ergebnis einer Verschiebung nennen wir **"Metapher"**. Wenn wirklich die neutestamentliche Textform der **Gleichnisse** Jesu mit der Metapher zu korrelieren sind, wie dies neuerdings zunehmend behauptet wird(7), dann sind sie auch eine **Textform der "Verdrängung"**, was man allerdings dort niemals lesen kann. Mit Freud ist jedoch auch an die Textform der **Träume** selbst zu denken, vor allem dann, wenn sie **"literarisch"** werden wie etwa in der Apokalypse des Johannes(8).

10.1.2. Wenn einem ganzen Signifikanten-Verband, etwa einem Textwortlaut, das Signifikat "versagt", dafür jedoch einem einzigen Signifikanten zugesprochen wird, dann nennen wir diese Operation "Ver-

7 Vgl. etwa Hans-Josef Klauck, Allegorie und Allegorese in synoptischen Gleichnistexten. (NTA, N.F. 13). 1978; Hans Weder, Die Gleichnisse Jesu als Metaphern. (FRLANT 120). 1978; Gerhard Sellin, Allegorie und "Gleichnis". ZThK 75. 1978, 281-335.   8 Vgl. dazu Erhardt Güttgemanns, Die Semiotik des Traums in apokalyptischen Texten am Beispiel von Apokalypse Johannis 1. (Aufsatz in Vorbereitung für eine Tagung der SNTS; Publikation in LingBibl 54. 1983, 7ff).

dichtung". Das Ergebnis einer Verdichtung nennen wir "Metonym". Wenn wirklich die Abendmahls-Signifikanten Brot und Wein in irgendeinem Sinne den lebendigen Körper Christi (oder den lebendigen Christus als Signifikanten) repräsentieren, dann sind diese Signifikanten zwar auch Metaphern, sie sind aber vor allem Metonyme, weil sich in nur zwei **Signifikanten** des **"Aufnehmens"** eine ganze "Sinn"-Welt "verdichtet".

10.2. Insofern Metapher und Metonym die Textfiguren der **Verdrängung** sind, operiert an ihnen gerade nicht die Anwesenheit, sondern die **Abwesenheit des Signifikats.** Die symbolisch-"körperliche" Repräsentation dieser Abwesenheit nennen wir **"Kastration"** oder **"Ödipus-Komplex".**

11. Jeder Text-"Körper" steht infolge der Signifikanten-Relation zu **anderen Text-"Körpern"** in Beziehung. Wir nennen diese Beziehung "Intertextualität". Sie ist eine Form des "Gesetzes der Signifikanten" und hat folgende **drei** Aspekte.

11.1. Als **"Intertextualität"** im eigentlichen Sinne bezeichnen wir das Begehrens eines Text-"Körpers", sein "körperliches Innen" durch ein **"Draußen"** eines anderen Text-"Körpers" zu **ergänzen:** Da jeder einzelne Text-"Körper" **defektiv** ist, verlangt er **objektiv** (also auch ohne und gegen das Wissen seines Urhebers) nach anderen Texten, die ihn an "Fülle" **überbieten.** Die Intertextualität ist also eine Erscheinung des **"Mangels am Text":** Jeder endliche, "geschlossene" Text verlangt nach dem **"unendlichen Text",** dh. nach dem **Text des Eschatons.**

11.2. Als **"Intratextualität"** bezeichnen wir die Erscheinung von Elementen des **"Draußen"** anderer Texte im "Innern" eines Textes. ZB. sind Zitate, Anspielungen und Kommentierungen Zeichen des Textes dafür, daß in seinem "Innen" **nicht alles gesagt** werden kann, sondern daß man das "All" des zu Sagenden im "Draußen" anderer Texte suchen muß.

11.3. Als **"Paratextualität"** bezeichnen wir das Zeigen von solchen Texten auf einen "Sinn", die zufällig oder gewollt **nebeneinander** in einem Raum aus Schrift-Materie stehen. Bezeichnet man die Hl. Schrift als das zufällige oder gewollte Nebeneinander in einem Raum, der aus schriflichen "Körpern" besteht, dann ist die Frage nach einer "biblischen Theologie" die Frage nach der **Paratextualität** dieses Raums des **Nebeneinanders**.

11.4. Diese ist grundsätzlich **unbewußt**, weil das ständige Nachdrängen von schriftlichen "Körpern" in diesem Raum ein Akt der **Verdrängung ins Unbewußte** (Nicht-zu-Wissende) ist. Wer mithin etwas zur "biblischen Theologie" **schreibt**, der bewegt sich in einem **Raum des Unbewußten**.

12. Das **"Unbewußte"** ist diejenige Instanz, dergegenüber sich das menschliche "Subjekt" sowohl in der **"Nachträglichkeit"** als auch im **"Exzentrischen"** befindet. Es ist das gegenüber dem "Ich" des Sprechens grundsätzlich **"Andere"**.

12.1. Seit **Sigmund Freud** wissen wir, daß das "Unbewußte" **wie eine Sprache konstruiert** ist, deren Urheber ein **"Anderer"** als das "Ich" ist: Im "Unbewußten" spricht ein "Anderer" Text-"Körper" aus, die das "Ich" sich selbst **verweigert** hat. Das "Unbewußte" ist also das **Sprechen des "Anderen"**.

12.2. Wenn zB. im **Traum** als unbewußter Wuncherfüllung dem Träumenden **Bilder des Begehrens vorgespielt** werden, dann spricht in diesen Bildern oder optischen "Körpern" nicht das "Ich", das diese gerade **verneint**, sondern ein ihm gegenüber **"Anderer"**, den das "Ich" nicht aussagen kann oder will.

12.3. Das "Subjekt" **unterliegt** (sub-iectum!) also der Erfahrung: **"Ich bin ein anderer"**. Dies ist die Erfahrung **"De servo arbitrio"** in Röm 7, 15-25, bei Marcus Fabius Quintilianus, bei Aurelius Augustinus und bei Martin Luther.

12.4. Wer sich im Raum der **Intertextualität** bewegt, der bewegt sich damit grundsätzlich im **Raum des "unfreien Willens"**. Schon insofern ist Rudolf Bultmanns Kategorie der **"Entscheidung"** im Umgang mit Texten als unphilosophisch abzulehnen.

13. Mit den beiden Aspekt Signifikant und Signifikat ist jeder **Text** grundsätzlich sowohl in einem **"Draußen"** des "Subjekts" als auch grundsätzlich jenseits der Frage nach **Mündlichkeit oder Schriftlichkeit**.

13.1. "Text" nennen wir jede **"Äußerung" jenseits der Satzgrenze:** Ein "Text" ist als Signifikat ein **imaginäres** und intelligibles **"Außen"** jenseits der Sätze (oder Signifikanten), aus denen sein "Körper" besteht. Als Signifikant ist ein Text eine **Struktur,** die sich in sensiblen **Beziehungen zwischen seinen Signifikanten** (zB. zwischen den "Wörtern" eines Textes) darstellt.

13.2. Wie es sinnlos ist zu fragen, ob ein **Satz** als grammatische Beziehungsstruktur zwischen seinen "Wörtern" ein mündliches oder schriftliches Gebilde ist, ebenso ist es sinnlos, den Term "Text" a priori mit dem der **Schrift** zu verbinden.

13.3. Die Frage nach Mündlichkeit oder Schriftlichkeit eines Textes ist eine Frage nach der Text-**"Materie",** also eine Frage nach der sensiblen "Materie" seiner **Signifikanten.** Die Frage nach dem Text als **"Sinn"-Gebilde** ist dagegen eine Frage nach seinem immateriellen, intelligiblen **Signifikat.** Wer beide Fragen miteinander vermengt oder verwechselt, der verfährt hoffnungslos unmethodisch und hat überhaupt keine **Texttheorie**(9).

13.4. Da kein Signifikant als solcher eine "Bedeutung" **hat,** kann der **"Sinn"** eines Textes (oder das Signifikat) als ein "Nicht-Körper" nicht ein "Etwas" **am** Text-"Körper" (oder an den Signifikanten) sein, sondern nur ein **"Nicht-Etwas"** oder eine **"Differenz".**

13.5. Daher muß jede **Texttheorie** mit dem Begriff der "Differenz" beginnen, und zwar sowohl beim Signifikanten des Textes als auch beim Signifikanten des Hörenden oder Lesenden.

14. Die **"Differenz"** ist in doppelter Hinsicht eine **Beziehung der Negation** und schreibt sich insofern mit Jacques Derrida als **"Differänz".**

14.1. Ein Text steht als "Körper" oder sensibler **Signifikant** in einer negativ-defektiven Beziehung zu seinem "Sinn" oder zu seinem intelligiblen **Signifikat:** Weder **ist** der Text als "Körper" sein "Sinn" noch ist der "Sinn" überhaupt etwas "Körperliches". Als **"Nicht-Körper"** ist der "Sinn" vielmehr **im Unterschied** zum "Körper" des Textes: Das Sein des "Sinns" ist ein **"Unterschieds-Sein".**

9 Zu den verschiedenen philosophischen Modellen dieses Problems vgl. Güttgemanns, Offene Fragen 69-166.

14.2. Da einerseits kein Signifikant etwas für sich "bedeutet" und da andererseits kein Signifikant für sich allein "genügen" kann, ist die "Bedeutungs"-Funktion der **Signifikation** eine Ableitung der "Differenz" **zwischen** verschiedenen Signifikanten, nämlich zwischen dem menschlichen **Leib** und dem **Text,** die beide erst im **Eschaton** zur "Vollendung" gelangen: Weil der Mensch **spricht,** hat er einen elementaren Bezug auf das Eschaton, von dem er die **Beseitigung der "Differänz"** begehrt.

14.3. Was Signifikanten für die Funktion der Signifikation geeignet macht, das ist nicht ihr sensibles "Körper"-Sein, sondern eine "körperliche" **Differenz zwischen ihnen,** welcher eine intelligible, "nichtkörperliche" **Differenz zwischen Signifikaten** entspricht: Nur wenn zwischen verschiedenen Signifikanten und zwischen verschiedenen Signifikaten **gleichzeitig** eine Differenz oder **Unterschiedskraft** entsteht, kann man vom Phänomen der **Signifikation** sprechen.

14.4. Die Signifikation ist also weder etwas "rein Körperliches" noch etwas "rein Unkörperliches", sondern die **Differenz** sowohl **innerhalb** des "rein Körperlichen" und **innerhalb** des "rein Unkörperlichen" als auch **zwischen** dem "Innerhalb" des Signifikanten und dem "Außerhalb" des Signifikats.

14.4.1. An einem Text-"Körper" muß, soll es zur Signifikation kommen, eine **doppelte Differenz** wahrgenommen werden können: Der bestimmte Text-"Körper" muß einmal **im Unterschied** zu mindestens einem anderen Text-"Körper" bestehen und er muß zum anderen **im Unterschied** sowohl zum "Sinn" seines eigenen "Körpers" als auch zum "Sinn" des anderen "Körpers" bestehen.

14.4.2. Indem diese doppelte Differenz wahrgenommen und in unseren hörenden oder lesenden Körper "eingeführt" wird, entsteht in diesem die "unkörperliche" Realität des **"Bedeutungs"-Unterschiedes.**

14.5. Bereits **Aurelius Augustinus** hat erkannt, daß Signifikanten Text-"Körper" und Signifikate "Gedanken" **bleiben**(10), daß es also zwischen ihnen **keine "natürliche"** Beziehung gibt: **Daß** Signifikanten in der Signifikation fungieren, kann nicht aus ihrem "Körper" a se abgeleitet werden. **Karl Bühler** nannte diese Tatsache die **"abstraktive Relevanz"** des Signifikanten(11).

10 Vgl. dazu oben S. 150.   11 Vgl. Bühler, Sprachtheorie 42-46.

14.5.1. In der **Phonetik** ist festzuhalten, daß nicht die physikalisch-"körperlich" wahrnehmbaren **Laute** ("Phone"; 12) als solche "etwas bedeuten". Entsprechend ist in der **Graphetik** festzuhalten, daß nicht physikalisch-"körperlich" wahrnehmbare **Buchstaben** ("Graphen") als solche "etwas bedeuten", ja daß sogar zwischen Laut und Buchstabe **keine einfache Relation** besteht.

14.5.2. Vielmehr betont die **Phonologie**, daß ein bestimmter Laut anhand eines abstrakten **Unterschiedswertes** zu einem bestimmten anderen Laut zur Signifikation **fähig** wird. Wir nennen diesen abstrakten Differenzwert "**Phonem**". Entsprechend betont die **Graphemik**, daß ein bestimmter Buchstabe anhand eines abstrakten **Unterschiedswertes** zu bestimmten anderen Buchstaben zur Signifikation **fähig** wird. Wir nennen diesen abstrakten Differenzwert "**Graphem**".

14.5.3. In der **Lexikologie** ist festzuhalten, daß nicht ein bestimmtes physikalisch-"körperlich" wahrnehmbares **Wort** ("Lex") als solches "etwas bedeutet"; entsprechend ist in der **Textologie** festzuhalten, daß nicht ein bestimmter physikalisch-"körperlich" wahrnehmbarer **Text** als solcher einen "Sinn" hat, ja daß ein Text nicht einmal als "**Summe**" seiner Wörter oder Sätze definiert werden kann(13).

14.5.4. Vielmehr betont die **Lexematik**, daß ein bestimmtes Lex anhand eines bestimmten **Unterschiedswertes** zu einem bestimmten anderen Lex zur Signifikation **fähig** wird. Wir nennen diesen abstrakten Differenzwert "**Lexem**". Ein Lexem ist seinerseits ein "Bündel" von noch abstrakteren Differenzwerten, die wir "**Sememe**" nennen. Sememe sind ihrerseits ein "Bündel" von absolut abstrakten Differenzwerten, die wir "**Seme**" nennen(14).

14.5.5. Diese immer stärker werdende Abstraktion ist eine Figur der "**Verdrängung**" des Signifikats, weil sie eine Figur des "Gesetzes der Signifikanten" ist: Der abstrakteste Signifikant bei einem Lex ist ein **Sem**.

14.5.6. Entsprechend betont die **Textematik**, daß ein bestimmter Text <u>anhand eines</u> bestimmten **Unterschiedswertes** zu einem bestimmten ande-

---

12 Zu den Begriffen der folgenden Abschnitte vgl. **Göran Hammarström, Linguistische Einheiten im Rahmen der modernen Sprachwissenschaft.** (Kommunik. u. Kybern. 5). 1966. 13 Vgl. dazu Güttgemanns, aaO. 184-188. 14 Vgl. dazu Greimas, Semantik 24ff. 35ff.

ren Text zur Signifikation **fähig** wird. Wir nennen diesen abstrakten Differenzwert **"Textem"**. Ein Textem kann ein syntaktisch geordnetes "Bündel" von Lexemen, also ein **"Syntagmem"**, ein einzelnes Lexem, ein Phonem oder Graphem sein.

14.5.7. Als anhand von sensibel-"körperlichen" und "äußeren" Signifikanten evozierte intelligible, "innere" Unterschiedswerte sind alle diese Größen sowohl **gleichzeitig** Signifikant **und** Signifikat als auch **im Unterschied** zwischen beiden.

15. Zusätzlich zu allem Gesagten ist festzuhalten, daß der "körperliche" Vorgang der Textproduktion und -rezeption die **Struktur eines "Tausches"** und als seine stillschweigende Voraussetzung die **Struktur eines "Vertrages"** hat(15). Beide Strukturen sind wesentlich elementarer als die Frage nach Mündlichkeit oder Schriftlichkeit von Produktion und Rezeption; außerdem hängen beide Strukturen untereinander zusammen. Mit beiden kommt nämlich zu den Text-Dimensionen der Syntagmatik und Semantik die **Dimension der Pragmatik** in den Blick.

15.1. Syntagmatik, Semantik und Pragmatik sind **grammatische Differenzstrukturen** und nur als solche zur Signifikation **fähig**. Damit ihr **Differenzwert** deutlich wird, bedarf es einer vorgängigen Definition.

15.1.1. Die **Syntagmatik** eines Text-"Körpers" gibt nicht nur die grammatischen Regeln für die **sequentielle Reihenfolge** der einzelnen Signifikanten des Text-"Körpers" vor, durch welche die syntaktische **"Ersetzung"** des vorhergehenden durch den nachfolgenden Signifikanten geregelt wird. Diese Dimension der Syntagmatik ist nur die **syntaktische** Form des "Gesetzes der Signifikanten". Vielmehr regelt die Syntagmatik vor allem die Beziehungen **zwischen** den Signifikanten: Die Syntagmatik hat mit dem **"Zwischen"** der Signifikanten zu tun und ist insofern die **grammatische Figur der "Differenz"**, mit der man zu beginnen hat(16).

15.1.2. Bekanntlich können in der syntaktischen **Wortfolgeordnung** eines Satzes keineswegs beliebige "Wörter" (Signifikanten) an jeder beliebigen **"Stelle"** stehen. Darüberhinaus gibt es für das Vorkommen des **Kasus** strenge Regeln, die sich aus der **Kasusfähigkeit** ("Valenz") **des Verbs** ableiten: Ein "Kasus" ist eine syntaktische "Stelle" zu einem

15 Vgl. ebda. 180f; Greimas-Courtés, Sémiotique 114. 69b-71b.
16 Insofern ist die **Syntax** der methodologische Beginn jeder Linguistik.

bestimmten Verb(17). Solche "Stellen" sind als grammtische **Abfolge-lo-ci** logisch früher als das einzelne "Wort", das es ohnehin im konkreten Sprechen nicht gibt und aufgrund des "Gesetzes der Signifikanten" auch gar nicht geben **kann**(18).

15.1.3. Als gegenüber dem künstlich isolierten Signifikanten logisch frühere Erscheinung ist die Syntagmatik somit der **allererste Signifikant** überhaupt: Syntagmatik hat früher mit "Bedeutung" oder "Sinn" zu tun als das einzelne Element, dessen Auftauchen durch die Syntagmatik geregelt wird.

15.1.4. Da ein **Signifikant** also einerseits nicht einfach nur ein "körperliches Etwas" (aliquid) ist, sondern auch als abstrakte **Regel** das Nacheinander- und Nebeneinanderauftauchen von "Körpern" bestimmt, und da andererseits auch menschliche Körper Signifikanten sind, gibt es eine Syntagmatik sowohl der **Text-"Körper"** als auch der **menschlichen Körper**, die wir als **Struktur des "Tauschs"** bezeichnen.

15.1.5. Ein "Tausch" ist ein **Austausch von "Körpern"** (oder Signifikanten): Einerseits wird **zwischen** den Signifikanten eines Text-"Körpers" eine **Beziehung** ausgetauscht, andererseits wird **zwischen** menschlichen Signifikanten im Umgang mit Texten eine **Beziehung** ausgetauscht. Nur beide Beziehungen **zusammen** sind der Signifikation **fähig**.

15.1.6. Eine Signifikation besteht also weder **ohne** "ausscheidenden" oder "aufnehmenden" menschlichen Körper noch **ohne** die syntaktische Differenz **zwischen** den Signifikanten eines Text-"Körpers": Es gibt keinen **isolierten** Signifikanten, sondern nur das **syntagmatische** "Netz" der Signifikanten.

15.1.7. Dieses "Netz" kann man in seiner signifikativen Funktion als **"Deixis"** bezeichnen: Mittels der Regeln der Syntagmatik findet ein **"Zeigen auf Plätze"** beim Aufbau eines Text-"Körpers", aber auch für die "Verarbeitungen" eines Textes in einem hörenden oder lesenden Körper statt. Diese "Plätze" sind **"Bedeutsamkeits-loci"** und insofern zur Signifikation **fähig**(19).

17 Vgl. Tesnière, Grundzüge 93ff; Helbig, Geschichte 198ff; ders. – **Wolfgang Schenkel, Wörterbuch zur Valenz und Distribution deutscher Verben.** 1969.   18 Vgl. **Siegfried J. Schmidt, Bedeutung und Begriff.** Zur Fundierung einer sprachphilosophischen Semantik. (Wissenschaftstheorie 3). 1969.   19 Vgl. dazu Güttgemanns, Einführung 65ff.

15.1.8. Die ständige Betonung der **Fähigkeit** zur Signifikation will auf immanente und notwendige **Voraussetzungen** des Zustandekommens von "Sinn" und "Bedeutung" hinweisen, zugleich aber einschärfen, daß diese Voraussetzungen nur die virtuelle **Möglichkeit,** nicht aber die **Realität** oder gar die **Notwendigkeit** von "Sinn" und "Bedeutung" konstituieren.

15.1.9. Die Realität des Signifikanten-"Körpers" gehört als **"sensible Realität"** grundsätzlich einem anderen "Reich" an als die **"intelligible Realität"** von "Bedeutung" und "Sinn": Keine dieser beiden "Realitäten" kann auf die andere **zurückgeführt** oder reduziert werden. Das Phänomen der Signifikation entsteht ja gerade aus der bleibenden **Differenz** und Irreduzibilität der beiden "Realitäten".

15.1.10. Genau an dieser Stelle macht sich die **"historisch-kritische Methode"** einer unerlaubten Reduktion schuldig, weil sie das "Sinn"-Reich der Texte auf die **materielle** "Realität" des historisch Gewesenen reduziert, das allerdings nur noch **"imaginär"** existiert: Die vergangene **Materie** kann durch keine Methode der Welt in das **Eschaton der** **"Wiederkehr des Körpers"**(20) und damit in das "Reich der Auferwekkung" hineingehoben werden, das mit der **"Wiederkehr des Sinns"** identisch ist.

15.2. Syntagmatik, Semantik und Pragmatik sind **Aspekte** dieses Phänomens der Signifikation und damit Aspekte der **Differenz** oder des "Zwischen": In ihnen konkretisiert sich grammtisch das **"Zwischen den Zeiten"** der menschlichen Signifikation.

15.2.1. Wie die Syntagmatik die Differenz des doppelten **"Zwischen"** von Signifikanten behandelt, so behandelt auch die **Semantik** ein doppeltes "Zwischen": Sie behandelt einerseits, inwiefern die **Differenz** zwischen verschiedenen Signifikanten zur Signifikation **befähigt,** wenn **gleichzeitig** eine Differenz zwischen verschiedenen **Signifikaten** entsteht. Ihre Erkenntnisse bringt sie dann auf die Ebene von **Differenzregeln** beider "Realitäten".

15.2.2. Um nochmals zu betonen, daß die rein "körperliche" Signifikanten-Differenz als solche noch nicht zur Signifikation befähigt, kann

20 Vgl. dazu oben S. 43f.

330

die Semantik diese Differenz mit **Louis Hjelmslev** als Regeln zu "**Kene-men**" (κενώματα) formulieren; analog gilt dies natürlich auch von der Differenz der reinen Signifikate(21).

15.2.3. Um zu betonen, daß nur das **Zusammen und Zugleich** sowohl der Differenz der Signifikanten als auch der Differenz der Signifikate zur Signifikation befähigt, kann die Semantik die Differenz mit Hjelmslev als Regeln zu "**Pleremen**" (πληρώματα) formulieren.

15.2.4. Die Regeln zu Kenemen und die Regeln zu Pleremen gehören **dialektisch** zusammen als Regeln der "abwesenden Anwesenheit" oder der "anwesenden Abwesenheit".Ein Signifikant in seiner doppelten Form als aussagender menschlicher Körper und als ausgesagter "Körper" ist nämlich die Figur der "**Abwesenheit**" und damit der Differenz.

15.2.4.1. Indem zB. ein Wort aufgrund des "Gesetzes der Signifikanten" ein "körperliches" **aliquid** ist, das **für** ein immaterielles aliquid (das Signifikat) **steht** ("stat aliquid pro aliquo"), ist es nicht nur ein "Ersatz", sondern sogar die "**Abwesenheit**" des Signifikats. Als "körperliches Etwas", das "**anwesend**" ist, ist es umgekehrt aber auch die "**anwesende Abwesenheit**" des immateriellen Etwas, die man dialektisch auch als "**abwesende Anwesenheit**" des Signifikats bezeichnen kann.

15.2.4.2. Indem zB. ein Wort ein materieller "Körper" ist, der **neben** dem sprechenden oder schreibenden menschlichen Körper besteht, ist es sowohl die Voraussetzung für die "**Abwesenheit**" des menschlichen Körpers als auch das Zeichen des menschlichen Körpers dafür, daß ihm das Signifikat infolge des "Mangels an Sein" fehlt.

15.2.4.3. In diesem doppelten Sinne der Dialektik von "Anwesenheit" und "Abwesenheit" behandelt die Semantik die Differenz als "**Mangel an Sein**" an der Realität der Signifikanten, aber auch als "Mangel an Sein" **am** Signifikat.

15.2.5. Versteht man unter dem Akt des **Aussagens** eine "körperliche" Äußerung (nach **draußen** setzen) der Wahrheit des Seins, dann kann

---

21 Vgl. Louis Hjelmslev, Prolégomènes à une théorie du langage, trad. par Una Canger. (Arguments 35). 1966, 65ff; ders., Principes de grammaire générale. (Det Kgl. Danske Videnskabernes Selskab, Hist.-Fil. Med. XVI/1). ²1968, 163ff.

das **Ausgesagte** (die Aussage) als "körperlicher" Signifikant wegen seines "Mangels an Sein" grundsätzlich nur als die **Differenz zum Sein**
begriffen werden: Gerade das Aussagen offenbart den grundlegenden
"Mangel an Wahrheit" an den Signifikanten(22).

15.2.6. Insofern behandelt die **Semantik** nicht das "Sein" oder die
"Wahrheit" (das Wesen) der **"Dinge"**, die ohnehin als "Körper" nur
sensible Signifikanten und damit als **Differenz** zum intelligiblen Signifikat sein können. Die Semantik behandelt vielmehr ihren "Gegenstand"
als **Defektivität** sowohl der "Körper" als auch der "Bedeutungen". Sie
ist insofern die Lehre von der **Differenz zur Wahrheit**.

16. Auch die **Pragmatik** ist nunmehr in den Rahmen des bisher Gesagten hineinzukonstruieren. Dabei sind mehrere Aspekte vorab zu diskutieren, ehe wir auf den Kern der **Differenz** in der Pragmatik eingehen
können.

16.1. Nachdem bereits auf die **Struktur des "Tauschs"** hingewiesen
wurde, muß nun die These wiederaufgenommen werden, daß Textproduktion und -rezeption als stillschweigende Voraussetzung die **Struktur eines "Vertrages"** haben, welche nicht nur mit der Struktur des
"Tauschs" zusammenhängt, sondern über die Begriffe "Realität" und
"Virtualität" auch die Kategorie der **Modalität** impliziert.

16.1.1. Ausgehend von der traditionell-logischen Definition der Modalität als eines Faktors, der das "Prädikat" einer Aussage modifiziert,
kann man mit Algirdas Julien Greimas(23) die **Modalisierung** in einem
ersten Schritt als die **Produktion einer modalen Aussage** behandeln,
die von bestimmten **Modalverben** abhängig ist, welche sowohl das
"Tun" als auch das "Sein" (bzw. ein "Haben") modalisieren.

16.1.1.1. Die Aussagen zerfallen dann prädikativ in **"Aussagen des
Tuns"** und **"Aussagen des Zustands"** (Sein bzw. Haben); auf beide Aussagen wirkt die Modalisierung modifizierend ein.

16.1.1.2. Eine Modalisierung kann man zerlegen in ein **modalisierendes**
und ein **modalisiertes** Element; für beide kann man hilfsweise "Tun"
oder "Sein" bzw. "Haben" einsetzen.

---

22 Mit dieser These wird die elementare Differenz zwischen "énoncé" und
"énonciation" festgehalten. Vgl. dazu Greimas-Courtés, aaO. 123b-128a.
23 Vgl. ebda. 230a-232a sub voce "Modalité".

16.1.1.3. Auf diese Weise entstehen folgende **Basis-Modalisierungen**:
- ein "Tun", welches ein "Sein" modalisiert;
- ein "Sein", welches ein "Tun" modalisiert;
- ein "Sein", welches ein "Sein" modalisiert
- und ein "Tun", welches ein "Tun" modalisiert.

16.1.1.4. Als **Hilfsausdrücke** zur Konstruktion von Modalitäten kann man mit Greimas einführen **TUN, KÖNNEN, MÜSSEN; SEIN, WISSEN, WOLLEN**(24). Aus ihren möglichen **Kombinationen** ergeben sich dann in einem zweiten Schritt folgende vier **Grundmodaliäten**.

16.1.2. In der **"alethischen Modalität"** (ἀλήθεια ; Alethik) setzt man als Modalisator ein **MÜSSEN** ein und als modalisiertes Element eine "Aussage des Zustands" oder ein **SEIN**. Als nach dem logisch-semiotischen Viereck mögliche vier alethische Modalitäten ergeben sich dann:
- ein "Sein-Müssen" (ein "nicht-Können nicht-Sein") oder die **Notwenkeit**;
- ein "nicht-Müssen Sein" (ein "Können nicht-Sein") oder die **Zufälligkeit** (Kontingenz);
- ein "Müssen nicht-Sein", dh. ein "nicht-Können Sein" oder die **Unmöglichkeit**
- und endlich ein "nicht-Müssen nicht-Sein", dh. ein "Sein-Können" oder die **Möglichkeit**(25).

16.1.2.1. Diese vier alethischen Modalitäten sind auch die Kriterien für die **Syntax** von Signifikanten, zB. von Handlungen, Ereignissen, Gedanken; denn sie entscheiden darüber, ob die **Abfolge** von Signifikanten möglich, unmöglich, notwendig oder zufällig ist. Sie bilden damit die Basis sowohl der **Handlungslogik**(26) als auch der **historischen Rekonstruktion**.

16.1.2.2. Um spätere Modalitäten logisch korrekt konstruieren zu können, müssen an dieser Stelle die Hilfsausdrücke **"Schein"** und **"Glauben"** eingeführt werden: Wenn etwas Mögliches **"sein"** kann, aber ebensogut auch **"nicht-sein"** kann, weil es nichts Notwendiges ist, dann trägt das Mögliche nicht nur das "Sein", sondern auch den "Schein" an sich, bei dem man das "Sein" nur **glauben** kann(27).

24 Vgl. **Algirdas Julien Greimas, Eléments d'une grammaire narrative**; in: ders., Du sens. 1970, 157-183; ders., **Narrative Grammar: Units and Levels**. Modern Language Notes 86. 1971, 793-806.   25 Vgl. Greimas-Courtés, aaO. 11f sub voce "Alétiques".   26 Vgl. dazu **Hans Lenk (Hg.), Normenlogik**. Grundprobleme der deontischen Logik. (UTB 414). 1974.
27 Zur Semiotik des "Glaubens" vgl. **Michel de Certeau, Croire:** une pratique de la différence. (Centro Internazionale di Semiotica e di Linguistica Urbino, Documents de travail, serie A, numéro 106). 1981.

16.1.2.3. Außerdem ist zu berücksichtigen, daß an allen Stellen, an denen SEIN eingesetzt wird, auch HABEN eingesetzt werden kann. Auf diese Weise kann man folgende weitere Modalitäten konstruieren.

16.1.3. In der "deontischen Modalität" (δέω ; Deontik) setzt man als Modalisator ein MÜSSEN ein und als modalisiertes Element ein TUN. Als die vier deontischen Modalitäten ergeben sich dann:

- ein "Tun-Müssen", dh. ein Sollen oder eine Vorschrift (Pflicht);
- ein "nicht-Müssen Tun", dh. ein Adiaphoron oder eine Fakultativität;
- ein "Müssen nicht-Tun", dh. ein "nicht-Dürfen" oder ein Verbot
- und endlich ein "nicht-Müssen nicht-Tun", dh. ein Dürfen oder eine Erlaubnis(28).

16.1.4. In der "epistemischen Modalität" (ἐπιστήμη ; Epistemik) setzt man als Modalisator ein GLAUBEN ein und als Modalisiertes ein SEIN. Dann ergeben sich folgende Modalitäten:

- ein "Glauben-Sein" (ein Glauben, daß etwas ist) oder eine Gewißheit (certitudo);
- ein "nicht-Glauben Sein" oder eine Ungewißheit (incertitudo);
- ein "Glauben nicht-Sein" (ein Glauben, daß etwas nicht ist) oder eine Unwahrscheinlichkeit (improbabilitas)
- und endlich ein "nicht-Glauben nicht-Sein" oder eine Wahrscheinlichkeit (probabilitas)(29).

16.1.5. In der "veridiktorischen Modalität" setzt man als Modalisator ein WISSEN und als Modalisiertes ein SEIN ein. Dann ergeben sich folgende Modalitäten:

- ein "Wissen-Sein" (ein Wissen, daß etwas ist) oder das "Sein der Wahrheit";
- ein "Wissen nicht-Sein" oder das "Sein der Falschheit";
- ein "nicht-Wissen Sein" (ein Nichtwissen, ob etwas ist) oder der "Schein der Wahrheit", der zum "Schein der Falschheit" die Beziehung der Lüge unterhält
- und endlich ein "nicht-Wissen nicht-Sein" (ein Nichtwissen, ob etwas nicht ist) oder der "Nicht-Schein der Falschheit", der zum "Sein der Wahrheit" die Beziehung des Geheimnisses unterhält(30).

16.2. Diese Grundmodalitäten werden nun in einem dritten Schritt durch weitere mögliche Kombinationen der modalen Hilfsausdrücke ergänzt bzw. interpretiert. Auf diese Weise ergeben sich folgende Interpretationen(31).

28 Vgl. Greimas-Courtés, aaO. 90 sub voce "Déontiques".
29 Vgl. ebda. 129f sub voce "Epistémiques".
30 Vgl. ebda. 419 sub voce "Véridictoires".
31 Vgl. ebda. 286b-288a sub voce "Pouvoir".

16.2.1. Wird ein **KÖNNEN** als Modalisator für ein **TUN** verwendet, dann erhalten wir

- das "Tun-Können" oder die **Freiheit**,
- das "nicht-Können Tun" oder die **Ohnmacht**,
- das "Können nicht-Tun" oder die **Unabhängigkeit**
- und das "nicht-Können nicht-Tun" oder den **Gehorsam**.

16.2.2. Diese Terme können wie folgt definiert werden:

- Der Gehorsam ist ein "Tun-Müssen",
- die Unabhängigkeit ist ein "nicht-Müssen Tun",
- die Ohnmacht ist ein "Müssen nicht-Tun"
- und die Freiheit ist ein "nicht-Müssen nicht-Tun".

16.2.3. Es gibt ein **TUN-WOLLEN** und ein **SEIN-WOLLEN** (bzw. ein HA-BEN-WOLLEN); es gibt ein "nicht-Wollen Tun" und ein "nicht-Wollen Sein"; es gibt ein "nicht-Wollen nicht-Tun" und ein "nicht-Wollen nicht-Sein". Diese Kombinationen nennen wir **"volitive Modalitäten"** (voluntas)(32).

16.3. Die so gewonnenen Modalitäten sind nunmehr in einem vierten Schritt in die obige Problematik der **Differenz** einzuschreiben, um die Dimensionen der **Pragmatik** zu interpretieren.

17. Die Pragmatik behandelt die **Beziehungen** dreier **Körper**, nämlich die Beziehungen zwischen einem sprechenden / schreibenden Körper, einem gesprochenen / geschriebenen "Körper" und einem hörenden / lesenden Körper, unter dem **Aspekt der volitiven Modulation**; sie ist damit zugleich ein wesentlicher Beitrag zur **Struktur des "Begehrens"**.

17.1. Wenn einerseits ein sprechender / schreibender Körper einen gesprochenen / geschriebenen "Körper" in ein "Draußen" setzt, was wir oben als aus dem "Mangel an Sein" geborenes Zeichen des "Begehrens" (5.) und als Beweis des "Exzentrischen" des "Subjekts" (6.2.) interpretiert haben, und wenn andererseits in diesem "Draußen" nach dem "Gesetz der Signifikanten" nur ein **weiterer** Signifikant erscheinen kann (7.2.), dann ist der **Akt** des Sprechens / Schreibens eine "Suche" nach einem Signifikanten, welcher sowohl den "Mangel an Sein" des "Subjekts" als auch den "Mangel am Text" des Gesprochenen / Geschriebenen (7.2.2.) **aufheben** kann. Als dieser Signifikant figuriert der angesprochene / angeschriebene Körper des Hörers oder Lesers.

32 Vgl. ebda. 442a sub voce "Vouloir".

17.1.1. Sprechen oder Schreiben ist somit unter pragmatischem Aspekt immer eine "Suche nach der Aufhebung des Mangels"(33) und damit eine "Äußerung" der Differenz: Die Differenz zwischen dem "Draußen" und dem "Drinnen" des sprechenden / schreibenden "Subjekts" ist nicht nur eine Differenz zwischen dem Sprechenden / Schreibenden und dem von ihm produzierten Text (6.), sondern auch eine Differenz zwischen dem "ausscheidenden" und dem "aufnehmenden" "Subjekt". Kurz, in der Pragmatik erscheint die Differenz als eine Text- und Subjekt-Differenz zugleich.

17.1.2. Unter der **volitiven** Modalität ist Sprechen / Schreiben (bzw. Hören / Lesen) ein vierfaches(34):
- ein "Tun-Tun" (faire-faire): ein Signifikant **tut** mittels eines Signifikanten an einem anderen Signifikanten etwas, damit dieser **tut**;
- ein "Tun-Wollen" (vouloir-faire), also ein **Wunsch** oder ein "**Begehren**"; als "Tun-Tun" ist das "Tun-Wollen" auch ein "**Tun-Wollen Tun-Wollen**": Jemand will mittels Sprechen / Schreiben erreichen, daß jemand anders etwas tun **will**;
- ein "**Sein-Wollen**" (vouloir-être), also ebenfalls ein Wunsch oder ein "**Begehren**": Jemand will mittels Sprechen / Schreiben jemand **sein**, der er (noch) **nicht** ist. Indem er jemand anders anspricht / anschreibt, will er zugleich, daß der Angesprochene / Angeschriebene jemand sei oder sein will, der er selbst **nicht** ist;
- ein "**Haben-Wollen**" (vouloir-avoir): Der Sprechende / Schreibende will vom Angesprochenen / Angeschriebenen etwas haben, was er selbst **nicht** hat.

17.1.3. Vor allem der letztere Aspekt führt uns auf die **Struktur des** "**Tauschs**" zurück: Indem der Sprechende / Schreibende von jemandem etwas "**begehrt**", was er selbst **nicht** hat, setzt das "Begehren" als "**Suche nach dem Nicht-Mangel**" den "**Glauben**" voraus, der Sprechende / Schreibende könne seinen "Mangel" mittels Sprechen / Schreiben gegen einen "Nicht-Mangel" beim Hörenden / Lesenden "**austauschen**".

17.1.4. Dieser "Glaube" an die "Tausch"-**Möglichkeit** setzt seinerseits weiter voraus, daß auch der Angesprochene / Angeschriebene jemand "sein-**wolle**" (und etwas **tun** wolle), der zur Behebung des "Mangels" **beitragen kann**. Ohne diese stillschweigende Voraussetzung der **Kooperation** ist es sinnlos, sich überhaupt etwas vom Sprechen / Schreiben zu versprechen.

33 Vgl. ebda. 305 sub voce "Quête".
34 Vgl. ebda. 144a-145a sub voce "Faire".

17.1.5. Somit ist Sprechen / Schreiben als "Haben-Wollen" **angewiesen** auf das "Sein-Wollen" des Hörenden / Lesenden. Eben diese Korrespondenz nennen wir die **Struktur des "Vertrages"**: Wer spricht / schreibt, schließt mit dem Hörenden / Lesenden einen stillschweigenden "Vertrag", daß die Beziehung der drei Signifikanten (Sprecher / Schreiber, Text, Hörer / Leser) der Signifikation **fähig** ist.

17.1.6. Sprechen / Schreiben und Hören / Lesen beruht auf einer stillschweigenden Voraussetzung des **"Glaubens"** (Vertrauens), daß der Sprechende / Schreibende den Hörenden / Lesenden mittels der Produktion eines signifikativen "Körpers" etwas **"glauben-machen"** kann(35).

17.1.7. Die **Pragmatik** behandelt somit die Frage, inwiefern der "Körper" des Gesprochenen / Geschriebenen etwas "glauben-machen" **kann**, obwohl dieser "Körper" doch als das **Nicht**-Signifikat **in der Differenz zur "Wahrheit"** besteht (15.2.6.).

17.2. Nach diesen Vorerwägungen können wir die Pragmatik nunmehr in die obigen vier **Grund-Modalitäten** einschreiben, um damit zu erläutern, wie die Pragmatik die Kernfrage löst. Dabei kehren wir die Reihenfolge der Grund-Modalitäten aus didaktischen Gründen um.

17.2.1. Innerhalb der **veridiktorischen** Modalitäten ist ein Text als sensibler "Körper" und als "Äußerung" eines sprechenden / schreibenden Körpers ein Signifikant mit der Qualität des **"Scheins der Wahrheit"**: Der Sprechende / Schreibende **weiß nicht**, ob im Angesprochenen / Angeschriebenen etwas ist, das seinen "Mangel" beheben kann. Da sein Signifikant ein "Glauben-Machen" ist, ist er zugleich ein **Signifikant der Ohnmacht**: Der Sprechende / Schreibende hat nicht die "Freiheit" oder "Unabhängigkeit", seinen "Mangel" selbst zu beheben, sondern traut dies dem angesprochenen / angeschriebenen Signifikanten zu. Er zeigt damit **unbewußt**, daß er selbst dies **nicht** tun kann. Der "Schein der Wahrheit" und die "Ohnmacht" sind somit die Stigmata des **"Mangels an Sein"**.

---

35 Vgl. ebda. 76b-77a sub voce "Croire" sowie das Lacan-Zitat oben S. 282f. Vgl. auch Lacan, Seminar XI, 140: "Indem wir den andern überzeugen, daß er das habe, was uns zu ergänzen vermag, sichern wir uns zu, weiterhin verkennen zu können, was uns fehlt." Ders., Seminar II, 359: In principio erat verbum = in principio erat fides.

17.2.2. Innerhalb der **epistemischen** Modalitäten ist ein Text aufgrund dieser Prämissen ein **Signifikant** der "Gewißheit", welche "glaubt", daß im "Exzentrischen" etwas sei, das den "Mangel" beheben kann. Ein Sprechender / Schreibender **kann** nicht glauben, daß im "Draußen" ein **Nichts** sei (Ungewißheit), vielmehr unterstellt er mindestens die **"Wahrscheinlichkeit"**. Dabei ist das Sprechen / Schreiben als **"Begeh-ren"**, welches nie befriedigt werden kann, durchaus auch durch die **"Ungewißheit"** strukturiert, ob es den endgültigen und "authentischen" Signifikanten bereits gefunden hat: Es gibt beim Sprechen / Schreiben niemals ein **Wissen**, daß man endgültig "gefunden" hat, also niemals die veridiktorische Modalität des **"Seins der Wahrheit"** oder das Escha-ton. Daher werden die Häretiker des ἤδη von Paulus mit Recht verwor-fen (1 Kor 4, 8; Phil 3, 12).

17.2.3. Innerhalb der **deontischen** Modalitäten ist ein Text im doppel-ten Sinne ein "Tun-Müssen": Ein Sprechender / Schreibender **muß** spre-chen / schreiben, wenn er seinen "Mangel" beheben will; zugleich ap-pelliert er an das "Tun-Müssen" eines anderen. Hier ist der Text also ein **Signifikant** sowohl des **"Sollens"** als auch **des "Dürfens"**: Ein An-derer als das "Ich" soll und darf den "Mangel" beheben. Insofern enthält das Sprechen / Schreiben immer eine **ethische** Implikation. Dies zeigt sich auch in der **Umkehrung** der "Begehrens"-Verhältnisse: Ein Sprechender / Schreibender kann auch dem Angesprochenen / Ange-schriebenen etwas **geben** wollen, von dem er meint, daß dieser es (noch) nicht **habe**; dies geschieht zB. beim **Lehren**.

17.2.4. Innerhalb der **alethischen** Modalitäten ist ein Text ein Signi-fikant sowohl der **Notwendigkeit** als auch der **Zufälligkeit**. Diese logi-sche Kontradiktion beweist zugleich, daß der Signifikant der **Unmög-lichkeit** korreliert ist. Für das "körperliche" So-sein des Signifikan-ten gilt in bezug auf die Signifikation mit **Ferdinand de Saussure** die **Arbitrarität** (Zufälligkeit): Aus dem sensiblen "Körper" des Signifikan-ten läßt sich das intelligible Signifikat nicht ableiten; es ist eine Unmöglichkeit. In bezug auf die Spannung zwischen "Mangel" und "Aufhebung des Mangels" gilt mit **Jacques Lacan** die **Notwendigkeit**, weil der "Mangel am Ich" nur durch das sich selbst "glauben-Machen" an die **"Fülle im Draußen"** zur Signifikation befähigt.

17.3. Bevor auf diesem Hintergrund die **Kernfrage** der Pragmatik beantwortet werden kann, muß noch auf das Phänomen der "Spaltung" als physisch-psychische **Figur der Differenz** eingegangen werden.

17.3.1. Dabei gehen wir von der Tatsache aus, daß der in die Aspekte Sprechen / Schreiben und Hören / Lesen zerfallende intelligible Prozeß der **Kommunikation** in sensibler Hinsicht als **Nebeneinander dreier Körper** erscheint: **Zwischen** dem Körper des Sprechenden / Schreibenden und dem Körper des Hörenden / Lesenden steht der "Körper" des **Textes**, was wir oben (15.1.1.) als die **syntaktische** Figur des "Gesetzes der Signifikanten" bezeichnet haben.

17.3.2. Dieses Nebeneinander dreier Signifikanten beweist bereits, daß es hier **keine Identität**, sondern nur die Differenz geben kann: In keinem der drei Signifikanten ist der **"Nicht-Mangel" gegenwärtig.** Vielmehr haben nicht nur die beiden miteinander kommunizierenden Personen, sondern auch der zwischen ihnen "ausgetauschte" Text am **"Mangel"** teil, die einen als "Mangel an Sein", der andere als "Mangel am Text". Wir nennen diesen Tatbestand die **"Spaltung"**.

17.3.3. Fragen wir nach ihrer **Ursache,** so gelangen wir zu dem logisch früheren Punkt der **Zufälligkeit** sowohl der Irreduzibilität des intelligiblen Signifikats auf den sensiblen Signifikanten (15.1.9.) als auch der **Notwendigkeit** ihrer Zuordnung (17.2.4.).

17.3.3.1. Die "Spaltung" des Menschen ist somit verursacht durch den **"Ersatz"**-Charakter der Signifikanten und ihre Dialektik von **"Anwesenheit"** und **"Abwesenheit"**: Indem der Mensch spricht / schreibt, verstößt er gegen **"Occams Rasiermesser"** ("entia non sunt multiplicanda praeter necessitatem"), da er nicht mehr mit den "Dingen selbst", sondern mit ihrem Zeichen-**"Ersatz"** umgeht, der nach dem "Gesetz der Signifikanten" immer **weitere** Signifikanten "abspaltet".

17.3.3.2. Dabei "spaltet" er aus dem Reich der "Dinge" signifikante "Körper" ab, welche sowohl die "Dinge" als auch die "Bedeutungen" abwesend machen, dh. **"verdrängen"** (9.1., 9.2.).

17.3.3.3. **Sigmund Freud** hat dies bereits 1925 als Phänomen der **"Verneinung"** erkannt und als Ursache der psychoanalytischen "Spaltung" des Menschen in der Neurose bezeichnet (9.3.).

17.3.4. Es muß allerdings gefragt werden, inwiefern das "praeter necessitatem" Occams gilt, wenn der Signifikant einerseits der **Unmöglichkeit** und andererseits der **Notwendigkeit** korreliert ist: Inwiefern ist es für den Menschen notwendig zu sprechen / zu schreiben, wenn er gerade nicht das "Ungespaltene", sondern das **"Dividuum"** ist, das von einem "Mangel" immer schon herkommt? Es ist notwendig, weil er a priori dem "Gesetz der Signifikanten" **unterworfen** ist. Aurelius Augustinus und Baruch de Spinoza nannten diesen Tatbestand die **"Knechtschaft der Zeichen"**(36).

17.3.6. Die Kernfrage der **Pragmatik**, inwiefern ein Signifikant überhaupt etwas "glauben-machen" **kann**, verschärft sich auf diesem Hintergrund zu der Frage, ob dieses "Glauben" an die Behebung des "Mangels" nicht eine **Illusion** ist(37). Denn wenn die drei beim Prozeß der Kommunikation beteiligten Signifikanten der "Knechtschaft der Zeichen" verfallen **müssen**, so daß sich das "Gesetz der Signifikanten" erneut bestätigt, inwiefern kann man dann sich selbst und andere ernsthaft "glauben-machen", man könne durch Sprechen / Schreiben und Hören / Lesen dem **"Sein der Wahrheit"**, dh. dem endgültig "Authentischen", näherkommen? **An den Signifikanten gibt es doch schlechterdings keine "Fülle des Seins"!** So läuft das "Glauben" letztlich darauf hinaus, daß das "Gesetz der Signifikanten" **aufgehoben** wird, daß das Signifikat nicht länger durch die unendliche Kette der Signifikanten **"verdrängt"** wird, daß die "Abwesenheit" in **"Anwesenheit"** umschlägt: Das "Glauben" hat mit der **Aufhebung der Differenz** zu tun. Wie aber kann diese **möglich** werden? Wie kann man **auf das Eschaton hoffen?**

17.4. Am Ende unseres Gedankengangs ergibt sich also das **Dilemma**, daß einerseits "Bedeutung" und "Sinn" als das immaterielle Intelligible nicht auf das "körperliche" Sensible der Signifikanten **zurückgeführt** werden können, daß der Mensch jedoch andererseits im Modus des "Begehrens" auf ein **"Jenseits der Differenz"** ausgerichtet zu sein scheint, in welchem das Sprechen / Schreiben zu seinem **Ziel** kommt. Wie kommt man aus diesem Dilemma heraus?

36 Vgl. oben S. 11f; Augustin, doctr. christ. III, 9, 13.
37 Vgl. dazu **Roland Sublon, Le temps de la mort**. Savoir, Parole, Désir. (Hommes et église 7). 1975. Diesem Buch verdanke ich grundlegende Einsichten sowohl in Jacques Lacan als auch in die hier vertretene hermeneutische Position; es ist das einzige mir bekannte Analogon zu meinem Entwurf.

18. Aus dem aufgewiesenen Dilemma kommt man nur heraus, wenn man mit **Jacques Lacan** die irreduzible **Differenz** zwischen dem "körperlich"-materiellen Signifikanten und dem immateriellen Signifikat als **dritte "Welt"** zwischen der "Welt der Körper" und der "Welt des Sprechens" ("symbolische Welt") interpretiert: **Zwischen** der "Welt der Körper" (René Descartes: "res extensa") und der "Welt der Symbole" (Descartes: "res cogitans") gibt es eine **"Welt des Imaginären"**, welche nicht vom sprechenden "Subjekt", sondern von dem ihm **"Anderen"** beherrscht wird und welche auch als **"Welt des Spiegels"** bezeichnet werden kann. Diese "Welt" ist das **"Zwischen"** oder die Differenz, von welcher wir in diesen Thesen durchgängig sprachen. Sie ist auch das **Metonym des Eschatons,** das auch Paulus verwendet, wenn er von der **"Vollendung des Fragmentarischen"** spricht:

"Videmus nunc per speculum in aenigmate: tunc autem facie ad faciem" (1 Kor 13, 12a).

"Nos vero omnes, revelata facie gloriam Domini speculantes, in eandem imaginem transformamur a claritate in claritatem, tamquam a Domini Spiritu" (2 Kor 3, 18).

Epilogus

Theses in hoc libro defensae non sunt Deucalionis aetate, quamquam saepe opiniones scriptorum antiquorum in bonam partem accipiunt et eas ut valde huius aetatis in conspectu lectoris ponunt. Auctoritas scientiae sapientiaeque fontuum Graecorum Romanorumque influit philosophos novos praecipue Francos quorum nomina illustria nobilissima orbis terrarum sunt.

Elegantia sermonis Sancti Augustini, ut exemplum afferam, more Ciceronis vel - ut Lutherus ait - "more Quintiliani" est. Metu dogmatis Spiritus Sancti perterrita et synergismum repellens theologia dignitatis et gravitatis artis bene dicendi oblita est et rationem textorum generorumque dicendi obscurare maluit. Itaque theologia etiam obliviscitur ipsum Spiritum Sanctum rhetoricari, ut exhortatio fiat illustrior, quae signibus uti solet.

Notitia signorum in textis tamquam in corporibus significationis intextorum contabuit et theologia non erubuit rationem "historisticam" velut unicam viam ad fontem significationis ducentem dogmatico modo quasi absolutam ponere.

Insuper theologia, quae debuisset commemorationem differentiae inter imagines et corpora facere, neglexit imagines rerum gestarum non praesentiam corporalem eiarum esse, sed phantasmata in animo humano phantasmata desiderante. Phantasmata rerum gestarum pendent ex imagine finis omnium rerum quorum vicarii signa sunt; itaque imago rerum gestarum ab imagine futura in praeteritum proicitur.

Conclamatio huius libri contra imbellicitatem philosophicam hermeneuticamque huius dogmatismi "historistici" commendat correlationem fundamentalem texti corporisque humani. Consuetudo textorum familiaritas et convictus significationis est, quae solum in Hierosolyma in terram veniente et omnes cupiditates hominum satisfaciente ad finem omnuum corporum et signorum evenit.

Hoc modo hic liber proclamatio "differentiae" est inter sermonem humanum imperfectum et in "fragmenta" fractum et consummationem eschatologicam qua Deus dissolverit omnes differentias. In proponendo anthropologiam "differentiae" contra hermeneuticam idealisticam audeo hermeneuticam novam "semioticam" proclamare velut rationem texta et corpora humana sub specie eschatologica coniungentem.

Quaestio, an tam peritus fuissem, hunc librum integro modo lingua Latina confingere, ridicula mihi videretur. Lingua Latina ab origine Christianismi in Roma, separatim a tempore Tertulliani, lingua "Franca" in ecclesia fuit, in qua omnes cogitationes universaliter proclamantur et legi possunt. An lingua "eschatologica" Latina vel Hebraica sit nescio, sed certus sum eam linguam universalem atque "plenam" esse, in qua omnia "fragmenta" dissoluta erunt.

Gratias ago Deo pro tempore felice in quo hic liber se scripsit; gratias ago eximie pro auxilio adiumentoque adiutorum meorum, dico uxorem meam carissimam et studiosos theologiae, qui registrum librorum articulorumque confeciunt et nominari nolunt. Gaudeant opere confecto!

Bonnae, die dominica "Oculi" anno Domini 1983,
id est die vicesimo primo mensis "Adar" anno 5743 post creationem mundi (in ratione temporum Iudaeorum)

Auctor.

Register der zitierten Literatur

Als alphabetisches Register ist das folgendes Verzeichnis der zitierten
Literatur angelegt: Angegeben ist der Name und das jeweilige Titelstichwort, unter dem man entsprechende Literatur am ehesten suchen oder erwarten würde. Das Titelstichwort ist also nicht immer nach korrekten Titel-
aufnahmeprinzipien angegeben, sondern nach einem sachlich übergeordneten
Gesichtspunkt. Verzeichnet sind Seite und Anmerkung, an dem der volle,
bibliographisch korrekte Titel zu finden ist.

Abramczyk, I.: Kratylos ... 236/64

Altaner, B. - Stuiber, A.:
Patrologie ... 101/1

Althaus, P.: hist. Jesus ... 200/203

Althusser, L.: Lire le Capital ... 55/153

ders.: Für Marx ... 55/153

ders.: Pour Marx ... 55/153

Apel, K.-O.: Denkweg Peirce ... 49/124

Apuleius, L.: Opera omnia ... 178/53

Arens, H.: Sprachwissenschaft ... 102/7; 231/29

Artemidor v. Daldis: Traumbuch ... 30/71a; 231/29

Ast, F.: Grundlinien ... 172/6

ders.: Lexicon Platonicum ... 172/7

Augustinus, A.: Bekenntnisse ... 103/10

ders.: Confessiones ... 103/10

ders.: doctrina christiana ... 106/31

ders.: Lehrer / De magistro ... 162/370

Barthes, R.: Analyse struct. ... 13/2

ders.: Comment parler à Dieu ... 13/2

ders.: Critique et vérité ... 37

ders.: Degré zéro ... 37

ders.: Drame, poème, roman ... 37

ders.: écriture de l'événement ... 37

ders.: effet du réel ... 37

ders.: Elemente d. Semiologie ... 37

ders.: Eléments de sémiologie ... 37

ders.: empire des signes ... 37

ders.: Erté ... 37

ders.: Essais critiques ... 37

ders.: Introd. anal. struct. ... 37

ders.: Kritik und Wahrheit ... 37

ders.: Leçon / Lektion ... 37

ders.: Lit. oder Geschichte ... 37

ders.: Lust am Text ... 13/3

ders.: Mythen des Alltags ... 37

ders.: Mythologies ... 37

ders.: Nullpunkt ... 37

ders.: Sur Racine ... 37

ders.: Reich der Zeichen ... 37

ders.: Sade, Fourier, Loyola ... 37

ders.: struktural. Tätigkeit ... 27/57; 37

ders.: S/Z ... 37

ders.: Über mich selbst ... 37

Bataille, G.: Hl. Eros ... 34/86

Bayer, U.: Lessings Zei-
chenbegriffe ... 39/93

Bentele, G. - Bystrina, I.:
Semiotik ... 49/124

Blanché, R.: Structures ... 177/48

Bocheński, J.M.: Formale
Logik ... 168/409; 228/14

Boey, C.: aliénation ... 61/192

Bolinger, D.: Visual Mor-
phemes ... 86/ 392

Borst, A.: Turmbau zu
Babel ... 14/6

Breymayer, R.: Dockhorn ... 207/13

ders.: LingBibl 39 ... 143/258

Brugmann, K.: Demonstra-
tivpronomina ... 79/322

Bucher, E.-J.: Erzäh-
lungen ... 121/121

Bühler, K.: Sprachtheorie ... 79/322; 252/127; 325/2

Bultmann, R.: Vorausset-
zungslos Exegese ... 319/5

ders.: Glauben u. Verste-
hen I ... 314/1

ders.: Bd. II ... 66/230

ders.: Bd. III ... 319/5

ders.: von Gott reden ... 314/1

ders.: Problem der Her-
meneutik ... 66/230

ders.: Theol. des NT ... 320/6

Chabrol , C. - Marin, L.:
Semiotik ... 52/142

Certeau, de, M.: Croire ... 332/27

Cicero, M.T.: Brutus, Orator ... 109/51

ders.: de oratore ... 38/91; 113/80

ders.: Vom Redner ... 113/80

Cohen, M.: écriture ... 86/392

Comenius, J.A.: Orbis ... 155/326

Coseriu, E.: Beiträge zur
Textlinguistik ... 184/87

ders.: Determinación y
entorno ... 186/103; 208/24

344

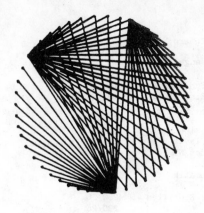

Glauben
und
Grammatik

Theologisches „Verstehen"
als grammatischer Textprozeß

herausgegeben von
Uwe Gerber und Erhardt Güttgemanns

- Glauben und „Verstehen" ist das Grundthema der „hermeneutischen" Theologie: Glauben impliziert ein existentielles Selbstverständnis, das in der existentialen Interpretation beschrieben und als eine Möglichkeit unser selbst angeboten werden kann.
- Glauben und Grammatik ist demgegenüber das Grundthema der „linguistischen" Theologie: Glauben hat notwendig mit der grammatisch fundierten Produktion der „Rede von Gott" zu tun. Die Möglichkeit des Selbstverständnisses und des glaubenden Handelns ist ihrerseits begründet in der grammatischen Fähigkeit des Menschen, Texte, „Sinn", Sprechakte und pragmatische Handlungskontexte zu erzeugen. Theologisches „Verstehen" erscheint so als grammatischer Textprozeß: Theologie ist die Grammatik der Rede von Gott.

Der Band entfaltet diese Gedanken konsequent in verschiedenen Bereichen der Theologie und will deren Auseinandersetzung mit moderner Linguistik, Semiotik und Literaturwissenschaft unumgänglich machen.

2. Aufl. 1974
ISBN 3-87797-014-1

brosch. VIII + 194 S. DM 18,—